MORTE A VOSSA EXCELÊNCIA

Entenda a verdadeira história do Juiz que desafiou e abalou a máfia

ALEXANDER STILLE

MORTE A VOSSA EXCELÊNCIA

Entenda a verdadeira história do Juiz que desafiou e abalou a máfia

Aclamação de Alexander Stille

Prefácio:

SERGIO FERNANDO MORO

Título original: Excellent cadavers

Morte a Vossa Excelência

1ª edição: maio de 2020

Revisão:

3GB Consulting

Preparação de texto:

Nine Editorial

Projeto gráfico:

Nine Editorial

Dados Internacionais de Catalogação na Publicação (CIP)

Stille, Alexander
Morte a vossa excelência: entenda a verdadeira história do juiz que desafiou e abalou a máfia / Aclamação de Alexander Stille; prefácio de Sergio Fernando Moro; tradução de Mayã Guimarães. – Porto Alegre : CDG, 2020.
480 p.

ISBN: 978-65-5047-034-0
Título original: Excellent cadavers

1. Máfia 2. Itália – Violência 3. Itália – Política e governo I. Título II. Moro, Sergio Fernando III. Guimarães, Mayã

20-1152 CDD 364.1060945

Bibliotecária Responsável

Angélica Ilacqua - Bibliotecária - CRB-8/7057

Produção editorial e distribuição:

contato@citadeleditora.com.br
www.citadeleditora.com.br

"História detalhada e envolvente... recontada com lucidez e sobriedade. O impressionante volume de Stille pode apagar a ilusão, dada por todos os filmes e outros livros que apareceram ao longo dos anos, de que você já conhece o suficiente sobre o assunto envolvente da Cosa Nostra. Até que leia *Morte a Vossa Excelência,* você provavelmente não conhece... Sr. Stille é um escritor a se acompanhar."

– The New York Times

"Oficial... *Morte a Vossa Excelência* é uma lição abrangente e cativante sobre como interpretar os sinais – passados, presentes e futuros – do papel da máfia na sociedade italiana... Um drama convincente."

– Jonathan Burnham Schwartz, Newsday

"Totalmente envolvente e particularmente arrepiante... O livro de Stille nos dá *insights* vívidos sobre a coragem e a dedicação daqueles que têm de trabalhar, dia após dia, em constante medo da morte. Este é um trabalho notável da história contemporânea."

– Barry Unsworth, London Evening Standard

"Em *Morte a Vossa Excelência,* Alexander Stille conta a história da batalha antimáfia italiana. É uma passagem crucial na história contemporânea... É também uma história heroica, e Stille tem a compreensão, tanto da política quanto do caráter humano, para tornar este livro um épico digno de seus heróis."

– John Casey, autor de Spartina

"Penetrante... Alexander Stille é um jovem e apto repórter investigativo... Um trabalho fervorosamente, lucidamente escrito, de grande importância."

– Foreign Affairs

"Um relato definitivo... Stille analisou milhares de páginas de documentos do governo e extraiu uma preciosidade em forma de livro... Ele pega os heróis – Falcone e Borsellino – e nos faz torcer por eles, embora saibamos desde o início que são destinados ao martírio."

– Tampa Tribune – Times

"Um relato soberbo e impiedoso da máfia corrupta que floresceu na Itália nos últimos anos de hegemonia democrata-cristã. *Morte a Vossa Excelência* é um dos livros mais importantes sobre a Itália contemporânea surgido nos últimos anos. É uma obra magistral de história."

– William Harris, professor de história, Universidade de Columbia

"Um relato assustador e hipnótico da máfia siciliana, cheio de heróis extraordinários e crueldade quase inacreditável e vil. Stille nos deu uma história devastadora e atualizada da República italiana que pertence à grande tradição de Tácito e Lívio. Seu livro está à altura deles."

– Richard Preston, autor de *A zona quente*

"O trabalho de Stille nas relações entre promotores e informantes é o material dos romances de le Carré... *Morte a Vossa Excelência* é um ato de fé, acreditando que os humanos irão trabalhar e se sacrificar para viver decentemente. É uma bela homenagem àqueles que morreram e para aqueles que vivem e agem com essa esperança."

– Los Angeles Times Book Review

"Se você gosta de uma história meticulosamente documentada que mais parece um filme para ser visto na ponta da cadeira, Stille fez uma oferta que você não pode recusar."

– Post e Courier (Charleston, Carolina do Sul)

Morte a Vossa Excelência

ALEXANDER STILLE

O primeiro livro de Alexander Stille, *Benevolence and Betrayal: Five Italian Jewish Families Under Fascism* (em tradução livre, Benevolência e traição: cinco famílias judaicas italianas sob o fascismo), foi citado no Suplemento Literário do *London Times* como um dos melhores livros de 1992, e recebeu o prêmio literário do *Los Angeles Times* pela categoria história. De 1990 a 1993, Stille fez uma reportagem sobre a Itália para o *US News and World Report*, o *Boston Globe* e o *Toronto Globe & Mail*, enquanto contribuía com longos artigos para *The New Yorker* e *The Atlantic* mensalmente. Ele vive entre Nova York e Atlanta, na Geórgia.

Para Sarah, Vittorio e Sesa e em memória de Giovanni Falcone, Paolo Borsellino e dos muitos outros funcionários públicos corajosos que morreram trabalhando na Sicília.

Prefácio

Meu primeiro contato com a história do juiz Giovanni Falcone contada neste livro, traduzido como *Morte a Vossa Excelência*, foi por meio do filme homônimo de 1999 e produzido pela HBO, "Excellent Cadavers".

O filme, apesar de muito bem-feito, soava inacreditável. A impressão final era a de que os roteiristas de Hollywood haviam exagerado nas liberdades criativas. Excesso de ficção.

Como acreditar, por exemplo, que 475 mafiosos teriam sido submetidos a julgamento, em um único feito, e que, diante da quantidade dos envolvidos, teria sido construído um novo prédio para que a Justiça pudesse realizar as audiências?

Fui então ao livro do jornalista Alexander Stille e a outras fontes. Para minha surpresa, o filme era uma simplificação de uma realidade ainda mais extraordinária.

O livro retrata a luta em detalhes do juiz Falcone e de seus colegas, como Paolo Borsellino e tantos outros, contra a Cosa Nostra, a máfia siciliana.

Nos anos 1980 do século passado, a Cosa Nostra era tida como invencível. Além da prática habitual da extorsão, ou seja, da cobrança periódica do "pizzo" de empresários, grandes e pequenos, estendia seus tentáculos criminosos para o domínio econômico e político. Controlava o tráfico de drogas, especialmente de heroína, embora muitas vezes buscasse esconder o seu envolvimento nessa atividade criminal "menos nobre".

Seus membros gozavam de proteção jurídica e política. Os líderes nunca eram presos e hipocritamente havia, mesmo fora do mundo do crime, aqueles que negavam a própria existência da organização criminosa.

Giovanni Falcone e seus colegas magistrados, com o auxílio da polícia e do Ministério Público, além de pontuais aliados, mudaram a regra do jogo.

Trabalhando por meio de forças-tarefas, com concentração nos crimes mafiosos, utilizando cooperação jurídica internacional com países como a Suíça e os Estados Unidos (o caso chamado Conexão Pizza foi produto da cooperação entre Itália e Estados Unidos) e servindo-se, então pioneiramente, de criminosos colaboradores, os chamados "arrependidos", lograram construir casos criminais sólidos contra lideranças e associados da Cosa Nostra.

No último ponto, há uma interessante conexão com o Brasil, pois o criminoso mais popular colaborador da história, Tommaso Buscetta, foi preso neste país antes de ser extraditado à Itália. Tentou suicidar-se durante o voo. Sobre sua vida no Brasil, há, aliás, um bom livro (*Cosa Nostra no Brasil*, 2016, Leandro Demori). Na Itália, resolveu colaborar com os magistrados, convencido por Giovanni Falcone. As informações por ele prestadas permitiram revelar a estrutura da Cosa Nostra. Dizia-se que até então os magistrados sequer tinham conhecimento do nome verdadeiro da organização criminosa, chamavam-na de Máfia, enquanto os membros a ela se referiam como Cosa Nostra.

A maior realização do grupo de magistrados e investigadores foi o maxiprocesso. Falcone e Borsellino eram juízes de instrução, figura então existente na Itália, e foram responsáveis pela investigação e pelo envio para o julgamento, em 8/11/1985, de 475 indiciados. Foi construído um Tribunal específico para comportar tal número de processados e seus advogados. O julgamento foi iniciado em 16/2/1986, sendo a sentença prolatada em 16/12/1987 pelo juiz presidente Alfonso Giordano e mais dois juízes. Aproximadamente 114 acusados foram absolvidos, mas 344 foram condenados. Mais importante, a Corte reconheceu a procedência da tese da acusação, de que a Cosa Nostra era dirigida por uma comissão formada pelos chefes das principais famílias mafiosas. Isso significava que os crimes mais sensíveis, inclusive os de assassinatos de pessoas ilustres ou "excelentes", eram decididos pela comissão. Foram condenadas à prisão perpétua as principais lideranças mafiosas, como Michele Greco, Francesco Madonia, Salvatore Riina e Bernardo Provenzano.

Após severos percalços no trâmite dos recursos, a Corte de Cassação italiana manteve, em 30/01/1992, a condenação da maioria dos acusados, inclusive restabelecendo condenações que haviam sido erroneamente revisadas nas fases anteriores.

Falcone não estava mais na magistratura. Desiludido com o arrefecimento do combate à Máfia pelo Estado Italiano e com dissabores profissionais explicados por vaidades corporativas de outros, aceitou convite para trabalhar na Divisão Criminal do Ministério da Justiça italiano, em cargo executivo. Segundo Falcone, a luta contra a Máfia, embora iniciada em Palermo, só poderia ser ganha em Roma.

Mas essa história é também uma história de sangue. A Cosa Nostra não relutava em eliminar qualquer pessoa que fosse considerada um obstáculo. Muitos perderam a vida, magistrados, policiais e até um general. Entre eles: Gaetano Costa, chefe dos Procuradores da República de Palermo; Rocco Chinnici, chefe dos juízes instrutores de Palermo; Dalla Chiesa, General e herói no enfrentamento das brigadas vermelhas, foi assassinado após ser nomeado prefeito de Palermo; Antonio Cassarà, policial; Antonio Saetta, juiz de apelação; e Antonio Scopelliti, procurador da República junto à corte de cassação. A lista é extensa, todos heróis.

Infelizmente, também foram assassinados Paolo Borsellino e Giovanni Falcone, este já no cargo no Ministério da Justiça. Falcone, em espécie de premonição, escreveu as seguintes palavras ao final de pequeno livro editado originalmente em Paris um ano antes de sua morte (*Cosa Nostra – Le juge et les "hommes d'honneur"*, 1991):

"Morre-se geralmente porque se é só ou porque se entrou num jogo maior do que suas possibilidades. Morre-se muitas vezes porque se deve agir de forma artesanal e, não se sendo ajudado, está-se destinado a levar bala. Na Sicília, a Máfia fere os servidores do Estado, que o Estado não consegue proteger."

Apesar disso, não se trata do relato de uma tragédia, mas de uma história de triunfo e coragem dos servidores públicos italianos e do próprio povo siciliano. O crime organizado foi, de certo modo, vencido. A Máfia ainda está viva. Mas a regra de impunidade dos crimes da Máfia e de suas lideranças foi quebrada. Com os assassinatos, a organização criminosa colheu apenas vitórias efêmeras e a reação institucional foi cada vez mais intensa. Lideranças, inclusive o próprio chefe de todos os chefes, Salvatore Riina, foram presos e cumpriram penas de prisão perpétua.

Foi um preço muito alto, mas, além dos ganhos imediatos, o fim da impunidade da Máfia, é importante destacar que os exemplos de dedicação e coragem desses magistrados e servidores públicos transcendem em muito o combate à Máfia e o território de Palermo, da Sicília e mesmo da Itália. Uma das provas é o livro que ora chega, finalmente traduzido, às mãos do público brasileiro.

Ao final, uma confissão pessoal. Admito que, nos muitos momentos difíceis da minha atuação como juiz – e foram eles muitos, não só na Lava Jato – sempre me inspirei na figura de magistrados como Giovanni Falcone. Meus momentos mais difíceis não faziam par às dificuldades vividas por ele e por seus colegas no combate à impunidade da Máfia. De certa forma, a experiência pessoal dele servia como um alento no sentido de que, apesar das minhas dificuldades serem grandes, eram elas superáveis, já que outros haviam, antes, passado por provações ainda mais significativas e em situações de risco mais elevadas. Não poderia reclamar ou desistir de minhas tarefas quando Falcone não havia desistido diante de obstáculos muito maiores.

Daí que este livro é fantástico e em boa hora veio a sua tradução para o português pela Editora Citadel. Tenho certeza de que o público em geral o reputará fascinante. Mas para o juiz, para o promotor, para o policial e para todos aqueles que se preocupam com o poderio das organizações criminosas brasileiras ou transnacionais, eu diria que é uma leitura obrigatória. Leia e inspire-se.

Brasília, 22 de abril de 2018.
Sergio Fernando Moro

Prólogo

Em 1876, Leopoldo Franchetti, um jovem membro do parlamento da Toscana, viajou para a Sicília com o intuito de informar sobre a estranha ilha que rapidamente se tornara a parte mais conturbada do recém-criado Estado italiano. Franchetti encantou-se com a beleza de Palermo. A majestade dos palácios barrocos, a delicadeza e a hospitalidade do povo, o clima lânguido e ensolarado, as palmeiras exóticas e o perfume inebriante das laranjeiras e dos limoeiros dos férteis bosques cítricos da Conca d'Oro.

Um recém-chegado poderia acreditar... que a Sicília era o lugar mais fácil e agradável do mundo. Mas se [o viajante] permanecesse ali por um tempo, começaria a ler os jornais e ouvir atentamente [ele escreveu], e, aos poucos, tudo mudaria ao seu redor... Ele ouviria alguém dizer que o guarda de um pomar foi morto com um tiro de rifle vindo de trás de uma parede, porque o proprietário o contratou em vez de outra pessoa... Bem ali, outro que queria alugar seus bosques quando achou conveniente viu uma bala assobiar perto de sua cabeça em um aviso amigável e por fim desistiu. Em outro lugar, um jovem que se dedicava a criar creches nos arredores de Palermo foi baleado por certas pessoas que dominavam aquela área. Elas temiam que, ao beneficiar as classes mais pobres, o jovem pudesse adquirir alguma influência sobre aquelas pessoas, influência que elas queriam reservar exclusivamente para si mesmas. A violência e os assassinatos tomavam as mais estranhas formas... Há uma história sobre um ex-padre que se tornou o chefe do crime em uma cidade perto de Palermo e que administrava pessoalmente a extrema-unção de algumas de suas vítimas. Após determinado número de histórias como essa, o perfume das flores de laranjeira e dos limoeiros começava a se assemelhar ao cheiro dos cadáveres.[1]

1. Leopoldo Franchetti, *Condizioni politiche e amministrative della Sicilia*, pp. 5-6.

O perfume das laranjeiras e dos limoeiros começou a cheirar a cadáveres durante uma das minhas primeiras viagens a Palermo. Fui visitar Domenico Signorino, um dos promotores que trabalhavam no "maxijulgamento" de Palermo – o maior julgamento da máfia que já existiu.

Signorino parecia mais aberto e cordial do que a maioria dos promotores, especialmente na Sicília. Durante uma longa e agradável entrevista, falou com grande nostalgia e carinho sobre os colegas que haviam sido mortos na guerra contra a máfia. Alguns dias depois, vi a foto de Signorino na primeira página do jornal de Palermo, *Giornale di Sicilia*, contendo a seguinte manchete: "Juiz de Palermo suspeito de conluio com a máfia". Dois dias depois, o juiz Signorino pegou uma pistola e se matou.[2]

Não foi esclarecido se o juiz Signorino era culpado ou não. O mafioso que acusou Signorino provou-se uma testemunha confiável, e é difícil imaginar que alguém com a consciência limpa pudesse cometer suicídio. Mas os promotores que trabalharam com Signorino juram por sua inocência, afirmando que ele tinha uma psique frágil, insistindo que o trauma da humilhação pública para uma pessoa acostumada ao respeito e à aprovação universais pode ser insuportável. Alguns também acharam bastante suspeito que, dos cinco juízes acusados de conluio, apenas um nome, Signorino, vazou para a imprensa. Talvez Signorino tenha sido vítima de uma manobra orquestrada.[3]

A população da Sicília não estava certa de qual cenário seria pior: um juiz encarregado dos casos mais delicados da máfia ter se vendido ao inimigo ou um homem honesto ter sido eliminado por um agente desconhecido. Alguns sugeriram uma terceira possibilidade, que Signorino não seria culpado de conluio total, mas que cometera algum outro ato impróprio, aceitara algum favor, ou conhecia certas pessoas de reputação duvidosa, o que invariavelmente teria criado uma aparência de culpa com a qual ele não pôde viver. Provavelmente nunca saberemos. O caso foi encerrado com a morte do suspeito, ocupando o seu lugar entre os inúmeros mistérios de Palermo.

A Sicília é um lugar onde quase nada é o que parece. Alguns dias depois de encontrar Signorino, fui entrevistar o novo chefe de polícia de Palermo, que parecia ser um enérgico combatente do crime, tendo recentemente

---

2. A história inicial sobre as acusações contra Signorino apareceu no *Giornale di Sicilia* em 1º dezembro de 1992. As histórias sobre seu suicídio apareceram no *Giornale di Sicilia*, no *Corriere della Sera* e no *La Stampa* em 4 de dezembro de 1992.

3. O mafioso que acusou Signorino é Gaspare Mutolo. Veja o interrogatório de Mutolo.

apreendido os bens de um dos principais clãs da máfia local. Alguns meses depois, ele também foi acusado de ter recebido propinas quando trabalhava em Nápoles. Ninguém sabe no que acreditar.[4]

Sobreviventes de 2.500 anos de invasões estrangeiras e de inúmeros governantes violentos e corruptos, os sicilianos são um povo cético. Quando perguntei a um amigo siciliano por que ele não confiava em um político local dono de uma reputação intacta de combatente da máfia, ele respondeu: "Ele está vivo, certo? Se ele realmente tivesse feito algo contra a máfia, já estaria morto".

A morte é a única verdade certa. Ela levanta o véu – mesmo que apenas brevemente – do mundo pirandelliano da política siciliana, no qual aparência e realidade são facilmente confundidas, e o rosto da máfia pode se esconder atrás da máscara respeitável de um advogado, juiz, empresário, padre ou político.

Um corpo encontrado na calçada pode revelar alianças ou conflitos secretos, interesses econômicos ou mudanças de estratégia. A ideia de que apenas os melhores investigadores são mortos é uma equação brutal e muitas vezes injusta para os vivos: quando um policial de Palermo sobreviveu milagrosamente a uma emboscada na qual outros dois policiais morreram, tornou-se imediatamente suspeito de conluio; uma mancha que não foi removida do seu nome até a máfia finalmente matá-lo alguns anos depois. A relevância de determinado promotor ou político pode não ser perceptível até que ele desapareça.

O momento da verdade veio para o juiz Giovanni Falcone em 23 de maio de 1992, quando ele, sua esposa e três guarda-costas foram mortos em uma enorme explosão que destruiu a estrada que ligava o aeroporto de Punta Raisi a Palermo.

Apenas dois meses depois, em 19 de julho, o amigo íntimo de Falcone e seu colega promotor, Paolo Borsellino, e cinco guarda-costas foram explodidos quando Borsellino chegou para visitar a mãe em um domingo, no centro de Palermo.

Em enormes manifestações populares, orações fúnebres solenes e procissões à luz de velas, os dois promotores foram aclamados como heróis nacionais, como os mais implacáveis e perigosos inimigos da Cosa Nostra

4. O chefe de polícia (*questore*) de Palermo foi Matteo Cinque. As acusações contra ele foram relatadas no *Corriere della Sera* em 29 de maio de 1993.

– a alma da operação antimáfia de Palermo, uma pequena equipe de magistrados que levou a guerra contra a máfia aonde ninguém jamais ousou.[5]

Falcone e Borsellino ocuparam os seus assentos entre os outros mártires da cidade. A população de Palermo lembra-se das datas de grandes assassinatos tão facilmente quanto os dias festivos dos santos padroeiros da Sicília: 25 de setembro de 1979, juiz Cesare Terranova; 6 de janeiro de 1980, Piersanti Mattarella, presidente da Região da Sicília; 6 de agosto de 1980, juiz Gaetano Costa; 30 de abril de 1982, Pio La Torre, chefe do Partido Comunista na Sicília; 3 de setembro de 1982, general Alberto Dalla Chiesa, prefeito de Palermo; 29 de julho de 1983, o procurador-chefe Rocco Chinnici; 6 de agosto de 1985, Antonino Cassarà, vice-chefe de polícia.[6]

Esses são alguns dos "cadáveres ilustres" da cidade, termo usado na Sicília para distinguir o assassinato de funcionários públicos proeminentes das centenas de criminosos comuns e cidadãos comuns mortos nos negócios rotineiros da máfia. Mas na primavera e no verão de 1992, a máfia parecia ter dado um salto quântico, com uma nova estratégia política/terrorista. Em março, a Cosa Nostra havia interrompido a eleição de um novo Parlamento, assassinando uma figura política importante. Então, em maio, quando o país estava ocupado tentando eleger um novo presidente, eles mataram Falcone. Por fim, em julho, com o governo recém-formado tentando decretar novas ações antimáfia e sobreviver a um crescente escândalo de corrupção do governo, Borsellino foi assassinado.

A máfia parecia enviar uma mensagem ao governo em Roma, matando os dois mais famosos promotores da máfia da Itália, os arquitetos do julgamento principal de Palermo – possivelmente o maior julgamento da máfia da história. Assassinatos acontecem não apenas para eliminar um adversário perigoso, mas também para trazer uma clara e inequívoca mensagem quando formas mais sutis de comunicação são ignoradas. "Tudo é uma mensagem, tudo é cheio de significado no mundo da Cosa Nostra, nenhum detalhe é pequeno demais para ser ignorado", escreveu Falcone em um livro de

---

5. A descrição de Palermo é baseada em relatórios do autor em Palermo, durante os meses de novembro e dezembro de 1991. O Comitato delle Lentuola publicou uma documentação de suas atividades durante o ano após os assassinatos de Falcone e Borsellino: *Un lenzuolo contro la mafia por Robert Alajmo* (Palermo, 1993).

6. Sobre os "cadáveres ilustres" de Palermo, ver Saverio Lodato, *Quindici anni di mafia*, Milão [1990], [1994]; e Lucio Galluzzo, Franco Nicastro; Vicenzo Vasile, *Obbiettivo Falcone* (Nápoles, 1989, 1991).

memórias autobiográfico publicado um ano antes de sua morte. Por causa das estritas proibições de discutir qualquer assunto da Cosa Nostra – até mesmo de admitir a sua existência – o mafioso se comunica indiretamente por meio de ações, gestos e silêncios. "A interpretação dos sinais", acrescentou Falcone, "é uma das principais atividades de um 'homem de honra' e, consequentemente, do promotor que trabalha com a máfia."[7]

O significado dos assassinatos impressionantes de Falcone e Borsellino não ficou claro de imediato.

À primeira vista, seus assassinatos pareciam uma afirmação de total invencibilidade. A máfia mostrava estar preparada para matar qualquer um – não importava quão importante ou bem protegido – que o Estado colocasse em seu caminho. Ao matar Falcone em Palermo e não em Roma, onde trabalhou durante o último ano de sua vida, a Cosa Nostra declarou que ninguém mais estava no comando na Sicília. Teria sido mais fácil matá-lo em Roma, onde ele costumava andar sem guarda-costas: mas, ao explodir um carro blindado em um dos trechos mais movimentados da Sicília, a máfia fez uma clara demonstração do completo controle de seu território. Porém, sob a superfície dessas mensagens mais óbvias, os leitores mais perspicazes dos movimentos da Cosa Nostra viram algo bem diferente: "A máfia está nas últimas", declarou Tommaso Buscetta em entrevista de seu refúgio nos EUA, onde está sob o programa de proteção a testemunhas. "A máfia não está acostumada com esse tipo de assassinatos públicos em larga escala. Ela atua no silêncio. Acredito que está lutando por sua sobrevivência." Foi Buscetta – no papel de testemunha – quem ensinou Falcone a decifrar o comportamento da máfia. Sua interpretação dos assassinatos de Falcone e Borsellino foi recebida com ceticismo na época, mas se mostrou altamente perspicaz.[8]

As mortes levaram o Estado italiano a sua mais vigorosa campanha antimáfia em décadas. O Parlamento italiano aprovou rapidamente muitas das duras medidas antimáfia pedidas por Falcone e Borsellino durante anos, como maiores incentivos e proteção para as testemunhas da máfia e penas mais severas para os réus da máfia. Além disso, foi necessário o extraordinário envio de sete mil soldados do Exército para a Sicília, a fim de criar

7. Giovanni Falcone (com Marcelle Padovani), *Cose di Cosa Nostra*, p. 49.

8. A declaração de Buscetta está contida em uma entrevista de televisão reimpressa na *Panorama*, 2 de agosto de 1991.

barreiras, proteger juízes e políticos, e libertar a polícia para se concentrar no trabalho de investigação.[9] Os resultados dos dois anos seguintes foram nada menos que revolucionários: várias centenas de mafiosos se voltaram contra a Cosa Nostra e se ofereceram para cooperar com a polícia. A polícia italiana desmantelou organizações inteiras do dia para a noite e rastreou mais de trezentos fugitivos de longa data, incluindo vários dos chefes mais poderosos e, em particular, o chefão dos chefões, Salvatore (Totò) Riina, que estava foragido havia 23 anos.[10]

Um dos sinais que convenceram Tommaso Buscetta de que a máfia estava em apuros foi um assassinato anterior e muito mais enigmático. Em março de 1990, durante a campanha eleitoral nacional, mafiosos em Palermo mataram Salvatore Lima, provavelmente o mais poderoso político democrata cristão da Sicília e amigo íntimo do então primeiro-ministro Giulio Andreotti. O assassinato foi um completo mistério, já que Lima era tido como um dos políticos mais próximos da máfia no governo.[11]

Buscetta entendeu que os assassinatos de Falcone e Borsellino eram sintomas de uma profunda crise dentro da própria máfia. A morte de Lima representou a ruptura da aliança de longa data entre a máfia e certas partes do Partido Democrata Cristão. A Cosa Nostra havia atacado os mais altos Escalões do estado, pois o mundo político no qual a máfia havia prosperado estava se despedaçando e não podia mais, nem estava disposto a, continuar protegendo-a.

A nova estratégia terrorista da Cosa Nostra precisa ser entendida em um contexto histórico amplo. Em 1992 a ala política italiana que "tolerou" o poder da máfia no sul da Itália foi impactada por dois escândalos paralelos: a investigação da corrupção do governo, conhecida como Operação Mãos Limpas, e as revelações sobre conluio político com a máfia após a morte de Salvatore Lima. Embora separadas, as duas investigações são relacionadas. O mesmo sistema de patrocínio partidário que deu origem à corrupção massiva no norte da Itália foi altamente poroso à infiltração da máfia no sul do país.

---

9. Sobre a decisão de enviar tropas para a Sicília, ver *Corriere della Sera* e *La Stampa*, 20-25 de julho de 1991.

10. As estatísticas sobre o número de prisões e fugitivos da máfia presos em 1992 e 1993 são do Ministério do Interior da Itália.

11. A fonte mais importante de informação sobre o assassinato de Lima é o "Atto di accusa da Procura de Palermo", arquivado em 11 de outubro de 1991. Foi publicado em forma de panfleto com o nome de "Delitto Lima" (Agrigento, 1992).

Os assassinatos de Falcone e Borsellino marcam um momento crucial no fim da classe política que governou a Itália desde a Segunda Guerra Mundial até 1994. À medida que os escândalos gêmeos de corrupção e conluio da máfia progrediram, um terço do Parlamento nacional e metade do Parlamento siciliano ficaram sob alguma forma de investigação criminal. As duas figuras mais poderosas da vida política italiana – o democrata-cristão Andreotti e o líder socialista Bettino Craxi – foram expulsas do cenário político (Craxi pela comprovação de seu papel central na corrupção sistemática; Andreotti pelas crescentes acusações de conluio da máfia).

"Por mais de quarenta anos, existiu uma lei não escrita na Itália de que políticos corruptos não são presos, mafiosos não falam e não haveria um governo sem Giulio Andreotti", disse Vittorio Foa, membro do primeiro Parlamento pós-guerra da Itália e aposentado do Senado em 1992. "Agora temos um governo sem Andreotti, políticos corruptos vão para a prisão e mafiosos estão falando"[12].

A mudança radical no clima político da Itália deve-se em grande parte a desdobramentos internacionais maiores. Talvez mais do que qualquer outro país da Europa Ocidental, a Itália foi dominada pela política da Guerra Fria. Tendo o maior Partido Comunista de um país democrático, a vida política foi polarizada entre as duas forças opostas, os democratas-cristãos e os comunistas. "Devido à presença de um grande Partido Comunista, o Partido Democrata Cristão permaneceu no governo por 47 anos", disse Pietro Scoppola, professor de ciência política na Universidade de Roma e estudioso católico próximo ao Partido Democrata Cristão. "A alternância de poder era algo impossível na Itália. A D.C. (Democracia Cristã) foi forçada a usar seu poder para consolidar sua posição eleitoral, por meio do apadrinhamento. E a passagem do apadrinhamento à corrupção e, por sua vez, da corrupção à máfia, é rápida"[13].

Até muito recentemente, eleitores italianos consideravam a corrupção e o conluio pouco nocivos quando comparados a um governo dirigido pelos comunistas. "Prenda seu nariz e vote na Democracia Cristã", o editor conservador Indro Montanelli recomendou a seus leitores nos anos 1970, quando os comunistas estavam prestes a substituir a Democracia Cristã

12. Entrevista do autor com Vittorio Foa.

13. Entrevista do autor com Pietro Scopolla.

como maior partido da Itália.[14] Porém, com o desaparecimento da ameaça comunista, o rastro da corrupção tornou-se de repente intolerável. Quase da noite para o dia, uma nação que preferiu ignorar a corrupção começou a persegui-la com o zelo de um recém-convertido. Multidões comemoraram quando os intocáveis chefões do partido foram presos. Os partidos tradicionais perdiam votos e lutavam por sua sobrevivência. "Ou nós mudamos, ou morremos", disse Vincenzo Scotti, líder do partido Democrata Cristão. O fato de o poder dos democratas cristãos depender da ameaça comunista ficou claro quando o partido entrou em colapso e foi forçado a mudar de nome apenas dois anos depois de o Partido Comunista ter feito o mesmo em 1991.[15]

Até o colapso do muro de Berlim, o governo americano também se interessava em manter no poder os democratas-cristãos e deixar de fora os comunistas. Nos anos 1940 e 1950, a CIA financiou os democratas cristãos, assim como os russos financiaram o Partido Comunista Italiano. Durante o final da década de 1970, o governo dos EUA declarou abertamente sua oposição à participação comunista no governo. A política americana tem tido um comportamento esquizofrênico. Agentes da lei dos EUA trabalharam de perto e com eficácia com promotores como Giovanni Falcone e Paolo Borsellino, criando um modelo de cooperação internacional. Ao mesmo tempo, no entanto, os aliados políticos mais próximos dos EUA continuaram a ser muitos dos mesmos políticos suspeitos de ter alianças com a máfia. É uma infeliz passagem na história o fato de que muitos dos mais bravos oponentes locais da máfia estavam em lados opostos internacionalmente. Pio La Torre (líder do Partido Comunista na Sicília, morto pela máfia em 1982) liderou tanto a demanda por uma legislação mais dura antimáfia quanto a campanha para a retirada dos mísseis *cruise* da Otan de Comiso, Sicília. A instalação dos mísseis *cruise* foi a grande prioridade nas políticas da administração Reagan na Itália. Alguns consideram esse o fato decisivo que convenceu os soviéticos a abandonar a corrida armamentista e começar a Glasnost. Por tal preço, os EUA estavam mais do que prontos a ignorar quaisquer associações desagradáveis de alguns de seus aliados mais próximos.

---

14. Paul Ginsborg, *A History of Contemporary Italy* (Uma história da Itália Contemporânea), (Nova York, 1990), p. 375.

15. *The New Yorker*, 1º de março de 1993.

Durante os últimos 45 anos, apesar do espantoso nível de corrupção, a Itália desfrutou de seu maior período de paz e prosperidade desde os tempos do Império Romano. Em nenhum outro momento, tantos italianos puderam experimentar tal situação de bem-estar. Mesmo no sul, problemas como a fome, a malária e o analfabetismo foram praticamente erradicados. No entanto, essas conquistas chegaram a um preço muito alto: a região sofreu com a dominação quase total da máfia.

A dimensão do controle da máfia sobre a vida cotidiana na Sicília é algo que as pessoas de fora da Itália não conseguem entender. A máfia americana é um fenômeno parasitário que opera às margens da sociedade. No sul da Itália, ela desempenha um papel central em quase todas as áreas da vida econômica e política. Ainda há muitos lugares na Sicília onde as pessoas são forçadas a comprar água de poços privados, controlados pela máfia – uma situação quase feudal.

Por muitos anos, a maioria das pessoas subestimou o poder da máfia, considerando-a uma organização primitiva e arcaica que desapareceria à medida que a Itália se modernizasse e a situação econômica da Sicília se aproximasse da do resto da Itália. Em vez disso, ela evoluiu como um vírus altamente poderoso e mutável, que se adaptou em simbiose quase perfeita com a moderna situação de bem-estar italiana. Os partidos políticos no país controlam quase todos os aspectos da vida econômica, administrando vastas indústrias e dividindo centenas de milhares de empregos, desde o mais poderoso cargo de presidente de banco até o vendedor de rua. À medida que os partidos expandiram sua esfera de influência, os gastos do governo passaram a ocupar 52% do PIB. No sul da Itália, onde esses números chegam a impressionantes 70%, a influência política é a chave para a riqueza e o poder.[16] "Na Sicília, a máfia controla todos os contratos públicos", afirma um relatório recente da comissão antimáfia do Parlamento. "Na minha região, você não pode mexer um alfinete sem a autorização da Cosa Nostra", disse Leonardo Messina, ex-mafioso da cidade de San Cataldo, na Sicília, à comissão, mal conseguindo esconder os resquícios de seu orgulho.[17] Para criar consenso eleitoral, o governo financiou construções faraônicas e muitas vezes inúteis – rodovias que chegavam a lugar nenhum, barragens sem água, portos

16. Números da economia italiana e meridional: Relatório do "Centro Studi Confindustria, Squilibri di bilancio", distorsioni economiche dell'economia italiana, outubro de 1991, de Stefano Micossi e Giuseppe Tullio; e relatório do "Centro Studi Confindustria, L'industria in Sicilia", setembro de 1992.

17. Depoimento de Leonardo Messina perante a comissão antimáfia, 4 de dezembro de 1992.

sem navios, fábricas que nunca foram inauguradas. Esses projetos criaram empregos, enriqueceram uma série de empreendedores inescrupulosos e proporcionaram um veículo perfeito para a infiltração da máfia.

No sul do país, 45 anos de governos influenciados pela máfia transformaram o campo e as cidades. Quase todos têm uma aparência em comum: um conjunto desordenado de centenas de prédios de cimento que atravancam o horizonte; a sujeira das ruas e a falta de serviços básicos. Essas políticas populistas fizeram da Itália o maior consumidor *per capita* de cimento do mundo, e, mesmo assim, grande parte do sul da Itália ainda tem uma infraestrutura precária. Muitas das mais belas praias da Sicília foram cobertas com cimento, mas a estrada entre Palermo e Messina – em construção há mais de trinta anos – permanece incompleta.

Monumentos artísticos e sítios arqueológicos que estavam entre os mais importantes e belos de toda a Europa foram destruídos, tornando-se quase irreconhecíveis. Cerca de seiscentos prédios ilegais ocupam a área em torno dos magníficos templos gregos em Agrigento – em benefício de interesses econômicos altamente suspeitos.[18] E embora estejam em violação direta às leis de zoneamento, ninguém teve coragem de ordenar sua demolição. Em qualquer outro país europeu, as suntuosas vilas e os parques aristocráticos de Bagheria (fora de Palermo) seriam uma meca para turistas de todo o mundo. Em vez disso, a administração da cidade, corrupta e em conluio com a máfia, reduziu-a a uma favela miserável: prédios de concreto construídos ilegalmente cercam a vila, enquanto muitos dos monumentos arquitetônicos estão decadentes devido a roubos e a negligência.[19]

Em muitos lugares, a democracia como a conhecemos deixou de existir. Em 1992 e 1993, o Ministério do Interior italiano dissolveu os governos eleitos de mais de setenta vilas e cidades porque seus conselhos municipais estavam infestados pela máfia. Durante vários anos, a cidade de Platì, na Calábria, não teve conselho municipal, porque as pessoas tinham muito medo de concorrer ou de votar. Em outros lugares, os políticos negociavam para comprar pacotes de votos dos chefões do crime organizado.[20]

---

18. Sobre as construções ilegais em Agrigento e em outros lugares da Sicília, veja o relatório do Legambiente "L'ambiente illegale" (Roma, 1993), p. 31.

19. Veja Bagheria, de Dacia Maraini (Milão, 1993).

20. Os números sobre a quantidade de conselhos da cidade dissolvidos vieram do Ministério do Interior da Itália. Na cidade de Platì, veja *La Repubblica*, 22 de setembro de 1992.

A manutenção desse extraordinário grau de controle social e econômico exige o uso da ameaça constante da violência. Estima-se que dez mil pessoas tenham sido mortas pelo crime organizado no sul da Itália na década de 1980 – três vezes mais mortes que em 25 anos de guerra civil na Irlanda do Norte.[21]

Como disse o grande romancista Leonardo Sciascia, a Sicília é uma metáfora.[22] Devido à violência e ao extremismo, a Sicília contém doses altamente concentradas e dramáticas dos vícios e virtudes dos italianos. Honra, amizade e família podem assumir formas de grande dignidade, cordialidade e hospitalidade, ou se tornar perversas pela cultura mafiosa. A lealdade mafiosa ao clã é uma forma exacerbada de doença nacional que os sociólogos chamam de "familismo amoral". Em virtude de centenas de anos em Estados e principados separados, a maioria dos italianos se identifica em maior grau com sua região, vizinhança e família do que com o governo nacional. A Itália é uma nação extremamente jovem, com pouco mais de 120 anos, na qual a identificação com os conceitos abstratos de Estado, lei e bem-estar público tem tido lenta absorção. A maioria dos italianos vai até as últimas consequências na defesa de amigos e parentes. O modo como a maioria dos italianos descarta as regras burocráticas e olha para cada papel em termos estritamente humanos é muitas vezes bastante atraente, mas acaba levando ao atual sistema de patronato. Um processo burocrático pesado, que normalmente pode levar meses de papelada, é resolvido em minutos por um amigo no lugar certo. Conseguir a instalação de um telefone ou um leito de hospital em tempo hábil muitas vezes só acontece com quem tem as conexões certas. Empregos são reservados para *i raccomandati* (para aqueles com as indicações certas). Funcionários públicos de todos os tipos – de chefes de museus e teatros ao coletor de lixo local – são tratados como membros dos feudos privados dos partidos políticos italianos. Quando muitas coisas são decididas por relações, a maioria dos italianos procura a proteção de algum "clã", um partido local ou uma facção dentro de um partido, uma organização religiosa, um clube social ou uma sociedade secreta como a maçonaria ou a máfia. A guerra contra a máfia na Sicília não é um problema local de lei e ordem, mas – como Leopoldo Franchetti entendeu em 1876 – a luta pela unidade nacional e democracia na Itália.

---

21. *Raccolto Rosso Rosso*, de Enrico Deagilo (Milão, 1993), p. 9.

22. *La Sicilia come metafora: Intervista de Marcelle Padovani*, Leonardo Sciascia (Milão, 1979).

Capítulo 1

A história da máfia e do Estado italiano moderno começa em conjunto. Logo depois que Garibaldi e as tropas da região norte de Piemonte invadiram a Sicília em 1860 e a uniram ao resto da nova nação italiana, já havia o problema do crime desenfreado. No caos que se seguiu à guerra da unificação, bandidos aterrorizavam o campo, assassinando tropas do governo, enquanto bandos criminosos tentavam controlar a venda e o aluguel de terras, colocando seus próprios homens como guardas nos exuberantes jardins e bosques em Palermo e nos arredores. Os italianos do norte ficaram impressionados com a recusa dos sicilianos em cooperar com o novo governo: o silêncio obstinado de vítimas inocentes e com tendência a fazer justiça com as próprias mãos. A palavra "máfia" entrou no vocabulário italiano nesse momento para descrever o tipo particularmente tenaz de crime organizado que os italianos do norte encontraram profundamente enraizado na vida siciliana.[1]

Ao contrário de bandidos ou ladrões comuns que vivem fora da sociedade respeitável, a maioria dos mafiosos continuava a trabalhar em empregos regulares, usando a força ou o poder intimidador da organização para levar vantagem sobre os outros. Muitos dos primeiros mafiosos eram guardas armados ou administradores que geriam as grandes propriedades rurais da Sicília para os proprietários ausentes em Palermo. Tradicionalmente, o mafioso se colocava no papel de intermediário, mantendo os camponeses na linha e garantindo que a colheita fosse feita, enquanto usava seu controle

1. Para a história antiga da máfia, veja Salvatore Lupo, *Storia della mafia* (Roma, 1993); Francesco Renda, *Storia della Sicilia*, vol. 1 (Palermo, 1984); Christopher Düggan, *Fascism and the Mafia* (New Haven, 1989); e Gactano Faizone, *Storia della mafia*, Palermo, Faisone, Gaetano (Palermo 1973,1987) e Henner Hess, *Mafia* (Roma-Bari, 1984).

sobre a terra para extrair vantagens do senhorio. Em um local onde o governo nunca foi particularmente eficaz ou apreciado, grupos mafiosos usurparam muitas das funções do Estado – administrar a justiça, resolver disputas e dividir recursos. Embora os mafiosos costumem cultivar a imagem de serem Robin Hoods modernos, que roubam os ricos e dão aos pobres, eles sempre se dedicaram à tarefa de enriquecer, nunca hesitando em usar a violência e o assassinato em defesa dos próprios interesses.

Séculos de governos corruptos e violentos de conquistadores estrangeiros ensinaram os sicilianos a olhar para o poder estatal com suspeita e hostilidade. A justiça era frequentemente administrada não pelo Estado de Direito, mas pelos exércitos particulares dos latifundiários feudais da Sicília. A máfia baseia-se em um código de comportamento – a recusa em cooperar com as autoridades policiais, a preferência por justiça privada em vez da pública, a prática da extorsão – que pode ser encontrado séculos atrás. Apesar de ter raízes culturais na vida siciliana feudal, a máfia como forma de crime organizado parece ser um produto da modernidade, das novas liberdades e oportunidades de uma Itália unificada. Havia pouco espaço para o crime organizado no mundo estático do feudalismo, onde os latifundiários detinham praticamente o monopólio dos recursos econômicos e do uso da violência. O colapso das grandes propriedades feudais e a expansão do comércio possibilitaram que as classes mais baixas participassem da confusa busca por riqueza que se seguiu à unificação. Sem nenhuma tradição de lei ou administração pública, a violência ou a ameaça de violência se tornou a maneira mais fácil de sair na frente nessa competição. Como Paolo Borsellino observou certa vez: "O desejo de prevalecer sobre a competição, combinado com a falta de um Estado crível, não pode criar um mercado normal: a prática comum não é fazer melhor do que a concorrência, mas destruí-la"[2].

Na Sicília, a criminalidade atingiu proporções tão alarmantes que em 1874 se tornou tema de um enorme debate nacional. O governo conservador propôs medidas policiais de emergência para retomar o controle da ilha, o que levou à viagem de Leopoldo Franchetti à Sicília dois anos depois. Por fim, a questão derrubou o governo e colocou a esquerda no poder pela primeira vez na história da Itália. A ordem foi restaurada por meio de um acordo tipicamente italiano entre a máfia e o governo, estabelecendo um

2. Francesco Petruzzella, *Sulla pelle dello stato*, p. 163.

padrão para o futuro. A máfia ajudou a polícia a rastrear e prender os bandidos que eram a maior ameaça à segurança pública, e, em troca, o governo permitiu que a máfia continuasse com sua forma mais sutil de crime econômico. Essa capacidade de cooptar e corromper a autoridade pública caracterizou a máfia desde o início e garantiu sua impunidade por mais de 130 anos de história. O advento da democracia e a expansão dos direitos de voto deram ao crime organizado novas oportunidades para adquirir influência política. Ao controlar blocos substanciais de votos, grupos da máfia ajudaram a eleger políticos que, por sua vez, os ajudavam.

Mesmo nos dias de Franchetti, as consequências desastrosas desse acordo eram evidentes. "A Itália, ao anexar a Sicília, assumiu uma grande responsabilidade", escreveu. "O governo italiano tem a obrigação de trazer paz àquela população, ensinando-lhe o significado da lei e a sacrificar qualquer interesse privado ou político para atingir esse objetivo. Em vez disso, vemos os ministros italianos de cada partido deixando como exemplo a participação em 'transações de interesse' que são a ruína da Sicília, negociando com esses poderes locais, que poderiam tentar destruir, mas preferem mantê-los por sua ajuda no período eleitoral. O chefe de polícia, a fim de obedecer a seus superiores, acaba imitando-os e se esquece, portanto, de sua missão. Enquanto os *carabinieri* (polícia militar italiana) e os soldados do Exército estão marchando embaixo de chuva e de neve, o chefe da brigada está passando o inverno tranquilamente em Palermo – e nem sempre escondido... Pessoas com ordem de prisão são avisadas antes mesmo de os mandados serem assinados. Quando as tropas marcham para prendê-las, elas já estão foragidas há três ou quatro dias"[3].

Apenas com o surgimento do regime fascista de Mussolini houve uma primeira tentativa séria, ainda que sangrenta, de reprimir a máfia. Entre 1924 e 1929, o "prefeito de ferro" de Mussolini, Cesare Mori, conduziu prisões em massa, cercou e sitiou cidades inteiras, fez reféns e destruiu propriedades e gado, a fim de rastrear criminosos suspeitos. Em certa medida, a campanha foi um sucesso: segundo números do governo, os homicídios na província de Palermo caíram de 278 para apenas 25 em 1928. Donos de terras agradecidos escreveram cartas para Mori nas quais relataram que, depois de serem "libertados" da máfia, o valor de suas terras disparou, com os aluguéis dobrando, triplicando e, em alguns casos, aumentando em até

3. Franchetti, *Condizioni politiche e amministrative della Sicilia*, pp. 19-21.

1.500%.[4] Porém, se aparentemente reduziu a atividade criminosa, Mori pouco fez para extirpar as raízes sociais da máfia. Sua cruzada de terror, usando táticas brutais e ilegais e prendendo indiscriminadamente centenas de pessoas inocentes junto a culpados, transformou os mafiosos em vítimas perseguidas, merecedoras da simpatia popular. O fato de o regime também ter usado a operação para eliminar alguns de seus próprios oponentes políticos minou ainda mais sua credibilidade. Além disso, como mostram os números do aumento nos aluguéis, os principais beneficiados foram os proprietários de terras. Por outro lado, os salários agrícolas diminuíram em 28% durante o final dos anos 1920 e o início dos anos 1930. Os fascistas pareciam não ter eliminado os mafiosos, apenas os substituído, atuando como os novos agentes da classe proprietária de terras na Sicília. Depois que Mussolini mencionou Mori em 1929, dizendo que sua missão havia sido cumprida, o regime precisou fingir que a máfia não existia e ignorou os sinais de que os mafiosos estavam cautelosamente saindo mais uma vez de suas tocas.[5]

Com a queda do fascismo e a libertação da Sicília pelas tropas aliadas durante a Segunda Guerra Mundial, a máfia estava pronta para emergir com força total. Há uma crença generalizada na Itália de que o desembarque aliado foi preparado com a ajuda da máfia, recompensada mais tarde com importantes posições de poder. Segundo essa teoria, o governo americano aproximou-se do gângster siciliano-americano Lucky Luciano, que teria recrutado a cooperação de seus colegas sicilianos, preparando o caminho para uma vitória rápida dos aliados.

Embora interessante (e politicamente útil), a história parece ter pouca base real. Mas, como em muitas lendas, há um fundo de verdade. A Inteligência Naval de fato contatou Lucky Luciano para obter informações a respeito de sabotadores alemães nas docas de Nova York. Mas Luciano, que havia deixado a Itália quando menino, negou qualquer papel no desembarque siciliano: "Em casa, eu não tinha nenhum contato", disse.[6] Depois da Guerra, seja como um *quid pro quo*, seja como como uma tentativa de se livrar de criminosos conhecidos, os EUA deportaram Luciano e mais

4. Cesare Mori, *Con la mafia ai ferri corti* (Palermo 1932, 1993), p. 228.

5. Duggan, pp. 195-99.

6. Sobre o colorido relato do suposto envolvimento de Luciano na invasão da Sicília, ver Michele Pantaleone, *Mafia e politica* (Turim, 1960), pp. 48-63. Para uma reconstrução mais sóbria e cuidadosa, ver Lupo, p. 159.

de quarenta mafiosos de volta para a Itália – onde usaram sua experiência americana para ajudar a modernizar o crime organizado.[7]

A ocupação aliada inegavelmente deu novo fôlego à máfia. Ansiosos para excluir tanto os comunistas quanto os fascistas do poder, o exército anglo-americano – conscientemente ou não – colocou vários mafiosos proeminentes como prefeitos de suas cidades. Um mafioso ítalo-americano, Vito Genovese, conseguiu tornar-se intérprete para o governador americano da Sicília, Coronel Charles Poletti, durante os seis meses de ocupação militar.[8] Criminosos conseguiram se infiltrar na administração aliada, muitas vezes com a ajuda de soldados ítalo-americanos. Eles contrabandeavam suprimentos de armazéns militares e geriam um mercado negro florescente em produtos escassos como comida, tabaco, sapatos e roupas. Embora o comércio no mercado negro possa ter envolvido a corrupção de funcionários de baixo e médio escalão, nada sugere que tenha sido uma estratégia concebida em Washington. O Pentágono e a administração de Roosevelt registraram seu espanto em relação à situação na Sicília. Como no período pós-unificação italiana, ao final da Segunda Guerra Mundial, seguiu-se uma época de liberdade caótica e expansão econômica, que a máfia soube explorar habilmente.

Determinada a evitar a perseguição sofrida sob o regime fascista, a máfia esforçou-se para garantir proteção política na nova ordem pós-guerra. No início, muitos mafiosos apoiaram o novo movimento separatista siciliano, ajudando a organizar um pequeno exército guerrilheiro. Porém, quando a causa separatista desvaneceu e outros partidos, como o Partido Democrata Cristão, surgiram, os chefes da máfia trocaram suas alianças. Com a esquerda italiana quase chegando ao poder, os novos partidos aceitaram o apoio da máfia como um baluarte contra o comunismo.

Entre 1945 e 1955, 43 socialistas ou comunistas foram assassinados na Sicília, muitas vezes em época de eleição. Em 20 abril de 1947, a Esquerda Unida (comunistas e socialistas) obteve impressionantes 30% dos votos na Sicília, contra 21% do Partido Democrata Cristão. Dez dias depois, quando os agricultores comunistas de Portella della Ginestra se reuniam

---

7. Sobre a deportação de gangsteres ítalo-americanos, ver o relatório da comissão antimáfia sobre a máfia e a política, "Relazione sui rapporti tra mafia e politica", aprovado em 6 de abril de 1993.

8. Sobre Vito Genovese e Charles Poletti, ver Claire Sterling, *Octopus* (Nova York, 1990), pp. 56-57.

para comemorar o Dia de Maio e sua vitória eleitoral, o bando criminoso de Salvatore Giuliano abriu fogo sobre a multidão, matando onze pessoas.[9]

As mortes ocorreram sob os novos ventos da Guerra Fria. Naquele ano, os EUA anunciaram a Doutrina Truman, um compromisso de combater a expansão comunista no mundo todo. Na verdade, no dia do massacre de Portella della Ginestra, o secretário de Estado George Marshall enviou um telegrama ao embaixador dos EUA em Roma expressando preocupação com a ascensão do comunismo (especialmente na Sicília) e a necessidade de adotar novas medidas para reforçar os elementos anticomunistas e pró-americanos. Até aquela época, os comunistas (juntamente com todos os outros partidos antifascistas) tinham participado como parceiros iguais no governo com os democratas-cristãos – um arranjo que os EUA reprovaram fortemente (como o telegrama de Marshall deixa claro). Como resultado dessa pressão, os democratas-cristãos expulsaram os comunistas do governo. Com o destino da Europa democrática em jogo e Stalin engolindo nações inteiras, os excessos dos bandidos locais na Sicília rural pareciam um problema menor.[10]

A decisão de aceitar a ajuda da máfia na Sicília foi feita de maneira consciente, como reconheceu abertamente um dos fundadores do Partido Democrata Cristão siciliano, Giuseppe Alessi, muitos anos depois. Embora se opusesse pessoalmente a esse pacto local com o diabo, Alessi foi vencido pela maioria, que via essa atitude como um mal necessário. "Os comunistas usam tipos semelhantes de violência contra nós, impedindo-nos de realizar comícios públicos. Precisamos da proteção de homens fortes para impedir a violência dos comunistas", disse um dos colegas, segundo Alessi. "Eu estava em minoria, e o grupo com essas ideias venceu no partido." Apesar de sua dissidência, Alessi compartilhava uma visão bastante otimista da "sociedade honrada" predominante na época: "Era outro tipo de máfia, não o tipo de crime organizado violento que vemos hoje", disse ele.[11]

"O Partido Democrata Cristão decidiu aceitar o apoio da máfia para se fortalecer na luta contra o comunismo", contou o historiador Francesco Renda. "Se esse ponto não for entendido, é impossível compreender o que aconteceu depois. As pessoas que fizeram essa escolha não eram criminosos

9. Sobre a morte de socialistas e comunistas, ver Renda, *Storia della Sicilia*, vol. 3, pp. 276-82.

10. Renda, vol. 3, p. 278.

11. Renda, pp. 285-86.

nem estavam se aliando a pequenos criminosos. Aliaram-se a uma força que historicamente já teve esse papel na Sicília. Tudo foi justificado em nome da Guerra Fria. A máfia foi enobrecida por ter recebido o papel de braço militar de uma grande força política, algo que ela jamais teve no passado. Naturalmente, a máfia usou o poder do governo e tornou-se não apenas uma força política e social, mas também uma força econômica, e é aí que a verdadeira aventura começa"[12].

Os autores do massacre de Portella della Ginestra, Salvatore Giuliano e seus comparsas, andaram livremente pelo interior do país por sete anos, dando entrevistas a jornais, encontrando-se com políticos e até mesmo com o procurador-chefe de Palermo. "As únicas pessoas incapazes de encontrar Giuliano eram a polícia", declarou uma sentença proferida vários anos depois. Em 1950, quando sua presença se tornou um constrangimento nacional, a máfia ajudou a acabar com o bando de Giuliano, apresentando o cadáver do bandido à polícia. "Os bandidos, a polícia e a máfia são uma coisa só, como o Pai, o Filho e o Espírito Santo", disse Gaspare Pisciotta, primo de Giuliano, cuja traição foi primordial para a captura e morte do fora da lei. Pouco depois de seu julgamento, em 1954, Pisciotta foi misteriosamente envenenado na prisão em Palermo, quando alguém colocou estricnina em seu café.[13]

O valioso papel da máfia como intermediária na captura de Giuliano e outros bandidos foi abertamente elogiado pelos juízes italianos do período. Em 1955, Giuseppe Guido Lo Schiavo, membro da mais alta corte da Itália, escreveu uma defesa direta da máfia: "As pessoas dizem que a máfia não respeita a polícia e o Judiciário, isso não é verdade. A máfia sempre respeitou o Judiciário e a Justiça, curvou-se diante de suas sentenças e não interferiu no trabalho dos magistrados. Na perseguição de bandidos e foras da lei... na verdade, uniu forças com a polícia"[14].

Chefes famosos da máfia, donos de longos registros criminais, receberam lugares de honra no Partido Democrata Cristão. E não era incomum que políticos proeminentes aparecessem como convidados de honra nos batizados, casamentos e funerais de grandes figuras da máfia. Na Sicília, ser conhecido como amigo de um mafioso era sinal não de vergonha, mas de poder.

---

12. Entrevista do autor com Renda.

13. Sobre o assassinato de Giuliano e o julgamento de Gaspare Pisciotta, ver relatório da Comissão antimáfia sobre a máfia e política, 6 de abril de 1993.

14. Lo Schiavo é citado em Pino Arlacchi, *La máfia imprenditrice* (Bolonha, 1983), p. 59.

Os chefes da máfia podiam mudar blocos inteiros de votos, e os políticos recorriam a eles em época de eleição, como fica evidente em uma carta escrita em 1951 por um membro siciliano do Parlamento, Giovanni Palazzolo, do Partido Liberal, ao chefe da máfia de Partinico:

"Caro Don Ciccio,

Na última vez que nos vimos no Hotel delle Palme (em Palermo), você me disse muito corretamente que precisávamos de um jovem membro do Parlamento Regional de Partinico que fosse um amigo e que fosse acessível aos nossos amigos. Meu amigo Totò tem todos esses requisitos, e decidi usar todas as minhas forças para ajudá-lo. Se você me ajudar em Partinico, faremos dele um membro do Parlamento.[15]"

O destinatário da carta era Francesco Coppola, conhecido como Frankie "Três dedos" Coppola, nos EUA, onde cumpria uma longa pena, até ser liberado e deportado junto de Lucky Luciano após a guerra.

Na década de 1950, depois que a reforma agrária ajudou a desmantelar as grandes propriedades feudais que ainda restavam (processo no qual a máfia agia em benefício próprio), a agricultura diminuiu significativamente na Sicília, e centenas de milhares de camponeses desempregados esvaziaram o campo em direção às cidades. Muitos se dirigiram a Palermo, a nova capital da região da Sicília. A fim de minar o movimento separatista, o governo em Roma havia concedido autonomia especial à Sicília, incluindo o direito de ter o próprio Parlamento e seu governo regional em Palermo. Não cumprindo a promessa de autogestão e maior dignidade para a população siciliana, o novo arranjo gerou uma camada extra de burocracia, milhares de empregos distribuídos a compadrios políticos e posse de milhões de dólares em fundos governamentais, criando possibilidades quase ilimitadas de corrupção e patronato. Tanto que muitos sicilianos se referiam aos seus representantes regionais como *i novanta ladroni*, "os noventa ladrões", visto que havia exatos noventa assentos no Parlamento local.[16]

Com o fluxo de dinheiro e de pessoas para a nova capital regional, a cidade experimentou um enorme *boom* de construções, conhecido como "O saque de Palermo". Construtores de imóveis agiram sem restrições, estendendo o centro da cidade ao longo do Viale della Libertà em direção ao

---

15. Carta de Palazzolo, citado em *La Violenza Programmata*, de Glorio Chinnici e Umberto Santino (Milão, 1989), p. 272.

16. Antonio Maria Di Fresco, Sicilia: *30 anni di regione* (Palermo, 1976), p. 15.

novo aeroporto de Punta Raisi. Fazendo uso de variações elaboradas nas leis de zoneamento ou violando a lei de maneira arbitrária, os construtores derrubaram os palácios *art déco* e asfaltaram muitos dos parques da cidade, transformando uma das mais belas cidades da Europa em uma desagradável floresta de condomínios de concreto.

Construtores ligados à máfia não tinham medo de usar táticas cruéis para intimidar proprietários, forçando-os a vender terras e abrindo caminho para a realização de projetos. Um dos prédios mais importantes do arquiteto siciliano Ernesto Basile foi destruído no meio da madrugada, horas antes de ficar sob a proteção das leis históricas de preservação. No período de 1959 a 1964, quando Salvatore Lima e Vito Ciancimino eram, respectivamente, prefeito e comissário de obras públicas, de 2.500 das quatro mil licenças de construção foram emitidas na cidade de Palermo para apenas três indivíduos, descritos pela Comissão Antimáfia do Parlamento como "senhores aposentados, de meios modestos, sem qualquer experiência no ramo da construção e que simplesmente emprestaram seus nomes aos verdadeiros construtores"[17].

A expansão da cidade foi acompanhada pelo gradual abandono e pela decadência da parte antiga. O centro de Palermo, já danificado pelas bombas durante a Segunda Guerra Mundial, foi gradualmente reduzido a uma favela miserável, em uma política deliberada de abandono e negligência. Por causa das restrições de zoneamento, o antigo centro não era um negócio lucrativo: levantar apartamentos baratos era muito mais lucrativo do que restaurar as estruturas dos séculos XVII e XVIII. Muitas áreas ficaram por meses ou anos sem gás, eletricidade ou água quente, obrigando os moradores a se mudarem para os novos projetos habitacionais. Mesmo bairros que não foram bombardeados durante a guerra começaram a parecer locais bombardeados. Palermo ganhou a distinção não somente de ter um Departamento de Moradia, mas um departamento de *edilizia pericolante* ou de "casas em colapso" – um infortúnio que segue até os dias de hoje.

O número de moradores do centro da cidade caiu de 125.481 pessoas para 38.960 entre 1951 e 1981 – período em que a população total de Palermo

17. Sobre o "saque de Palermo" e os papéis de Lima e Ciancimino, veja Orazio Cancilla, Palermo (Roma-Bari, 1988), pp. 525-42, e da comissão antimáfia, Relazione conclusiva, 4 febbraio, 1976, VI Legislatura, doc XXIII N.2, pp. 214-37, reimpresso em *Mafia, politica e affari, Nicola Tranfaglia* (Roma-Bari, 1992), pp. 72-108. A citação sobre construções suspeitas é de Tranfaglia, p. 94.

quase dobrou.[18] Muitos dos grandes monumentos de Palermo – as mesquitas árabes com cúpulas em forma de cebola – tornaram-se igrejas cristãs; já os palácios normandos, as fontes renascentistas e as igrejas barrocas ficaram ao lado de terrenos vazios ou edifícios abandonados com janelas quebradas. Aqueles que ficavam para trás eram geralmente os mais pobres e miseráveis da cidade, preparados para aturar as condições de uma Terceira Guerra Mundial, como os moradores de favelas do Cairo ou do Rio de Janeiro.

A história do poder da máfia em Palermo pode ser contada em termos de imóveis – tijolo a tijolo e construção a construção –, um legado que se reflete tanto nas construções baratas e no congestionamento infernal da "nova" cidade quanto na degradação total da cidade antiga. As mudanças foram tão grandes que quase ninguém ficou imune. As famílias Falcone e Borsellino não foram exceção.

Giovanni Falcone e Paolo Borsellino, nascidos respectivamente em 1939 e 1940, cresceram durante esse período de transformação a apenas alguns quarteirões de distância em um bairro antigo e degradado de Palermo, perto do porto, conhecido como La Kalsa. Durante séculos, foi conhecida como uma das áreas mais elegantes da cidade. No século XVIII, o poeta Goethe admirava as impressionantes imagens criadas pelas avenidas que se cruzavam em Palermo, por onde a aristocracia da cidade andava em carruagens nos *passeggios* diários, a fim de ver e ser vista.[19] Os Falcone viviam na Via Castrofilippo, em uma casa antes habitada por um prefeito da cidade, tio-avô de Falcone. Paolo Borsellino e sua família viviam nas proximidades da Via della Verriera, ao lado de sua farmácia familiar. Quando crianças, Falcone e Borsellino jogaram futebol juntos na Piazza Magione. O bairro havia se deteriorado desde a época de Goethe, mas conservara um pouco de sua elegância e permanecia uma mistura agradável de profissionais e diaristas, aristocratas e pescadores, empresários e mendigos.[20]

A casa dos Borsellino na Via della Verriera estava em condições precárias, e a família foi forçada a sair em 1956. A farmácia da família (administrada

18. Sobre o abandono do centro de Palermo, ver Cancilla, p. 532.

19. Johann Wolfgang von Goethe, *Jornada Italiana*, 1816-1817, trad. Auden e Elizabeth Mayer (Nova York, 1961), pp. 225-252.

20. Sobre os antecedentes familiares de Falcone e Borsellino, ver as entrevistas do autor com Maria Falcone e Rita Borsellino Fiore e Maria Pia Lepanto Borsellino. Ver também Umberto Lucentini, Paolo Borsellino: *Il valore di una vita* (Milão, 1994); e Francesco La Licata, *Storia di Giovanni Falcone* (Milão, 1993).

na época pela mãe de Paolo e agora por sua irmã, Rita, e seu marido) subsistiu, mesmo com a vizinhança desmoronando. Desabrigados ocuparam seu antigo prédio e, forçados a viver sem luz ou calor, destruíram-no parcialmente em um incêndio. Durante o saque de Palermo, a própria casa dos Falcone foi fadada à demolição, para dar lugar a uma estrada. Falcone e o resto de sua família procuraram o escritório de várias autoridades municipais, carregando fotografias dos tetos decorados do palácio, na esperança de convencê-los do valor histórico e artístico do prédio. O prédio foi destruído em 1959, embora a estrada para a qual ele deveria dar espaço nunca tenha sido construída – um depoimento do planejamento urbano irracional do período. Ambas as famílias se viram obrigadas a se unir ao êxodo em direção à comunidade de dormitórios anônimos que a periferia da cidade se tornara.

Não por acaso, os dois promotores que entraram na linha de frente contra a máfia vieram da pequena, mas sólida, classe média profissional de Palermo. O pai de Falcone era químico, e o de Borsellino, farmacêutico. A classe média – na Sicília como no resto da Itália – foi talvez a parcela da sociedade siciliana mais receptiva aos valores de patriotismo e nacionalismo promovidos pelo novo Estado italiano e enfatizou ainda mais energicamente o fascismo. "Nossa família sempre foi muito religiosa e muito atenta à ideia de dever cívico", disse Maria Falcone. "Nós crescemos cultuando a pátria-mãe. O irmão de mamãe morreu aos 18 anos na Primeira Guerra Mundial, tendo falsificado sua certidão de nascimento para poder se alistar no Exército aos 17 anos. O irmão do meu pai morreu aos 24 anos, como oficial de carreira da Força Aérea. Ouvir sobre esses familiares ainda jovens desenvolveu em nós, e em Giovanni, um amor ao país acima de tudo. 'Eles serviram a nação!', meu pai diria com reverência."

A família ia à igreja todos os domingos, e, durante algum tempo, Giovanni foi coroinha. A mãe de Giovanni demonstrava pouca afetividade, expressando sua visão siciliana de masculinidade: "Ela costumava repetir para ele que meninos nunca choram, porque queria que ele crescesse e se tornasse um homem forte", contou Maria. O pai de Giovanni era mais afetuoso, mas permaneceu o patriarca severo típico daquele período. "Ele nos ensinou a trabalhar e a cumprir com as nossas obrigações", disse Falcone. "Era um homem com fortes princípios morais, sério, honesto e extremamente ligado à família. Ele me bateu apenas uma vez durante a minha infância. Foi durante a guerra, quando quebrei uma garrafa de azeite. Alguém que não tenha vivido naqueles tempos não entenderia. Uma garrafa de azeite era um tesouro naquela época. Minha família não era rica, vivíamos com um pequeno salário estatal." Nesse lar um tanto austero e frugal, o pai de Falcone se orgulhava do fato de nunca ter se dado ao luxo de entrar em um café.[21]

Os pais de Falcone não eram politicamente ativos. "Eles tinham uma visão bastante acrítica do fascismo, eram cidadãos leais e cumpridores da lei", disse Maria Falcone. Quando garoto, ele se apaixonara por uma frase do patriota italiano Giuseppe Mazzini: "A vida é uma missão, e o dever é sua mais alta lei". Na verdade, Falcone considerou seguir carreira militar, passando um ano na academia naval italiana antes de retornar à Universidade de Palermo para estudar Direito.

Na universidade, Falcone se afastou do catolicismo de sua família e se interessou pelo comunismo. "Nossos estudos – particularmente para Giovanni e para mim – nos levaram a uma atitude decididamente crítica em relação ao fascismo, assim como qualquer forma de absolutismo", disse Maria Falcone. O Partido Comunista Italiano, apesar de não romper com a União Soviética, se destacava havia muito tempo como o partido comunista mais independente e democrático no Ocidente. Falcone nunca se tornou um membro do partido.

Paolo Borsellino cresceu com o mesmo "culto à pátria-mãe". Assim como Falcone, teve dois tios que serviram ao Exército.

Embora não tivessem sido mortos, os dois foram feitos prisioneiros na África durante a Segunda Guerra Mundial. Ambos haviam trabalhado por anos nas colônias italianas na África durante o fascismo e voltaram para Palermo depois da guerra. Como seu pai morreu quando Paolo Borsellino tinha apenas 22 anos, seus tios assumiram um papel importante em sua vida. Um deles, Francesco (Zio Ciccio), morou com os Borsellino por muitos anos. "Quando esses tios falavam sobre suas experiências na África, ele ficava encantado com essas histórias", disse sua irmã, Rita. De fato, até o final de sua vida, o escritório de Paolo Borsellino em Palermo estava cheio de máscaras e artefatos africanos trazidos da Somália por seu tio. "Paolo tinha grande sede de aprendizado: por sua própria iniciativa, foi à cidade para pesquisar as origens de nossa família", diz sua mãe, Maria Pia Lepanto Borsellino. Ele também fez uma árvore genealógica elaborada e cuidadosamente projetada da família real italiana, os Savoy. Isso não teria sido

21. Falcone, *Cose di Cosa Rostra*, p. 14.

incomum vinte anos antes, mas, na época em que Paolo Borsellino crescia, a Itália havia abolido a monarquia e os Savoy estavam vivendo no exílio, sujeitos ao regime fascista. Mas seu nome era Paolo Emanuele Borsellino, em homenagem ao rei Vittorio Emanuele, e nascera em 1940, quando a família Savoy ainda detinha o trono italiano. "Ele era apaixonado por história, queria saber sobre o fascismo, ele brincava ser um defensor dos Bourbon (a monarquia espanhola que governou a Sicília e o sul da Itália antes da unificação italiana)", disse Rita, sua irmã.

Quando estava na Universidade de Palermo, Borsellino se uniu a um grupo de estudantes neofascistas. Embora esse fato tenha se tornado fonte de escândalo nos últimos anos, o fascismo no contexto siciliano tinha um significado muito específico: apesar de todos os males, foi o único governo italiano capaz de um esforço sério para eliminar a máfia. Em uma terra onde o Estado de Direito tem sido geralmente fraco ou inexistente, Borsellino sonhava com um Estado com "E" maiúsculo. De fato, as testemunhas da máfia afirmavam repetidamente que eram estritamente proibidas de apoiar os fascistas e os comunistas. Assim, embora partindo de lados opostos do espectro político, Falcone e Borsellino foram atraídos pelas duas forças políticas que mais pareceram intransigentes em relação ao que havia de pior na vida siciliana.

Tanto Borsellino quanto Falcone tiveram experiências diretas com a máfia na juventude. Borsellino contou muitas vezes da inveja sentida de um colega de escola que se gabava de ter um tio mafioso. Ambos os promotores tiveram colegas de classe que acabaram se tornando mafiosos. Como Kalsa é uma região portuária, era repleta de marinheiros e vendedores de mercadorias contrabandeadas. Quando criança, Falcone costumava jogar pingue-pongue com Tommaso Spadaro, que ficou conhecido como o "Rei da Kalsa", um importante contrabandista de cigarros e, mais tarde, de heroína. "Eu respirei o ar da máfia desde quando era menino, mas em casa meu pai nunca falou sobre isso", disse Falcone. "Era uma palavra proibida" (mais tarde, quando Falcone denunciou Spadaro como mafioso, o mafioso não deixou de lembrá-lo de quantas vezes o derrotou no pingue-pongue).[22]

Falcone e Borsellino tornaram-se amigos novamente na Universidade de Palermo e ambos decidiram se dedicar à magistratura. Nos primeiros anos de suas carreiras, os dois deixaram Palermo para trabalhar em províncias da Sicília. Borsellino em Agrigento e Monreale, Falcone em Lentini e

22. Falcone, p. 39.

Trapani. Borsellino retornou a Palermo no início dos anos 1970, e Falcone chegou em 1978, assumindo um emprego no tribunal de falências. Borsellino estava trabalhando como promotor em um dos dois principais escritórios do Ministério Público, o *Ufficio Istruzione*, ou escritório de investigação. Na época, eles se tornaram magistrados. Nos primeiros anos, suas antigas convicções políticas tornaram-se motivo de piada entre Falcone e Borsellino, que provocavam um ao outro. "*Camerata Borsellino*", dizia Falcone, imitando a alcunha comum entre os membros do Partido Fascista.

Assim como Falcone, Borsellino nunca se filiou a nenhum partido político para evitar qualquer aparência de partidarismo em seu trabalho como magistrado. "Ele recusou numerosas ofertas para se tornar um candidato político tanto pelos socialistas quanto pelo MSI (*Movimento Sociale Italiano*, o partido neofascista)", disse Giuseppe Tricoli, um ativista no MSI e amigo de Borsellino dos tempos de universidade. "Ninguém jamais deve duvidar dos meus motivos, que eu faço o que faço para ganhar notoriedade", ele relatou a Tricoli.[23]

As origens de classe média e o fato de seus pais trabalharem em profissões que não interessavam especialmente à máfia podem ter protegido Falcone e Borsellino quando se tornaram promotores. Testemunhas da máfia relataram que a organização não costumava extorquir pequenos comerciantes – como os farmacêuticos – nos anos 1950 e 1960. Membros da classe alta de Palermo – ricos proprietários ou empresários – tinham muito mais chances de estarem familiarizados com a máfia, como vítimas ou cúmplices. Alguns simplesmente pagaram proteção para serem deixados em paz, outros decidiram usar o poder da Cosa Nostra tendo um mafioso como parceiro em um negócio, uma venda de terras ou um projeto em desenvolvimento. Muitas famílias nobres participaram alegremente do Saque de Palermo, ansiosas por lucrar rapidamente com a venda ou o desenvolvimento de suas antigas propriedades. Na verdade, alguns promotores da alta sociedade de Palermo se viram pressionados por amigos e parentes a amenizar a situação, não investigando conexões entre os criminosos comuns e os respeitáveis empresários "legítimos".

Falcone e Borsellino não faziam parte de nenhum clube exclusivo frequentado por alguns de seus colegas. Mesmo que um magistrado fosse simplesmente passar uma noite jogando *bridge*, ele poderia muito bem se

23. Entrevista do autor com Giuseppe Tricoli.

aproximar de alguém cujo nome poderia aparecer em um relatório policial ou investigação. Michele Greco – o notório chefe da máfia conhecido como "o Papa" – era membro de um clube de armas da moda; quando alguns membros começaram a resmungar a respeito de sua presença, o clube sofreu um roubo, que muitos interpretaram como um aviso. Tanto Falcone quanto Borsellino tinham uma vida social bastante restrita, entre um pequeno círculo de amigos e colegas próximos. Eles recusavam os convites à maior parte das ocasiões sociais e sempre queriam saber quem estaria presente em qualquer evento que a fossem. Um evento aparentemente inocente poderia ser uma ocasião de contato com a máfia ou comprometer um promotor, ao ser visto no mesmo ambiente que um sujeito de reputação duvidosa.

Quando retornou a Palermo em 1978, Falcone estava passando por uma crise pessoal muito difícil. Sua esposa, Rita Bonnici, escolheu permanecer em Trapani, anunciando que o deixaria por outro homem. Para piorar a situação, o sujeito era um dos superiores de Falcone, o juiz principal de Trapani, tornando o caso tema de fofoca nos tribunais da região. Na Sicília, onde a palavra *cornuto* (corno) designa o mais insignificante dos indivíduos, o colapso do casamento foi uma grande humilhação que o fez sofrer por muitos anos.

Falcone nunca discutiu seu primeiro casamento com os amigos e teria dito a suas duas irmãs que nunca mais se casaria. Em vez disso, mergulhou de cabeça em seu novo emprego no tribunal de falências, aprendendo sobre uma nova área jurídica e os meandros da vida econômica de Palermo.

Naquela época, uma "*Pax* Mafiosa" reinava na cidade. Não houve praticamente nenhum grande assassinato nos anos seguintes, o que levou algumas pessoas – movidas por boa e por má-fé – a afirmarem que a máfia não existia mais. Também não houve grandes processos contra a máfia durante vários anos. A guerra contra a organização criminosa no início dos anos 1960 levou à criação da comissão antimáfia no Parlamento e a uma série de julgamentos coletivos feitos pelo magistrado de Palermo, Cesare Terranova. Enquanto Terranova identificou corretamente todos os principais chefes da máfia siciliana, todos os casos terminaram em um fracasso desastroso. A cultura de *omertà* (silêncio) e a intimidação de testemunhas e juízes eram tão grandes que os casos do governo raramente se sustentavam nos tribunais.

Estudiosos da época insistiam que a máfia, se existisse, não era uma organização, mas um fenômeno antropológico, um conjunto de valores e atitudes comuns na Sicília.[24] Afirmavam que as histórias de ritos de iniciação, as famílias mafiosas altamente estruturadas – com *capi* (chefes) e *consiglieri* (conselheiros) – nada mais eram do que fantasias hollywoodianas e sensacionalismo da imprensa. Os observadores mais atentos notaram que a relativa calma indicava algo bem diferente, uma harmonia entre os clãs da máfia da cidade, o que significava que estavam felizes com seus negócios, com pouca ou nenhuma oposição.

De fato, todos os homens que a comissão antimáfia havia denunciado como os pilares do sistema em Palermo ainda estavam ativos. Vito Ciancimino – o ex-barbeiro de Corleone – continuava dando as cartas na prefeitura de Palermo. Todos os contratos municipais importantes continuaram a ser dirigidos ao conde Arturo Cassina, acusado de repassar grande parte do trabalho para as empresas da máfia. Os impostos da ilha eram arrecadados pelo monopólio privado da família Salvo, há muito investigada pela polícia sob a suspeita de serem mafiosos. Salvatore Lima, prefeito durante o "Saque de Palermo", se tornara membro do Parlamento, e seu mentor político, Giulio Andreotti, era o primeiro-ministro, colocando assim Lima no centro do poder em Roma.

Apesar da calma aparente, alguns policiais e promotores sabiam que nem tudo era o que parecia. O policial adjunto Boris Giuliano começou a notar o movimento de malas cheias de drogas e dinheiro indo e vindo entre Palermo e Nova York. Em vez de desaparecer, os negócios da máfia estavam crescendo como nunca. Além disso, uma série de sequestros misteriosos, assassinatos e desaparecimentos ocorrendo no interior da Sicília eram rumores indecifráveis no obscuro mundo da Cosa Nostra.

Enquanto isso, o resto do país se preocupava com problemas que pareciam muito mais urgentes e importantes – o direito ao divórcio e ao aborto, o terrorismo, a ascensão do Partido Comunista Italiano, o lugar da Itália na luta internacional entre o Oriente e Ocidente. A partir de meados da década de 1970, as manchetes dos jornais diários foram dominadas por atentados terroristas, torturas e assassinatos. O Partido Comunista Italiano havia obtido 34,5% dos votos nacionais, apenas um ponto a menos que o Partido Democrata Cristão. Os dois partidos começaram

---

24. Exemplos dessa abordagem antropológica encontram-se no trabalho de Hess, Duggan e no primeiro livro de Arlacchi, *La mafia imprenditrice*. Para uma discussão sobre a interpretação antropológica da máfia, ver Lupo e Sterling, p. 41.

a dividir o poder do governo em um arranjo conhecido como "o compromisso histórico". Em março de 1978, as Brigadas Vermelhas sequestraram o ex-primeiro-ministro Aldo Moro, um dos arquitetos da nova aliança entre democratas-cristãos e comunistas.[25]

Durante a primavera, o país ficou tão envolvido com o sequestro de Moro que mal notou que a paz foi interrompida na manhã de 30 de maio, quando um grupo de assassinos matou Giuseppe Di Cristina, o chefe de Riesi, uma cidade na Sicília oriental. Embora cometido em plena luz do dia em uma rua apinhada de Palermo, não houve testemunhas do crime. Havia, no entanto, algumas pistas intrigantes. No bolso de Di Cristina, a polícia encontrou um cheque de US$ 6 mil de Salvatore Inzerillo, o chefe da máfia em cujo território Di Cristina havia sido assassinado. Foram encontrados também os telefones particulares de Nino e Ignazio Salvo, ricos empresários democratas-cristãos, responsáveis pela operação do sistema de cobrança de impostos privados da Sicília.[26]

Embora seu caso tenha sido ignorado, Di Cristina deixou informações valiosas aos investigadores. Ele reuniu-se secretamente com a polícia, apenas alguns dias antes de sua morte em uma casa abandonada, para lhes contar sobre seu assassinato iminente, indicando seus potenciais assassinos e alertando a polícia sobre o flagelo que estava prestes a afligir a máfia e a Sicília nos anos seguintes. Di Cristina ofereceu uma visão privilegiada à polícia sobre os níveis mais altos da Cosa Nostra. Ele descreveu um rompimento entre a ala mais tradicional e moderada da máfia e os cruéis invasores da cidade de Corleone e seus aliados. A máfia de Corleone – sob a liderança de Luciano Leggio nos anos 1960 – havia se destacado por sua ferocidade homicida. Leggio – um ex-segurança ignorante – tornara-se um líder carismático na máfia, mostrando sua determinação implacável de eliminar qualquer um que estivesse em seu caminho, muitas vezes com suas próprias mãos e com a longa faca que carregava consigo. Depois da prisão de Leggio, em 1974, seu posto foi ocupado por dois de seus capangas, que cruelmente não deixaram nada a seu patrão. "Salvatore Riina e Bernardo Provenzano, apelidados de 'os animais' por sua crueldade, são os homens mais perigosos que Luciano Leggio tem à sua disposição", disse Di Cristina à polícia.

---

25. Para o estado da política italiana em 1978, a ascensão dos comunistas e o sequestro de Moro, ver Ginsborg, *A History of Contemporary Italy*. pp. 374-87.

26. Sobre um relato do funeral de Di Cristina, *L' Unità*, 3 de junho de 1978.

"Eles são pessoalmente responsáveis por pelo menos quarenta assassinatos cada um." O mais perigoso de todos era Salvatore Riina, porque "é mais inteligente do que Provenzano", acrescentou. Enquanto a máfia "tradicional", representada por chefes de Palermo como Stefano Bontate, Gaetano Badalamenti, Salvatore Inzerillo e o próprio Di Cristina, preferia uma atitude de conciliação em relação aos funcionários públicos, os *corleonesi* preferiam o confronto e a intimidação violenta. Contrariando a Comissão, o órgão governante da máfia, os *corleonesi* haviam assassinado o coronel da polícia aposentado Giuseppe Russo, um investigador obstinado. Eles realizaram uma série de sequestros na Sicília – uma prática que o resto da máfia reprovava.[27]

No final de sua confissão secreta, Di Cristina reconheceu que sua vida estava em perigo iminente. "Espero receber na próxima semana um carro blindado que alguns amigos estão me enviando. Custa cerca de £ 30 milhões (quase US$ 40 mil na época). Você sabe, Capitão, tenho muitos pecados leves na minha conta e alguns mortais."

Nenhum dos avisos de Di Cristina foi ouvido. Como ele havia previsto, a investigação sobre seu próprio assassinato concentrou-se nos membros mais conhecidos da máfia "tradicional". A polícia emitiu um mandado de prisão contra o amigo e aliado de Di Cristina Salvatore Inzerillo, em cujo território Di Cristina tinha sido morto – caindo na armadilha que Salvatore Riina havia preparado.

A ofensiva militar dos *corleonesi* que Di Cristina previu realizou-se tragicamente. Em 21 de julho de 1979, assassinos da máfia mataram Boris Giuliano, o policial vigilante que demonstrara interesse demais nas malas que viajavam entre Palermo e Nova York. Em setembro, os *corleonesi* cumpriram a ameaça de matar Cesare Terranova, membro da comissão antimáfia do Parlamento que retornou para assumir o gabinete de investigação do Palácio de Justiça de Palermo. E apenas quatro meses depois, em 6 de janeiro de 1980, Piersanti Mattarella foi morto. Presidente da Região da Sicília e mais importante político democrata-cristão na ilha, ele tentou

27. Um relato completo da confissão de Di Cristina está contido no relatório da Legione Carabinieri di Palermo, de 25 de agosto, 1978. Também extensivamente citada na acusação do maxijulgamento de Palermo, *Ordinanza Sentenza contra Abbate + 706*, arquivado em Palermo, em 8 de novembro de 1985. Uma seleção generosa do documento de 8.607 páginas está reimpressa no livro Mafia: *L'atto di accusa dei giudici di Palermo*, editado por Corrado Stajano (Roma, 1986). As confissões de Di Cristina estão nas pp. 18-37.

limpar o lucrativo mercado de contratos do governo, fortemente poluído pelos interesses da máfia. A temporada dos cadáveres ilustres havia começado. A nova máfia que despontava estava enviando uma mensagem clara: qualquer um que se atrevesse a enfrentar a Cosa Nostra – até mesmo o presidente da região – encontraria morte certeira.[28]

Nesse período, Falcone teve a oportunidade de sair do tribunal de falências para se juntar a seu amigo Borsellino no escritório de investigação, o *Ufficio Istruzione de Palermo* (naquela época, havia dois escritórios distintos de promotores dentro do sistema judicial italiano: a *Procura della Repubblica* iniciava os processos criminais contra um réu, depois passava o caso para o *Ufficio Istruzione* para ser investigado e preparado para julgamento. A *Procura della Repubblica* então revisava as provas e apresentava o caso no tribunal). O escritório de investigação era dirigido por um resistente promotor comunista, Rocco Chinnici, que estava determinado a seguir com a forte posição antimáfia iniciada por seu antecessor, Cesare Terranova, que havia sido assassinado antes de poder tomar posse.

Na noite de 5 de maio de 1980, três assassinos da máfia atiraram e mataram o capitão da polícia Emanuele Basile, que havia iniciado as investigações de drogas de Boris Giuliano. No dia seguinte, a polícia de Palermo ordenou a prisão de cerca de 55 membros de três famílias mafiosas em Palermo, Inzerillo, Spatola e Di Maggio, acusadas de administrar um enorme cartel internacional de heroína juntamente com a família Gambino em Nova York. Essas prisões configuraram uma das maiores operações antimáfia em mais de uma década. O caso logo ficou mergulhado em contradições. Os dois promotores assistentes responsáveis pelo caso na *Procura della Repubblica* de Palermo recusaram-se a validar os mandados de prisão contra as famílias de Palermo. O chefe do escritório, Gaetano Costa, embora reconhecendo que as provas contra alguns dos réus eram frágeis, insistiu que era primordial não se acovardar diante da máfia, mantendo alguns mafiosos presos. Os dois jovens promotores relutaram em se contradizer, após terem tranquilizado os advogados dos acusados, prometendo que seus clientes sairiam em liberdade após pagamento de fiança. Costa e seus assistentes discutiam ardentemente, enquanto uma multidão de jornalistas e advogados

---

28. Um relato completo do assassinato de Boris Giuliano foi arquivado pela *Questura di Palermo*, em dezembro de 1979. Sobre a morte de Boris Giuliano em Lodato, *Quindici anni di mafia*, pp. 13-20, enquanto a de Matarella é tratada na p. 35. Sobre a morte de Terranova, ver Galluzzo, p. 125.

de defesa esperava ansiosa no corredor do lado de fora. Por fim, Costa foi forçado assinar os mandados de prisão, em uma atitude incomum e corajosa. Quando a reunião terminou, um dos promotores assistentes disse aos advogados da máfia que esperavam do lado de fora: "Ele foi o responsável, nós não", deixando Costa em posição exposta e vulnerável.[29]

Logo depois, o caso da heroína Spatola-Inzerillo – e seu extenso rastro de sangue – foi transferido para o escritório de investigação, chegando à mesa de Giovanni Falcone, como seu primeiro grande embate contra a máfia de Palermo.

29. Para um relato da morte de Basile e sobre os mandados de prisão contra Inzerillo, ver *La Repubblica, 6 de maio de 1980, e Lodato, pp. 40-42. No debate sobre a "Procura della Repubblica",* ver Galluzzo, pp. 131-43. Além disso, veja a entrevista do autor com Vincenzo Geraci.

Capítulo 2

Poucos dias após a transferência do caso de drogas de Spatola-Inzerillo, Falcone recebeu uma visita inesperada dos advogados dos réus, que, em Palermo, costumam ser os rostos sorridentes e gentis com que a máfia destila suas ameaças mortíferas: "Estamos muito felizes por você ter sido designado para este caso", disseram eles. "Somos admiradores do seu senso de equilíbrio e justiça.[1]"

Incialmente, os advogados teriam razões para estar satisfeitos com Falcone. Após examinar as evidências iniciais, ele decidiu libertar dezoito dos 28 homens presos. Apesar de sua reputação como promotor linha-dura, Falcone tinha convicções libertárias, recusando-se a deter ou prender pessoas quando sentia que as provas eram insuficientes.[2]

Mas o alívio da máfia durou pouco. Falcone inaugurou uma revolução silenciosa nas investigações de casos da máfia. Ele fez uso de sua experiência nos tribunais de falências e aplicou-a ao mundo financeiro da máfia. Voltando-se para ao cheque encontrado dois anos antes sob o corpo de Giuseppe Di Cristina, ele começou a reconstruir toda uma rede de relações econômicas. Juntamente ao cheque no bolso de Di Cristina, havia dois registros de câmbio do Banco de Nápoles, de um montante de £ 20 milhões cada (cerca de US$ 24 mil na época). Ele confiscou os registros de câmbio de todos os bancos da Sicília desde 1975 e, por conta própria, começou a

1. Lucio Galluzzo, Francesco La Licata e Saverlo Lodato, *Falcone Vive* (Palermo, 1986, 1992 p. 37).

2. Sobre a libertação dos réus e os detalhes completos da investigação, veja *Requisitoria, Rosario Spatola + 84*, por Giusto Sciacchitano, na Procura della Repubblica de Palermo, em 7 de dezembro de 1981; e *Sentenza istruttoria del processo contro Rosario Spatola +119*, por Giovanni Falcone, Palermo, 1982. Uma reconstrução parcial é dada por Lodato, pp. 44-50. Veja também as entrevistas do autor com Sciacchitano e Francesco Lo Voi.

investigar milhares de cheques e registros bancários. "O método investigativo que ele criou era tão novo que não conseguíamos entender", lembra o juiz Francesco Lo Voi, que acabara de ingressar no Judiciário, tornando-se pupilo de Falcone. "Falcone tinha essa montanha de registros e começou a fazer o que um time de funcionários do Tesouro faria agora. Não havia computadores na época, ele escrevia tudo em ordem alfabética em pequenas agendas e começava a interrogar todas pessoas cujos nomes continuavam aparecendo na investigação.

Falcone descobriu que o mesmo gângster napolitano (usando um nome falso) que descontou os US$ 24 mil para Di Cristina tinha descontado, no mesmo dia, 31 recibos diferentes no valor de US$ 360 mil para vários outros mafiosos sicilianos. As famílias mafiosas sicilianas não apenas trabalhavam umas com as outras, como também trabalhavam de mãos dadas com as máfias napolitanas e da Calábria (conhecidas como a Camorra e a 'Ndrangheta). A mesma rede que administrara o tráfico e o contrabando de cigarro na década de 1950 e 1960 simplesmente passou a trabalhar com heroína. Os napolitanos traziam a morfina do Líbano e da Turquia; os sicilianos exportavam para os EUA e depois traziam o dinheiro de volta à Itália. Por meio dessas investigações bancárias, Falcone descobriu indícios de £ 3 bilhões (cerca de US$ 3 milhões) circulando entre Palermo e Nápoles ao longo de um ano.

Falcone flagrou os suspeitos em contradições: alguns que afirmavam nunca terem se conhecido foram pegos fazendo transações milionárias ou embarcando juntos em um avião carregado de heroína. Um a um, os réus do caso Spatola começaram a voltar para a cadeia.

Falcone foi colocado sob escolta policial, dando início à vida restrita que se estenderia até seus últimos dias.

A máfia não ficou de braços cruzados. Na noite de 6 de agosto, Gaetano Costa, o procurador da República que assinara os mandados de prisão no caso, foi morto em uma das ruas comerciais mais movimentadas de Palermo. Falcone correu para o local e, enquanto olhava o corpo de seu companheiro na calçada da Via Cavour, outro colega aproximou-se dele e disse: "Eu tinha certeza de que era você"[3].

A mãe e duas irmãs de Falcone estavam preocupadas com sua segurança. Quando lhe perguntaram por que aceitara um caso tão perigoso, ele

---

3. Sobre a carreira e morte de Costa, ver Galluzzo, *Obiettivo Falcone*, pp. 126-43, e Lodato, *Quindici anni di mafia*, p. 54. Além disso, entrevista do autor com Rita Bartoli Costa.

respondeu: "Você só pode morrer uma vez". "Giovanni tinha uma atitude muito siciliana em relação à morte – não que ele não fosse extremamente ligado à vida, mas considerava a morte como algo inevitável, que você deve aceitar com resignação", explicou sua irmã Maria Falcone.[4]

Em vez de desistir, Falcone ampliou os trabalhos, abrindo várias frentes simultâneas de investigação. Em maio, a polícia do aeroporto de Roma havia prendido o belga Albert Gillet, pego com oito quilos de heroína em sua mala. Logo depois, outras duas "mulas" europeias, uma belga e outra suíça, foram presas. Esses indivíduos não tinham nenhuma lealdade especial à organização e, presos fora da Itália, começaram a testemunhar contra a máfia. A expansão internacional da máfia trouxe lucros enormes, mas também expôs a organização a novos riscos, forçando-a a lidar com pessoas desconhecidas e inconfiáveis.

Embora Falcone ainda não pudesse acessar o âmago da organização por causa da *omertà*, ele conseguiu um depoimento importante, que descrevia em primeira mão a operação e lavagem de dinheiro do narcotráfico na Europa, definindo os papéis dos principais criminosos na Sicília e nos EUA. "Uma das grandes intuições de Falcone no caso Spatola foi sua decisão de procurar evidências fora do país. De fato, foi mais fácil encontrar documentos e testemunhas no exterior", contou Giusto Sciacchitano, que trabalhou no caso Spatola para a *Procura della Repubblica*.[5] Gillet disse a Falcone que a Cosa Nostra não estava apenas vendendo drogas, mas também havia montado cinco grandes refinarias de heroína na Sicília. Segundo o traficante belga, a máfia dominara grande parte do grupo responsável pelo tráfico de drogas em Marselha, conhecido como Conexão Francesa. Eles mantiveram o time de químicos franceses na produção da heroína, encabeçados por um homem que Gillet conhecia apenas por "André".

A polícia francesa avisou os italianos sobre a chegada na Sicília do famoso químico André Bousquet, certamente o mesmo "André" mencionado pelo traficante belga. A polícia italiana o localizou juntamente com dois outros franceses em Riva Smeralda, um luxuoso hotel na cidade de Carini, nos arredores de Palermo. Disfarçados de garçons, os policiais serviram comida e bebida aos homens e depois os seguiram até um laboratório de heroína nas proximidades. Finalmente, em 25 de agosto (duas semanas

---

4. Entrevista do autor com Maria Falcone.

5. Entrevista do autor com Giusto Sciacchitano.

após o assassinato de Costa), eles decidiram entrar. Quando a polícia entrou no laboratório para prender os três químicos franceses, espantou-se com um fato inesperado: havia também ali dois mafiosos sicilianos. Um deles, Gherlando Alberti, conhecido como *u paccaré* (*"il paccato"*, o pacífico), era figura conhecida nos tribunais do crime dos anos 1960. A polícia italiana não só havia descoberto a primeira refinaria de heroína da Sicília, como também havia exposto as ligações entre os químicos franceses a um chefe da máfia de primeira ordem. Mais tarde naquele dia, foi localizado um outro laboratório de heroína, maior do que o primeiro. A julgar pelo equipamento encontrado, a refinaria seria capaz de produzir cinquenta quilos de heroína por semana – no valor de cerca de US$ 12,5 milhões no mercado americano.

A euforia criada pela descoberta foi rapidamente atenuada dois dias depois, quando dois jovens entraram no Hotel Riva Smeralda, pediram duas cervejas, depois atiraram e mataram o dono do hotel. O corajoso hoteleiro, Carmelo Jannì, foi a quarta vítima dessa investigação, em linha remontada à morte do comissário de polícia Boris Giuliano. O assassinato revelou a debilidade do esforço antimáfia italiano, o trabalho de meia dúzia de indivíduos determinados, com praticamente nenhuma estrutura institucional por trás deles, incapaz de, entre outras coisas, proteger testemunhas.[6]

De novo e de novo, Falcone compensou a escassez de recursos em Palermo aproveitando a força de outras cidades italianas e de outros países com sistemas de aplicação da lei mais modernos e com mais recursos. Naquele momento, a cooperação entre as promotorias era mais a exceção do que a regra; os juízes em Palermo raramente se davam ao trabalho de conversar com os promotores de outras cidades da ilha, muito menos com o resto da Itália. O que Falcone estava fazendo – trabalhando simultaneamente com as polícias da França, Bélgica, Suíça, EUA, Turquia, assim como as de Milão e Roma – era praticamente inédito. Muitos de seus colegas rejeitaram a busca exaustiva por evidências, chamando seus esforços de "turismo judicial".

Em dezembro de 1980, Falcone fez sua primeira viagem aos EUA, iniciando um contato que nos nos doze anos seguintes levaria a algumas das maiores operações jurídicas internacionais da história. Seus contatos nos EUA renderam importantes descobertas. Os agentes antidrogas americanos

---

6. Sobre a descoberta do laboratório de heroína, a prisão de Alberti e o assassinato de Janni, veja a *Requisitoria, Rosario Spatola + 84*; Lodato, pp. 44-50; e *La Repubblica*, 28 de agosto de 1980.

descobriram que mafiosos sicilianos de topo, incluindo o próprio Salvatore Inzerillo, viajaram para os EUA, reunindo-se com seus primos americanos, John e Joe Gambino, para assegurar a chegada de grandes carregamentos de heroína. Ao investigar registros de viagem na Itália, Falcone conseguiu confirmar as alegações dos agentes americanos, comparando as viagens dos mafiosos e a chegada dos carregamentos de drogas.

Quanto mais Falcone se aprofundava no caso Spatola, mais seus limites se expandiam. "Em meio aos documentos do caso Spatola, surgia uma nova realidade a ser decifrada", disse Falcone, muitos anos depois.[7] As implicações desse caos iam muito além de uma atividade criminal comum, mas atingiam o coração da política e do poder econômico em Palermo. O principal réu, Rosario Spatola, foi uma figura ímpar. Na década de 1950, Spatola era um criminoso medíocre, preso por vender leite adulterado com água. Durante o Saque de Palermo, ele se transformou em um dos maiores agentes imobiliários da cidade, com centenas de funcionários. Em 1980 ele era o maior contribuinte da Sicília e o quinto maior da Itália. O império de Spatola foi construído com os lucros do tráfico de drogas e com sua habilidade de conquistar contratos governamentais, o que significava poderosas conexões políticas. De fato, Spatola patrocinou um banquete eleitoral para Attilio Ruffino, ministro da Defesa de Palermo, membro do Partido Democrata Cristão e sobrinho de um arcebispo da cidade. "Agora, vão para casa e digam aos seus amigos e aos amigos dos amigos que eles devem apoiar este homem íntegro e honrado", disse Spatola aos seus convidados. Na Sicília, o termo "*gli amici degli amici*" (os amigos dos amigos) é um código da máfia usado com frequência. Spatola era primo em primeiro grau e parceiro de negócios de dois dos mais importantes suspeitos na investigação do tráfico de heroína: Salvatore Inzerillo em Palermo e John Gambino em Nova York. Falcone poderia provar, por meio da investigação da movimentação bancária, que os negócios de construção de Spatola eram apenas uma fachada, usada por Gambino e Inzerillo para esconder suas operações no tráfico. O grupo Spatola-Inzerillo também era suspeito do assassinato de Piersanti Mattarella, o parlamentar que tentara eliminar a corrupção nos contratos do governo na Sicília. Um dos principais contratos barrados por ele foi exatamente um que Spatola esperava ansiosamente que se concretizasse.[8]

7. *Falcone vive*, p. 47.

8. Sterling, *Octopus*, p. 199; Cancilla, p. 541.

Muito além da política siciliana local, o caso Spatola envolveu o mundo dos bancos internacionais e o auge do poder italiano. O caminho de Falcone logo se cruzou com o dos promotores em Milão, que acompanhavam a carreira criminosa do banqueiro siciliano Michele Sindona. Nos anos 1970, Sindona tornara-se um dos maiores banqueiros internacionais da época. Conselheiro financeiro do Vaticano, ele havia assumido um dos maiores bancos dos EUA (*Franklin National Bank*) e era um dos grandes apoiadores do Partido Democrata Cristão. Em 1974, Sindona deu US$ 2,5 milhões a Amintore Fanfani, ex-primeiro-ministro democrata cristão, que mais tarde ocuparia o cargo novamente. Fanfani afirmou que o dinheiro teria sido um empréstimo de campanha, mas Sindona insistiu que era um presente e Fanfani nunca foi capaz de provar que o empréstimo foi pago – Fanfani jamais foi censurado pelo Parlamento, nem sequer processado, pelo episódio. Sindona também era próximo de Giulio Andreotti, outro parlamentar que havia saudado o banqueiro de "o salvador da lira"[9]. Quando o império financeiro de Sindona desabou em meio a revelações de fraudes generalizadas, ele iniciou uma série de tentativas desesperadas de chantagear seus amigos políticos, visando um resgate do governo para seu grupo bancário. Mas o plano de resgate não agradou alguns inspetores bancários que se recusaram a engolir esse saque injustificado do Tesouro público. O inimigo mais implacável de Sindona foi Giorgio Ambrosoli, o advogado que supervisionava as contas da agência de Milão. Depois de inúmeras e inúteis tentativas de intimidar Ambrosoli, em julho de 1979, Sindona enviou um assassino de Nova York a Milão para matá-lo. O assassinato só piorou a situação legal de Sindona. No mês seguinte, ele desapareceu de sua suíte no Hotel Pierre, em Nova York, onde estava em prisão domiciliar. Com a ajuda de John Gambino e usando uma barba falsa, Sindona encenou o próprio sequestro por um grupo terrorista imaginário. O banqueiro falido usou o "sequestro" para retornar à Itália e reunir documentos incriminadores, no esforço de aumentar a pressão sobre seus amigos no governo. As exigências de seus "sequestradores" eram ameaças veladas, indicando que Sindona iria delatar a todos durante o seu julgamento na prisão, a não ser que fosse libertado. Durante os primeiros dois meses

---

9. Sobre o empréstimo de Sindona a Fanfani e suas relações com outros líderes democratas-cristãs, ver *Commissione parlamentare d'inchiesta sul caso Sindona; Relazione conclusiva, VIII Legislatura, doc. XXIII*, n. 2, Roma, 1982, pp. 161-78, reimpresso em Tranfaglia, *Mafia, politica e affari*, pp. 203-20. Veja também *L'Espresso*, outubro de 1981 e novembro de 1981.

de seu desaparecimento, a polícia acreditou que Sindona estava nas mãos de terroristas. Eles ficaram surpresos ao descobrir, em 9 de outubro de 1979, que a pessoa que entregava um bilhete de resgate ao advogado de Sindona em Roma não era outra senão Vicenzo Spatola, sobrinho do magnata imobiliário Rosario Sindona. As pessoas que mantinham Sindona na Sicília eram os mesmos mafiosos que já estavam sob investigação criminal por administrar o cartel de heroína entre Palermo e Nova York. Em uma última tentativa desesperada de manter a ficção de um sequestro terrorista, Sindona deu um tiro na própria perna, voltou para os EUA e foi "libertado" em uma esquina de Nova York.[10]

Investigadores suspeitam que a máfia estava ajudando Sindona com o intuito de recuperar milhões de dólares do tráfico que foram lavados em seu império financeiro. Se os bancos de Sindona falissem, o dinheiro da máfia também iria pelo ralo.

Seguindo sua política de procurar ajuda em todos os lugares, Falcone se aproximou de promotores em Milão que estavam investigando o assassinato de Giorgio Ambrosoli. O escritório de Milão tinha uma tradição de independência política e, ironicamente, teve mais sucesso processando a máfia siciliana do que as instituições de Palermo. Os promotores de Milão, e não de Palermo, foram os que finalmente conseguiram capturar o chefe de Corleone, Luciano Leggio, tirando-o de circulação com uma sentença de prisão perpétua.

Quando Falcone chegou a Milão, foi recebido com certa dose de ceticismo. "Um dos juízes em Milão me perguntou que garantias eu poderia dar de que o caso não seria engavetado caso fosse tratado a partir de Palermo", explicou Falcone anos depois.[11] "Os juízes de Milão geralmente tinham pouca experiência com seus colegas sicilianos", disse Giuliano Turone, um dos juízes milaneses que trabalharam com Falcone. "Eles tinham uma abordagem sociológica da máfia, que levou à absolvição de todos os principais casos nos anos 1960 e 1970", explicou Turone. "Eu diria que Falcone era diferente. Ele estava buscando um método investigativo científico muito mais moderno, por meio da apuração da lavagem de dinheiro e de registros bancários. As ações contra a máfia na Sicília mudaram com Falcone.

---

10. Sobre a morte de Ambrosoli, ver *Sindona: gli atti d'accusa dei giudici di Milano* (Roma, 1984), pp. 47-51; Stajano, *Un eroe borghese* (Turim, 1991); Sterling, pp. 192-94.

11. *Falcone vive*, pp. 44-45.

Eu tive a impressão de que ele era movido por uma espécie de patriotismo siciliano, um desejo de libertar a ilha do flagelo da máfia"[12].

Quando Falcone e os promotores de Milão se uniram no caso de Sindona, ficou claro que o sequestro não passava de uma farsa, mas os detalhes exatos e os objetivos maiores dos misteriosos noventa dias que Sindona passara na Sicília precisavam ser esclarecidos. "Todos suspeitavam que Sindona estava se escondendo na Sicília, mas isso não foi comprovado", disse Elio Pizzuti, general aposentado da *Guardia di Finanza* (Polícia do Tesouro), que trabalhou de perto com Falcone na parte financeira do caso Spatola. "O primeiro rastro que encontramos foi quando um dos meus homens descobriu que Sindona esteve hospedado no Hotel Excelsior em Catânia." Eles ficaram intrigados ao saber que a fatura do hotel de Sindona e de sua companhia questionável era paga por um dos empresários mais respeitados da Sicília, Gaetano Graci, um dos quatro "Cavaleiros do Trabalho" de Catânia – quatro homens que tinham fama de governar a cidade. Falcone também soube que Sindona estava se escondendo em uma vila nos arredores de Palermo, pertencente à família de Rosario Spatola, e que o banqueiro e John Gambino jantavam tranquilamente em alguns dos melhores restaurantes de Palermo.[13]

Além disso, o ramo Sindona do caso Spatola revelou uma perigosa cooperação entre a máfia e a maçonaria. Um dos principais organizadores do falso sequestro – com os Gambino e os Spatola – foi um proeminente maçom americano-siciliano chamado Joseph Miceli Crimi, um médico que havia trabalhado como médico-chefe da polícia de Palermo. Quando Falcone interrogou Miceli Crimi sobre sua motivação no caso Sindona, o médico deu uma resposta surpreendente: os maçons ajudavam Sindona com a intenção de preparar um golpe de Estado anticomunista que separaria a Sicília do resto da Itália. Miceli Crimi teve ajuda de numerosos maçons sicilianos, enquanto carregava Sindona (que também era maçom) de cidade em cidade. Além disso, durante a permanência de Sindona na Sicília, Miceli Crimi viajou a Arezzo para se encontrar com Licio Gelli, o chefe de um braço secreto da maçonaria conhecido como "P2" – uma organização misteriosa que atraiu muitos dos membros mais poderosos das Forças Armadas italianas e de serviços secretos para fins que nunca foram esclarecidos.[14]

12. Entrevista do autor com Giuliano Turone.

13. Entrevista do autor com Ellio Pjzzuti.

14. Tranfaglia, pp. 203-10.

Alguns viam o P2 como um governo reacionário, preparado para tomar o poder em caso de uma vitória eleitoral comunista, enquanto outros acreditavam que não era nada além de uma associação escusa, de pessoas ansiosas para avançar em suas próprias carreiras por meio de conexões poderosas. Não há dúvida, no entanto, que o grande mago da loja maçônica P2, Licio Gelli, exerceu grande influência ocultista na vida italiana. A lista dos 950 membros conhecidos incluía 52 oficiais *carabinieri* italianos, 50 oficiais do exército, 37 membros de alto escalão da Polícia do Tesouro, 29 oficiais da Marinha, chefes de polícia, ministros atuais e ex-ministros do governo, 38 parlamentares, 14 juízes, presidentes de bancos e inúmeros membros dos serviços secretos italianos. Também foram membros o proprietário e editor do maior jornal da Itália, *Il Corriere della Sera*, e o principal magnata da televisão (e ex-primeiro-ministro) Silvio Berlusconi. O acesso que Gelli tinha a informações sigilosas dos serviços secretos deu a ele grande poder de intimidação. Por meio de seu controle sobre Roberto Calvi, o chefe do *Banco Ambrosiano*, Gelli exerceu considerável influência econômica e política. Gelli negociou um pagamento multimilionário de Calvi ao líder socialista Bettino Craxi (como o atual escândalo de corrupção confirmou). Ele foi o homem que Giulio Andreotti procurou para apresentar ao ditador argentino Juan Perón. Embora muitos membros do P2 pudessem desconhecer as atividades de Licio Gelli, o fato de tantos funcionários de alto escalão do governo jurarem lealdade a um grupo secreto liderado por um ex-fascista fervoroso não os torna grandes defensores da democracia italiana.[15]

As complexas implicações do caso Sindona não passaram despercebidas aos olhos dos promotores. "O caso Sindona deixou claro que na Itália a fronteira entre os mundos legal e ilegal, entre o político e o criminoso, é uma linha tênue e porosa", disse Giuliano Turone, o promotor milanês que trabalhou de perto com Falcone no caso Sindona.[16] O fato de que dois dos banqueiros mais ricos do país, Sindona e Roberto Calvi – ambos membros da Loja P2 –, acabaram sob investigação criminal e vítimas de mortes violentas revela o quão poroso é esse limite.

---

15. *Relazione della commissione parlamentare d'inchiesta sulla loggia massonica P2, IX Legisiature, doc. XXIII*, n. 2, julho de 1984. Sobre a participação de Berlusconi no P2, veja Giovanni Ruggeri e Mario Guarino, Berluscone: *Inchiesta esta sul Signor TV* (Milão, 1994).

16. Entrevista do autor com Turone.

Sindona vivia em meio às diretorias de Wall Street, Londres e Milão, circulava nos palácios romanos de ministros e cardeais do governo e no restaurante de John Gambino no Brooklyn. Essa mistura de mundos não poderia coexistir sem implicações práticas: Sindona conseguiu usar o poder da máfia para aterrorizar o financiador mais poderoso da Itália (Enrico Cuccua) e matar um honesto funcionário público (Ambrosoli). Sindona gabava-se abertamente de suas conexões políticas com o submundo do crime, que, por sua vez, o usava para seus próprios fins.[17] Pouco antes de matar Giorgio Ambrosoli, o assassino da máfia William Arico invocou o nome de Giulio Andreotti em uma ameaça telefônica, que Ambrosoli cuidadosamente gravou:

ASSASSINO: Eles estão apontando o dedo para você. Eu estou em Roma e eles estão apontando o dedo, porque você não está cooperando.

AMBROSOLI: Mas quem são "eles"?

ASSASSINO: O chefão.

AMBROSOLI: Quem é o chefão?

ASSASSINO: Você sabe de quem estou falando. O chefão e o chefinho, todos estão culpando você... Você é um cara legal, eu sinto muito... O chefão mesmo, você entende? Sim ou não?

AMBROSOLI: Eu imagino que o chefão seja o Sindona.

ASSASSINO: Não, é o Andreotti!

AMBROSOLI: Quem? O Andreotti?

ASSASSINO: Sim. Ele ligou e disse que tinha tudo sob controle, mas é tudo culpa sua. Então, cuidado.[18]

Embora essas alegações possam ter sido inventadas apenas para assustar Ambrosoli, é fato que um dos conselheiros mais próximos de Andreotti se encontrou com Sindona em Nova York quando Sindona estava sob acusação e era oficialmente um fugitivo de Justiça italiana. Esse e muitos outros encontros que Andreotti teve com os advogados de Sindona em Roma criaram a impressão de que o primeiro-ministro apoiava o plano de resgate para Sindona, tão firmemente rechaçado pelos reguladores bancários.[19]

---

17. Veja Sindona e Stajano.

18. *Corriere della Sera*, 1º de maio de 1984.

19. O assessor de Andreotti que se encontrou com Sindona foi Franco Evangelisti. A reunião e as relações entre Sindona e Andreotti são descritas no relatório parlamentar sobre o caso das estações, reimpresso em Tranfaglia, pp. 260-67.

É bastante significativo que o maior escândalo político italiano nos anos 1980 – a loja maçônica P2 – tenha saído de uma investigação sobre a máfia siciliana. Na verdade, Falcone estava em Milão com seus colegas em março de 1981, quando a polícia invadiu a vila de Licio Gelli em Arezzo e encontrou as listas secretas de participantes. Essa pista, por sua vez, levou de volta a Palermo, onde o chefe de polícia e seu suplente estavam entre os membros listados na loja secreta de Gelli. A revelação de que tantas figuras poderosas do governo pertenciam a tal organização suspeita derrubou o governo do primeiro-ministro Arnaldo Forlani.[20] Mas os promotores de Milão não foram autorizados a prosseguir investigando todas as implicações do caso; a Suprema Corte concedeu a jurisdição do caso ao escritório de Roma mais maleável – onde o caso definhou lentamente. O Conselho Superior da Magistratura (o órgão regulador do Judiciário independente) decidiu não tomar medidas contra quatorze juízes cujos nomes apareceram na lista de membros da loja P2.[21] Durante 1981, a investigação de Falcone se expandiu para incluir cerca de 120 réus – uma das maiores investigações da máfia em duas décadas. Mas ao invés de receber elogios, ele se tornou objeto de sarcasmo em muitos quadrantes do Palácio de Justiça de Palermo. "Ele vai se afogar em papel", comentavam alguns de seus colegas. "Quem ele pensa que é, um xerife, promotor? O ministro da Justiça?", eles diziam.[22] A atitude enérgica de Falcone estava abalando a atmosfera sonolenta do tribunal de Palermo, movimentando profissionais de longa data, abordando interesses econômicos vitais e colocando pessoas em risco. "Na maior parte do tempo, o gabinete de investigação limitava-se a confirmar o conteúdo do relatório policial e os mandados de prisão", disse Leonardo Guarnotta, um amigo próximo e colega de Falcone no escritório. "Nós chamávamos as várias testemunhas e pedíamos que confirmassem o que tinham dito aos policiais."[23] Havia uma espécie de consenso a respeito da inutilidade de se processar a máfia, pois as provas nunca eram suficientes. Os grandes casos da máfia preparados por Cesare Terranova nos anos 1960 acabaram dando em nada. Depois dessas perdas desmoralizantes, o escritório de Palermo

---

20. *L'Unità*, 16 de maio de 1981.

21. *L'Unità*, 2 de maio de 1981.

22. *Falcone vive*, p. 55.

23. Entrevista do autor com Leonardo Guarnotta.

pouco fez para derrotar a máfia. Essa conduta passiva e resignada era ao mesmo tempo fácil e segura.

O juiz Turone já sentia a atmosfera de hostilidade que começara a cercar Falcone quando este chegou de Milão a Palermo, durante o caso de Spatola. "As pessoas diriam a Giovanni: 'Você não está fazendo estatísticas'. Eles o criticavam por gastar tanto tempo com esse caso, em vez de analisar muitos casos rotineiros que poderiam ser feitos em cinco minutos. Essa equação de produtividade burocrática foi usada para desencorajar os juízes a não se debruçarem sobre investigações complexas e difíceis." Turone, um homem do norte, vivia impressionado com a estranheza e a duplicidade do mundo siciliano, onde as coisas nunca eram o que pareciam. "Um outro promotor de Justiça entrava no escritório de Falcone, eles eram cordiais, sorrisos e tapinhas nas costas, e então, quando o outro saía, Giovanni dizia para mim: 'Tenha muito cuidado com esse aí'."[24]

A atmosfera de suspeita era tal que os chefes dos dois escritórios de promotoria – Gaetano Costa, da *Procura della Repubblica*, e Rocco Chinnici, do Ufficio Istruzione – costumavam se encontrar no elevador para discutir casos delicados, a fim de não serem vistos juntos.[25]

"Falcone era muito sozinho naquela época", disse Elio Pizzuti, da Polícia do Tesouro, que escoltou Falcone noite e dia, de 1981 a 1983. Sua desconfiança em relação aos outros não era sem motivo. "Em um momento durante o caso da Spatola, planejávamos fazer uma série de prisões no meio da noite. Quando meus homens chegaram, nenhum dos suspeitos estava em casa. Pizzuti estava convencido de que alguém – talvez um balconista ou uma secretária – deve ter vazado os nomes dos suspeitos, depois que foram registrados no dia anterior às prisões. "Fui até o procurador da República, Vincenzo Pajno, e perguntei-lhe se da próxima vez nós poderíamos esperar para escrever os nomes no registro somente após as apreensões. Então, dali em diante, nunca mais tivemos problemas."[26]

Ao longo de sua carreira, Falcone foi uma figura que tendia a polarizar as pessoas ao seu redor. Ao contrário de Paolo Borsellino, que tinha uma atitude sociável e calorosa, deixando as pessoas à vontade, Falcone era muito mais reservado e tímido. Sempre vestido com elegância e com

---

24. Entrevista do autor com Turone.

25. Lodato, p. 39.

26. Entrevista do autor com Pizzuti.

uma barba impecável, Falcone tinha um sorriso sutil e irônico, difícil de ler. "Borsellino era muito mais extrovertido e acessível", disse o juiz Leonardo Guarnotta, que trabalhou com os dois por muitos anos. "Giovanni era mais reservado, muito mais frio em uma primeira aproximação. Muitos confundiam sua atitude reservada com arrogância ou desconfiança. Ele era muito prudente, mas, quando passava a conhecer a gente, ele se abria completamente." Como Falcone era muito exigente consigo mesmo, era igualmente duro com os outros. As pessoas percebiam que ele não encarava com leveza situações de mentiras e traições, e buscavam não o contrariar.

"Quando cheguei a Palermo no início da década de 1980, o Palácio da Justiça já estava dividido entre os amigos e os inimigos de Falcone, sendo os amigos uma minoria decidida", lembrou Ignazio De Francisci, que mais tarde trabalhou de perto com Falcone. "Eu diria que um terço era fiel a ele, um terço contra e um terço indiferente."

Com sua natureza exigente, Falcone montou uma equipe que se tornou completamente leal a ele. O motorista de Falcone durante o início dos anos 1980, Giovanni Paparcuri, lembrou que, quando foi pela primeira vez trabalhar para ele, Falcone perguntou se ele estava feliz com a missão. "Eu disse 'não, não estou'. Falcone se enfureceu e me disse para pensar no assunto, e se na semana seguinte ainda estivesse insatisfeito com o trabalho, ele me transferiria para outro trabalho." Falcone sabia que era extremamente importante que seu motorista, uma das pessoas responsáveis por sua segurança física, não ficasse com medo nem tivesse dúvidas sobre seu trabalho. "Na semana seguinte eu disse a ele que estava feliz com o trabalho. Como ele trabalhava muito, isso me fez não querer decepcioná-lo: sempre fiz questão de chegar antes em sua casa, dirigindo com cuidado, sempre sendo pontual." Embora Falcone tenha estabelecido fortes laços com as pessoas que trabalharam com ele, isso era feito de maneira tipicamente siciliana, com poucas palavras. "Nós nos comunicamos com os olhos", contou Paparcuri, algo dito por muitas pessoas que trabalharam com ele.

"Se trabalhasse duro, você ganhava o respeito dele, e, se você ganhasse o respeito dele, você tinha todo o resto", disse Barbara Sanzo, secretária de longa data do escritório de investigação. "Ele fazia você querer estar à altura da tarefa. Eu acho que não há outra pessoa no mundo que poderia trabalhar tanto sem experimentar a sensação normal de cansaço. Ele estaria aqui às sete e meia da manhã, trabalharia sem ir para casa almoçar e às sete da noite ainda estaria perfeitamente ativo. Então você o veria na manhã seguinte, pronto para fazer tudo novamente."

"Falcone era único, ele tinha uma capacidade de trabalho que era simplesmente outro nível em relação aos demais", disse Vincenzo Geraci, um dos magistrados da *Procura della Repubblica* de Palermo que mais se envolveu em casos de máfia (dados os conflitos que mais tarde surgiriam entre os dois promotores, os comentários de Geraci são um grande elogio). "Ele era uma espécie de britadeira humana. Todos nós temos períodos de trabalho intenso, mas terminam e são seguidos por um período de descanso. Mas para Falcone, era assim todos os dias, seis ou sete dias na semana, durante dez anos, nos quais ele produziu uma quantidade extraordinária de trabalho. Ao mesmo tempo, ele tinha uma sutileza investigativa que o fez explorar caminhos que os outros não teriam pensado. Uma vez que iniciava um projeto, ninguém poderia pará-lo. Giovanni era um pouco como Alexandre, o Grande, que cortou o nó górdio: todo mundo tentava inutilmente desvendar o nó, até que Alexandre pegou sua espada e o atravessou. Certa vez, quando Giovanni e eu fizemos uma viagem à Espanha, buscávamos obter os registros de um banco espanhol para rastrear a trilha de uma transação de drogas. Em vez de esperar o longo procedimento burocrático que poderia levar meses, Giovanni foi até o diretor do banco e pediu os registros. E para o meu espanto, o diretor forneceu a ele os dados pedidos."[27]

Apesar das previsões de fracasso no caso Spatola, Falcone fez o que nenhum outro juiz siciliano foi capaz de fazer. Articulando uma rede de evidências sólidas – registros bancários e de viagens, apreensão de remessas de heroína, análises de impressões digitais e manuscritas, conversas interceptadas e depoimentos em primeira mão – de réus de quatro famílias criminosas em dois continentes, Falcone provou que a Sicília havia substituído a França como a principal porta de entrada para o refino e a exportação de heroína para os EUA. Ele revelou a estreita relação de cooperação entre as famílias mafiosas da Sicília e a família Gambino em Nova York, tudo isso sem nenhuma testemunha de dentro da organização – destruindo o mito de que, por causa da muralha criada pela *omertà*, processar a máfia seria algo impossível.

Ao preparar o caso para julgamento no final de 1981, Falcone tomou uma decisão sagaz. "Nós precisamos evitar incluir qualquer assassinato no

27. Entrevista do autor com Guarnotta, Ignazio De Francisci, Giovanni Paparcuri, Barbara Santa e Vincenzo Geraci.

caso", disse a Elio Pizzuti, que era então coronel na Polícia do Tesouro, tendo trabalhado em investigações bancárias com Falcone em 1981. "O motivo dessa decisão era o seguinte: se houvesse acusações de homicídio, o caso iria a júri comum. Em um julgamento normal, o caso seria analisado por um conjunto de três juízes.[28] Falcone sabia que seria muito mais fácil intimidar um júri de cidadãos comuns, e achamos que teríamos uma chance melhor com os juízes." A promotoria ganhou 74 condenações – revertendo décadas de derrotas contra a máfia em Palermo.[29]

28. Entrevista do autor com Pizzuti.

29. O número de condenações foi relatado em *L'Espresso*, 22 de abril de 1984.

Capítulo 3

Monreale, a bela cidade normanda localizada no topo de uma colina a apenas dois quilômetros de Palermo, estava em festa. Durante três dias, a cidade comemorava a celebração do Divino Crucifixo. O centro da cidade era um caleidoscópio de luzes coloridas de carnaval. Toda a população estava nas ruas, assistindo aos espetáculos ao ar livre, comendo doces vendidos nas ruas e frequentando as missas na enorme catedral normanda que dominava a paisagem. As celebrações culminavam em uma enorme procissão religiosa que passava pelas ruas na noite de sábado, último dia das festividades; depois disso, o prefeito realizava uma grande festa que ia madrugada adentro. O capitão dos *carabinieri*, Emanuele Basile, sua esposa, Silvana, e a filha Barbara, de quatro anos, participavam da procissão e da festa. Enquanto voltavam para casa pelas ruas iluminadas, apinhadas de foliões, o capitão Basile carregava sua jovem filha sonolenta nos braços. Eles estavam a apenas alguns passos do alojamento dos *carabinieri*, onde Basile morava e trabalhava, quando três homens se aproximaram dele, sacaram suas pistolas e dispararam seis tiros contra as suas costas. Basile caiu no chão, aos pés de sua esposa, e sua filha – que milagrosamente não foi atingida – ainda estava em seus braços.[1]

Para Paolo Borsellino, o assassinato do capitão Emanuele Basile foi muito mais do que um simples assassinato da máfia.

Borsellino estava alocado em Monreale em seus primeiros anos como promotor e, na época do assassinato, os dois trabalhavam juntos em uma série de investigações extremamente delicadas sobre a máfia. Com o capitão da polícia morto, Borsellino (como Falcone após o assassinato de

1. *La Repubblica*, 6 de maio de 1980, e Lodato, *Quindici anni di mafia*, pp. 40-42.

Gaetano Costa) ficou no lugar de Basile, na linha de frente das investigações. Imediatamente após o assassinato em Monreale, Borsellino foi designado para investigar o assassinato de seu amigo e colega, quase na mesma época em que Giovanni Falcone começou a trabalhar no caso de Spatola.

"Paolo colocou tudo de si em seu trabalho, não apenas superficialmente, mas dedicando-se profundamente", disse a mãe de Borsellino (Maria Pia Lepanto Borsellino), que estava morando com o filho na época. "Paolo tornou-se extremamente religioso – embora tenha percebido isso apenas aos poucos –, e acho que foi por causa do trabalho que ele fez. Certa vez, quando ele estava no início da carreira, confidenciou a mim, quando teve que interrogar um homem que havia abusado sexualmente de sua filha: 'Como posso encontrar as palavras? Tenho tentado entender o que poderia levar um homem a isso'. Ele estava atormentado". O trabalho de Borsellino colocou-o em contato com os sujeitos mais brutais e depravados da humanidade, mas, em vez de endurecer e se distanciar deles, Borsellino só poderia cumprir o seu dever conectando-se com eles e buscando alguma qualidade que pudesse redimi-los. No caso do capitão Basile, seu senso de identificação era total. "Ele sofreu muito", disse sua mãe. "É como se tivessem matado meu irmão", disse sua irmã, Rita. "Eles eram muito próximos", relatou ela. "A morte de Basile foi um golpe que trouxe à tona um sentimento de sacrifício e abnegação que durou o resto de sua carreira", disse Agnese Borsellino, sua viúva.[2]

As chances de resolver o caso do assassinato do capitão Basile pareciam maiores do que o habitual. Pela primeira vez, houve uma testemunha ocular, a esposa de um policial que viu três homens fugindo da cena do crime. Poucas horas depois do tiroteio, os atiradores foram presos nas proximidades, com respingos de lama nas roupas e no carro de fuga, que era compatível com a lama perto do corpo de Basile. Os três presos – Giuseppe Madonia, Armando Bonnano e Vincenzo Puccio – eram homens da mais pura linhagem da máfia. Giuseppe Madonia era filho do patrão de uma das mais importantes famílias criminosas de Palermo, Francesco Madonia de Resuttana, e iniciara sua carreira criminosa na adolescência plantando dinamite.

Armando Bonnano tinha uma longa ficha criminal: ele já havia sido preso com outros rapazes, no que parecia ser um esquadrão de ataque da

---

2. Entrevista do autor com Maria Pia Lepanto Borsellino, Rita Borsellino Fiore, Agnese Borsellino e Manfredi Borsellino.

máfia pronto para a ação, armados até os dentes com uma espingarda de cano curto e cinco pistolas. O terceiro homem, Vincenzo Puccio, era uma estrela em ascensão da família Ciaculli (um bairro de Palermo).[3]

Faz sentido que esses jovens mafiosos em ascensão tenham sido escolhidos para esse trabalho. Dentro da Cosa Nostra, quanto mais importante é a vítima, maior é o prestígio para o assassino.

Na prisão, os três homens, de diferentes partes de Palermo, alegaram terem tido encontros românticos em Monreale na noite do assassinato do Capitão Basile. Quando solicitados a apontar seus álibis, insistiram que, por uma questão de honra, não poderiam citar nomes, dizendo que se tratava de mulheres casadas cujas reputações estavam em risco.[4]

Além de identificar os assassinos, Borsellino queria descobrir quem eram os mandantes do assassinato de Basile e qual era a motivação. Para descobrir isso, ele foi inevitavelmente levado de volta às investigações que Basile herdara do capitão da polícia Boris Giuliano – assassinado em julho de 1979. Quanto mais estudava as carreiras dos dois oficiais mortos, mais ele se impressionava com a notável bravura e terrível solidão de seus colegas. Giuliano havia apreendido uma mala com US$ 500 mil em dinheiro no aeroporto de Palermo e vasculhava a vizinhança de Palermo por laboratórios de refino de heroína. Pouco antes de sua morte, Giuliano fez uma descoberta extremamente importante: localizou o esconderijo de Leoluca Bagarella, cunhado de Salvatore Riina e um dos membros mais importantes da máfia de Corleone. Embora Bagarella tenha fugido, Giuliano encontrou drogas, armas, fotografias e documentos. Qualquer uma dessas investigações poderia ter levado ao seu assassinato.

A família de Giuliano sentia que os juízes de Palermo eram parcialmente culpados pela morte do inspetor: Giuliano havia bombardeado a *Procura della Repubblica* com relatórios, que haviam sido empilhados sem que fossem conduzidos a processos criminais. Borsellino não pôde concordar com eles. "Aos olhos das famílias mafiosas da época, Giuliano parecia o único investigador capaz de criar sérios problemas para elas, tanto por seu trabalho incessante e multifacetado em uma ampla gama de frentes quanto por sua tenacidade em perseguir criminosos, apesar da indiferença

---

3. *Ordinanza Sentenza contro Abbate + 706*, vol. 17, arquivado em Palermo, 8 de novembro de 1985.

4. *La Repubblica*, 6 de maio de 1980, e Lodato; pp. 40-42.

do Palácio da Justiça, que claramente desvalorizou os resultados de seu trabalho investigativo", escreveu posteriormente.[5]

A investigação sobre a morte de Giuliano fracassou. Embora ele tivesse sido morto em plena luz do dia em um café de Palermo, o garçom que havia testemunhado a morte sofreu uma súbita "perda de memória" após receber ameaças. O trabalho do *squadra mobile* de Palermo (esquadrão de investigação) tinha parado depois da morte de Giuliano, e os rastros da investigação em andamento haviam esfriado. Então, o capitão Basile, embora alocado em Monreale, e não em Palermo, continuou de onde Giuliano havia parado.

Basile interessou-se pelo esconderijo usado por Leoluca Bagarella, na esperança de resolver um assassinato que investigava. Um mafioso chamado Melchiorre Sorrentino havia desaparecido vários meses antes, certamente vítima da *lupara bianca*, ou "espingarda branca", o termo mafioso para um assassinato "branco" ou sem derramamento de sangue, no qual a máfia se desfaz do corpo sem deixar vestígios. Basile conseguiu comprovar que um par de botas encontradas no apartamento secreto de Bagarella pertencia a Sorrentino e encontrou um pedaço de papel onde o nome da vítima havia sido escrito com a caligrafia de Bagarella – depois riscado de maneira furiosa.

Em fevereiro de 1980, Basile acusou Bagarella de tráfico de drogas, prendendo vários de seus associados mais próximos e revistando seus apartamentos. Juntando fotografias que encontrou no esconderijo de Bagarella e nas outras casas, Basile foi capaz de conectar a gangue de Bagarella a Lorenzo Nuvoletta (importante traficante napolitano e contrabandista de cigarros) e a um braço da máfia de Corleone que operava fora de Bolonha, liderado por Giacomo Riina (tio de Totò Riina) e Giuseppe Leggio (parente famoso preso, Luciano Leggio). No dia 15 de abril de 1980, Borsellino e Basile foram a Bolonha para interrogar Riina e Leggio. Os dois mafiosos insistiram que não conheciam Bagarella e nenhum dos outros homens nas fotografias. Basile e Borsellino os acusaram de perjúrio. Três semanas depois de sua viagem a Bolonha, Basile foi morto.

Borsellino achou muito significativo que os três assassinos capturados no dia da morte de Basile – Madonia, Bonnano e Puccio – fossem membros

---

5. Esta citação e toda a reconstrução da investigação de Borsellino sobre a morte de Basile está no vol. 17 da *Ordinanza Sentenza contra Abbate + 706*, que Borsellino escreveu.

de famílias investigadas por Basile e que se acreditava estarem intimamente ligadas à máfia de Corleone.

Um dos últimos atos de Basile antes de ser morto foi revistar o apartamento de Giacomo Riina em Bolonha, onde encontrou cheques e registros bancários ligando-o a vários outros réus presos por tráfico. Ao seguir o rastro dessas pistas financeiras, Borsellino viu-se mudando para o terreno que Falcone estava explorando no caso de Spatola. Os dois amigos começaram a trocar informações. Ao lidar com diferentes réus de diferentes famílias mafiosas, começaram a perceber que havia conexões surpreendentes entre as duas investigações. Na verdade, seu chefe, Rocco Chinnici, pediu a todos os procuradores-adjuntos da *Ufficio Istruzione* que se familiarizassem com o caso Spatola de Falcone, pois estava convencido de que essa seria a chave para outros inúmeros casos de máfia. Chinnici intuiu a necessidade do tipo de trabalho colaborativo que mais tarde viria a frutificar com o esquadrão antimáfia.

Nem Borsellino nem Falcone pretendiam se tornar procuradores antimáfia. Isso aconteceu quase por acaso, pois os dois trabalhavam em casos que continuaram a se expandir à medida que eles se aprofundavam. Eles ficaram cada vez mais absortos e perturbados pelo mundo que haviam descoberto. Ambos haviam presenciado o assassinato de colegas no cumprimento do seu dever, e seria impossível voltar atrás.

Como o caso Spatola se aproximava de um desfecho bem-sucedido, Falcone podia sentir o chão se movendo abaixo dele. Um a um, os réus no caso e outros membros de clãs da máfia foram assassinados ou desapareceram. A segunda grande guerra da máfia de Palermo havia começado.

Ninguém poderia prevê-la, mas, em retrospecto, havia alguns sinais de alerta, especialmente um assassinato bizarro ocorrido dezesseis meses antes. Em 6 de setembro do ano anterior (1980), dois assassinos entraram na igreja franciscana de Santa Maria di Gesù e perguntaram a dois frades onde poderiam encontrar *Fra' Giacinto* – Irmão Jacinto. Bateram à sua porta e, quando ele abriu, dispararam. Sua "cela monástica" era uma imensa suíte, com uma TV a cores e um frigobar recheado com o melhor uísque. No seu armário, foi encontrada uma grande quantidade de ternos e sapatos de grife, juntamente com vários chicotes – cujo exato uso nunca foi determinado. Havia uma pistola calibre 38 e vários milhares de dólares em dinheiro em sua mesa. Nos dias que se seguiram ao assassinato, os jornais estavam cheios de histórias e rumores sobre o monge assassinado: dizia-se que o irmão Jacinto era popular entre as mulheres, tinha amigos políticos poderosos em Roma e em Palermo e laços estreitos com a máfia. Alguns especularam que o monge usava o cemitério do monastério para enterrar os corpos das vítimas da máfia. A igreja de Santa Maria di Gesù ficava no território de um dos mais importantes chefes da máfia de Palermo, Stefano Bontate, e dizia-se que era amigo e se confessava com Irmão Jacinto.[6]

A princípio, o assassinato pareceu ser só mais um acontecimento no estranho folclore de Palermo, mas assumiu uma faceta diferente quando o próprio Bontate foi assassinado alguns meses depois. Entre as 25 famílias mafiosas de Palermo, Stefano Bontate gozava de uma posição de proeminência. Conhecido como "o Príncipe de Villagrazia" por causa de sua casa na Via Villagrazia, Bontate era rico, bonito, inteligente e herdeiro de uma das mais poderosas dinastias mafiosas da Sicília. Seu pai, Don Paolino Bontate, que havia morrido apenas alguns anos antes, era conhecido por sua vasta influência política. A trajetória de Don Paolino seguiu a de muitos mafiosos de sua geração: ele apoiara a causa do separatismo siciliano e se tornara um firme defensor dos democratas cristãos. Era famoso por ter esbofeteado publicamente um membro do Parlamento siciliano que ousara desagradá-lo. Outra parente sua, Margherita Bontate, era membro do Parlamento italiano pelo Partido Democrata Cristão. Ele usou suas conexões para fazer com que a fábrica de um grande empreiteiro norte-americano, Raytheon, fosse instalada em seu distrito, podendo assim controlar as contratações de funcionários. O gerente italiano da fábrica descobriu rapidamente quem era seu chefe – quando ele veio de Gênova para apresentar o projeto em Palermo. "No final de 1962, eu estava fazendo um discurso no galpão da fábrica para o qual havíamos convidado as principais autoridades dos governos regionais e locais, com o objetivo de explicar as intenções da empresa. A certa altura, a porta principal se abriu e entrou um homem baixo e gordo. Todos se viraram e logo abandonaram seus assentos para cumprimentar aquele que acabara de chegar. 'Quem é essa pessoa?', eu perguntei, e responderam: 'Don Paolino Bonta'. Naquele momento, entendi o que a palavra 'máfia' significava". Apesar de seu descontentamento, o gerente da Raytheon mais tarde revelou à comissão

6. O assassinato de *Fra' Giacinto* (Stefano Castronovo) foi reportado em *La Repubblica*, 9 de setembro de 1980; *em L'Espresso*, 21 de setembro de 1980; e em Lodato, p. 63-66.

antimáfia os motivos que o levaram a fazer negócios com o chefe da máfia. "Paolo Bontate é útil para mim, ele me fornece a água de que preciso, ele me dá a terra para expandir a fábrica e eu dependo dele para os trabalhadores administrarem a fábrica." Como tantas empresas estrangeiras e do norte da Itália, a Raytheon finalmente saiu da Sicília, decidindo que era impossível fazer negócios lá.[7]

Stefano Bontate, assim como seu pai, era conhecido por sua amizade com poderosos políticos locais e era o chefe carismático daquela que acreditavam ser a maior família mafiosa de Palermo. Talvez como algo simbólico ou, quem sabe, para pegá-lo desprevenido, Stefano Bontate foi morto na noite de seu aniversário de 43 anos, em 23 de abril de 1981, quando voltava para casa após uma festa em sua homenagem. Quando parou em um farol com seu Alfa Romeo vermelho, vários assassinos abriram fogo, alvejando-o inúmeras vezes. Uma das armas utilizadas foi um fuzil de assalto Kalashnikov russo de última geração. Toda a cidade apertou os cintos, esperando por uma feroz retaliação das forças de Bontate, o que não aconteceu. Em vez disso, membros de sua "família" simplesmente desapareceram. Esposas e mães começaram a aparecer na delegacia de Palermo informando que seus maridos e filhos haviam desaparecido sem deixar vestígios. No começo, não ficou claro se eles estavam escondidos ou se tinham sido mortos por inimigos.[8]

Falcone se interessava por esses assassinatos, já que o irmão de Stefano, Giovanni, era um dos réus no caso Spatola. Ele foi indiciado por tráfico de heroína, e um dos laboratórios encontrados pela polícia durante o verão de 1980 estava localizado em terras controladas pela família Bontate. Curiosamente, jornalistas afirmavam que Stefano Bontate fora morto porque se opusera à entrada da máfia (e de seu irmão) no comércio de heroína. "Don Stefano, dizem eles, não estava satisfeito com essa situação", publicou o jornal italiano *L'Espresso*. "Ele era o herdeiro de Paolino Bontate", e ancorado nos princípios da velha máfia, segundo os quais era permitido lidar com drogas, desde que a heroína jamais aportasse nas costas sicilianas. Uma posição baseada em princípios, mas que provou ser ingênua

7. As relações de Paolo Bontate com Raytheon são descritas em *La Repubblica*, em 15 de abril de 1913, e em Lupo, *Storia della mafia*, p. 189.

8. A morte de Stefano Bontate foi relatada em *La Repubblica*, em 25 de abril de 1981, e descrita em Lodato, pp. 66-68. A reconstrução feita por Falcone do crime está no vol. 13 da *Ordinanza Sentenza do* maxijulgamento, pp. 2542-2567.

e perigosa, podendo ter causado a ruptura com os Spatola, Di Maggio, Inzerillo e Badalamenti.[9]

Essa teoria parecia se confirmar quando Salvatore Inzerillo (um dos principais réus de Falcone no caso Spatola) foi assassinado em maio de 1981, apenas três semanas depois de Bontate. Embora a polícia estivesse procurando por Inzerillo sem sucesso desde 1978, seus assassinos não encontraram problemas para localizá-lo. Inzerillo foi morto quando entrava em seu novo carro blindado, depois de um encontro com sua amante em um condomínio feito por sua construtora em sociedade com seu primo Rosario Spatola. Dias após o assassinato, um dos irmãos de Inzerillo, seu filho e vários de seus principais soldados desapareceram. Algumas semanas depois, uma terceira família foi o alvo da vez: Antonino Badalamenti, o chefe da família de Cinisi (uma cidade cujo território inclui o aeroporto de Palermo), foi assassinado, assim como vários parentes e afiliados próximos.[10]

Os assassinatos e desaparecimentos que começaram a ocorrer em um ritmo frenético na cidade não foram causados por um conflito em relação a traficar ou não heroína. Em teoria, todas as vítimas pertenciam às famílias mafiosas de Palermo que tinham estreitas ligações entre si. As investigações de Falcone no caso Spatola de fato confirmavam essa proximidade, já que todas as famílias agiam em conjunto no tráfico de drogas. O fato de Inzerillo ter adquirido um carro blindado poucos dias antes de sua própria morte é uma indicação de que ele não planejou o assassinato de Bontate: certamente ele teria garantido a própria segurança antes de iniciar uma guerra da máfia. Além disso, o mesmo rifle Kalashnikov tinha sido usado para matar tanto Stefano Bontate quanto Salvatore Inzerillo. A única chave interpretativa que trouxe sentido aos assassinatos foi fornecida por Giuseppe Di Cristina, em sua confissão antes de ser assassinado, em 1978. As famílias estabelecidas da máfia que por tantos anos haviam dominado Palermo estavam sendo sistematicamente destruídas, uma após a outra. O grande número de desaparecimentos sugeria que muitos dos mortos tinham sido atraídos para uma armadilha por pessoas próximas. Os assassinatos bem-sucedidos e o fato de que os *corleonesi* não tiveram uma perda sequer na

9. *L'Espresso*, 4 de maio de 1981.

10. A morte do Inzerillo foi relatada no *La Repubblica*, 12 de maio de 1981, e discutida em Lodato, p. 68. A reconstrução de Falcone do crime está no vol. 13 da *Ordinanza Sentenza do maxijulgamento*, pp. 2542-67.

"guerra" mostra que os agressores agiram com o conhecimento e a conivência de pessoas no alto escalão das famílias atingidas.

Ao investigar a crescente guerra da máfia, Falcone aprofundou-se mais nos meandros do estranho universo mental da máfia. Ele entrevistou mulheres do clã Inzerillo que fingiram não saber nada sobre o desaparecimento de seus filhos e maridos, mesmo estando visivelmente abaladas pelo luto e pela ansiedade. Falcone ficou impressionado com um discurso que um chefe da máfia fez sobre a morte, quando lhe perguntou sobre o assassinato de Salvatore Inzerillo. "Não é uma pena morrer tão jovem, com tanta vida pela frente?", Falcone perguntou. Ao que o mafioso replicou: "Inzerillo morreu aos 37 anos, é verdade. Mas seus 37 anos são como 80 anos para uma pessoa comum. Inzerillo viveu bem. Ele tinha muitas coisas na vida. Outros nunca terão um centésimo do que ele teve. Não há pena em morrer nessa idade, se você fez, teve e viu tudo o que Inzerillo viveu. Ele não morreu cansado e insatisfeito com a vida. Ele morreu saciado pela vida. Essa é a diferença".[11]

Procurando pistas sobre a guerra da máfia, a polícia encontrou três números de telefone no corpo de Salvatore Inzerillo que pertenciam ao escritório e à residência de um respeitável empresário de Palermo, Ignazio Lo Presti. A descoberta foi particularmente interessante, já que Lo Presti era relacionado via casamento com a família Salvo, que estava no auge do poder econômico e político na Sicília.[12]

No início da década de 1960, os primos Ignazio e Nino Salvo foram descritos nas reportagens policiais como mafiosos e filhos de mafiosos, mas na década de 1970 ascenderam a tal nível de riqueza, poder e respeitabilidade que ficaram acima de qualquer suspeita. A família Salvo obteve a concessão privada para coletar impostos na Sicília – uma instituição primitiva, mas incrivelmente lucrativa, que se acredita ser grande fonte de corrupção política. Enquanto no resto da Itália o custo da coleta de impostos era de 3,3% da receita total, na Sicília os Salvo estavam autorizados a ficar com 10% de tudo o que eles coletavam. Ao mesmo tempo, o Parlamento siciliano concedeu prazos prolongados na entrega das receitas tributárias ao governo – no valor de empréstimos multimilionários sem juros, a expensas

11. Pino Arlacchi, *La mafia imprenditrice* (Bolonha, 1983), p. 153.

12. Uma discussão completa do império econômico e da associação criminosa de Salvos é feita por Falcone na acusação do maxijulgamento e é reimpressa por Stajano, *Mafia: L'atto di accusa dei giudici di Palermo*, pp. 313-58.

do Estado italiano. Os Salvo eram bastante ativos na política democrata--cristã, e uma parcela de seus lucros inflacionados era usada para encher os bolsos de algumas das figuras políticas mais importantes da ilha. Além de administrarem a coleta de impostos, estavam entre os principais produtores de vinho da Sicília, operadores de hotéis, promotores imobiliários e proprietários de terras. Os Salvo eram conhecidos como os mandatários da política siciliana, formando e dissolvendo governos regionais conforme sua vontade. Mesmo alguns proeminentes democratas-cristãos se queixavam da influência perniciosa dos Salvo em seu partido, dizendo que "compraram" eleições e ditaram a legislação. A confirmação dessa suspeita foi o fato de que toda tentativa de reformar o monopólio inútil da cobrança de impostos foi prontamente repelida pela assembleia regional. Ao mesmo tempo, os Salvo eram tidos como um nexo principal entre a máfia e o poder político (os números dos telefones particulares dos Salvo estavam entre os documentos encontrados no corpo de Giuseppe Di Cristina, mas essa pista não havia sido investigada). Os Salvo eram ao mesmo tempo amigos de Paolino Bontate e seu filho Stefano e de políticos com influência em Roma, como Salvatore Lima, o ex-prefeito de Palermo e tenente de Giulio Andreotti. "Todo mundo achava que os Salvo eram a '*mamma santissima*' (termo para o *capo* da máfia, que significa literalmente 'mãe mais sagrada'); eles eram tão poderosos que você nem podia mencionar o nome eles", disse o coronel Pizzuti, investigador-chefe de Falcone na Polícia do Tesouro. Apesar dos protestos da comissão antimáfia e até mesmo dos reformadores democratas-cristãos, os Salvo nunca haviam sido investigados."[13]

A conexão evidente entre Ignazio Lo Presti e o chefe morto, Salvatore Inzerillo, prometia levar a investigação do poder da máfia vários degraus acima. Seguindo a pista, a polícia colocou uma escuta nos telefones de Lo Presti, atitude que rapidamente produziu resultados interessantes. Poucas semanas depois do assassinato de Salvatore Inzerillo, Lo Presti recebeu uma série de telefonemas de um homem no Brasil chamando a si mesmo de Roberto, mas a quem os investigadores identificaram rapidamente como Tommaso Buscetta, uma figura lendária da máfia siciliana. Conhecido como o "chefe de dois mundos", Buscetta deixou Palermo durante a primeira grande guerra da máfia, em 1963, e mudou-se para os EUA, onde acreditava-se que ele havia ajudado a organizar uma grande quadrilha de

13. Entrevista do autor com Elio Pizzuti.

narcotráfico. Ele passou a maior parte dos anos 1970 em prisões, mas fugiu em liberdade condicional em 1980 e se restabeleceu na América do Sul. As conversas revelaram que, em vez de iniciar a guerra da máfia, as pessoas ao redor de Salvatore Inzerillo estavam totalmente confusas. Eles não sabiam se seus próprios homens estavam escondidos ou tinham sido assassinados. "Estamos ficando loucos aqui", disse Lo Presti a Buscetta. As conversas deixam clara a dinâmica de poder entre o mafioso e o empresário: Lo Presti está em uma posição subserviente em relação a Buscetta, tratando-o de maneira respeitosa e formal, enquanto Buscetta fala a Lo Presti com bastante familiaridade, como se ele fosse um subordinado. Mais importante, os grampos revelaram que Nino Salvo, o poderoso cobrador de impostos, estava ansioso pela viagem de Buscetta a Palermo, na esperança de tentar trazer paz aos clãs em guerra da cidade.[14]

Não muito tempo depois de registrar essas ligações, a polícia prendeu Lo Presti e o levou para a prisão de Ucciardone para iniciar o interrogatório. Quando Falcone chegou para o interrogatório, a máfia fez sua primeira tentativa de matá-lo. "Um prisioneiro, Salvatore Sanfilippo, um jovem do bairro Borgo, conseguiu uma pistola", explicou Falcone muitos anos depois. "Ele chegou à soleira do nosso quarto, Lo Presti o viu pela janela e teve tempo apenas de dizer que ele viria nos matar e depois desmaiou. Eu consegui fechar a porta. Sanfilippo então mudou de direção e levou um outro magistrado como refém, o juiz Micciché, que estava conduzindo um interrogatório, e alegou que ele estava tentando escapar. Por fim, acabou se entregando para os policiais", disse ele em 1985.[15]

Depois de ser libertado da prisão, Lo Presti desapareceu – mais uma vítima da "*lupara bianca*". Aparentemente aterrorizado com os acontecimentos em Palermo, o sogro de Lo Presti, Nino Salvo, chefe do poderoso império Salvo, adiou o suntuoso casamento que havia planejado para sua filha – e partiu em férias em um abrupto cruzeiro. A partir de então, Falcone parou de questionar os réus em Ucciardone e passou a fazê-lo em seu escritório.

Falcone iniciou a primeira auditoria do império financeiro dos Salvo. Após décadas de proteção política, os Salvo ficaram chocados quando o coronel Pizzuti apareceu no escritório da família com cinquenta inspetores

---

14. A conversa grampeada entre Lo Presti e Buscetta está em *Mafia: L'atto di accusa dei giudici di Palermo*, pp. 320-25.

15. Galluzzo, La Licata e Lodato, *Falcone vive*, p. 59.

da Polícia do Tesouro. "Foi uma bomba para Palermo", disse Pizzuti, que mais tarde se aposentou com a patente de general. Acostumado a atuar silenciosamente nas sombras, Nino Salvo, o advogado da família, decidiu conceder uma entrevista a uma revista. Salvo se declarou vítima, vítima do Partido Comunista Italiano, que o atacava brutalmente por ser um homem de negócios e um democrata cristão. Ao dizer isso, Nino Salvo enviou um claro aviso aos amigos políticos em Roma. "Ao contrário de muitos outros empresários sicilianos, sempre fomos e permanecemos democratas-cristãos. Nós apresentamos esta questão ao DC (*Democrazia Cristiana*): o partido continuará permitindo esse tipo de perseguição sistemática a membros da comunidade empresarial que sempre foram leais a ele?"[16]

Como ocorrido, Pizzuti estava agindo com a autoridade dos promotores em Palermo e só informou o escritório central em Roma depois que as buscas na casa e nos escritórios dos Salvo haviam começado. O ministro de finanças socialista, Rino Formica, achou que fosse politicamente vantajoso divulgar a corajosa decisão de investigar os empresários democratas--cristãos "que cheiravam a máfia" (como dizem os italianos) e foi a Palermo dar uma entrevista de imprensa.

A família Salvo tinha razões para ficar apreensiva com a auditoria. Pizzuti encontrou numerosos exemplos de fraudes fiscais em que despesas pessoais e propriedades eram listadas como despesas de negócios. "Mesmo as férias de seus empregados eram deduzidas, porque eles pensavam que jamais passariam por uma auditoria." Uma das descobertas mais interessantes na auditoria foi a respeito do financiamento de La Zagarella, o imenso complexo hoteleiro dos Salvo, fora de Palermo, que custou cerca de US$ 15 milhões para ser construído nos anos 1970. O que significaria muito mais em valores atuais. "Dos US$ 15 milhões gastos para construí-lo, os Salvo pagaram apenas US$ 600 mil", disse Pizzuti. "O resto foi pago pela agência governamental Cassa del Mezzogiorno" – uma agência do governo criada para ajudar a indústria no sul da Itália. Esse enorme hotel de luxo – muito frequentado por chefes da máfia – foi um presente do Estado italiano. Ao cavar um pouco mais fundo, Pizzuti começou a encontrar algumas pistas sugerindo como os Salvo conseguiram obter financiamento tão facilmente. Ele lembrou-se de, um ano antes, ter lido algo a respeito de uma recepção de casamento muito extravagante, dada por um membro do

16. A entrevista com Ninno Salvo apareceu na *L'Espresso* em 4 de julho de 1982.

Parlamento siciliano, que também era chefe do governo provincial. "Ele tinha convidado cerca de 1.800 pessoas. Então, eu chequei as contas, e ele nunca pagou um centavo."[17]

Enquanto Falcone continuava a investigar os Salvo, ficava cada vez mais claro que eles eram um nexo essencial entre máfia e uma classe política corrupta. O fabuloso Hotel Zagarella, onde políticos e mafiosos realizavam imensas recepções de casamento pagas pelos cofres do Estado, era o símbolo desse nexo entre as duas classes.

17. Entrevista do autor com Pizzuti.

Capítulo 4

No final de 1981 e nos primeiros meses de 1982, ocorria um assassinato a cada três dias em Palermo.[1] Quem quer que tenha eliminado Stefano Bontate e Salvatore Inzerillo não se contentou em se livrar dos chefes e de seu círculo mais próximo. Uma campanha de extermínio em massa estava sendo conduzida, matando parentes, amigos de amigos, tentando criar um abismo em torno de qualquer membro sobrevivente do clã que pudesse representar uma ameaça. Um dia, a polícia encontrou o automóvel abandonado de Salvatore Contorno, um dos mais corajosos "soldados" de Stefano Bontate. O carro estava cheio de buracos de bala, o para-brisa quebrado, "abandonado no meio de uma rua de Palermo em meio a um tiroteio furioso", do qual Contorno parecia ter escapado vivo. Entre as várias armas usadas estava o mesmo rifle Kalashnikov usado para matar Bontate e Inzerillo – aparentemente a arma de assinatura usada por quem quer que estivesse conduzindo a guerra da máfia. Nas semanas seguintes à tentativa fracassada de assassinato, os pretensos assassinos de Contorno passaram a eliminar qualquer um que estivesse disposto a ajudá-lo ou escondê-lo: primos, parentes do cônjuge, associados de negócios etc. Devido à sua capacidade de se manter um passo à frente de seus assassinos, Contorno passou a ser conhecido como "o Pimpinela Escarlate de Brancaccio" ou como "Corolianus da floresta", uma espécie de Robin Hood da literatura

1. Estima-se o número de trinta assassinatos da máfia nos primeiros três meses de 1982, Nando Dalla Chiesa, *Delitto imperfetto* (Milão, 1984), p. 61.

popular siciliana.[2] A mesma política de destruição posteriormente aplicada a Tommaso Buscetta, cujos dois filhos do primeiro casamento foram assassinados – embora não tivessem nenhum envolvimento com a máfia – e Buscetta estivesse vivendo no Brasil. Bastou que Buscetta tivesse sido um dos amigos mais próximos de Stefano Bontate e que alguns parentes de Salvatore Inzerillo tentassem fugir para a América do Sul – depois de terem sido perseguidos e assassinados.

Começaram a aparecer cartas anônimas, endereçadas à sede da polícia, revelando informações detalhadas de procedimentos internos da Cosa Nostra. Não tendo outras armas à disposição, alguns sobreviventes das famílias "perdedoras" decidiram usar a polícia para atacar seus inimigos. O novo chefe inteligente e enérgico do esquadrão de investigação (*squadra mobile*), Antonino (Ninni) Cassarà, começou a se comunicar com alguns informantes que ajudaram a explicar a luta pelo poder que convulsionava a máfia. Uma de suas fontes, referida simplesmente como "Primeira Luz", não era ninguém menos do que Salvatore Contorno. Na primavera e no verão de 1982, Cassarà compôs o relatório mais abrangente sobre a máfia de Palermo produzido em muitos anos, identificando 162 suspeitos como os protagonistas da atual guerra. Uma de suas fontes identificou a causa da luta na "resistência de Stefano Bontate e Salvatore Inzerillo à presença dos *corleonesi* em Palermo". No entanto, o relatório de Cassarà não compreendeu totalmente a centralidade da máfia de Corleone, retratando-a como apenas mais uma na constelação de famílias "emergentes" que estavam eliminando a tradicional máfia de Palermo. A grande novidade do relatório foi o papel atribuído a Michele Greco, "o Papa" – uma figura que até então era praticamente desconhecida pela polícia. "O '*capomafia*' de toda a Palermo é 'Don Michele Greco', que é aconselhado por vários advogados e goza da proteção de um magistrado", escreveu um dos informantes anônimos de Cassarà.[3] Greco era conhecido como um próspero proprietário de terras – embora seus antepassados fossem mafiosos importantes na área

---

2. Uma descrição completa do ataque a Contorno, bem como dos principais crimes na guerra de Palermo, 1981-82, está contida no Rapporto giudiciario di denuncia a carico di Greco, *Michele + 161 persone,* escrito por Antonino Cassarà, arquivado conjuntamente pela polícia e *carabineri* de Palermo, 13 de julho de 1982. Um segundo relato mais completo (baseado no depoimento do próprio Contorno) está nas acusações do maxijulgamento (v. 13, pp. 2603-2631), escritas por Falcone. A descrição do crime também está em Lodato, *Quindici anni di mafia*, pp. 74-76.

3. Relatório Cassarà, *Michele Greco + 161.*

de Ciaculli, desde o século XIX. Tal foi a importância atribuída a Greco que o relatório de Cassarà em 2 de julho de 1982, sobre a guerra da máfia, ficou conhecido como o relatório sobre "Michele Greco + 161". O relatório foi considerado tão importante que o chefe de Falcone e Borsellino, Rocco Chinninci, insistiu em supervisionar o caso pessoalmente. Essa primeira tentativa de entender a confusão da guerra da máfia acabou estabelecendo as bases para o que no futuro se expandiria no maxijulgamento de Palermo.

Cerca de um ano antes, Falcone havia se deparado com uma enorme transação financeira entre "o Papa" e Giovanni Bontante – irmão de Stefano Bontate e um dos principais réus no caso do tráfico de heroína de Spatola. Falcone começou a investigar as propriedades do "Papa". A família Greco, junto com outras famílias mafiosas nos arredores de Palermo, controlavam grande parte do abastecimento de água da cidade. Michele Greco financiava seus poços artesianos com o dinheiro da "*Cassa del Mezzogiorno*" – o fundo governamental para apoiar investidores. Ele usou o dinheiro do governo para cavar poços, de modo que pudesse vender água à cidade de Palermo com enormes lucros. De acordo com a lei, os proprietários de terras só podiam ter poços para uso privado e, todo excesso de água era de domínio público. Mas a cidade de Palermo havia firmado contratos regulares para comprar água de Greco e de muitas outras famílias para um terço do abastecimento de água da cidade. Nos meses mais quentes do verão, quando a água era particularmente escassa e muito necessária para a irrigação dos campos, Greco vendia água em latas a preços exorbitantes. A eterna crise de abastecimento de água era mantida, em parte, por Greco e seus amigos da prefeitura. A água em Palermo é abundante, mas, quando a agência de abastecimento decidia cavar poços, eles geralmente furavam terras próximas à costa, onde – não surpreendentemente – encontravam água salgada, não potável, ao invés de perfurar as terras férteis controladas por Greco e seus amigos.[4]

Embora "o Papa" tenha declarado um montante de apenas US$ 20 mil por ano, ele recebeu milhões de dólares em subsídios de agências governamentais italianas – a *Cassa del Mezzogiorno* e o *Dipartimento di Agricoltura e Foreste* – e da Comunidade Europeia. A Comunidade Europeia (CE)

---

4. Uma longa acusação sobre a apropriação indébita de água em Palermo, *Sentenza contro Ciacciofera, Michele + 88*, foi apresentada por Giacomo Conte, do *Ufficio Istruzione di Palermo*, em 1º de março de 1988. A acusação cita uma série de estudos anteriores dos poços da cidade. Michele Greco é um dos réus, e seus poços são discutidos em profundidade.

pagava agricultores para destruir parte de suas colheitas, limitando a produção agrícola. Então, Greco corrompeu inspetores da CE para falsificar registros de que ele seria pago por destruir suas colheitas que nem sequer foram plantadas. Os investigadores também descobriram que Greco tinha negócios em Palermo com o conde Lucio Tasca, usando o nome do distinto aristocrata como fachada.[5]

Mas lidar com a Comunidade Europeia e a nobreza siciliana não impediu que "o Papa" sujasse suas mãos participando da guerra da máfia. Um dos três assassinos do capitão Emanuele Basile, Vincenzo Puccio, era membro da família de Michele Greco. Além disso, Salvatore Contorno tinha reconhecido os assassinos mais letais de Greco – Mario Prestifilippo e Pino Greco (Scarpa, "Sapato") – no grupo que tentara matá-lo. Ainda que Pino Greco fosse subchefe da família Ciaculli, ele não se resguardou e atuou na linha de frente. A polícia suspeitava que ele fosse o autor de dezenas de assassinatos, e foi ele quem empunhava o famoso rifle Kalashnikov que disparou contra Contorno.

Borsellino recebeu um importante desdobramento da investigação, tratando dos crimes de Filippo Marchese e da "família" de Corso dei Mile, uma avenida longa e estreita que corta uma das regiões mais miseráveis de Palermo. Como Pino Greco, Filippo Marchese parecia gostar de participar ativamente em muitos dos crimes mais sangrentos de seu grupo – na verdade, ele e "o Sapato" frequentemente juntavam forças nos mesmos esquadrões de ataque, incluindo a recente emboscada de Salvatore Contorno. Os dois chefes assassinos eram coproprietários de um negócio concreto e eram suspeitos de agir juntos em uma longa série de crimes.

Apesar dos numerosos mandados de prisão contra eles, os dois chefes, Filippo Marchese e Pino Greco, continuaram a operar livremente em Palermo. Acreditava-se, por exemplo, que desempenharam papéis importantes no Massacre de Natal em Bagheria. No dia 25 de dezembro de 1981, vários homens abriram fogo contra um carro no centro da cidade de Bagheria, levando três figuras importantes da máfia local. A chuva de balas matou um espectador inocente e, os assassinos acabaram ficando sem munição antes de realizarem a missão. Os mafiosos foram forçados a levar a vítima sobrevivente em seu carro e, depois de se afastarem do local, terminaram o serviço

5. *L'Espresso*, 29 de maio de 1983.

com as próprias mãos. Acostumados a saírem impunes dos assassinatos, os mafiosos tornaram-se desleixados, cometendo crimes em plena luz do dia, diante de dezenas de testemunhas, acidentalmente matando cidadãos comuns e deixando pistas importantes. No Massacre de Natal, os assassinos não conseguiram queimar completamente um dos carros de fuga, deixando impressões digitais no volante, identificadas como as de Giuseppe Marchese, sobrinho do chefe Filippo Marchese.[6]

Borsellino indiciou nove pessoas pelo massacre de Natal, e, embora a polícia não tenha conseguido capturar Filippo Marchese e Pino Greco, conseguiu prender o sobrinho mais novo de Marchese. Uma parte primordial do caso de Borsellino se baseava nas impressões digitais do jovem Marchese encontradas no carro da fuga, algo que os mafiosos compreendiam bem. Na manhã de 11 de agosto de 1982, o Dr. Paolo Giaccone, professor de medicina forense que identificou corretamente as impressões digitais no volante, foi morto a tiros por dois assassinos quando chegava a seu escritório na Universidade de Palermo.

Segundo um dos colegas de Dr. Giaccone: "Ele me confidenciou que recebeu um pedido de um amigo em comum com Marchese para que consertasse o relatório científico, de modo a dar margem para a defesa". Giaccone recusou corajosamente esse pedido. "Qualquer um pode ver que estas são as impressões digitais de Giuseppe Marchese", escreveu Giaccone, assinando um relatório que selou tanto a condenação de Giuseppe Marchese quanto sua própria morte. Para a grande frustração de Borsellino, ele nunca foi capaz de identificar o "amigo em comum" que aconselhou o Dr. Giaccone a "ajustar" o relatório. "Nós fomos deixados apenas com um gosto amargo na boca, já que o Dr. Giaccone não revelou o nome dessa figura esquálida", Borsellino escreveu.[7]

A guerra em Palermo se tornara um escândalo nacional. À medida que o terrorismo – que dominava a vida pública desde a década de 1970 – começava a desaparecer, a máfia passava a atrair a atenção da mídia e do Parlamento. A morte de Aldo Moro, em 1978, tinha sacudido a nação no sentido de agir a respeito dessa situação. Novas leis foram aprovadas com

---

6. Talvez o relato definitivo e mais atualizado dos principais assassinatos da máfia em Palermo na década anterior: Richiesta di custodia cautelare nei confronti di Agate, *Mariano* + 57, pela *Procura della Repubblica* de Palermo, em 20 de fevereiro de 1993.

7. A reconstrução de Borsellino da morte de Giaccone está contida na acusação de julgamento, vol. 17, pp. 3418-51.

reduções de sentenças para terroristas que se dispusessem a cooperar com o governo, e foram criadas comissões especiais de magistrados para cooperar em processos terroristas. Unidades de polícia especialmente treinadas foram criadas, e o general Carlo Alberto Dalla Chiesa, dos *carabinieri*, recebeu carta branca para dirigir a ação contra o terrorismo. Em poucos anos, os homens de Dalla Chiesa prenderam milhares de suspeitos de terrorismo, descobrindo esconderijos terroristas, desmantelando redes inteiras ao capturar ou matar praticamente todos os líderes mais importantes, destruindo a Brigada Vermelha e vários outros grupos terroristas. A luta contra o terrorismo mostrou que a polícia italiana – muitas vezes retratada como uma versão moderna dos *Keystone Kops* – poderia ser notável, brutalmente eficiente, caso tivesse o apoio político necessário.

Nas sombras do terrorismo, a Cosa Nostra conseguiu orquestrar uma verdadeira epidemia nacional de drogas.

Em 1974, somente oito pessoas morreram por overdose de heroína na Itália, e a polícia encontrou apenas um quilo e meio de heroína entrando no país. Em 1980, estima-se que havia 200 mil viciados na Itália, com centenas morrendo a cada ano.[8] As pessoas começaram a se perguntar: "Se o governo pode derrotar o terrorismo, por que não pode fazer o mesmo com a máfia?". Um membro comunista da comissão antimáfia, La Torre do Pio, insistia ao Parlamento que novas leis contra a máfia fossem promulgadas. La Torre, que também era o chefe do Partido Comunista na Sicília, queria tornar crime pertencer a alguma organização mafiosa, em vez de forçar os promotores a condenar mafiosos por crimes específicos (assassinato, tráfico de drogas, extorsão). Ele também pretendia que o governo combatesse o poder econômico da máfia, apreendendo os bens de mafiosos, desde que ficasse comprovada a ilegalidade na aquisição daqueles bens. A situação política em Roma também apresentava uma receptividade incomum para uma mudança nas questões da máfia. Pela primeira vez desde 1946, o primeiro-ministro da Itália não era um democrata cristão – em julho de 1981, Giovanni Spadolini, do pequeno, mas respeitado, Partido Republicano, tornara-se chefe do governo. E em março de 1982, Spadolini pediu ao general Dalla Chiesa que se tornasse o prefeito de Palermo. Antes de concordar, Dalla Chiesa havia pedido poderes especiais para coordenar os esforços contra a máfia em toda a Sicília, mas foi persuadido

8. As estatísticas sobre o consumo de heroína na Itália provêm dos relatórios anuais da Direzione Centrale per i Servizi Antidroga do Ministero dell' Interno.

a aceitar um papel mais limitado como como chefe da polícia de Palermo. Políticos em Roma insistiram que era apenas uma questão de tempo até que ele recebesse os poderes mais amplos que procurava.[9]

A máfia saudou Dalla Chiesa de maneira previsível. Em 30 de abril, logo antes de assumir sua nova posição, assassinos mataram Pio La Torre. Dalla Chiesa passou seu primeiro dia de trabalho no funeral de La Torre – um prenúncio sinistro para o futuro.[10]

Apenas quatro meses depois, em 3 de setembro de 1981, Dalla Chiesa foi assassinado junto com seu guarda-costas e a jovem segunda esposa.

Na noite do assassinato, Giovanni Falcone estava jantando com o amigo e colega promotor Giuseppe Ayala, a esposa de Ayala e sua futura segunda esposa, Francesca Morvillo. "Giovanni saiu imediatamente do restaurante para ir ao local do assassinato, e eu fiquei para trás com Francesca e minha esposa", disse Ayala.[11] Quando Falcone chegou à Via Carini, ele encontrou a cena trágica do general Dalla Chiesa caído sobre a esposa morta em uma última tentativa desesperada de protegê-la dos tiros que atingiam o carro. Uma das armas usadas foi o mesmo rifle Kalashnikov frequentemente visto durante a guerra da máfia.

O assassinato de Dalla Chiesa despertou a Itália para a dimensão de quão poderosa a máfia havia se tornado. Em apenas quatro anos, a Cosa Nostra matara alguns dos mais importantes oficiais da Sicília: o líder do principal partido governante (Michele Reina), o líder do partido de oposição (Pio La Torre), o presidente da região (Piersanti Mattarella), dois chefes promotores (Cesare Terranova e Gaetano Costa) e dois dos principais investigadores da polícia (Boris Giuliano e Emanuele Basile). Agora eles tinham matado Dalla Chiesa, o prefeito de Palermo, um general *carabiniere* e um herói nacional. Aparentemente não havia ninguém importante ou poderoso o suficiente para estar a salvo da máfia. Em uma manifestação após o assassinato de Dalla Chiesa, havia uma placa dizendo: "Aqui jaz a esperança de todo cidadão honesto de Palermo". Em um poderoso elogio fúnebre, o arcebispo de Palermo, cardeal Salvatore Pappalardo, emitiu uma clara denúncia política. Ele comparou Palermo a Sagunto, uma cidade na

9. Sobre a nomeação de Dalla Chiesa, ver Stajano, *Mafia: L'atto di accusa dei giudici di Palermo*, p. 221-27.

10. Sobre a carreira e morte de La Torre, ver Lodato, pp. 81-91.

11. Entrevista do autor com Giuseppe Ayala.

periferia do Império Romano que foi tomada pelos bárbaros porque a capital escolhera deixá-la sem auxílio.

Nas semanas que se seguiram ao assassinato, Falcone se deparou com o que parecia ser uma campanha de difamação da reputação de Dalla Chiesa. O ex-chefe de Dalla Chiesa, general Umberto Capuzzo – um general siciliano que mais tarde se tornou senador –, descreveu-o como um velho que havia perdido a cabeça para uma jovem mulher, contribuindo para sua própria morte ao se expor a riscos desnecessários. Dalla Chiesa havia recusado a escolta policial e um carro blindado, insistindo que seria um alvo mais discreto se viajasse em um Fiat sedã comum sem que alguém soubesse de seus trajetos – uma prática que ele havia testado com sucesso durante o período terrorista. As preocupações de Dalla Chiesa sobre ter uma escolta não eram totalmente infundadas: ao chegar a Palermo, ele descobriu que os empregados domésticos designados para sua residência oficial eram parentes de suspeitos da máfia. O romancista Leonardo Sciascia – que produziu alguns dos livros mais importantes sobre a máfia – insistiu que Dalla Chiesa havia cometido uma série de erros de julgamento, pois ele tinha uma ideia antiquada da máfia, formada no período em que estivera alocado na Sicília logo após a Segunda Guerra Mundial e novamente nas décadas de 1960 e 1970. Apesar de Capuzzo ou Sciascia não serem membros da máfia, Falcone acreditava que a máfia encorajava a difamação pública de suas vítimas para justificar suas ações e diminuir a indignação pública sobre seus assassinatos.[12]

Falcone estava convencido de que Dalla Chiesa havia sido morto porque entendera muito, e não muito pouco, sobre a nova máfia que surgia. "Neste momento, a máfia está em todas as principais cidades italianas, onde fez investimentos imobiliários e comerciais consideráveis", disse o general em uma entrevista ao jornalista Giorgio Bocca, logo antes de sua morte, para o jornal romano *La Repubblica*. "A época em que a máfia se limitava geograficamente ao oeste da Sicília acabou. Hoje a máfia está forte também na Catânia. Com o consentimento da máfia de Palermo, os quatro maiores investidores imobiliários da Catânia estão construindo hoje em Palermo. Você acha que eles poderiam fazer isso se não houvesse um novo mapa do poder da máfia?"[13]

---

12. Sobre a campanha da imprensa contra Dalla Chiesa, veja o relato de Falcone em Stajano, ed., *Mafia*, pp. 227-40.

13. A entrevista de Dalla Chiesa com Bocca apareceu no *La Repubblica*, 10 de agosto de 1982. Foi reimpressa em *Delitto imperfetto*, pp. 221-311.

Em vez de ter uma abordagem desatualizada, Dalla Chiesa adotara uma estratégia abrangente e eficaz, investigando desde cheques bancários modernos até antigas barreiras na estrada, na tentativa de recuperar o controle do território siciliano. "Os bancos sabem muito bem há anos quem são seus clientes da máfia", disse ele em sua entrevista final. "A guerra contra a máfia não é travada nos bancos ou nas ruas de Bagheria, mas de maneira global."

Dalla Chiesa mostrou que compreendia a estranha e sinuosa maneira de agir da máfia. "A máfia e eu estamos estudando um ao outro, como em um jogo de xadrez. A máfia é cautelosa, lenta, tem o seu tempo, escuta você, analisa à distância. Algumas pessoas podem não perceber, mas eu conheço esse mundo... Alguns convites, por exemplo. Um amigo com quem você trabalhou pede despretensiosamente: 'Por que não vamos tomar um café na casa de fulano', falando de alguém ilustre. Se eu não soubesse que os rios de heroína desaguam naquela casa, eu serviria como disfarce. Se eu for conscientemente, é um sinal claro de que com a minha presença eu aceito o que se passa ali..."

Longe de ter qualquer ilusão de que a máfia não ousaria atacar alguém como ele, Dalla Chiesa se considerava um alvo em potencial. "Acho que entendi a nova regra do jogo", disse ele ainda na mesma entrevista. "Eles matam o homem no poder quando há essa combinação fatal: ele se tornou muito perigoso, mas pode ser morto porque está isolado. O exemplo mais óbvio é o procurador-geral [Gaetano] Costa... Costa tornou-se muito perigoso quando, passando por cima do resto do seu escritório, ele ordena a acusação de Inzerillo e Spatola. Mas ele está isolado e, portanto, pode ser morto, exterminado como um estrangeiro."

A análise de Falcone do assassinato de Dalla Chiesa (uma das acusações de pouco volume escrita no grande julgamento de 1985) tem toda a sutileza, a intriga política e a tragédia de um grande romance de mistério. Falcone passeia entre Roma e Palermo, entrelaçando as declarações de políticos e as ações da Cosa Nostra, em uma acusação mordaz de morte anunciada. Em vez de descrever Dalla Chiesa como um velho que perdeu a cabeça por uma mulher mais jovem, Falcone estava convencido de que as pistas da morte estavam nas próprias reflexões lúcidas do general, encontradas em suas anotações pessoais.

Ao receber a oferta para se tornar prefeito de Palermo, Dalla Chiesa escreveu em seu diário: "Mais uma vez, estou prestes a me tornar instrumento de uma política que vaza água em todas as direções". Dalla Chiesa sabia muito bem que ter apoio político era essencial para cumprir sua missão em Palermo: passou as semanas antes de ir tentando angariar apoio, ao mesmo tempo, deixando claro que não iria se aliar aos políticos que protegiam os mafiosos na Sicília. Ele queria se certificar que o governo o apoiaria caso atacasse os líderes democratas-cristãos de lá. "Não se preocupe", assegurou-lhe o ministro do Interior, Virginio Rognoni, "você não é um general do Partido Democrata, Cristão." O relato de Dalla Chiesa sobre um encontro com o ex-primeiro-ministro Giulio Andreotti é muito interessante. "Ontem Andreotti pediu-me para vê-lo, naturalmente, por causa de seus inúmeros contatos políticos na Sicília... Eu deixei muito claro, afirmando categoricamente que não farei nenhum favor para o eleitorado-base de seus apoiadores políticos." No decorrer da conversa, Andreotti disse a Dalla Chiesa sobre um membro do clã Inzerillo (Pietro Inzerillo) que havia sido morto nos EUA, mas cujo corpo aparecera em Palermo com uma nota de US$ 10 na boca. Dalla Chiesa interpretou a história como uma indicação da visão superficial e "folclórica" de Andreotti sobre o fenômeno da máfia, mas, à luz do assassinato de Dalla Chiesa, esse fato assume um tom mais obscuro.[14]

Logo após o encontro com Dalla Chiesa, Andreotti publicou um artigo no qual expressou perplexidade com a missão do general na Sicília, indicando que ele era mais necessário na Calábria e na Campânia. Então, o prefeito de Palermo, Nello Martellucci – parte da facção Andreotti na Sicília – deu uma entrevista rejeitando a nomeação de Dalla Chiesa e a "criminalização de uma região, e uma cidade que, ao contrário, quer o respeito merecido". Ele também se opôs à nova proposta (de La Torre) de apreender as propriedades dos chefes da máfia, dizendo que "arriscaria interferir na economia de livre mercado"[15].

Dalla Chiesa considerou essas declarações públicas como sinais importantes, "mensagens enviadas pela 'família política' mais corrupta da região", referindo-se à facção Andreotti. Escrevendo ao primeiro-ministro Spadolini, Dalla Chiesa insistiu novamente que o governo lhe concedesse poder absoluto

14. O relato de Falcone está impresso em sua totalidade em *Mafia*, pp. 225-40. Os trechos do diário estão a partir das páginas 225-40.

15. Dalla Chiesa, p. 52

como coordenador da luta contra a máfia, senão "isso mostraria que as 'mensagens' haviam alcançado o seu objetivo de intimidação".[16]

Percebendo que o prestígio pessoal é extremamente importante na Sicília, Dalla Chiesa insistiu que sua própria reputação fora desonrada por comentários críticos de políticos e pela postura relutante do governo em adotar uma estratégia clara e decisiva para lidar com a máfia.

Desde que Dalla Chiesa chegara à Sicília, os poderes especiais que o prometeram nunca se materializaram. Falcone encontrou vários recortes de jornal que documentavam a crescente resistência entre os políticos locais sicilianos ao fato de ele ter autoridade para coordenar a guerra contra a máfia. Contrastando a postura dele com a de Cesare Mori – o prefeito de ferro de Mussolini –, o semanário *L'Espresso* referiu-se a Dalla Chiesa como "o prefeito de lata", uma situação que provocou reflexões amargas da parte dele.[17]

"Eu fui catapultado... em um ambiente traiçoeiro, rico em mistérios e no meio de uma luta que eu poderia achar emocionante, exceto pelo fato de que eu não tenho ninguém perto de mim, não tenho uma 'família' como durante os anos de terrorismo, quando toda a força dos *carabinieri* estava comigo. De repente, encontrei-me em terreno desconhecido. Em um lugar que por um lado espera milagres de mim e, por outro, amaldiçoa o objetivo de minha missão. Eu estou em um local... que está buscando paz de espírito, mas não por meio de uma vontade clara de combater a máfia e a máfia política, mas usando e explorando o meu nome para silenciar a irritação dos partidos políticos."[18]

Dalla Chiesa assistia com um rancor cada vez maior ao seu claro isolamento torná-lo impotente perante a máfia, que zombava dele, seguindo com sua campanha de extermínio com cada vez mais ousadia. Dalla Chiesa tentou dificultar a vida dos assassinos, criando bloqueios de polícia em torno da área conhecida como o "triângulo da morte" entre as cidades de Bagheria, Altavilla e Casteldaccia. A Cosa Nostra respondeu com outros assassinatos bem debaixo de seu nariz. Em 7 de agosto de 1981, os *carabinieri* de Casteldaccia receberam um telefonema anônimo dizendo: "Se vocês querem diversão, olhem dentro do carro estacionado na porta da sua estação". A polícia encontrou dois cadáveres no porta-malas do carro. Três dias

16. A carta de Dalla Chiesa a Spadolini é reproduzida em *Mafia*, p. 232.

17. *L' Espresso*, 9 de maio de 1982.

18. *Mafia*, p. 230.

depois, após mais alguns assassinatos, outro telefonema anônimo para um jornal local deixou a seguinte mensagem: "Nós somos os assassinos do triângulo da morte. A operação Carlo Alberto, em homenagem ao prefeito de Palermo, está quase concluída. Eu disse 'quase' concluída".

No dia seguinte à morte do general Dalla Chiesa, outra chamada anônima ao jornal de Catânia dizia: "A operação Carlo Alberto está concluída". "O assassinato de Carlo Alberto Dalla Chiesa", concluiu Falcone em sua posterior acusação, "foi um momento essencial na estratégia dos grupos vencedores da Cosa Nostra que ainda estavam intensamente envolvidos na eliminação física de seus adversários dentro da organização e consideravam a presença do prefeito de Palermo como um sério e perigoso obstáculo para a consolidação da hegemonia alcançada com a eliminação de Stefano Bontate, Salvatore Inzerillo e de seus amigos e aliados. "E, portanto, a resistência por parte do governo em dar plenos poderes a Della Chiesa acabou enfraquecendo sua credibilidade aos olhos do público, o que levou a máfia a empreender um plano complexo para diminuir ainda mais seu prestígio e depois matá-lo."[19]

Na véspera de sua morte, Dalla Chiesa conversou com Ralph Jones, cônsul americano em Palermo, expressando suas frustrações e apelando ao governo dos EUA para pressionar Roma a conceder-lhe os poderes que procurara sem sucesso por três meses. Ele contou a Jones uma história de sua experiência durante os anos 1970, como coronel encarregado da unidade dos "*carabinieri*" em Palermo. "Um dia ele recebeu um telefonema do capitão dos *carabinieri* da cidade de Palma di Montechiaro, dizendo que havia sido ameaçado pelo chefe da máfia local", explicou Jones mais tarde. "Dalla Chiesa partiu imediatamente para Palma di Montechiaro, chegando no final da tarde. Ele pegou o capitão pelo braço e começou a andar com ele vagarosamente, subindo e descendo a rua principal. Todos olhavam para eles. No final, o estranho casal parou em frente à casa do chefe da máfia local. Os dois ficaram tempo suficiente para deixar claro a todos que o capitão não estava sozinho. 'Tudo o que peço é que alguém me leve pelo braço e caminhe comigo', disse o general. Poucas horas depois, ele foi morto."[20]

Durante seus 120 dias em Palermo, Dalla Chiesa não havia contatado Falcone, Borsellino ou os outros magistrados dos escritórios de investigação,

---

19. *Mafia*, pp. 291-92.

20. *Wall Street Journal*, 12 de fevereiro de 1985. Parcialmente reimpresso em *Mafia*, p. 240.

sem dúvida por não confiar em ninguém em Palermo. Mas, quando Falcone começou a investigar a morte do general, ele descobriu que eles estavam perseguindo algumas das mesmas pistas. Como sua última entrevista pública sugeriu, Dalla Chiesa havia começado a se concentrar no papel cada vez mais significativo de Catânia na nova geografia da Cosa Nostra. "Com o consentimento da máfia de Palermo, os quatro maiores investidores imobiliários de Catânia estão construindo hoje em Palermo", ele havia dito. Assim como Falcone, Dalla Chiesa estava investigando esses empresários conhecidos como os "Cavaleiros do Trabalho" pelo governo italiano, mas referidos por outros como "Os Quatro Cavaleiros do Apocalipse". Entre os documentos de Dalla Chiesa, Falcone encontrou uma nota escrita à mão que indicava que Dalla Chiesa descobrira que o chefe da máfia de Catânia, Nitto Santapaola, estava na folha de pagamento de Carmelo Costanzo, um dos "Cavaleiros".

Falcone havia se interessado por Catânia durante o caso Spatola, quando soube que Michele Sindona e seu bando estiveram hospedados em um hotel de Catânia, como convidados de um dos quatro "Cavaleiros", Gaetano Graci.

Falcone estava decidido a investigar os empresários de Catânia, encorajando Pizzuti, da Polícia do Tesouro, a auditar seus registros financeiros. Pizzuti encontrou fortes sinais de ilegalidade, corrupção e tráfico de influência política que uniam os mundos da máfia local, das finanças e do poder político. Eles descobriram extensas relações entre os "Cavaleiros do Trabalho" e os mafiosos locais. Não apenas Nitto Santapaola estava na folha de pagamento da empresa de Costanzo como também havia sido convidado para o casamento do sobrinho de Carmelo Costanzo e se escondera no luxuoso hotel de Costanzo, perto de Catânia, quando estava sendo procurado em uma investigação de assassinato. Santapaola, conhecido como "o caçador", por causa de sua paixão por jogos de tiro, tinha acesso à reserva de caça privada de Gaetano Graci. A corporação de Mario Rendo, outro dos "Cavaleiros do Trabalho", comprou todos os seus carros da concessionária de Santapaola, e grampos revelaram conversas de Rendo com seus executivos discutido a contratação de vários mafiosos.

Pizzuti também descobriu que esses empresários estavam ganhando milhões de dólares por meio de um esquema de fraudes fiscais que gerava recibos falsos com a cumplicidade de subcontratantes (muitos deles controlados pela máfia), passando a receber enormes reduções de impostos em operações comerciais que nem sequer existiam. Analisando os registros de Graci, Pizzuti encontrou uma lista de pagamentos de propinas a políticos e até magistrados.

Graci tentou usar suas conexões políticas em Roma para tirar Pizzuti de sua cola. Um dia, no meio da auditoria, um assessor do ministro do Tesouro, o socialista Rino Formica, ligou para ele e disse-lhe para parar a investigação de Graci. Pizzuti respondeu que só pararia se recebesse uma ordem por escrito. Nenhuma nota foi divulgada. A Polícia do Tesouro continuou a investigação com a auditoria de Mario Rendo, considerado o mais poderoso dos quatro "Cavaleiros do Trabalho". Aqui, também, foram encontradas evidências do esquema de fraudes fiscais. Rendo disse a um dos inspetores que "os falsos recibos eram necessários na criação de um fundo para pagar suborno nos contratos do governo". Falcone e Pizzuti haviam se deparado com evidências de suborno político que explodiriam dez anos depois na investigação de suborno nacional conhecida como Operação Mãos Limpas. No entanto, naquele momento os políticos envolvidos ainda tinham a situação firmemente controlada. O ministro Formica continuou pressionando Pizzuti, enviando um par de "superinspetores" para investigá-lo. Quando descobriram que a auditoria estava sendo habilmente conduzida, o ministro socialista enviou outro conjunto de inspetores que encontraram razões para contestar a auditoria. Por fim, os políticos aprovaram uma anistia para os "Cavaleiros do Trabalho" de Catânia.[21]

Durante uma investigação policial em outro caso – o filho de Mario Rendo, Ugo, foi acusado de fraudar credores em uma falência –, investigadores encontraram uma série de notas escritas por Mario Rendo sobre suas discussões com políticos, entre eles o chefe de Pizzuti, o ministro do Tesouro, Formica. "A questão da investigação do escritório de promotores de Catânia – suavizar", escreveu Rendo, listando os tópicos que ele queria levantar com seus amigos políticos. "Substituir o chefe de polícia de Catânia pelo chefe de polícia de Caltanissetta...

"Coronel Pizzuti em Palermo até setembro?" Quando Falcone os questionou, os políticos negaram conceder quaisquer favores especiais para Rendo, e ainda assim, milagrosamente, muitos itens de sua lista de desejos se tornaram realidade de repente, incluindo a transferência de Pizzuti. Sem

21. A reconstrução de Falcone da investigação sobre Graci e os Cavaleiros de Catânia está em *Mafia*; pp. 254-66. Além disso, entrevista do autor com Elio Pizzuti.

poderem puni-lo, escolheram a segunda opção: promoveram-no. Ignorando regras de promoção, Pizzuti subitamente foi elevado ao posto de general e enviado o mais longe possível da Sicília, para Udine, perto da fronteira com a Áustria, ao norte. Durante a Operação Mãos Limpas, surgiram evidências de que a família Rendo pagava milhares de dólares em subornos anuais para os partidos socialista e democrata-cristão.[22]

Falcone conseguiu provar que a nova aliança entre Palermo e Catânia era vigente em vários níveis diferentes, desde tráfico de drogas e assassinatos até contratos governamentais e operações financeiras – muitas vezes envolvendo o mesmo grupo de pessoas. Depois de grampear o telefone de um conhecido mafioso de Palermo, Gaspare Mutolo, a polícia pôde registrar discussões sobre contrabando de heroína entre Mutolo e mafiosos de Catânia. Os mesmos mafiosos de Catânia foram gravados discutindo como dividir contratos governamentais entre os executivos que trabalhavam para Mario Rendo. Após aceitarem a ajuda da máfia, os "Cavaleiros de Catânia" estavam sempre presentes em Palermo, ganhando contratos do governo e fazendo negócios com parceiros da cidade, incluindo os temidos Salvo. Havia crescentes evidências de que a Cosa Nostra se tornara uma espécie de entidade orgânica unificada, agindo com interesses em comum, em diferentes cidades e províncias. Dalla Chiesa descobriu essa convergência de interesses poderosos e foi assassinado.[23]

Falcone foi capaz de associar o chefe de Catânia, Nitto Santapaola, ao assassinato de Dalla Chiesa usando uma lógica não muito diferente da usada pelos assassinos no filme *Pacto Sinistro*. No filme de Hitchcock, dois estranhos compartilham suas queixas sobre a vida quando um deles tem uma ideia para um assassinato perfeito: cada um mataria o inimigo do outro, de modo que seria impossível que a polícia conectasse vítima e assassino, já que eram estranhos vivendo a centenas de quilômetros de distância. Linhas cruzadas, como se dizia no filme. Falcone observou o mesmo padrão em outro assassinato, que ocorrera cerca de dois meses antes da morte de Dalla Chiesa: um carro dos *carabinieri* foi atacado nos arredores de Palermo quando transportava um réu da máfia de uma prisão para outra. Três *carabinieri* foram mortos, mas o alvo principal era o prisioneiro, Alfio Ferlito, chefe de uma das principais famílias mafiosas de Catânia e

22. *Mafia*, pp. 255-57.

23. *Mafia*, pp. 240-88.

arquirrival de Nitto Santapaola. Nos últimos dois anos, os dois estavam se digladiando em uma guerra pelo controle de Catânia, em confrontos armados nas ruas da cidade e dezenas de assassinatos. O local do assassinato e as placas dos carros usados pelos assassinos deixaram claro que a máfia de Palermo havia feito um favor a Nitto Santapaola, eliminando o seu pior inimigo. O conchavo permitiu que os homens de Santapaola –imediatamente suspeitos do crime – dissessem, corretamente, que estavam em casa no momento do crime. Seria quase impossível – e muito perigoso – realizar uma operação no território de família sem o consentimento e a participação da máfia local. Por outro lado, havia provas de que os cataneses haviam retribuído o favor com o assassinato de Dalla Chiesa. Como esse assassinato ocorreu no centro de Palermo, ninguém foi capaz de reconhecer os assassinos de Catânia. Falcone começou a coletar informações desse tipo entre as grades da prisão. "Várias vezes ouvi criminosos comuns se gabarem da maneira eficiente e bem pensada com a qual as organizações criminosas sicilianas tinham matado Dalla Chiesa", declarou um ex-terrorista preso com muitos criminosos sicilianos. "Depois do assassinato de Dalla Chiesa, o prestígio dos prisioneiros de Catânia aumentou exponencialmente dentro da prisão."[24]

As análises balísticas dos assassinatos confirmaram o eixo Catânia-Palermo. O mesmo rifle Kalashnikov usado nos assassinatos de Stefano Bontate e Salvatore Inzerillo foi usado nos assassinatos de Ferlito e Dalla Chiesa – confirmando o palpite de Falcone de que a máfia de Palermo era responsável pela eliminação do chefe de Catânia, Ferlito. Mas houve uma reviravolta interessante na análise dos dois últimos crimes: nos assassinatos de Ferlito e Dalla Chiesa, dois rifles Kalashnikov, e não apenas um, foram usados, e em cada caso, os mesmos dois rifles. Por que a Cosa Nostra, que certamente tinha um amplo suprimento de armas, continuava usando as mesmas armas em todos os assassinatos? "O uso das mesmas armas em tantos crimes diferentes claramente não é um descuido, mas uma maneira implícita de reivindicar a autoria dos assassinatos", escreveu Falcone mais tarde.[25] Ele encontrou evidências disso em um interessante crime menor. Algumas noites antes do assassinato de Salvatore Inzerillo, os assassinos experimentaram o rifle Kalashnikov na vitrine à prova de balas de uma

24. *Mafia*, p. 293.

25. *Mafia*, p. 298.

joalheria em Palermo. Por meio de um informante interno, eles haviam descoberto que Inzerillo acabara de comprar um carro blindado e queriam ter certeza de que suas armas iriam penetrar no para-brisa blindado. No entanto, eles recolheram os cartuchos que o rifle deixou depois dos disparos – na ânsia de evitar que Inzerillo ficasse precavido. Mas depois de cometerem os assassinatos, os cartuchos eram deixados no local, como se os criminosos quisessem deixar uma assinatura – uma afirmação de poder dentro da Cosa Nostra. O único Kalashnikov usado para matar de Bontate a Dalla Chiesa claramente pertencia a alguém da máfia de Palermo. A presença de um segundo rifle Kalashnikov nos assassinatos de Ferlito e Dalla Chiesa pode ter sido um símbolo da aliança entre Catânia e Palermo.

Capítulo 5

A repercussão da morte do general Dalla Chiesa tirou o Parlamento italiano do estado de letargia, em um de seus períodos de atividade no combate à máfia. Em um caso clássico de fechar a porta do celeiro depois de o cavalo ter sido roubado, a legislatura criou, em setembro de 1982, o alto comissariado para investigações da máfia, concedendo, em poucos dias, os mesmos poderes que tinha negado a Dalla Chiesa durante seus meses em Palermo. Mas, como era de se esperar, o escritório foi preenchido por uma série de figuras cinzentas e burocráticas, até sua posterior dissolução, por ser considerado supérfluo. De maneira similar, o parlamentar comunista Pio La Torre obteve apenas depois de morrer o que tanto havia querido em vida: pela primeira vez na história, o Parlamento tornou crime pertencer à máfia e os procuradores obtiveram o poder de apreender os bens da máfia acumulados por meio de atividades criminosas.

Apesar disso, havia sinais reconfortantes para a Cosa Nostra, de que a guerra contra a máfia não se tornaria algo radical. O ministro da Justiça, Clelio Darida, disse, em uma convenção de magistrados de Palermo, que, em vez de tentar eliminar a máfia, eles se esforçaram no sentido de contê-la dentro de "limites naturais" – como se fosse uma parte imutável da paisagem siciliana, como os bosques de limão e o Etna.[1] Coincidindo com essa atitude de resignação fatalista, o ministro recusou os pedidos de Rocco Chinnici, que reivindicava novamente um computador para o escritório de investigações de Palermo, inundado por uma enxurrada de novas informações de sua miríade de investigações da máfia. Falcone e Borsellino passaram os dias preenchendo meticulosamente milhares de pedaços de papel

1. Lodato, *Quindici anni di mafia*, p. 122.

de centenas de réus diferentes, usando apenas suas memórias prodigiosas para ajudá-los a correlacionar os dados.

Com o advento do ano-novo, os dois promotores encontraram-se na situação já conhecida de comparecer ao funeral de outro colega. Em 25 de janeiro de 1983, o juiz Giangiacomo Ciaccio Montalto foi assassinado em Trapani, a uma hora de Palermo. Vivendo em uma cidade cujo prefeito negava a existência da máfia, Montalto era um peixe fora d'água, indiciando corajosamente tanto os mafiosos locais quanto os políticos corruptos. Ele encontrou mais apoio em seus colegas de Palermo do que naqueles que trabalhavam nos escritórios ao lado. Nas últimas semanas de vida, ele descobriu por quê. Enquanto instalava escutas telefônicas na família dominante da máfia local, ele escutou conversas entre o chefe da máfia e um de seus colegas da promotoria local, Antonio Costa, negociando o valor de um suborno para "resolver" uma acusação. Pouco depois de fazer essa descoberta, Montalto foi morto.[2]

O funeral foi marcado por um evento incomum e uma movimentação inusitada. Embora Montalto fosse completamente desconhecido fora do mundo restrito do tribunal, uma horda de estudantes de Trapani apareceu por iniciativa própria para prestar homenagem ao homem que morrera lutando contra a máfia da cidade. Esse gesto surpreendente e espontâneo sugeria que alguma coisa estava mudando na Sicília e contrastava fortemente com a escassez de funcionários do governo presentes ali. Depois do funeral, um amigo de Montalto, Rosario Minna, promotor de Florença, lançou um desafio público ao ministro da Justiça. "Eu quero saber qual é 'o limite natural' dos assassinatos da máfia. Qual é a 'quantidade natural' de quilos de drogas a serem vendidos todos os anos na Itália?"[3]

Em março, o governo italiano concedeu a Raffaele Cutolo, dirigente da Camorra – o equivalente napolitano da máfia –, o raro privilégio de se casar na prisão. Segundo informações vazadas, Cutolo teve um papel fundamental na libertação de um político democrata-cristão, Ciro Cirillo, sequestrado pelas Brigadas Vermelhas em 1981. Publicamente, o partido Democrata-Cristão se recusava a negociar com terroristas, mas, por baixo dos panos, políticos e membros dos serviços secretos visitaram Don Raffaele na prisão, pedindo a ele que negociasse com membros impiedosos

2. *L'Espresso*, 14 de abril de 1958.

3. *L'Espresso*, 6 de fevereiro de 1983.

das Brigadas Vermelhas. Um grande resgate foi pago para garantir a liberdade de Cirillo.[4]

Em Palermo, quando o cardeal Pappalardo – que falara veementemente no funeral do general Dalla Chiesa – foi realizar sua missa anual de Páscoa na prisão da cidade, Ucciardone, nenhum preso apareceu. O boicote demonstrou claramente o controle que a máfia exercia, não apenas de seus próprios membros, mas também sob um exército muito maior de criminosos comuns.[5]

No mesmo período, o caso de Paolo Borsellino contra os assassinos do capitão Emanuele Basile foi a julgamento. A tese de acusação parecia extremamente forte, mas, antes de chegar a júri, o juiz Carlo Aiello de repente declarou a anulação do julgamento, pedindo a realização de uma nova perícia nos traços de lama que ligavam os três assassinos à cena do crime. Embora a nova perícia da lama tenha confirmado a tese original, o novo júri absolveu Giuseppe Madonia, Vincenzo Puccio e Armando Bonnano em 31 de março de 1983. Borsellino ficou chocado com o veredicto. Segundo recentes testemunhas da máfia, em ambos os casos os juízes tinham sido comprados e os jurados sofreram ameaças.

Amargurado com esse desfecho, Borsellino usou os únicos meios que tinha para tirar Puccio, Madonia e Bonnano das ruas: enviou-os para a Sardenha. Na Itália, réus que são considerados um perigo para a sociedade podem ser enviados para uma espécie de "exílio interno", longe de sua cidade natal e sem contato com seus companheiros de crime. Mas o Estado italiano não garantia o cumprimento total dessa medida, e, logo que chegavam em seu novo lar, os criminosos desapareciam, certamente voltando a Palermo. Puccio, Bonnano e Madonia ocuparam seu lugar entre as centenas de mafiosos fugitivos na Sicília, incluindo outros inimigos de Borsellino, como Filippo Marchese e Pino "o sapato" Greco. Não é difícil entender como tantos conseguiam escapar: alguns meses antes, um agente da polícia (Calogero Zucchetto) fora baleado e morto apenas um dia depois de ter identificado o esconderijo de um importante fugitivo (Salvatore Montalto).[6]

---

4. O relatório do casamento de Cutolo apareceu em *L'Espresso* em 1º de maio de 1983.

5. *L'Espresso*, 15 de maio de 1983.

6. A história do caso Basile é contada por Borsellino no vol. 17 do relatório do maxijulgamento, pp. 3361-78.

A ideia desses três assassinos à solta deixou a família Borsellino em pânico. Eles já haviam assassinado um investigador (Basile) e poderiam fazer o mesmo com outro. "Puccio, Madonia e Bonnano, Puccio, Madonia e Bonnano – ouvíamos esses nomes repetidamente durante toda a minha infância", disse Manfredi Borsellino, o segundo dos três filhos do magistrado. "Eles nos assombraram por anos."[7]

O pânico na família era tal que o sogro de Paolo Borsellino, que tinha sido o juiz chefe de Palermo, tentou convencê-lo a não trabalhar em casos de máfia. Não obtendo sucesso, o juiz aposentado passou por cima de Borsellino e foi ter com Rocco Chinnici, chefe de Borsellino, queixando-se dos casos perigosos para os quais seu genro estava sendo designado. Borsellino ficou furioso ao saber dessa interferência indesejada. Intransigente e inacessível, Chinninci reagiu excluindo Borsellino de todos os novos casos da máfia. Como Borsellino constatou mais tarde, a máfia é muito eficaz, pois pode atingi-lo não apenas por meio de seus inimigos, mas também por meio de amigos.[8]

As investigações do Falcone sobre o tráfico de drogas internacional e o assassinato de Dalla Chiesa começaram a se fundir. Em abril de 1983, Falcone voou para a França para questionar uma importante nova testemunha, Francesco Gasparini, um traficante italiano que trazia drogas da Tailândia para a máfia em Palermo. Gasparini havia sido preso no aeroporto de Paris com heroína na mala e, depois de passar dois anos na prisão, estava se sentindo abandonado e pronto para falar. Embora fosse apenas um criminoso comum usado pela máfia, Gasparini atualizou Falcone sobre a máfia do tráfico após o caso Spatola. Segundo ele, a descoberta de quatro refinarias de heroína na Sicília desestruturou a conexão local, levando a máfia a importar heroína já refinada da Tailândia, evitando a criação de refinarias elaboradas que poderiam atrair a atenção da polícia. Gasparini voaria até Bangkok para receber a mercadoria de um fornecedor chinês chamado "Kim" e entregaria a Gaspare Mutolo, em Palermo, um mafioso cujo telefone Falcone havia grampeado. As suspeitas de Falcone sobre a existência de uma nova aliança entre as máfias de Palermo e Catânia foram confirmadas por Gasparini: ele participou de uma reunião na casa de Mutolo

---

7. Entrevista do autor com Manfredi Borsellino.

8. Entrevista do autor com Maria Pia Lepanto Borsellino, Rita Borsellino Fiore, Agnese Borsellino e Manfredi Borsellino. Comentário de Borsellino em uma entrevista na televisão suíça está em videocassete: "Intervista a Paolo Borsellino", © 1992, RTSL.

em Palermo, onde um dos chefes de Palermo, Rosario Riccoborto, e Nitto Santapaola, chefe em Catânia, se encontraram para discutir um imenso carregamento de quinhentos quilos de heroína. Foi no território de Riccobono que o maior inimigo de Santapaola, o mafioso catanense Alfio Ferlito, foi morto. Esse fato coincide com o palpite de Falcone segundo o qual o assassinato de Ferlito foi um favor concedido a Santapaola pela máfia de Palermo, pago quando Santapaola ajudou no assassinato do general Dalla Chiesa.[9]

O depoimento de Gasparini foi logo seguido quase por um avanço ainda mais dramático: em 14 de maio, a polícia egípcia apreendeu um navio grego no canal de Suez que levava cerca de 23 quilos de heroína. Havia um mafioso siciliano escoltando o carregamento – outro membro do cartel de drogas de Gaspare Mutolo e Rosario Riccobono –, e em seu passaporte foram encontrados registros de que ele tinha acabado de sair de Bangkok, na Tailândia.[10]

Em 9 de julho, Falcone indiciou quatorze pessoas pelo assassinato de Dalla Chiesa, que ele acreditava ter sido decido coletivamente pelos chefes da Sicília, incluindo os *corleonesi* Salvatore Riina, Bernardo Provenzano, Michele "o Papa" Greco e seu irmão Salvatore Greco (conhecido como "o senador", por suas decisões políticas), bem como Nitto Santapaola, de Catânia.[11]

Ao mesmo tempo, a polícia italiana conseguiu localizar o fornecedor de heroína na Tailândia. Ao examinar os cartões-postais escritos à mão vindos de Bangkok para Francesco Gasparini, a polícia identificou o homem erroneamente conhecido por "Kim" como Ko Bak Kin, um traficante de heroína condenado de Cingapura que havia passado um tempo em prisões italianas durante os anos 1970. Em julho, a Itália emitiu mandados de prisão para onze membros do cartel de heroína, incluindo Ko Bak Kin, capturado pela polícia tailandesa em Bangkok. Os documentos em posse de Kin confirmavam as suspeitas: a polícia encontrou os endereços de Gaspare Mutolo, Francesco Gasparini e do mafioso que tinha sido preso com os 233 quilos de heroína.[12]

Imediatamente após a prisão, Gianni De Gennaro – o agente da polícia criminal em Roma que trabalhava de perto com Falcone – voou para a

9. A história da cooperação de Gasparini é explicada por Falcone na acusação do julgamento, reimpressa em Stajano, ed, *Mafia*, pp. 105-113.

10. *Mafia*, pp. 122-29.

11. *Mafia*, p. 296.

12. *Mafia*, pp. 139-47.

Tailândia para interrogar Kin. Para a surpresa de Gennaro, Kin imediatamente concordou em vir para a Itália como testemunha. De certo, arriscar-se na prisão italiana, onde poderia ser morto por vingança, parecia uma punição leve em comparação com o que ele poderia esperar da polícia em sua terra natal, Cingapura.[13]

Quando ouviu de De Genaro a notícia da decisão de Kin, Falcone preparou-se para encontrá-lo na Tailândia. Antes de partir para Bangkok, Falcone foi ver seu chefe, Rocco Chinnici, junto com o coronel Elio Pizzuti, da Polícia do Tesouro. "Tenha cuidado", disse Falcone a Chinnici; "Este é um momento delicado", lembrou Pizzuti. Falcone ficou bastante incomodado com a falta de segurança em torno da casa de Chinnici. "Por que você não proíbe os carros de estacionarem na frente da sua casa?", Falcone perguntou a Chinnici. "Os outros moradores do condomínio ficariam incomodados, não vale a pena."[14] Como o motorista pessoal de Chinnici estava saindo de férias, o motorista de Falcone, Giovanni Paparcuri, foi designado para proteger Chinnici enquanto Falcone estava na Tailândia.

Falcone e Pizzuti voaram a Bangkok juntamente com Domenico Signorino, da *Procura della Repubblica*. Signorino levou sua esposa, e Falcone, sua noiva, Francesca Morvillo, e, como foram forçados a tirar os dois primeiros dias de folga devido a um obstáculo burocrático, parecia quase um período de férias."Foi a única vez em que viajamos com as nossas esposas", disse Signorino."E nós fomos a um espetáculo turístico de luta de jacaré."[15] Então, em uma noite, um telefonema de Palermo informava que Rocco Chinnici tinha morrido – explodido por um carro-bomba estacionado em frente ao seu prédio quando o magistrado saía para ir trabalhar. Também foram mortos com Chinnici dois guarda-costas e o porteiro do prédio. Cerca de quatorze pessoas ficaram feridas, incluindo o motorista de Falcone, Giovanni Paparcuri, que foi gravemente ferido, mas milagrosamente sobreviveu.[16]

Chinnici tinha sido fundamental para reanimar as investigações da máfia e tirar o Palácio da Justiça de Palermo de seu estado de torpor. Ele teve a coragem de assumir o cargo de investigador após o assassinato de

13. Entrevista do autor com Gianni De Genaro.

14. Entrevista do autor com Ellio Pizzuti.

15. Entrevista do autor com Domenico Signorino.

16. Lodato, pp. 130-32. Entrevista do autor com Giovanni Paparcuri.

Cesare Terranova e encorajara Falcone a persistir com as investigações bancárias. Chinnici tinha entendido a necessidade de preencher a lacuna entre o Judiciário, fechado em seu *bunker* de mármore, e o resto da sociedade siciliana. Ele frequentemente fazia aparições públicas nas quais falava contra a máfia, em uma cidade em que por muitos anos os juízes nem sequer usavam a palavra "máfia". Ao aceitar convites para falar em escolas nos arredores de Palermo, Chinnici tentava dissolver a cultura da *omertà*, construindo uma nova cultura antimáfia. Ele havia apreciado a importância do "relatório dos 162" de Ninni Cassarà na polícia, e assinara os primeiros mandados de prisão contra Michele Greco, "o Papa".

Logo após a explosão, foi revelado que um informante alertara a polícia de que um magistrado de Palermo seria explodido em resposta aos mandados de prisão do caso Dalla Chiesa – assinados por Falcone e Chinnici apenas duas semanas antes do atentado. Mesmo assim, nenhuma medida especial foi tomada no sentido de melhorar a proteção dos dois promotores. O informante era um traficante libanês chamado Bou Ghebel Ghassan, que fornecia morfina para os membros do clã de Michele Greco. Logo depois que os mandados de prisão foram emitidos contra Greco pela morte de Dalla Chiesa, membros do clã contaram-lhe sobre seus planos de retaliação. "Eles me disseram que tinha sido um erro matar Dalla Chiesa, porque provocara uma 'bagunça', mas, tendo começado, era necessário continuar com essas ações contra qualquer um que 'metesse o nariz nos negócios da máfia...' [Vincenzo] Rabito disse que a família liderada pelos Greco, à qual ele pertencia, era responsável por realizar esses assassinatos a fim de eliminar aqueles que se opusessem à máfia e, ao mesmo tempo, mandar uma mensagem aos que vinham depois, para que limitassem suas ações, ou teriam o mesmo fim. Lembro-me de que ele disse quase literalmente: 'Nós vamos explodi-lo em Palermo, como vocês fazem em seu país, nós vamos explodir tudo para que não haja testemunhas...' E depois da morte de Chinnici, estavam muito satisfeitos com o resultado e disseram: 'Viu como acabou?'"[17]

Logo o escândalo do aviso de assassinato desprezado uniu-se aos rumores de que Chinnici mantinha um diário particular em que denunciava muitos colegas juízes e promotores por suas atitudes benevolentes em relação à máfia. Em setembro, pouco depois de Falcone retornar da Tailândia, alguém vazou o diário para o semanário *L'Espresso*, que publicou os trechos mais

17. *Mafia*. pp. 293-96.

significativos. Do cemitério, Chinnici apontou o dedo para juízes, advogados e promotores que ele considerava cúmplices de seus assassinos mafiosos.

"Se algo de ruim acontecer comigo, há dois homens responsáveis: (1) aquele grande covarde Ciccio Scozzari e (2) o advogado Paolo Seminara", escreveu. O primeiro, Francesco ("Ciccio") Scozzari, foi promotor da Procuradoria da República, enquanto Seminara era um importante advogado de defesa em Palermo que representava a poderosa família Salvo, coletores de impostos da Sicília, suspeita de envolvimento com a máfia. "Ciccio Scozzari é a criatura mais imunda do mundo, um servo da máfia", escreveu Chinnici em seu diário. "Seja por inveja, seja por ordens da máfia, ele esteve contra mim desde que vim para Palermo."

Muitos suspeitavam de corrupção no Palácio da Justiça de Palermo, no entanto, o diário de Chinnici deu informações que comprovaram essas suspeitas, fornecendo nomes, datas e exemplos. Os comentários sarcásticos e as fofocas de corredor dirigidas a Giovanni Falcone e seu trabalho eram apenas a ponta do *iceberg* de uma resistência muito maior ao trabalho investigativo. Chinnici descreveu uma conversa acalorada com o presidente do Tribunal de Apelações de Palermo, Giovanni Pizzillo (o magistrado mais importante da cidade), dizendo que as investigações de Falcone estavam "arruinando a economia siciliana". Pizzillo "me disse claramente que eu deveria sobrecarregar Falcone com casos de rotina, para que ele não tentasse descobrir qualquer coisa, pois os magistrados de Palermo nunca descobriram nada... Ele tenta controlar sua raiva, mas não consegue. Ele me diz que quer vir para inspecionar o escritório (e eu o convido a fazer isso)... Esse é um homem que nunca fez nada para combater a máfia, ao contrário, seu relacionamento com os grandes mafiosos sempre os ajudou a prosperar".[18]

Pizzillo pressionava Falcone para que ele fosse condescendente com muitos réus com os quais tinha ligações de amizade. "Giovani Falcone me disse que o presidente da Corte o chamou em seu escritório para falar em favor do Cavaleiro do Trabalho Gaetano Graci, envolvido no caso de Sindona", escreveu Chinnici em seu diário, no dia 14 de julho de 1981.[19]

---

18. Os primeiros trechos dos diários de Chinnici apareceram em *L'Espresso*, 18 setembro de 1983. Para a discussão dos diários de Chinnici, ver Lodato, pp. 137-42, e Galluzzo, *Obiettivo Falcone*, pp. 151-63.

19. Para uma amostra mais completa dos diários de Chinnici, incluindo esta citação, ver *Antimafia*. vol. I (1991), uma publicação da *Coordinmento Antimafia de Palermo*.

Além disso, o *procuratore generale de Palermo*, Ugo Viola (o principal procurador da cidade), desencorajou uma testemunha do caso Mattarella a depor. A testemunha, Raimondo Mignosi, era o inspetor público a quem Mattarella havia pedido para conduzir a investigação dos contratos públicos de Palermo. "Na minha última conversa com o presidente Mattarella, no final de novembro, eu disse a ele para ter cuidado, porque eu corria o risco de acabar em um bloco de cimento, e ele respondeu: 'Isso não é verdade, eu vou acabar no cimento'. Para quebrar a tensão, concordamos que nós dois acabaríamos juntos em um bloco de cimento, lado a lado."

Quando Mignosi terminou de contar sua história a Viola, o procurador-chefe não conseguiu esconder o próprio espanto. "Escreva tudo o que você tem para me dizer em uma carta e envie-a anonimamente. Use uma máquina de escrever, nada de assinatura." Mignosi expressou sua decepção com essa resposta, lembrando Viola dos apelos públicos que ele havia feito para estimular a cooperação com as autoridades. Ao que o promotor replicou: "Sim, é verdade que falei sobre a necessidade de os cidadãos se apresentarem... mas os cidadãos podem ajudar de muitas maneiras diferentes. Se você quer dar um depoimento, posso chamar o *procuratore della Repubblica*, caso contrário... uma carta anônima. 'Em resumo', eu disse, 'você me pede para ser cauteloso.'" Mignosi disse depois. "Muito cauteloso", respondeu Viola.[20]

Chinnici também revelou um possível plano para matar Falcone. "Giovani Falcone está extremamente preocupado", escreveu Chinnici. "À uma da tarde, ele foi ao meu escritório para dizer que iria de helicóptero no dia seguinte a Caltanissetta, para se encontrar com Favi, o promotor assistente de Siracusa. Um prisioneiro disse a Favi que alguém está planejando o assassinato de Falcone e que os mandantes são empresários e mafiosos de Catânia. O Cavaleiro do Trabalho Mario Rendo, segundo o prisioneiro, é regularmente informado das atividades de Falcone pelo Alto Comissário (sobre todas as investigações antimáfia). Impressionante."

Vivendo nesse clima de suspeita e traição, Chinnici parecia ter entrado em paranoia, desconfiando de tudo e de todos, inclusive do próprio Falcone. Em 17 de junho (apenas um pouco antes de sua morte), Chinnici escreveu: "Faz seis meses que escrevo neste diário. Foi um erro, porque muitas coisas continuaram acontecendo. Muitas coisas em relação a Giovanni Falcone...

20. *L'Espresso*, 23 de outubro de 1983.

Por que ele leva os documentos de suas investigações para casa? E por que ele se encontra com todas essas pessoas (promotores, policiais) em segredo?".

Quatro dias depois, Chinnici escreveu: "Mandalari, contador e consultor da máfia libertado por falta de provas. Falcone diz: em um Estado de Direito você precisa ter provas antes de efetuar uma prisão. Mas ele não agiu assim com dezenas de outros réus".[21]

Se Rocco Chinnici tinha um calcanhar de Aquiles, era a inveja. Depois de apoiar a investigação de Falcone, ele passou a ter inveja de seu sucesso e notoriedade repentina. Com o caso do Spatola, para a opinião pública, Falcone de repente se tornou um promotor antimáfia. Em suas viagens incessantes seguindo a trilha do tráfico internacional de drogas, ele se tornou aquele a quem os investigadores de Washington, Paris, Ancara e Bangkok recorriam. Quando o governo dos EUA organizou uma convenção sobre os processos judiciais contra a máfia, foi Falcone o convidado a palestrar. Chinnici ficou furioso. Quando o consulado americano em Palermo ficou sabendo da insatisfação de Chinnici, logo enviou um convite a ele. Mas o estrago já estava feito. O veneno da inveja já circulava em sua corrente sanguínea.

"Muitas pessoas me consideraram o braço direito de Chinnici, como se eu fosse apenas um executor acrítico de suas ordens", disse Falcone em 1986. "Quando perceberam que eu fiz meus próprios julgamentos, eles fizeram tudo que podiam para nos colocar um contra o outro."[22]

A máfia – provavelmente através de seus olhos e ouvidos entre os advogados criminais de Palermo – sempre esteve ciente das alianças e conflitos existentes dentro do Palácio de Justiça, e tentou tirar proveito da fraqueza de Chinnici. Um dia, como registrou em seu diário, Chinnici recebeu uma carta anônima que dizia: "Ninguém no escritório de investigação move um único pedaço de papel sem a permissão de Giovanni Falcone". Esse dardo envenenado tinha sido claramente destinado a estimular a inveja de Chinnici e a colocá-lo contra Falcone.[23]

Embora Chinnici tenha expressado seus sentimentos de ciúme e suspeita em seu diário particular, ele nunca permitiu que isso afetasse seu comportamento em relação a Falcone. Em um dado momento, Falcone tomou conhecimento do problema e discutiu-o abertamente com Chinnici,

---

21. *Antimafia*, vol. I (1991).

22. Galluzzo, La Licato e Lodato, *Falcone vive*, p. 37.

23. *Antimafia*, vol. I (1991).

desanuviando a situação. "Quando as coisas ficaram extremas, conversei pessoalmente com Chinnici", ele disse. "O problema acabou aí." Os últimos meses da vida de Chinnici foram de colaborações particularmente frutíferas, marcados tanto pela descoberta da rota de tráfico Tailândia-Palermo quanto pelo caso Dalla Chiesa.[24]

E mesmo assim, por causa do diário, Falcone foi obrigado a comparecer diante do *Consiglio Superiore della Magistratura*, juntamente com os juízes e promotores públicos que Chinnici havia acusado de má conduta. Apenas algumas semanas após perder um amigo e mentor, um atentado a bomba que poderia muito bem ter sido feito para ele, Falcone viu-se na posição de réu, ao invés de promotor. Embora tenha saído ileso do processo – recebendo elogios dos juízes do *Superiore Consiglio* –, o episódio deu-lhe uma ideia de quão rapidamente o jogo poderia se virar contra ele.[25]

24. *Falcone vive*, p. 37.

25. O *Consiglio Superiore della Magistratura* discutiu o caso dos diários Chinnici em sua reunião de 28 de setembro de 1983.

Capítulo 6

Nos meses seguintes ao assassinato de Rocco Chinnici, o gabinete de investigação de Palermo ficou paralisado. Uma multidão de magistrados cansados da Sicília alinhou-se na tentativa de preencher seu lugar. Apesar de sua primazia em processos criminais e quase vinte anos de serviço, Giovanni Falcone nem se deu ao trabalho de se candidatar para a vaga. Na Itália, a idade (*seniority*), mais do que o mérito, é sempre o princípio norteador das nomeações judiciais: pessoas que jamais se distinguiram em décadas de emprego esperam ser automaticamente recompensadas com o prestígio e a autoridade de um cargo superior. Mas dessa vez, em um movimento surpreendente, o *Consiglio Superiore della Magistratura* ignorou as rígidas regras de nomeação e buscou longe de Palermo Antonino Caponetto, o sucessor de Chinnici. Embora tivesse 63 anos na época, Caponetto não era o candidato mais graduado para o cargo. Além disso, ele passou a maior parte de sua carreira trabalhando em Florença. Caponetto não tinha experiência em casos da máfia, mas tinha uma reputação de seriedade e profissionalismo e, sua prontidão em trocar Florença por Palermo era uma clara indicação de que ele desejava encerrar sua carreira de maneira digna, e não apenas com uma aposentadoria confortável. Para Caponetto, ir para Palermo significava ficar longe de sua esposa e filhos na Toscana, uma vida de prisioneiro, saindo de seu escritório blindado em direção aos quartéis fortemente vigiados da Polícia do Tesouro. Como um magistrado e um siciliano de origem, ele foi profundamente afetado pelo assassinato de Rocco Chinnici e sentiu um forte desejo de voltar e lutar contra a máfia. Quando um canal de televisão florentina perguntou se ele tinha medo de assumir um cargo em que os dois predecessores imediatos haviam sido assassinados, Caponetto respondeu: "Aos 63 anos de idade, estou acostumado a conviver com a ideia da morte".[1]

Um dos primeiros a parabenizar Caponetto foi Giovanni Falcone, que ligou para pedir-lhe para vir a Palermo o quanto antes. "O que me impressionou no telefonema de Giovanni foi o tom amigável e confiante dele", disse Caponetto. "Falava como se nos conhecêssemos fazia muitos anos, quando na verdade nunca havíamos nos encontrado."[2]

Nem todas as saudações recebidas por Caponetto ao chegar a Palermo foram assim tão amigáveis. Marcantonio Motisi, um dos juízes que haviam se candidatado para se tornar chefe do gabinete de investigação, avisou a Caponetto que estava planejando entrar com uma ação judicial para conseguir o cargo. Mais perturbadora ainda foi uma mensagem sinistra enviada pela máfia. Alguém dentro do escritório do telégrafo ou do próprio Palácio de Justiça havia adulterado um telegrama de felicitações do alto Comissário dos assuntos antimáfia, alterando a palavra "sucesso" (sucesso em italiano) para a palavra para "morto" (*ucciso*), de modo que, em vez de dizer "desejo-lhe sucesso", a nota dizia: "desejo-lhe morto".[3]

Em Palermo, Caponetto passou a residir no austero quartel da Polícia do Tesouro, em cuja lanchonete ele comia todas as noites, dormindo em uma pequena cela monástica com uma estreita cama de solteiro. Quando Giovanni Falcone visitou-o para inteirá-lo de seu trabalho, encontrou um homem magro, bem vestido, com óculos de aros e uma cabeça careca com alguns poucos fios de cabelo branco. Apesar de seu ar senil e da idade avançada de Caponetto – do seu corpo magro aos olhos negros de carvão –, ele apresentava uma aparência dura, ascética, que parecia combinar com os alojamentos espartanos dos quartéis da Polícia do Tesouro. Como Falcone, ele era um homem simples, direto e de poucas palavras, cuidadosamente avaliadas. Embora Caponetto fosse o chefe, ele teve a humildade de respeitar e ouvir a experiência que Falcone tinha a respeito da máfia. "Naquele primeiro encontro, Falcone me disse que podíamos contar com apenas alguns poucos amigos no Palácio da Justiça... Eu logo veria que seus pontos de vista eram bem fundamentados", escreveu Caponetto.[4]

---

1. Antonino Caponetto, *I mei giorni a Palermo* (Milão, 1992), p. 31.
2. Caponetto, p. 37.
3. Caponetto, p. 31.
4. Caponetto, p. 40.

Caponetto decidiu formar um grupo de magistrados que se dedicariam exclusivamente a casos de máfia, compartilhando informações. Usado com sucesso na acusação de terrorismo, esse conceito de grupo reduziu o risco de um único magistrado se tornar o repositório exclusivo de segredos perigosos ou o alvo de retaliação. Ao mesmo tempo, reunir o trabalho de vários promotores permitiria que o escritório lidasse com mais eficiência com a crescente massa de evidências, montando casos muito mais amplos e em larga escala, em consonância com a nova compreensão da máfia como uma rede vasta e complexa. Falcone foi o primeiro magistrado escolhido por Caponetto para o grupo. Ele então convocou Giuseppe Di Lello, um favorito de Rocco Chinnici com experiência em casos de máfia. Quando solicitado a sugerir um terceiro membro para a equipe, Falcone recomendou de forma enfática que Paolo Borsellino fosse "salvo", pois havia sido deixado de lado após o caso Basile. Um pouco depois, Caponetto acrescentou Leonardo Guarnotta, um magistrado honesto, que era um dos procuradores sêniores no escritório. A partir daquele momento, todos trabalhariam juntos no caso dos 162 réus, mantido por Rocco Chinnici como um trabalho exclusivo dele.[5]

O outro escritório principal, a *Procura della Repubblica*, que trabalhava em sincronia com o escritório de investigação apresentando seus casos a para julgamento, seguiu o exemplo de Caponetto, criando um grupo antimáfia próprio.

A escolha de Paolo Borsellino, disse Caponetto, foi uma das melhores decisões que ele tomou em seus anos em Palermo. Ele conhecia profundamente Palermo e a máfia e era um tremendo trabalhador como Falcone, mas com um caráter muito diferente. "Era mais aberto às relações humanas, aos prazeres da vida, até mesmo aos mais simples, como andar de moto ou ir velejar", escreveu Caponetto em seu livro de memórias, *I miei giorni a Palermo* (Meus dias em Palermo). "Ele conseguia transmitir uma sensação maravilhosa de serenidade interior que só depois percebi que vinha de sua fé religiosa, a qual ele jamais mencionara."[6] Se Falcone era uma figura que invariavelmente tinha grande respeito, Borsellino era alguém que instigava tanto o respeito quanto a admiração pessoal de todos. "Ele tinha esse enorme dom de incrível

5. Entrevista do autor com Antonino Caponetto.

6. Caponetto, p. 37.

humanidade", disse Barbara Sanzo, secretária da comissão antimáfia. "Ele estava preocupado com a vida de todos – as secretárias, os guarda-costas, o pessoal dos arquivos. Ele sabia sobre a situação de todos, que essa pessoa tinha um filho doente, que outra pessoa tinha um marido desempregado, e assim por diante. Ele sempre queria saber se alguém precisava de ajuda."[7]

Falcone era bem menos comunicativo. "Era como se uma barreira invisível existisse entre ele e as outras pessoas", disse Caponetto. "Era uma parte de seu caráter, uma forma de autodefesa, já que ele era fundamentalmente tímido... No entanto, ele tinha uma personalidade cativante. A experiência que tinha, o prestígio de que ele gozava, sua própria maturidade como promotor, geraram a confiança e a autoridade necessárias para lidar com os outros, em qualquer nível... O nosso relacionamento, apesar de sua timidez, era muito afetuoso... O meu jeito era muito parecido com o dele."[8]

Enquanto liberava os quatro membros do grupo para trabalharem apenas em casos da máfia, Caponetto assumiu para si a grande massa de casos rotineiros que fluíam todos os dias para o escritório de investigação, desde pequenos furtos até cheques sem fundos. Apesar de sua idade, Caponetto cuidou de mais casos que qualquer um dos outros dezesseis promotores do escritório, enquanto, ao mesmo tempo, supervisionava todos. "Algumas pessoas gostam de retratar Caponetto como um mero figurinista de Giovanni Falcone, mas esse não é o caso", disse Leonardo Guarnotta. "Todas as manhãs, antes de subir ao escritório, Falcone passava no escritório de Caponetto para mantê-lo a par do que estava fazendo e discutir o que fazer em seguida. Falcone e o resto do grupo nunca fizeram nada que o conselheiro, Caponetto não soubesse e aprovasse antes... Para nós Caponetto era com um pai, além de um ser humano incrível e um magistrado de habilidade incomum."[9]

A criação da comissão antimáfia coincidiu felizmente com a mudança da guarda em Roma. Em agosto de 1983, após uma crise do governo, Bettino Craxi tornou-se, pela primeira vez na história da Itália, um primeiro-ministro socialista. Ao mesmo tempo, dois reformadores do Partido

7. Entrevista do autor com Barbara Sanzo.

8. Caponetto, p. 38.

9. Entrevista do autor com Leonardo Guarnotta.

Democrata-Cristão, Mino Martinazzoli e Virginio Rognoni, foram nomeados, respectivamente, ministro da Justiça e ministro do Interior. Ambos eram políticos do norte da Itália, onde a base do eleitorado do partido não dependia do apoio da máfia.

O ministro da Justiça, Martinazzoli, enviou uma de suas assessoras, Liliana Ferraro, a Roma, para inspecionar as condições de trabalho em Palermo.

Liliana ficou chocada com o cenário que encontrou. Não só os juízes na linha de frente contra a máfia quase não tinham proteção e nenhum computador, como também não tinham nem mesmo o equipamento de escritório mais básico, como máquinas de escrever, mesas e cadeiras. "Eu entrei no escritório de Falcone e o vi sentado em uma cadeira velha e batida, atrás de uma mesa bamba, da qual caíam papéis em todas as direções", disse ela. 'Vamos começar pelo básico', eu disse, 'uma cadeira confortável, uma mesa estável.' Depois da cadeira e da mesa, montamos um sistema de computadores para lidar com todos aqueles dados. Então, um local para a Polícia do Tesouro, que foi esmagada por uma enxurrada de documentos bancários, e depois um computador para os investigadores financeiros, a microfilmagem dos documentos, já que havia tanto papel que ninguém conseguia encontrar nada."[10]

Ferraro estava também determinada a melhorar a segurança – quase inexistente – no Palácio da Justiça. Criminosos vagavam livremente pelo vasto átrio de mármore do prédio e não havia policiais impedindo a entrada de estranhos na a área reservada aos promotores. Ela mandou que Falcone e Borsellino fossem transferidos para um corredor no mezanino, atrás de uma porta de ferro vigiada. A porta de Falcone era blindada e tinha uma pequena câmera de televisão que permitia que ele visse quem queria entrar em seu escritório. Borsellino estava alojado logo ao lado. "Martinazzoli deu ordens para que Palermo fosse prioridade e, de repente, começamos a receber máquinas de escrever, computadores e veículos blindados", disse Caponetto.

Pela primeira vez, em 1984, Palermo tinha a mão de obra e o maquinário necessário para travar uma séria batalha contra a máfia.

Ao mesmo tempo, as linhas dispersas das numerosas investigações de Palermo começavam a se unir.

---

10. Entrevista do autor com Liliana Ferraro.

Cerca de trezentas pessoas foram mortas nos arredores de Palermo nos primeiros dois anos da chamada guerra da máfia. A brutalidade nunca vista na perseguição dos criminosos e a presença de novos promotores, que pareciam levar a sério o combate à máfia, combinaram-se para criar um fenômeno sem precedentes: as testemunhas da máfia.

Nos EUA os mafiosos já falavam havia décadas. Joe Valachi quebrara os votos da *omertà* nos anos 1950, e famosos chefões como Lucky Luciano e Joe Bonnano tinham até mesmo publicado livros sobre suas carreiras. A máfia americana havia sido assimilada em um grau muito maior à sociedade local. Os mafiosos ítalo-americanos, como Luciano, faziam coro com gângsteres judeus como Meyer Lansky. Vivendo em Hollywood e na Avenida Madison, os criminosos americanos eram o centro das atenções, às vezes concedendo entrevistas a jornais, ou, como no caso do aspirante a ator Bugsy Siegel, fazendo testes em um estúdio cinematográfico.

A ideia de um mafioso siciliano que testemunhava era vista sempre como uma contradição de termos. E foi essa a mesma reação do Poder Judiciário de Palermo quando Leonardo Vitale se apresentou voluntariamente na delegacia de Palermo, em 1973, anunciando que estava pronto para falar sobre sua vida na máfia. Vitale, que tinha cometido vários assassinatos, passava por uma grande crise pessoal e religiosa e queria desabafar. Além de ter confessado uma extensa lista de crimes, ele confirmou o envolvimento de mais de uma centena de outros mafiosos, incluindo o futuro chefão dos chefões, Salvatore Riina. As histórias contadas por Vitale confirmavam até os mais ínfimos detalhes: ele disse que certa vítima estava fumando um cigarro quando foi alvejada, e, de fato, quando a polícia checou seus registros, eles descobriram que havia um cigarro ao lado do corpo. Mesmo assim, os juízes se mantinham céticos em relação a Vitale, por causa de sua crise mística e religiosa – em um ato bizarro de arrependimento, ele havia queimado as roupas e se coberto com as próprias fezes –, mas também em decorrência da ideia insistente de que os mafiosos não falam. O Tribunal de Apelações de Palermo anulou as condenações dos mafiosos que ele havia implicado e colocou Vitale em um asilo para criminosos insanos. Muitos anos depois, quando foi solto, Vitale foi brutalmente assassinado. "Ao contrário do sistema judiciário, a máfia compreendeu a importância das revelações de Leonardo Vitale e, quando considerou oportuno, desferiu a inexorável punição pela quebra da *omertà*, escreveu Giovanni Falcone.[11]

Giuseppe Di Cristina, o chefe de Riesi, morto em 1978, havia testemunhado parcialmente para a polícia. Mas ele foi assassinado apenas alguns dias depois de falar, e suas confissões foram totalmente ignoradas.

O Parlamento italiano aprovou uma legislação especial para reduzir as penas dos terroristas que cooperassem com a investigação, mas recusou-se a aplicar uma legislação semelhante aos casos de máfia. Essa oposição veio não só de políticos com receio de perder as bases eleitorais em áreas dominadas pela máfia, mas também de vários grupos alinhados à esquerda, preocupados com os direitos dos réus.

Mesmo com o trágico fim das testemunhas anteriores e a total ausência de apoio do governo, o muro criado pela *omertà* começava a ruir diante da pressão da grande guerra da máfia. Os promotores trabalharam inicialmente com *outsiders* que faziam apenas negócios com a máfia – traficantes de drogas e fornecedores estrangeiros. Em seguida, eles começaram a ter a cooperação de criminosos comuns da Sicília, que muitas vezes viviam lado a lado com a máfia. Em 1983, os promotores de Palermo deram um salto quântico: duas testemunhas com informações privilegiadas começaram a cooperar. Vincenzo Sinagra não era membro ativo da máfia, mas uma espécie de "afiliado" que tinha participado e testemunhado numerosos assassinatos perpetuados pelo chefe sanguinário Filippo Marchese e pela "família" do Corso dei Mille, autores do Massacre de Natal em Bagheria e subsequente assassinato do Dr. Paolo Giaccone. Outra testemunha, Vincenzo Marsala, se apresentou depois que seu pai, o chefe da pequena cidade siciliana de Vicari, foi assassinado em 1983. Apesar de insistir que seu pai queria mantê-lo fora da organização, Marsala parecia saber demais sobre os negócios da máfia. Seu depoimento indicou que a máfia rural estava muito mais ligada ao braço de Palermo do que muitos supunham: o próprio Salvatore Riina viera a Vicari para resolver uma disputa de um clã local – o primeiro relato de testemunha ocular de Riina, que estava havia mais de dez anos fugindo. Além disso, as repercussões da guerra mafiosa de Palermo foram imediatamente sentidas no campo: o pai de Vincenzo Marsala e outro chefe

11. Stajano, ed., *Mafia*, p. 15.

mais velho da área foram eliminados por mafiosos mais jovens ligados à máfia de Corleone.[12]

Embora cada uma dessas testemunhas fornecesse peças importantes para esse quebra-cabeças, nenhuma delas tinha uma imagem completa da organização – algo de que os promotores de Palermo precisavam muito. A possibilidade parecia se apresentar em março de 1981, quando a polícia de Roma finalmente capturou Salvatore Contorno, Pimpernel Escarlate da máfia, que estava se escondendo de seus possíveis assassinos em Palermo, enquanto planejava sua vingança. Mas, por ter perdido mais de uma dúzia de parentes próximos e dezenas de amigos na campanha de extermínio dirigida contra ele e seu chefe, Stefano Bontate, Contorno se recusou a cooperar. De tempos em tempos, Giovanni Falcone viajava a Roma para visitá-lo na prisão, com a esperança de persuadi-lo a mudar de ideia. Mas a cada viagem, ele se deparava com mesmo muro de silêncio.[13]

Então, no final de 1983, a polícia brasileira finalmente prendeu Tommaso Buscetta.

Buscetta, conhecido como o chefe de dois mundos, era uma figura mítica. O último dos quatorze filhos de um pobre cortador de vidro, Buscetta nasceu em uma favela miserável de Palermo, em 1927. Abandonou a escola depois da quinta série, casou-se aos 16 anos e aos 18 foi iniciado na máfia. Um cara durão, com cabelo oleoso e bigode, Buscetta era um dos assassinos de aluguel favoritos de Angelo e Salvatore La Barbera, chefes da "família" do bairro Porta Nueva. "Eu era um mafioso por natureza, muito antes da iniciação", mais tarde ele disse. "Tudo o que eles me pediram para fazer já era parte de mim." Em 1957, utilizando-se de força bruta e corrupção, ele obteve um grande contrato de governo para um construtor de Palermo, supostamente envolvendo um pagamento de US$ 500 mil de recompensa.[14] "Em 1959 foi pego em flagrante com quatro toneladas de cigarros contrabandeados e condenado à revelia em um duplo assassinato em 1963. Mas Buscetta fugiu da jurisdição com a ajuda de um membro do Partido Democrata-Cristão, Francesco Barbaccia, que o ajudou a obter um passaporte. Escrevendo uma carta de recomendação ao chefe dos policiais,

12. As contribuições dessas testemunhas são discutidas em *Mafia*: Gasparini (pp. 105-23); Totta (p. 289); Calzetra (p. 180); Sinagra (p. 47); e Marsala (pp. 63-69). Veja também os interrogatórios de Sinagra e Marsala no *Tribunale di Palermo*.

13. Interrogatório de Salvatore Contorno.

14. Sterling, *Octopus*, p. 75.

"*Onorevole*" Barbaccia (todos os parlamentares da Itália são "honoráveis") referiu-se a Buscetta como "*una persona che mi ir essa molto*" (uma pessoa que me interessa muito).[15]

Buscetta passou os dez anos seguintes entre os EUA e a América do Sul, supostamente operando um grande cartel de narcóticos, de acordo com a polícia americana. Deixando sua primeira esposa em Palermo, Buscetta casou-se novamente nos EUA. Em 1970, usando um falso passaporte canadense, ele caiu nas mãos da polícia italiana, juntamente com vários chefes das famílias sicilianas, quando estava a caminho de uma grande reunião de cúpula da máfia. No ano seguinte, Buscetta foi expulso dos EUA e mandado para o Brasil, onde conheceu a terceira esposa, a glamorosa jovem Maria Cristina Guimarães – filha de um importante advogado brasileiro com poderosos amigos políticos e uma reputação obscura. Em 1972, Buscetta e toda a família de sua esposa (incluindo seu conhecido sogro) foram presos sob acusação de tráfico de heroína, e Buscetta foi enviado de volta à Itália para cumprir a pena de assassinato que estava pendurada sobre sua cabeça desde 1968.[16]

Giovanni Falcone ouviu falar de Buscetta por meio de Francesco Gasparini, o transportador de drogas que se tornou testemunha, havia encontrado "os dois mundos" na prisão Ucciardone, de Palermo em 1979. "Ele desfrutava de uma posição de supremacia em relação aos outros presos", disse Gasparini. A estatura de Buscetta na prisão era semelhante à de Luciano Leggio, o temido chefe de Corleone, que controlava a máfia da prisão por intermédio de seu tenente Salvatore Riina.[17]

"Buscetta era muito cuidadoso com a própria aparência, usando apenas os melhores produtos", de acordo com outro interno. "Ele nunca acabava um vidro de perfume ou uma barra de sabão, ele dava o resto como presentes. Suas roupas casuais, *jeans*, eram sempre de grife. Apenas o seu café era preparado na cadeia; os homens se revezavam para trazê-lo a ele, sempre quente. Seu café da manhã, almoço e jantar eram feitos nos melhores restaurantes de Palermo... Buscetta era um chefe, na verdade, O Chefão. Ele jamais levantava a voz, ele nunca perguntou nada, mas ele sempre sabia de

---

15. Fabrizio Calvi, *Vita quotidiana della mafia* (Milão, 1986), p. 98.

16. Sterling, pp. 114-15.

17. *Mafia*, p. 115.

tudo. "Eu nunca o ouvi ameaçar alguém, mas eu o ouvia dizer: 'Esse cara na cela está fazendo muito barulho, e seria melhor ele parar com isso'".[18]

Em 1980, com três ainda para cumprir da sentença, um juiz de Turim permitiu que Buscetta saísse da prisão durante o dia para participar de um programa de trabalho que fazia parte de novas leis liberais de prisão. "A conduta do prisioneiro foi irrepreensível. Sempre respeitoso com o pessoal e sociável com os colegas, participando com interesse no processo de ressocialização... Não há absolutamente nenhum sinal de que o prisioneiro tenha ou tenha tentado cultivar relações com indivíduos da máfia na prisão. Pelo contrário, sua personalidade revela um desejo sincero de ser ressocializado. Estamos certos de que ele está pronto para ser reinserido na sociedade civil."[19]

Apesar das objeções da polícia siciliana, o juiz aceitou o pedido de Buscetta, que declarou desejar retornar à empresa de fabricação de vidro de sua família. Essa avaliação ingênua não levou em conta o fato de que os chefes da máfia são sempre prisioneiros exemplares, governando a prisão com punhos de ferro dentro de luvas de veludo. Como já era de se esperar, depois de ganhar sua "semiliberdade" em junho de 1980, Buscetta violou a liberdade condicional e fugiu da Itália.

Em setembro de 1982, seus dois filhos com a primeira esposa, Antonio e Benedetto, desapareceram em Palermo. Jornalistas e investigadores da polícia imaginaram que Buscetta – disfarçado – havia retornado a Palermo como uma espécie de anjo vingador para exterminar os mafiosos rivais. "Sabemos que Tommaso Buscetta fez uma cirurgia plástica e modificou suas cordas vocais", disse a revista *L'Espresso*, citando investigadores não mencionados. "Possivelmente, ele também tem novas impressões digitais... Sabemos que ele retornou a Palermo há quatro ou cinco semanas e já entrou em contato com outros mafiosos... esperando o momento certo para atacar."[20]

Em meados de novembro de 1982, o chefe mafioso Rosario Riccobono desapareceu misteriosamente, juntamente com quase todos os seus aliados mais próximos. Alguns dias depois, um grupo de capangas da família de Riccobono foi alvejado e morto em uma boate de Palermo, a Cingapura

---

18. Sterling, p. 267.

19. Sterling, p. 266.

20. *L'Espresso*, 16 de janeiro de 1983.

Dois. Jornalistas de imaginação fértil noticiaram que Tommaso Buscetta – "o padrinho de cem rostos" – havia convidado Rosario Riccobono para um banquete de reconciliação, no qual ele teria envenenado Riccobono e todo o seu *entourage*.[21] Eles não conseguiram abarcar a esperteza diabólica de Totò Riina, o chefe de Corleone, que primeiramente usou Riccobono e depois o descartou. Então Riccobono – um chefe impiedoso da máfia, capaz de todo tipo de traição – tinha sido enganado também. Apesar de ser "*capo*" de uma das principais famílias de Palermo, Riccobono se aliou convenientemente ao mais poderoso *corleonesi* com o advento da guerra da máfia. Para cair nas graças de Riina, ele usou suas velhas amizades com Stefano Bontate e Salvatore Inzerillo, atraindo membros de suas famílias para a morte. Riina, com razão, imaginou que, se Riccobono se voltasse contra Bontate e Inzerillo, ele não seria um aliado digno de confiança, devendo ser descartado assim que possível. E assim, quando estava confiante de ter triunfado sobre os clãs Bontate e Inzerillo, Riina tratou pessoalmente de eliminar Riccobono.

Vários dias depois, o genro de Buscetta foi assassinado na pizzaria de Palermo onde ele trabalhava, e, dois dias depois, o irmão e sobrinho de Buscetta foram mortos a tiros na vidraçaria da família. Parecia ser uma retaliação das forças comandadas por Riccobono e, acabou perpetuando a fantasia de que Buscetta, com um novo rosto, novas cordas vocais e impressões digitais, fora o protagonista da chamada guerra da máfia em Palermo.

Em vez disso, Buscetta estava escondido em sua fazenda de 65 mil acres perto da foz do Amazonas, tentando evitar a perseguição que a polícia brasileira havia instaurado contra ele. Eles estavam convencidos de que Buscetta era o idealizador de uma enorme rede interna de tráfico de drogas envolvendo vários países e cerca de duzentas pessoas. Em outubro de 1983, quando o prenderam junto com outras onze pessoas, um funcionário do esquadrão brasileiro de narcóticos disse: "Tommaso Buscetta era o principal coordenador do mercado de cocaína entre o Brasil, a Bolívia, o Peru, a Colômbia, a Europa e os EUA".[22]

A fim de fortalecer o caso, a polícia brasileira supostamente recorreu à tortura, arrancando as unhas de Buscetta, prendendo fios elétricos

---

21. *L' Espresso*, 30 de janeiro de 1983.

22. Sterling, pp. 272-73.

aos genitais e ameaçando atirá-lo de um avião. Mas ele se recusou a falar. Enquanto isso, os EUA e a Itália solicitaram a extradição de Buscetta. A esposa de Buscetta, Maria Cristina, aparentemente implorou à Agência Americana de Repressão às Drogas para que levassem seu marido, com medo de que ele fosse assassinado na Itália. Mas os EUA cederam à reivindicação da Itália, uma vez que ele ainda tinha uma sentença inacabada a ser paga.

Tendo em vista o seu comportamento sob custódia do governo brasileiro, parecia muito improvável que Buscetta fosse cooperar com as autoridades italianas, mas Falcone achou que valia a pena tentar. Ele chegou ao Brasil em junho de 1984, com Vincenzo Geraci, seu colega na Procura della Repubblica. Contrariando os relatos de que se tornara irreconhecível após elaboradas operações de cirurgia plástica, Buscetta tinha o mesmo rosto inconfundível de sempre, com a pele escura e os traços que o faziam parecer um índio sul-americano. Os italianos haviam preparado cerca de cinquenta perguntas para o réu, que foram lidas em voz alta pelo magistrado brasileiro. Buscetta sentou-se impassível; sua esposa, Cristina, estava por perto. Buscetta respondeu às perguntas rapidamente e de maneira evasiva, dando aos italianos a sensação de que estavam desperdiçando seu tempo. Mas, enquanto Buscetta fornecia suas respostas *pro forma*, Falcone notou que o chefe da máfia não parava de observá-lo, como se estivesse estudando-o. A certa altura, quando Buscetta não respondeu a uma pergunta, o magistrado brasileiro perguntou-lhe: "Você tem intenção de responder?". Mas, em vez de se dirigir ao brasileiro, Buscetta virou-se para Falcone e fez uma observação enigmática: "Eu levaria a noite toda para responder". Alegando cansaço, Buscetta pediu então que o interrogatório fosse suspenso.

"Acho que ele decidiu abrir o bico", disse Falcone a Geraci. "Você deve estar brincando", respondeu Geraci. Parecia bom demais para ser verdade que um chefe da estatura de Buscetta, guardião de mais 35 anos de segredos da máfia em três continentes, pudesse se tornar uma testemunha do governo. Os dois magistrados retornaram a Palermo, e a polícia italiana continuou com o processo de extradição. O ceticismo de Geraci provou-se correto inicialmente: quando Buscetta soube que seria colocado em um avião com destino à Itália, tentou cometer suicídio, engolindo um pouco de estricnina que havia mantido escondido. Buscetta estava convencido de que, a menos que morresse, a máfia continuaria matando seus familiares, e enquanto estivesse vivo, ele representava uma ameaça mortal para todos que de alguma forma fossem ligados a ele. O suicídio, ele pensou, era a única maneira de salvar sua esposa e filhos. Mas, tendo sobrevivido, alguns dias depois de chegar à Itália, Buscetta pediu para falar com o juiz Falcone.[23]

23. Entrevista do autor com Vincenzo Geraci; Lodato, pp. 145-46.

Capítulo 7

Ao começar o interrogatório de Tommaso Buscetta, Giovanni Falcone tentou calibrar seu próprio comportamento, temendo que a súbita disposição de falar de Buscetta se endurecesse, levando-o novamente ao silêncio. Ele desejava manter uma distância profissional, mas queria transmitir um sentimento de compreensão e empatia, mostrando respeitar Buscetta, mas sem perder de vista o fato de que Falcone era um procurador, e Buscetta, um réu criminal. Alguns procuradores haviam cometido o erro de adotar um tom confidencial com os mafiosos, usando o casual "*tu*" em vez do formal "*lei*" que um mafioso invariavelmente acharia ofensivo ou desrespeito. Outros tentaram afirmar sua autoridade, aumentando o tom de voz ou dando ordens. Era importante estar bem preparado, com perguntas sérias e concretas, que não insultassem a inteligência do interlocutor. Falcone tinha ouvido a história de um promotor de Roma que começara o interrogatório do antigo gângster ítalo-americano, Frankie "Três dedos" Coppola, com uma pergunta direta e provocadora: "O que é a máfia". Coppola parou por um minuto e respondeu com uma história. Três pessoas estavam na fila para trabalhar como chefe da promotoria. Um era extremamente inteligente; o segundo tinha o apoio dos partidos políticos; e o terceiro era um tolo. O tolo conseguiu o emprego. "Assim é a máfia", disse Coppola, pondo fim à discussão.[1]

No começo, Buscetta queria colocar Falcone em alerta. "Eu confio em você, juiz Falcone, confio no subchefe de polícia Gianni Gennaro. Mas eu não confio em mais ninguém. Não acredito que o Estado italiano

---

1. Falcone, *Cose di Cosa Nostra*, pp. 49-50.

tenha realmente intenção de combater a máfia... Eu quero avisá-lo, juiz. Depois desse interrogatório, você ficará famoso. Mas eles tentarão destruí-lo física e profissionalmente. E eles farão o mesmo comigo. Nunca se esqueça de que está abrindo uma conta com a Cosa Nostra que só será resolvida quando você morrer. Tem certeza de que quer continuar com isso?"[2]

Naquele dia, Buscetta, ainda se recuperando de sua tentativa de suicídio quase fatal, limitou-se a fazer uma breve declaração. "Eu quero deixar claro que não sou um dedo-duro... Eu não sou um arrependido, pois minhas revelações não são motivadas por cálculos básicos de interesse pessoal. Passei a minha vida como um mafioso e cometi muitos erros, pelos quais estou disposto a pagar o preço, sem pedir reduções de sentença ou tratamento especial. Pelo bem da sociedade, dos meus filhos e de outros jovens, pretendo revelar tudo o que sei sobre o câncer que é a máfia, para que as próximas gerações possam viver em um ambiente mais humano e digno."[3] Então, doente e exausto, ele pediu para voltar a sua cela para descansar. Falcone não o pressionou para continuar.

Esta foi a primeira de uma extraordinária série de sessões que duraria o resto do verão e que mudaria radicalmente a compreensão de Falcone acerca da máfia siciliana. Buscetta iniciou a segunda sessão como um professor ao começar um curso introdutório. "A palavra 'máfia' é uma criação literária, ao passo que os verdadeiros mafiosos apenas chamam-se uns aos outros de 'homens de honra'... e a organização como um todo é chamada de 'Cosa Nostra', como nos EUA", explicou.[4] "Antes de Buscetta, nem sabíamos o verdadeiro nome da máfia", disse Antonino Caponetto. Pensávamos que o termo 'Cosa Nostra' referia-se apenas à máfia americana; agora parecia se tratar de um termo siciliano importado para a América."[5]

A Cosa Nostra descrita por Buscetta era uma organização muito mais evoluída e hierárquica do que os investigadores poderiam imaginar. A polícia italiana ouvira histórias sobre o "parlamento" da máfia, mas apenas de maneira muito imprecisa. Buscetta, porém, conseguiu

2. Falcone, p. 44.
3. Interrogatório de Tommaso Buscetta.
4. Interrogatório de Tommaso Buscetta.
5. Entrevista do autor com Antonino Caponetto.

fornecer um mapa organizacional preciso da Cosa Nostra, desde o mais humilde "homem de honra" até a Comissão, no topo da pirâmide de poder da máfia, explicando suas elaboradas regras de governo. "Cada homem de honra pertence a uma família, que, na cidade de Palermo, corresponde a uma vizinhança. Nas cidades pequenas, a família leva o nome da cidade", disse Buscetta. "Na cabeça de cada família há um '*capo*' eleito diretamente pelos homens de honra. Ele, por sua vez, seleciona um '*sotto-capo*' (segundo chefe) e um ou dois '*consiglieri*' (conselheiros). Os soldados ordinários de cada família são organizados em grupos de dez indivíduos, com um capitão acima deles, que supervisiona as ações individuais dos homens de honra."[6]

As cerca de trinta famílias existentes na província de Palermo estão organizadas em dez distritos (*mandamenti*), e cada distrito comporta três famílias operando em território contíguo. Cada grupo de três famílias escolhe um "líder distrital" ou *capomandamento*, que os representa no corpo diretivo da organização, conhecido como "a Comissão". O propósito da Comissão, explicou, era estabelecer ações importantes, intermediar disputas entre as famílias e decidir os assassinatos mais importantes, de policiais, juízes e políticos, bem como de grandes figuras da própria máfia. Esse ponto foi extremamente importante para os promotores, pois significava que eles poderiam responsabilizar membros da Comissão por todos os "cadáveres ilustres" que haviam se tornado populares em Palermo nos últimos anos. Buscetta assegurou a Falcone que era inconcebível que figuras da importância do general Dalla Chiesa ou de Rocco Chinnici pudessem ter sido assassinados sem um consenso da Comissão ou sem a anuência dos chefes em cujo território esses assassinatos ocorreram.[7]

Originalmente concebida como uma forma de governo coletivo e "democrático", a Comissão, segundo Buscetta, havia se tornado "o instrumento pelo qual o grupo dominante impõe sua vontade aos demais". O grupo dominante, que havia recentemente alcançado hegemonia na Cosa Nostra, eram os *Corleonesi*, liderados por Luciano Leggio, e, após a prisão de Leggio em 1974, por seus aliados Salvatore Riina e Bernardo Provenzano. A descrição

6. Interrogatório de Tommaso Buscetta.

7. A organização da Cosa Nostra, como explicada por Buscetta, é descrita na acusação do julgamento e reimpressa em Stajano, ed., *Mafia: L' atto di accusa dei giudici de Palermo*, pp. 38-55.

de Buscetta da dinâmica de poder dentro da Cosa Nostra era compatível com aquela descrita seis anos antes por Giuseppe Di Cristina, incluindo a diferenciação de poder entre os indivíduos. "Salvatore Riina e Bernardo Provenzano são iguais em poder, exceto que Riina é muito mais inteligente do que Provenzano e, portanto, tem maior peso", afirmou Buscetta.[8] Falcone estava impressionado com o porte e os modos de Buscetta. Embora fosse educado, de fala mansa e respeitoso, era um homem acostumado a comandar e a ser obedecido. "Buscetta era claramente uma pessoa com uma inteligência extraordinária que teria sido bem-sucedido em qualquer coisa que fizesse", disse Richard Martin, um dos advogados assistentes de Nova York, que trabalhou com Falcone em muitos casos da máfia americana que corriam paralelos às investigações em Palermo. "A maior parte dos mafiosos são basicamente ladrões... Buscetta era extremamente articulado, ele falava italiano e não apenas o dialeto siciliano, mas também espanhol e português. Ele compreendia o mundo em todos os seus níveis. E nesse sentido ele era alguém muito importante para a máfia, pois podia se comunicar com quase qualquer um."[9]

"Buscetta estava sempre sério e pensativo", afirmou Antonio Manganelli, um investigador da polícia que trabalhou próximo a Falcone e que hoje é a cabeça do *Servizio Centrale Operativo* em Roma. "Se você lhe perguntasse algo, ele diria: 'Gostaria de pensar um pouco sobre isso antes de responder'. Então duas horas depois, quando você já tivesse esquecido a pergunta completamente, ele voltaria a ela e lhe daria uma resposta muito cuidadosa, muito bem pensada."[10]

O conhecimento de Buscetta sobre a Comissão remontava até a sua fundação, no final dos anos 1950. Segundo alguns relatos, ela foi idealizada por Lucky Luciano depois de ter sido deportado dos EUA para a Itália em 1946. Ele teria aconselhado os sicilianos a formarem a Comissão, explicando que havia ajudado na manutenção da paz entre as famílias da máfia americana. Buscetta estava presente quando os chefes americanos e sicilianos realizaram uma espécie de cúpula internacional da máfia no Hotel delle Palme, em Palermo, no ano de 1957. De acordo com investigadores da polícia, a máfia americana – sob severa pressão policial na época – se

8. Interrogatório de Tommaso Buscetta.

9. Entrevista do autor com Richard Martin.

10. Entrevista do autor com Antonio Manganelli.

aproximou dos sicilianos para assumir a maior parte do tráfico internacional de narcóticos e para formalizar a estrutura da Comissão. A importância da reunião em Palermo tornou-se evidente no mês seguinte, quando a polícia desmantelou uma reunião com mais de cem chefes da máfia norte-americana, que haviam invadido a cidade de Apalachin, em Nova York, para discutir os resultados da cúpula na Sicília.[11]

A nova organização da máfia funcionou por um tempo, enquanto os clãs de Palermo dividiam os crescentes lucros dos cigarros contrabandeados, dos contratos de governo e dinheiro imobiliário durante os anos 1950 e 1960. Mas a Comissão se desintegrou em 1963 com a eclosão da primeira guerra da máfia. A guerra, segundo Buscetta, foi orquestrada pelo chefe Michele Cavataio, de uma maneira tão desonesta quanto a utilizada mais tarde por Totò Riina. Cavataio estava preocupado com a ascensão dos jovens e agressivos chefes da família de Buscetta, Angelo e Salvatore La Barbera. Aproveitando-se de uma disputa entre os irmãos La Barbera e um outro chefe de Palermo, os homens de Cavataio assassinaram Di Pisa, sabendo que as suspeitas recairiam imediatamente sobre os La Barbera. As outras famílias caíram na armadilha e declararam guerra à família La Barbera. Os rivais de Cavataio mataram-se uns aos outros, e seus próprios homens continuaram colocando gasolina no fogo, realizando assassinatos secretamente e plantando carros-bomba contra os dois lados. Esse engenhoso plano saiu pela culatra em junho de 1963, quando um carro-bomba endereçado ao chefe de Ciaculli e cabeça da Comissão, Salvatore Greco (conhecido como "Cichiteddu", ou Passarinho), explodiu matando sete oficiais da polícia italiana.

Com a bomba de Ciaculli, a primeira guerra da máfia de repente se transformou na primeira guerra contra a máfia. Cerca de 10 mil policiais desembarcaram na Sicília e, em questão de meses, prenderam 1.903 mafiosos, incluindo Cavataio e a maioria dos grandes chefes. A revolta da opinião pública acerca das mortes policiais obrigou o Parlamento a convocar a primeira comissão antimáfia, que conduziu uma enorme investigação sobre o fenômeno da máfia. Além disso, as explosões alertaram os outros clãs da máfia sobre o papel de Cavataio na guerra de máfia. Quando o episódio ocorreu, Salvatore La Barbera já estava morto, e seu irmão, Angelo,

11. Para uma discussão alargada sobre a cúpula de Palermo e Apalachi, ver Sterling, *Octopus*, pp. 81-92.

tinha fugido para Milão, onde estava seriamente ferido. Ficou evidente que Cavataio – e não os La Barbera – havia plantado a bomba e instigado grande parte dos problemas.[12]

Muitos mafiosos, incluindo Buscetta e o chefe da Comissão, Salvatore Greco, deixaram o país, "enojados pelo que estava acontecendo", e emigraram para a América do Sul e do Norte. Buscetta revelou que a Comissão fora realmente dissolvida e os "*capi*" da Cosa Nostra concordaram em suspender toda atividade até que a pressão governamental diminuísse.

Infelizmente, a campanha antimáfia pareceu afrouxar quando o tiroteio e o clamor público acabaram. A primeira guerra contra a máfia terminou com uma série de veredictos de inocência em 69, quando praticamente todos os principais chefes, de Cavataio, Stefano Bontate e Giuseppe Di Cristina a Luciano Leggio e Totò Riina, foram absolvidos e libertados da prisão. Com uma sensação renovada de impunidade, a máfia comemorou sua vitória na corte acertando as contas com Cavataio. Em dezembro de 1969, seis mafiosos vestidos com uniformes da polícia invadiram um escritório imobiliário na Viale Lazio, em Palermo, onde Cavataio estava escondido com alguns de seus homens.[13] Eles conseguiram matar Cavataio, mas ele foi capaz de revidar, matando Calogero Bagarella, um dos assassinos de aluguel. Bagarella era o irmão mais velho da namorada de Totò Riina, Antonietta Bagarella, e de outro importante mafioso de Corleone, Leoluca Bagarella. Como Buscetta explicou a Falcone, a composição do esquadrão de ataque era uma indicação clara de que o assassinato fora sancionado coletivamente por todas as principais famílias sicilianas: incluía Calogero Bagarella, de Corleone, membro da família de Stefano Bontate de Palermo, mas também um soldado de Giuseppe Di Cristina, de Riesi, do outro lado da Sicília.[14]

O assassinato do Cavataio, segundo Buscetta, marcou um novo início da Cosa Nostra. Em sua fase de reorganização, era comandada por um "triunvirato" composto por Totò Riina, Stefano Bontate e pelo chefe da cidade de Cinisi, perto de Palermo, Gaeta Badalamenti, outro amigo de Buscetta. Falcone ficou surpreso ao saber que Totò Riina já estava no auge de Cosa Nostra em 1969, apesar de estar oficialmente no lugar do

---

12. Sterling, p. 103.

13. Sterling, p. 111.

14. Interrogatório de Tommaso Buscetta.

chefe, Luciano Leggio, que estava doente e vivendo como fugitivo em Milão naquela época.

Riina não esperou muito para pôr em prática seus planos em direção à supremacia dentro da Cosa Nostra. Quando os outros dois membros do triunvirato, Bontate e Badalamenti, foram detidos novamente em 1972, Riina aproveitou a situação para fortalecer sua posição e minar a de seus adversários. Riina organizou o sequestro do filho do conde Arturo Cassina, um dos mais ricos empresários de Palermo. Durante anos, Cassina desfrutara do monopólio lucrativo sobre a manutenção das ruas da cidade, o sistema elétrico de iluminação e esgoto – entre os mais malconservados e mais caros da Itália. Cassina teve do apoio da máfia de Palermo, que intimidava qualquer político local que pensasse em reatribuir contratos da cidade e, em troca, conseguiu colocar alguns de seus próprios homens nos negócios de Cassina. O sequestro do filho de Cassina era um exemplo típico de valentia corleonense: além de embolsar um resgate multimilionário, o fato danificava o prestígio dos principais clãs de Palermo, expondo sua incapacidade de proteger um de seus principais clientes.

Quando Bontate e Badalamenti saíram da prisão, estavam furiosos e protestaram veementemente. Luciano Leggio interveio para abrandar a crise com sua habilidade característica. Aparentemente concordando com o ponto de vista deles, ele dissolveu o triunvirato, restituiu a antiga Comissão e colocou Gaetano Badalamenti como líder. Como o refém já havia sido libertado e a quantia paga, Leggio declarou que o sequestro era fato consumado e não valia a pena perder tempo com isso. A Comissão adotou uma política contra sequestros em território siciliano, argumentando que as extensas buscas policiais pelas vítimas eram danosas para os negócios da máfia. Mas os *corleonesi* continuaram demonstrando total falta de respeito pelas famílias tradicionais da máfia: "Nas reuniões da Comissão (que sempre realizou na propriedade de Michele Greco, mesmo antes de ele ser chefe da própria Comissão), Luciano Leggio nunca deixava de tirar sarro de Badalamenti... apontando seus erros de gramática e sintaxe quando ele tentava se expressar em italiano, em vez de falar no dialeto siciliano", disse Buscetta a Falcone (embora Leggio fosse assassino, filho de humildes fazendeiros, ele cultivava a imagem de intelectual da máfia, e gostava de ser chamado de "o professor").[15]

15. Interrogatório de Tommaso Buscetta.

Com a prisão de Leggio em 1974, Riina retomou seu lugar na Comissão e logo estava de volta com seus velhos truques. Em 1975, organizou o sequestro de Luigi Corleo, sogro de Nino Salvo, chefe do monopólio de coleta de impostos da Sicília. O sequestro foi outro golpe humilhante para Stefano Bontate, que era extremamente próximo da família Salvo. Bontate não só foi incapaz de libertar o refém, como também não pôde sequer encontrar seu corpo, o que a família desejava, não apenas como uma questão honra, mas também para fins de herança. Os *corleonesi* negaram ter qualquer informação sobre o sequestro, e ninguém poderia provar o contrário.

Falcone começou a entender a lógica maquiavélica por trás da guerra da máfia. O assassinato de Stefano Bontate, em 1981, não foi o evento causador do conflito, mas a culminação de uma campanha cuidadosamente planejada e conduzida ao longo de um período de dez anos. Totò Riina e os *corleonesi* sempre estiveram muitos passos à frente de seus adversários. Os grandes chefes da cidade de Palermo haviam errado ao subestimar os *corleonesi*, a quem se referiam depreciativamente como *i viddanti* (os camponeses). "Já naquela época (meados da década de 1970), os *corleonesi* tinham arquitetado um plano para isolar progressivamente Stefano Bontate, com o intuito de eliminá-lo sem qualquer consequência negativa", Buscetta relatou a Falcone. "Bontate era sem dúvida o único a representar um obstáculo significativo para seus projetos de hegemonia."

Os *corleonesi* escapavam facilmente pelo fato de que ninguém nem sequer conhecia a identidade dos "homens de honra" pertencentes à família de Corleone. "Um dos traços característicos da 'família' de Corleone era não revelar os nomes dos próprios membros, algo que era motivo de reclamações por parte de Gaetano Badalamenti", disse Buscetta. Seis anos antes, Giuseppe Di Cristina dissera algo semelhante à polícia, afirmando que Leggio tinha um grupo secreto de quatorze capangas sob seu comando, preparados para cometer assassinatos em qualquer lugar da Itália.

Os chefões de Corleone eram quase tão misteriosos quanto sua enorme legião de soldados anônimos. Enquanto os chefes tradicionais de Palermo – e de quase toda a Sicília – apreciaram viver abertamente em casas exuberantes como respeitados membros da comunidade, os *capi* de Corleone, de Leggio e Rina a Bernardo Provenzano e Leoluca Bagarella, viveram por décadas como fugitivos da Justiça. Eram como fantasmas à frente de exércitos-fantasmas, pois estavam constantemente se escondendo, de maneira que tanto outros mafiosos quanto a polícia desconheciam o seu real paradeiro. "Os *corleonesi* são alvos invisíveis", explicou Di Cristina, "porque são quase todos fugitivos e correm poucos riscos, em relação aos rivais ou à polícia".

Como viviam em sociedade, os patrões de Palermo evitavam crimes espetaculosos e chamativos, como sequestros ou assassinatos de agentes públicos, que atrairiam muita atenção. Eles também matavam quando necessário, mas preferiam trabalhar nos bastidores, agindo em conluio com a polícia e com os políticos, ao invés de buscar um confronto direto. A máfia "tradicional" encarava uma temporada na prisão como risco da profissão (necessário para ajudar o Estado a manter a opinião pública sob controle) e usou suas poderosas conexões para garantir sentenças vantajosas ou liberdade condicional. Já os *corleonesi* tinham uma atitude mais intransigente, agindo rapidamente contra qualquer um que atravessasse o seu caminho. Em 1977, assassinaram o coronel dos *carabinieri*, Giuseppe Russo, e no ano seguinte Michele Reina, presidente do Partido Democrata-Cristão em Palermo. Os líderes da máfia tradicional consideravam essa nova estratégia contraproducente. Mas, como Giuseppe Di Cristina só entendeu pouco antes de sua morte, essas mortes tinham um duplo propósito: intimidar as autoridades legais e fortalecer a máfia de Corleone a despeito de seus rivais dentro da Cosa Nostra. "Sua estratégia criminosa, embora insana, teve bons resultados", disse Di Cristina. "Acabou provocando uma reação por parte da polícia, mas principalmente contra os 'antigos mafiosos' que são facilmente identificados; isso fez com que sua fama amedrontadora crescesse ainda mais, subjugando o prestígio da máfia 'tradicional' aos princípios que a sustentavam. Esse movimento atraiu novos recrutas para a máfia de Corleone, seja por medo ou pela admiração de atitudes tão ousadas." O próprio assassinato de Di Cristina é um ótimo exemplo disso. Em vez de procurar os verdadeiros assassinos, a polícia investigou Salvatore Inzerillo – amigo de Di Cristina e chefe do território cujo assassinato se deu – e Stefano Bontate, o aliado mais próximo na Comissão.[16]

O ano de 1978 foi um ano-chave na busca por ascensão ao poder para a família de Corleone. Eles não só ordenaram o assassinato de

16. As confissões de Di Cristina aparecem no relatório apresentado pelas *Legione Carabinieri di Palermo*, em 25 de agosto de 1978, e estão parcialmente reimpressos em *Mafia*, pp. 18-37.

importantes figuras públicas, como também começaram a eliminar membros da máfia "tradicional" em outras partes da Sicília – Di Cristina e Giuseppe Calderone de Catania – que poderiam apoiar os principais rivais de Totò Riina em Palermo.

Com sua astúcia característica, os *corleonesi* justificaram as suas ações apelando para as regras tradicionais de Cosa Nostra. Segundo eles, tiveram que matar Di Cristina porque ele havia quebrado o voto de *omertà* indo à polícia; mas omitiram o fato de já terem tentado assassiná-lo antes de ele ir à polícia e que seu encontro secreto com os *carabinieri* ocorrera justamente em decorrência dessa tentativa anterior de assassinato. Os *corleonesi* pareciam estar sempre seguindo as regras, quando de fato zombavam delas. De maneira semelhante, aproveitaram uma infração de Gaetano Badalamenti não apenas para tirá-lo do posto de chefe da Comissão, mas também para expulsá-lo de vez da Cosa Nostra.

No entanto, os *corleonesi* sempre tiveram o cuidado de agir por intermédio de um terceiro. Giuseppe Calderone não foi morto pelos homens de Totò Riina, mas pelo próprio subchefe de Calderone, Nitto Santapaola. Aparentemente, o assassinato tinha motivações locais, mas Santapaola era aliado de Riina levou adiante a sua estratégia geral. Também agindo indiretamente,

Totò Riina instituiu Michele Greco, "o Papa", como o novo chefe da Comissão, em 1978. Greco deu à Comissão uma fachada de neutralidade, atrás da qual os *corleonesi* efetivamente puderam esconder seus desejos expansionistas. Buscetta explicou que, ao contrário do que aparentava, o Papa era um mero figurante. "Com sua personalidade fraca, Michele Greco era a pessoa perfeita para chefiar a Comissão, de modo a não atrapalhar os planos de Riina", explicou Buscetta.[17]

Em várias oportunidades, "o Papa" deu a sua bênção a Riina, mesmo em situações de violações flagrantes das regras da máfia. "Quando ocorreu o assassinato do coronel Giuseppe Russo, Bontate, que não sabia nada disso, protestou vigorosamente em uma reunião da Comissão, mas ninguém se deu ao trabalho de dar satisfações a ele contando quem havia cometido assassinato", disse Buscetta. "Mais tarde, Michele Greco disse a Bontate que os *corleonesi* haviam ordenado o assassinato e que um dos assassinos fora Pino 'o Sapato' Greco... Mas Michele Greco disse a Bontate que não sabia

17. Essa citação e as que se seguem são do interrogatório de Tommaso Buscetta.

nada de antemão, mesmo tendo um de seus próprios homens no grupo que cometera o assassinato... Isso é totalmente improvável e é digno de nota que nenhuma medida disciplinar tenha sido tomada pela Comissão contra os *corleonesi* ou contra Pino Greco."

Em 1979, o processo se repetiria, com o assassinato do juiz Cesare Terranova e do inspetor de polícia Boris Giuliano. "Como ouvi de Salvatore Inzerillo, estou certo de que os assassinatos foram decididos pela Comissão de Palermo, sem conhecimento de Inzerillo, Stefano Bontate ou de Rosario Riccobono", disse Buscetta.

O período entre a ascensão de Michele Greco à chefia da Comissão, em 1978, e a explosão da guerra mafiosa na primavera de 1981 foi tempo de paz desconfortável, em que os *corleonesi* seguiam enfraquecendo o poder e o prestígio de Stefano Bontate e das famílias "tradicionais" de Palermo. Buscetta pôde assistir a tudo isso em primeira mão, quando foi liberado da prisão e fugiu da liberdade condicional em junho de 1980. Tendo retornado a Palermo, passou a maior parte do tempo com o seu bom amigo Stefano Bontate. Buscetta tinha muito mais proximidade com Bontate do que com seu próprio chefe, Giuseppe "Pippo" Calò. Em determinado momento, Bontate tentou, sem sucesso, persuadir Calò a deixar que Buscetta trocasse de família, unindo-se ao clã de Bontate de Santa Maria di Gesù. Mas a filiação a determinada família, assim como a filiação à própria Cosa Nostra, é compromisso eterno, do qual um "homem de honra" só pode ser libertado depois da morte.

A certa altura, enquanto Buscetta estava em Palermo, Calò o convocou para mudar-se para Roma, onde vivia com um nome falso havia muitos anos. Buscetta estava furioso com Calò, por ter abandonado a ele e a sua família durante os oito anos que passara na prisão. Calò não providenciou ajuda financeira à família de Buscetta (uma prática padrão da máfia), como também Buscetta soube na prisão, que havia sido condenado pela Cosa Nostra (*posato*, literalmente "colocado" ou deixado de lado) por seu comportamento "imoral" ao ter deixado sua primeira esposa, casando-se três vezes. Mesmo envolvida em assassinatos, tráfico de heroína e extorsão, a máfia permanece – pelo menos em teoria – extremamente conservadora em relação a questões de comportamento social. Embora ter uma amante seja algo comum para um chefe da máfia, tudo deve ser feito com discrição, mantendo o casamento e mostrando respeito pela mãe dos filhos. De repente, após anos de negligência, Calò torna-se extremamente solícito, assegurando a Buscetta que a história de sua "suspensão" da Cosa Nostra tinha sido um mal-entendido, jurando não saber que a família de Buscetta estivera com problemas financeiros. Ele também tentou de todas as maneiras convencer Buscetta a permanecer na Itália. "Calò... quando expressei a ele minha intenção de voltar ao Brasil, insistiu fortemente que eu permanecesse em Palermo, dizendo que havia muitas possibilidades de ganhar dinheiro, já que a restauração do velho 'centro histórico' de Palermo estava sendo controlada por Vito Ciancimino, de Corleone (o ex-prefeito e comissário de obras públicas), que, nas palavras de Calò, estava 'nas mãos de Totò Riina'."

Ao sair da prisão, Buscetta ficou impressionado com a imensa riqueza que o tráfico de drogas proporcionara à Cosa Nostra. Ao mesmo tempo, ele pôde antever as nuvens de tempestade que se formavam sobre Palermo, ao se dar conta das evidentes tensões entre os chefes da Comissão. Calò estava extremamente preocupado com os crescentes conflitos internos da Cosa Nostra e queria que Buscetta ficasse em Palermo como uma espécie de "carta branca", atuando para manter a paz entre as facções em conflito.

Calò tinha sido amigo íntimo de Stefano Bontate, no entanto, percebendo a ascensão de Totò Riina, alinhara-se com o que claramente despontava como o lado vencedor. "Falando sobre Calò, Bontate me disse que ele havia se tornado um escravo dos *corleonesi* e de Michele Greco, tanto que, durante as reuniões da Comissão, quando expressavam as suas opiniões, Bontate não se manifestava, apenas balançava a cabeça em sinal de concordância", disse Buscetta.

Bontate se sentia tão frustrado que jurou um dia atirar em Riina diante de toda a Comissão. "Eu disse que era extremamente arriscado, pois ele poderia ser morto por outros membros da Comissão, temerosos de que futuramente ele pudesse se voltar contra eles também. Bontate disse que não se importava, que preferiria morrer se fosse necessário para eliminar Riina... Eu continuei convencido de que isso seria um erro... e lembro-me de dizer a Bontate que ele estaria perdido."

Na tentativa de evitar uma guerra entre os clãs, Buscetta organizou um encontro com Calò, Bontate e Salvatore Inzerillo, buscando estabelecer uma nova aliança na Comissão que permitisse fazer frente ao avanço dos *corleonesi*. Apesar do aparente acordo, a Comissão continuou a agindo contra os interesses de Bontate e Inzerillo.

Quando o capitão Emanuele Basile foi assassinado, na primavera de 1980, mais uma vez, Bontate e Inzerillo foram pegos de surpresa. "A morte do capitão Basile foi ordenada pelos *corleonesi*, com o consentimento da Comissão, mas, mais uma vez, sem o conhecimento de Inzerillo e Bontate. Dessa vez, a irritação dos dois foi maior do que a habitual, pois um dos três assassinos pertencia à família Ciaculli, de modo que era impossível que Michele Greco não soubesse nada sobre o assassinato."

Curiosamente, como Buscetta explicou, o assassinato do promotor Gaetano Costa foi uma resposta não tanto ao esforço antimáfia de Costa, mas, na verdade, à morte de Basile. "Inteiramente por conta própria, Salvatore Inzerillo ordenou o assassinato de Gaetano Costa, a fim de mostrar que ele também poderia desafiar a Comissão, assim como os *corleonesi*... Gaetano Costa, que assinara os mandados de prisão contra a família de Inzerillo... Eu devo mencionar, no entanto, como o próprio Inzerillo me explicou, que ele não estava particularmente furioso com Costa pelos mandados de prisão, mas pretendia usar o fato como uma oportunidade para... fazer um jogo de cena, utilizando o poder de sua família para intimidar seus inimigos."

Depois do assassinato de Costa, Pippo Calò disse a Buscetta que "Salvatore Inzerillo era infantil por ter matado Gaetano Costa por conta de um ressentimento, e Stefano Bontate não era mais o que costumava ser".

Prevendo o desastre que se aproximava, Buscetta partiu de Palermo para o Brasil. Poucos meses depois, soube das mortes de Stefano Bontate e Salvatore Inzerillo e do massacre dos fiéis membros de suas famílias. Um outro membro da Comissão, Antonio Salamone, que vivia entre o Brasil e Palermo, manteve Buscetta a par dos acontecimentos na Sicília. Salamone descreveu a estratégia brilhante utilizada por Totò Riina para conseguir pegar Salvatore Inzerillo desprevenido. "Antes da morte de Stefano Bontate, Riina havia cinicamente confiado a Inzerillo um carregamento de cinco quilos de heroína. Após a morte de Bontate, Antonio Salamone advertiu Inzerillo a ser mais cuidadoso... ele respondeu que não tinha com o que se preocupar até que tivesse reembolsado Riina pela carga de drogas. Em vez disso, Riina matou-o antes do pagamento."

De fato, a família de Inzerillo foi totalmente enganada por essa estratégia, tanto que estavam convencidos de que o dinheiro da heroína foi o que motivara o assassinato de seu chefe. Santo Inzerillo, irmão de Salvatore, apareceu em uma reunião de paz com uma mala cheia de dinheiro, pagando a dívida do carregamento de heroína. Totò Riina e seus homens ficaram com o dinheiro, mas acabaram estrangulando Inzerillo e o amigo que estava com ele. "Esse fato mostra que não havia nenhum conflito envolvendo tráfico de drogas, mas que a real fonte de discórdia era o fato de que Stefano Bontate e Salvatore Inzerillo eram as duas únicas pessoas a se posicionar contra os projetos hegemônicos dos *corleonesi*", Buscetta contou a Falcone.

Salamone contou a Buscetta os detalhes das repetidas traições que deram início à guerra da máfia em 1981. Com a morte de Bontate e Inzerillo, o novo chefe Bontate convidou vários membros da família para uma reunião na qual o futuro da família seria discutido. Com um mau pressentimento, alguns membros, entre eles Salvatore Contorno e Emanuele D'Agostino, ignoraram a reunião e tentaram dissuadir seus amigos a não comparecer. Aqueles que foram à reunião jamais foram vistos novamente.

D'Agostino decidiu nesse momento buscar refúgio com seu amigo Rosario Riccobono, o chefe de Partanna-Mondello. "Riccobono então matou D'Agostino e expôs seu corpo, em um espetáculo de sua lealdade aos *corleonesi*", contou Buscetta.

"Ao comentar o episódio, Salamone disse que D'Agostino havia sido esperto em não ter confiado no novo chefe de sua família... mas tolo por ter confiado em Rosario Riccobono...

Riccobono então, fez a mesma coisa ao filho de D'Agostino, criando uma armadilha ao pedir que levasse algumas roupas limpas ao local onde seu pai estava escondido."

Antes de ser morto, Emanuele D'Agostino contou a Riccobono que seu antigo chefe, Stefano Bontate, pretendia matar Totò Riina. "Nesse momento, os *corleonesi* clamaram vitória, já que finalmente tinham um motivo perfeito para justificar os assassinatos", disse Buscetta.

Ao trair seus amigos e fornecer a Totò Riina a justificativa perfeita para eliminar seus rivais, Rosario Riccobono pensava ter assegurado o próprio futuro. Mas, para sua surpresa, ele cometeu o mesmo erro cometido por Emanuele D'Agostino ao confiar em Riina. No final de 1982, Riccobono e seus homens foram convidados para um churrasco de Natal no território de Michele Greco. Depois de cochilar em uma poltrona após a refeição, Riccobono foi acordado por um grupo de assassinos que carregavam uma corda nas mãos. "Saru (o apelido de Rosario), sua história termina aqui", disseram a Riccobono antes de estrangulá-lo. Ao mesmo tempo, os *corleonesi* caçavam cerca de vinte homens de Riccobono, eliminando de uma só vez toda a sua facção.[18]

Quando Gaetano Badalamenti foi visitar Buscetta no Brasil no final de 1982, ele o informou sobre a última rodada de assassinatos em Palermo. Os assassinos de Totò Riina haviam planejado matar o filho de Salvatore Inzerillo, um menino de apenas 16 anos. O carrasco seria o famoso Pino "o Sapato" Greco, que, embora fosse o subchefe de Michele Greco, havia se tornado o assassino favorito de Totò Riina. "Ao descrever a perversidade particular de Greco, Badalamenti contou que, antes de matar o filho de Inzerillo, tinha cortado seu braço direito, dizendo que ele não poderia mais usá-lo para matar Totò Riina."[19]

Badalamenti tentou persuadir Buscetta a retornar a Palermo e liderar as famílias mafiosas que desejavam se vingar dos *corleonesi*, mas Buscetta disse a ele que era uma causa perdida. No entanto, Totò Riina ouviu rumores da reunião no Brasil, e, logo após a visita de Badalamenti, parentes de Buscetta em Palermo começaram a desaparecer misteriosamente.

Enquanto apontava os assassinos na grande guerra da máfia, revelando os nomes daqueles que haviam ordenado os assassinatos dos "cadáveres ilustres" de Palermo, Buscetta insistia que, mesmo que seus relatos fossem palavras ouvidas de uma terceira pessoa, eram tão fidedignos como se ele próprio tivesse testemunhado os acontecimentos, uma vez que os "homens de honra" tinham o dever absoluto de dizer sempre a verdade a outros homens de honra quando se falava em "negócios" da máfia. As revelações de Stefano Bontate, Salvatore Inzerillo, Gaetano Badalamenti e Antonio Salamone "têm o valor de verdades absolutas", insistiu Buscetta. "Percebi que estou falando de um conceito difícil de entender para quem não é siciliano ou não pertence à máfia... Um homem de honra deve sempre dizer a verdade. Uma vez que tem o direito de se manter em silêncio, aquele que viola essa regra está sujeito a uma punição que pode ser até mesmo a morte."

18. Essa descrição da morte de Rosario Riccobono está contida na *Richiesta di custodia cautelare nei confronti de Agate, Mariano + 57*, arquivada pela Procura della Repubblica di Palermo, em 20 de fevereiro de 1993.

19. Essa citação e as que se seguem são do interrogatório de Tommaso Buscetta.

Embora muitos possam ter zombado da ideia de uma obrigação de dizer sempre a verdade dentro de uma organização na qual matar, roubar e trapacear são a ordem do dia, Falcone teve a sabedoria de ouvir atentamente os relatos de Buscetta. A geração atual de Nostra zombara de seu "código de honra". As elaboradas leis de conduta regulavam o comportamento dos membros e eram uma fonte de coesão importante, o que dava à máfia uma enorme vantagem em relação a outras formas de crime organizado, ajudando-a a sobreviver por mais de 120 anos. Homens de honra eram criminosos muito disciplinados, que geralmente evitavam qualquer tipo de violência gratuita, chegando a extremos para proteger seus pares e jamais cooperando com a polícia – o que fazia dos mafiosos uma classe muito difícil de incriminar." A máfia tinha uma espécie de subcultura própria, com valores que por si sós não são ruins: coragem, amizade, respeito à tradição", disse Falcone em uma entrevista em 1986.[20] Falcone estava convencido de que, enquanto o governo não levasse a máfia a sério, seus esforços para combatê-la estariam fadados ao fracasso. E assim, em vez de se limitar à discussão de crimes e criminosos, Falcone conduziu Buscetta aos elementos aparentemente mais "folclóricos" da vida mafiosa.

"Ninguém jamais encontrará registros escritos dos códigos de conduta da máfia, mas suas regras são tão rígidas quanto o ferro e são universalmente aceitas", disse Buscetta. "Da mesma forma, ninguém jamais vai encontrar uma lista de membros, mas os laços que unem os homens de honra são mais fortes e mais enigmáticos do que se fossem registrados em um documento qualquer. Na minha opinião, um dos principais erros cometidos no combate à máfia foi exatamente ignorar essa realidade conhecida por todo homem de honra."[21]

Enquanto estudiosos modernos do fenômeno da máfia rejeitaram os ritos de iniciação como fantasia hollywoodiana, Buscetta confirmou sua existência, assim como todas as outras testemunhas que se seguiram. Buscetta descreveu seu próprio rito de iniciação, coincidindo com relatos que datam do século XIX.

"O novato é trazido... juntamente com pelo menos três homens de honra da família, e o membro mais velho presente adverte que 'esta Casa' está destinada a proteger os fracos contra o abuso dos poderosos; ele então

---

20. Galluzzo, La Licata e Lodato, eds. *Falcone vive*, p. 61.

21. Essa citação e as que se seguem são do interrogatório de Tommaso Buscetta.

fura o dedo do novato e derrama seu sangue em uma imagem sagrada. A imagem é colocada nas mãos do iniciado e ateada em chamas. O jovem deve suportar a dor das chamas, passando a imagem de uma mão para a outra, até que a imagem tenha sido totalmente consumida, enquanto declara sua fé nos princípios da 'Cosa Nostra', jurando solenemente: 'que a minha carne queime como este santo se eu falhar no meu juramento'. Esse era mais ou menos o rito de iniciação na época em que entrei na Cosa Nostra. Eu não sei se ainda é assim."

Os membros da família local procuram novos recrutas entre as crianças mais duronas, mais espertas e mais agressivas de suas vizinhanças. Antes de aceitar novos afiliados, a família atribuía-lhes várias missões criminosas, estudando o seu comportamento durante anos. Os candidatos deveriam ser sicilianos e não poderiam ter parentes que trabalhassem na aplicação da lei. A Cosa Nostra também excluía qualquer um cujo pai tivesse sido morto por um homem de honra. O motivo, explicou Buscetta, era, novamente, a obrigação de dizer sempre a verdade. O novo membro naturalmente iria querer saber a verdade sobre quem havia matado seu pai, e a organização seria confrontada com a difícil decisão de mentir para ele ou criar um conflito interno. Nessas circunstâncias, era melhor excluí-lo inteiramente.

Os homens de honra eram instruídos a respeitar as esposas de outros membros, a não roubar ou mentir uns aos outros. Haviam rigorosas proibições contra o assassinato de mulheres e crianças, prostituição, consumo de drogas, excesso de álcool e comportamento sexual "imoral".

Revelar a identidade de mafioso a outro homem de honra é uma situação delicada, em função da regra de sigilo exigida pela Cosa Nostra. Como Buscetta explicou, os dois deveriam ser apresentados por um terceiro homem de honra, que os conhecesse como membros da organização, e diria: "*Lui e' la stessa cosa*" (Ele é a mesma coisa) ou "*E' come te come me*" (Ele é como você e como eu).

Se um homem de honra precisa entrar em contato com um membro de outra família, deve primeiro pedir a seu próprio chefe, que então organizará um encontro para fazer as apresentações entre os dois. "Esse sistema é muito eficaz para garantir o sigilo das famílias mafiosas", explicou Buscetta. "Na verdade, diferentes famílias apenas se comunicam quando é estritamente necessário."

Como são obrigados a dizer sempre a verdade, os homens de honra geralmente são de poucas palavras. "Em conversa com outro homem de honra, não se fazem perguntas diretas, porque isso seria um sinal de curiosidade desnecessária, que pode ser entendido de maneira errada", explicou Buscetta.

"Você se limita a ouvir o que o outro tem a dizer. Dentro da máfia, ninguém vai te dar uma descrição explícita de um crime, apenas o suficiente, e nunca devemos pedir que a pessoa esclareça mais detalhes, mesmo por meio de seu silêncio, por ser o autor de certo crime... Na nossa organização, um gesto, um piscar de olhos é suficiente para entender exatamente o que aconteceu e saber, consequentemente, como se comportar com as autoridades... Para lhe dar um exemplo banal, se dois mafiosos são abordados em um carro e há uma pistola no porta-luvas, uma troca de olhares entre os dois será suficiente para que um deles saiba que não deve dizer nada sobre a arma e o outro deve assumir a responsabilidade pela posse."

A relação entre Falcone e Buscetta ia muito bem, dentre outros motivos porque Falcone, como um siciliano, compreendia essa linguagem de gestos e mensagens indiretas. "Nós nos entendemos um ao outro sem ter que falar", disse Buscetta depois da morte de Falcone. "Ele tinha forte intuição e era muito inteligente, honesto e ansiava por trabalhar."[22] Com Buscetta havia sempre algo implícito, um diálogo não verbal que acontecia em paralelo à sua fala. "Tenho a impressão de que nosso relacionamento se deu em uma espécie de código", disse Falcone.[23]

Essa conversação velada começou já no primeiro encontro dos dois. No final das sessões, Buscetta mencionou casualmente que estava sem cigarros. Falcone então ofereceu o maço aberto que estava fumando. Buscetta aceitou. No encontro seguinte, Buscetta disse que o episódio dos cigarros havia sido uma espécie de teste. "Eu aceitei seus cigarros porque o maço já estava aberto", disse ele. "Eu jamais teria aceitado um maço ou um pacote fechado, porque teria sido uma tentativa de me humilhar."

"Alguns podem ver algo de patológico nessa troca cheia de formalidades, nessa atenção extrema aos detalhes", escreveu Falcone, anos depois, quando refletia sobre o episódio. "Mas alguém que vive em constante ameaça precisa

---

22. *La Stampa*, 22 de novembro de 1992.

23. Falcone, p. 51.

entender o significado de muitos sinais aparentemente irrelevantes e saber interpretá-los, em um esforço constante de decodificação."[24]

Falcone sabia exatamente quando deveria recuar e quando deveria seguir com o interrogatório, sabia qual era o momento certo de fazer uma piada, quebrando a tensão, e quando deveria tratar as coisas com absoluta seriedade. Falcone e Buscetta desenvolveram uma sincronia impressionante. "Quando eu contava algo a ele, você poderia ver uma luz se acendendo", disse Buscetta. "Era muito prazeroso ouvir suas análises das coisas; ele jamais fez uma pergunta supérflua, nunca fez uma pergunta estúpida. Ele era o único que entendia."[25]

Buscetta não tinha o mesmo respeito por alguns colegas de Falcone na *Procura della Repubblica* que geralmente participavam das sessões. Certa vez, quando Buscetta estava contando a história de um assassinato da máfia, um magistrado o interrompeu e perguntou: "É verdade que você costumava comer ostras e beber champanhe quando estava preso em Ucciardone?". "Não", respondeu Buscetta, olhando-o com desprezo e depois continuando a contar a história a Falcone. Algumas horas depois, Buscetta perguntou a Falcone: "Por que enquanto você fala sobre algo tão sério como um assassinato, faz parecer algo tão irrelevante?"[26]

Vincenzo Geraci costumava cochilar em algumas sessões da maratona de interrogatórios que ocorreram durante o verão de 1984. O cansaço de Geraci era compreensível, já que ele precisava acompanhar o ritmo frenético de Falcone, de doze, quatorze ou até mesmo dezesseis horas de trabalho, em um calor infernal no verão de julho e agosto. Mas Buscetta considerou o cochilo de Geraci como um sinal de desrespeito. "Eu não gosto daquele magistrado", Buscetta disse a Falcone em particular. "Eu não confio nele."[27]

Em outro momento, em meados de agosto, quando praticamente toda a Itália estava de férias, Falcone e Buscetta estavam reunidos em um sótão sufocante, em cima dos alojamentos policiais em Roma. A janela estava aberta e eles podiam ouvir uma música alta que vinha dos apartamentos

---

24. Falcone, p. 52.

25. *La Stampa*, 22 de novembro, 1992.

26. Entrevista do autor com Antonino Caponetto.

27. Sobre o cochilo de Geraci, ver o depoimento de Alberto Di Pisa perante o *Consiglio Siperiore della Magistratura*, em 21 de setembro de 1989. Nas observações particulares de Buscetta a Falcone, contei com uma entrevista com Antonino Caponetto, que estava presente em 18 de dezembro de 1984, no depoimento de Buscetta no qual Geraci não estava presente.

dos policiais que moravam no andar de baixo. Cada vez mais irritado com o barulho, Falcone pediu a um oficial que falasse com os moradores para que diminuíssem o volume. Mas nada foi feito. Então, de repente, apesar do calor terrível, Buscetta levantou e fechou a janela. Quando Falcone perguntou por que tinha feito aquilo, ele disse: "Do jeito que estava, juiz, se os homens continuassem fazendo barulho, você teria que intervir, aplicando-lhes uma punição. Se você fechar a janela, não ouviremos mais e não será necessário intervir". Anos mais tarde, refletindo sobre esse incidente, Falcone percebeu que essa é uma forma tipicamente mafiosa e siciliana de resolver problemas: evitar confronto direto sempre que possível, especialmente se não tem certeza do resultado.[28]

Falcone ficou muito impressionado com a disciplina interna que Buscetta e alguns de seus companheiros mostraram. Buscetta passou três anos convivendo de perto na prisão com outro mafioso que ele detestava por ter matado um amigo seu e de Stefano Bontate. Buscetta não só evitava aparentar qualquer animosidade em relação a ele, como também eventualmente o convidava para jantar em sua cela. Buscetta sabia que o assassinato dele já estava arranjado e que, enquanto isso, deveria agir de modo a não levantar suspeitas. De fato, o mafioso foi assassinado assim que deixou a prisão.[29]

Ainda que frequentemente agissem com imensa crueldade, os homens de honra também eram capazes de grandes atos de lealdade. Por exemplo, quando Totò Riina estava tentando rastrear Buscetta no Brasil, ele procurou o amigo Antonio Salamone, pois sabia que apenas uma pessoa próxima saberia o paradeiro do mafioso. Mas Salamone voltou repentinamente para a Itália e se entregou à polícia, em vez de entregar Buscetta ao seu inimigo.

Contrariando a imaginação popular, a máfia não matava por prazer, e seus membros não eram (com algumas exceções) psicopatas sedentos de sangue. O assassinato era o último recurso quando alternativas já haviam sido testadas e falhado. Um empresário que se recusasse a pagar por "proteção" receberia primeiro um telefonema, então talvez seu carro fosse queimado, e se todo tipo de intimidação não surtisse efeito, a organização teria que recorrer à violência. Ademais, os métodos escolhidos pela Cosa Nostra eram estritamente pragmáticos. Seu método preferido era o estrangulamento, não porque era uma forma dolorosa de morte, mas porque era silenciosa e

---

28. Falcone, p. 87.

29. Interrogatório de Tommaso Buscetta.

não deixava rastros. Mas para estrangular uma vítima, era preciso atraí-la para uma armadilha. Quando isso não era possível, eles recorriam ao uso de armas. Poderiam recorrer ao uso de bombas, como foi o caso no assassinato de Rocco Chinnici, quando agiram desse modo não para fazer um estardalhaço, atraindo a atenção pública, mas porque Chinnici estava bem protegido, e um ataque armado poderia dar errado. "Homens de honra não são demônios nem loucos", disse Falcone. "Eles não matariam a mãe nem o pai por um grama de cocaína. Eles são homens como nós, devemos reconhecer que eles se parecem conosco."[30]

Os mafiosos com quem Falcone lidava eram figuras taciturnas como ele próprio, homens acostumados a esconder os próprios sentimentos. Eram céticos estudiosos da humanidade, observadores atentos, dotados de uma memória notável mesmo para os pequenos detalhes. Ironicamente, o mafioso e o promotor – embora inimigos – eram como espelhos, frente a frente, vivendo no mesmo mundo, interpretando os mesmos sinais, vivendo com a presença constante da morte. "Se Falcone tivesse escolhido o outro lado, ele teria sido um grande mafioso", disse Leonardo Guarnotta, amigo e colega de Falcone, no grupo antimáfia de Palermo. Quanto mais tempo ele passava com Buscetta e com outras testemunhas da máfia, cada vez mais encontrava reflexos deles em si mesmo."[31]

"Consciente da malícia e astúcia do meu semelhante, eu os observo, analiso e tento evitar golpes baixos", escreveu ele em 1991. "O mafioso é movido pelo mesmo ceticismo em relação à raça humana A Igreja Católica nos ensina: 'Lembre-se da morte, pois você também morrerá'. O catolicismo implícito da máfia ensina algo semelhante: o risco constante da morte... lhes ensinou a viver em um estado de alerta perene. Nós ficamos muitas vezes impressionados com a incrível quantidade de detalhes de que os homens da Cosa Nostra são capazes de recordar. Mas quando você vive esperando o pior, nenhum detalhe é insignificante. Nada é deixado ao acaso. A presença certa da morte, seja daqui a um momento, uma semana, um ano, dá a eles um senso da precariedade de cada instante da vida..."[32]

Conhecer os homens da máfia influenciou Falcone profundamente. "Aprendi a ver humanidade até nas piores pessoas e a ter um verdadeiro

---

30. Falcone, p. 82.

31. Entrevista do autor com Leonardo Guarnotta.

32. Falcone, p. 72.

respeito, não apenas pelas opiniões dos outros... A regra imperativa dos mafiosos, 'sempre dizer a verdade', tornou-se o princípio norteador da minha ética pessoal, pelo menos nos relacionamentos mais importantes. Por mais estranho que pareça, a máfia me deu uma lição de moralidade."[33]

Contar a verdade sobre os negócios da máfia não era simplesmente uma questão de honra cavalheiresca, mas uma necessidade prática, em um mundo onde cruzar o caminho da pessoa errada era muitas vezes uma questão de vida ou morte. O senso de solidariedade entre os homens de honra ajudou a criar uma fortaleza que os protegia em relação aos demais. Certo grau de transparência dentro da organização era necessário para mantê-la opaca em relação ao mundo externo. As regras da Cosa Nostra também têm importância psicológica, já que a maioria dos homens de honra não são psicopatas violentos, eles precisam sentir que suas ações estão justificadas, principalmente quando têm que cometer crimes particularmente violentos. Assim, as justificativas usadas pelos *corleonesi* para explicar a necessidade matar esta ou daquela pessoa não foram inventadas apenas para enganar seus adversários, mas também para fortalecer seus próprios homens, na crença de que estavam agindo de acordo com as leis da Cosa Nostra, e não violando-as.

Parte do sucesso de Totò Riina em eliminar os seus adversários residia em sua capacidade de burlar as regras tradicionais da Cosa Nostra. Mantendo a própria filiação em segredo e mentindo sobre suas ações, Riina desequilibrou a todos. Ele aproveitou o crescente e lucrativo negócio do tráfico de narcóticos para minar a estrutura da máfia tradicional da Cosa Nostra. Como o tráfico de drogas não era considerado um negócio da máfia, os homens de honra estavam livres para investir com membros de outras famílias rivais. Riina cultivava relações com mafiosos de outras famílias e depois jogava-os contra os próprios membros, de modo que, quando chegou a hora de matar Stefano Bontate e Salvatore Inzerillo, ele pode fazê-lo facilmente, obtendo informações de pessoas próximas a eles. Esses homens então assumiriam a liderança da família, impedindo qualquer possível retaliação do velho clã.

Embora essa estratégia fosse extremamente eficaz, ela acabou custando caro. Ao minarem a tradicional lealdade familiar, Totò Riina e os *corleonesi* acabaram destruindo a cultura da solidariedade familiar e da *omertà* que

33. Falcone, p. 70.

tanto protegera a Cosa Nostra do mundo exterior. Os sobreviventes dos clãs perdedores eram condenados a viver como animais encurralados, assistindo impotentes aos assassinatos de amigos e parentes, esperando pelos próprios assassinos.

O próprio Buscetta havia perdido uma dúzia de parentes e praticamente todos os amigos da Cosa Nostra. Não restava mais nada para ele a não ser cometer suicídio ou cooperar com Falcone. Criando uma justificativa para seu depoimento, Buscetta poderia dizer que não havia traído a Cosa Nostra, mas que o verdadeiro traidor havia sido Totò Riina, ao destruir completamente o código de honra da máfia.

Capítulo 8

As confissões de Buscetta revolucionaram os processos contra a máfia nos dois lados do Atlântico. Ele não apenas deu os nomes de centenas de mafiosos operando na Sicília, nos EUA e na América do Sul, como também possibilitou compreender a Cosa Nostra como um todo, conectando inúmeros crimes em um padrão inteligível. "Antes dele, eu tinha, nós tínhamos, apenas uma compreensão superficial do fenômeno da máfia", escreveu Falcone mais tarde. "Com ele, foi possível entrar na estrutura. Ele explicou para nós inúmeros detalhes sobre a estrutura, as técnicas de recrutamento e as funções da Cosa Nostra. Acima de tudo, ele nos deu uma visão ampla e global do fenômeno. Ele nos deu uma chave interpretativa, a linguagem e o código. Buscetta foi uma espécie de professor de línguas, que nos permitiu estar entre os turcos sem termos que usar as mãos para nos comunicar."[1]

A comissão antimáfia de Palermo tinha em mãos todos os elementos necessários para levar toda a organização da Cosa Nostra a julgamento, desde os mais importantes membros que dirigiam a Comissão até o mais humilde mafioso. Com a lei promulgada após a morte de Pio La Torre (a lei Rognoni-La Torre), tornara-se ilegal pertencer à máfia, o que permitiu que os promotores tivessem uma estrutura legal para embasar o caso. Buscetta havia lhes dado um mapa da estrutura e do processo de tomada de decisão dentro da organização. Mas seria errado dizer que o grande julgamento de Palermo foi inteiramente baseado nas confissões de Buscetta. Mais do que qualquer outra coisa, ele forneceu meios para organizar a enorme quantidade de dados brutos que o grupo já havia reunido durante

1. Falcone, *Cose di Cosa Nostra*, p. 41.

anos. As relações "familiares" que ele descreveu foram corroboradas por dezenas de milhares de registros financeiros que Falcone colecionava desde o trabalho no caso da Spatola, em 1980. Eles agora compreendiam como a expansão do comércio de heroína – que tinham documentado meticulosamente por meio de escutas telefônicas, fotografias, impressões digitais, registros bancários, apreensões de drogas e confissões de numerosas empresas, de Nova York, Palermo a Bangkok – fora imprescindível para a ascensão dos mafiosos *corleonesi* e seus aliados. Foi possível compreender como a grande guerra da máfia no início da década de 1980 tinha sido orquestrada, e como a longa sequência de "cadáveres ilustres" – desde a morte do promotor-chefe Cesare Terranova, em 1979, até o carro-bomba de Rocco Chinnici em 1983 – se encaixava nessa estratégia interna.

Mesmo o eixo de negociações entre Palermo e Catânia investigado pelo general Dalla Chiesa, e que Falcone desconfiava ter sido o motivo de sua morte, foi confirmado por Buscetta. Buscetta estava com o ex-chefe da Comissão, Gaetano Badalamenti, na noite de 3 de setembro de 1982, quando a televisão brasileira noticiou o assassinato do general. "Badalamenti, comentando sobre o evento, disse que certamente era um ato de bravata por parte dos *corleonesi*, que viam o general como uma ameaça à máfia", disse Buscetta a Falcone. "Ele acrescentou que certamente os homens de Catânia devem ter feito o trabalho, pois eram os mais próximos dos *corleonesi*, e seriam rostos novos em Palermo, não sendo reconhecidos pelas autoridades." Buscetta contou que Badalamenti confirmou inclusive o palpite de Falcone de que o patrão de Catânia, Nino Santapaola, fornecera a mão de obra para o assassinato de Dalla Chiesa. "[Badalamenti] contou que os mafiosos de Catânia estavam retribuindo o favor que os palermitanos haviam feito a eles no assassinato de Alfio Ferlito."[2]

Enquanto Falcone passava a maior parte de seu tempo em Roma com Buscetta, o resto dos investigadores antimáfia estava ocupado verificando essas afirmações, checando-as com as declarações de outras testemunhas. Na maioria dos casos, elas eram correspondentes.

Vincenzo Marsala, filho do chefe da cidade de Vicari, que havia começado a cooperar depois do assassinato de seu pai, em 1983, forneceu uma descrição da organização e de seus rituais idêntica à dada por Buscetta

---

2. Interrogatório de Tommaso Buscetta.

– embora um fosse da cidade e outro do campo e os dois tivessem uma diferença de idade de mais de vinte anos.

Marsala tinha descrito um ano antes as formas de apresentação usadas pelos homens de honra e a obrigação de dizer sempre a verdade mencionadas por Buscetta. "Quando um homem de honra apresenta outro homem de honra a um terceiro, ele usa a frase '*Questo e' la stessa cosa*' ('Ele é a mesma coisa'). Meu pai me disse que há uma obrigação de dizer sempre a verdade entre homens de honra."[3]

Além disso, após a confissão de Buscetta, os promotores de Palermo receberam a transcrição de uma conversa grampeada feita pelos policiais canadenses em 1974. Embora Buscetta pudesse ser acusado de confessar apenas o que agradasse aos investigadores, essa era uma "conversa particular" entre um homem de honra siciliano (Carmelo Cuffaro) e um chefe da máfia em Montreal (Paul Violi) sobre mudanças importantes na organização na Sicília, dez anos antes do retorno de Buscetta à Itália. Cuffaro referiu-se a um novo membro como tendo sido feito (*regolarmente fatto*) e ter se tornado "o mesmo", *lo stesso*, ou "a mesma coisa" (*la stessa cosa*). Ele usou o termo "Cosa Nostra", falou sobre a eleição de "representantes" familiares, *capi-mandamento* (líderes distritais), e até mencionou que Giuseppe Calderone, então chefe de Catânia, tinha sido eleito para a Comissão.

Violi, que estava no Canadá havia muitos anos, confirmou a declaração de Buscetta de que as organizações na Sicília e na América estavam estritamente separadas. Ele queria deixar claro que um mafioso da Sicília não poderia chegar ao Canadá esperando entrar no ramo norte-americano da Cosa Nostra de imediato, que deveria passar por um período de observação que poderia durar anos antes de ser considerado membro. Ele também insistiu que, caso Cuffaro viesse para a América do Norte, ele não deveria discutir os assuntos da máfia siciliana com os mafiosos americanos.[4]

Em certo momento durante os depoimentos, Buscetta perguntou a Falcone como ele conseguia memorizar tantos nomes e datas diferentes.

Falcone disse: "Não se preocupe. Se eu não entender algo, o Dr. Borsellino vai descobrir". Algumas poucas vezes Falcone levou Borsellino a Roma para interrogar Buscetta. "Ele usou Borsellino como um 'apurador

3. As confissões de Marsala são citadas extensivamente em stajano, *Mafia: L'atto di accusa dei giudici di Palermo*, pp. 63-72.

4. As conversas grampeadas entre Violi e Cuffaro estão em *Mafia*, pp. 55-63.

da verdade'", disse Richard Martin, advogado assistente dos EUA, que estava trabalhando em paralelo com Falcone e Borsellino no caso da *Pizza Connection* em Nova York.

"'Paolo, estou no caminho certo, ou isso é uma bobagem?' Borsellino era o promotor do promotor."[5]

O novo grupo antimáfia estabeleceu uma divisão de trabalho altamente eficiente. Leonardo Guarnotta assumiu a maior parte dos aspectos financeiros da Cosa Nostra, aproveitando a nova lei sobre a apreensão de ativos da máfia. Giuseppe Di Lello trabalhava com as dezenas de homicídios e inúmeros crimes menores que ligavam as centenas de réus ao empreendimento criminoso de Cosa Nostra. Borsellino cuidava dos numerosos "cadáveres ilustres", de Boris Giuliano e capitão Emanuele Basile ao Dr. Paolo Giacone, e das atividades do clã de Filippo Marchese, uma "família" de Corso del Mille, bem como das atividades no narcotráfico do chefe Pietro Vernengo. O grupo antimáfia da *Procura della Repubblica* colocava seus membros seguindo cada um uma linha de investigação, checando duplamente o trabalho investigativo de seus magistrados, buscando garantir que as evidências resistissem no tribunal.[6]

Eles trabalharam freneticamente para traduzir as declarações de Buscetta em resultados concretos, antes que a notícia de sua cooperação vazasse publicamente ou para alguém dentro da Cosa Nostra. O grupo preparou mandados de prisão para centenas de pessoas que Buscetta havia identificado, utilizando arquivos de casos antigos e registros policiais para reunir evidências que embasassem as prisões.

No fim de setembro, eles estavam se preparando para agir, organizando uma ação conjunta para o amanhecer do dia 4 de outubro. Mas, na manhã de 29 de setembro, Giovanni Falcone recebeu a informação de que a revista *Panorama* estava prestes a divulgar uma matéria sobre a cooperação de Buscetta em sua próxima edição. De repente, o grupo precisou acelerar os planos, realizando as prisões durante o fim de semana anterior à publicação da revista.

Todos largaram outras atividades para preparar 366 mandados de prisão. Falcone, Borsellino, Leonardo Guarnotta e Antonino Caponetto

5. Entrevista do autor com Richard Martin.
6. A divisão do trabalho do grupo antimáfia foi explicada em entrevistas com Antonino Caponetto, Giuseppe Di Lello e Leonardo Guarnotta.

trabalharam dia e noite, apoiados por um time de funcionários, secretárias e até motoristas que ajudaram a imprimir e a copiar os mandados. Nesse alvoroço, eles se esqueceram do quarto membro do grupo, Giuseppe Di Lello, que estivera ocupado interrogando uma testemunha na prisão de Ucciardone naquele dia. No meio da noite, alguém percebeu que ele também teria que assinar os mandados, e Falcone ligou para sua casa e o acordou. Por volta das três horas da madrugada, os 366 mandados assinados foram enviados para o inspetor de polícia Ninni Cassarà, que reuniu forças policiais de toda a Sicília para iniciar a incursão matinal.[7]

Apesar da pressa e do medo de vazamentos, a operação foi bem-sucedida. A maior parte dos 366 acusados foi presa. Os noticiários de uma ponta a outra da Itália declararam a operação como um triunfo inédito em grandes manchetes. As afirmações de que o fim da máfia estava próximo mostraram-se previsões prematuras, mas não se podia negar a importância histórica da operação. Foi a maior iniciativa antimáfia em mais de vinte anos e representa, sem dúvida, uma das mais bem-sucedidas.[8]

As revelações de Buscetta surtiram um efeito igualmente esclarecedor para os promotores que trabalhavam em casos semelhantes nos EUA. Desde 1980, Louis Freeh (atual diretor do FBI) e Richard Martin, ambos promotores adjuntos dos distritos ao sul de Nova York, tentavam desvendar a densa rede de traficantes que operavam entre Palermo e Nova York. Eles tinham conseguido atingir progressos consideráveis usando métodos padrão de investigação – escutas telefônicas, apreensões de drogas, impressões digitais, operações secretas –, mas Buscetta foi uma chave interpretativa fundamental. Antes das declarações de Buscetta, os promotores americanos haviam acusado seus réus por tráfico de drogas, mas não tinham evidências suficientes para provar seu pertencimento à máfia. "Ele nos ajudou a entender melhor as evidências que já tínhamos", disse Richard Martin. "Embora sempre soubéssemos que a Cosa Nostra estava por trás da nossa organização local, não colocamos o termo organização criminosa em nossas acusações até as revelações de Buscetta, até termos uma testemunha que pudesse dizer: 'Esse cara é um membro da máfia, aquele cara

---

7. Entrevista do autor com Giuseppe Tricoli. Veja também, Giuseppe Ayala, *La Guerra dei giusti* (Milan, 1993), pp. 83-85.

8. *Corriere della Sera*, 31 de setembro de 1984; *La Stampa*, 1º de outubro de 1984.

é um membro da máfia, o tráfico é controlado pela máfia'. Ele nos deu as bases para a Lei das Organizações Corruptas e Criminosas."[9]

Buscetta ajudou os americanos a entender a divisão do trabalho existente entre a máfia siciliana e americana. Os promotores nova-iorquinos ficaram surpresos ao descobrir que a maior parte dos 22 réus de seu caso não eram membros da organização americana, mas pertenciam à máfia siciliana. Muitos deles tinham e mantinham residências nos EUA. Os sobrinhos de Gaetano Badalamenti tinham pizzarias – e distribuíam heroína – em pequenas cidades do centro-oeste americano, difíceis de imaginar como centros do crime organizado. Os sicilianos dominavam o tráfico de heroína, enquanto os mafiosos americanos recebiam uma porcentagem por permitir que os sicilianos operassem em seu território. "Nós achávamos que eles faziam parte da 'facção siciliana' da família Bonnano, mas Buscetta disse que não, que isso é impossível, ou você é um membro da máfia siciliana ou da máfia dos EUA, não pode ser as duas coisas", lembrou Martin.

Embora no passado tenha sido possível passar livremente de uma lado a outro pelos ramos siciliano e americano da Cosa Nostra, por volta dos anos 1960 isso se tornou impossível, quando as organizações se tornaram completamente distintas. "Hoje em dia é absolutamente impossível que um homem de honra siciliano possa ser ao mesmo tempo membro da Cosa Nostra americana", disse Buscetta. "Atualmente, as diferenças culturais entre as duas organizações são muito grandes para que seja possível qualquer vínculo orgânico entre elas."[10] Os americanos aceitavam não sicilianos e por vezes até mesmo membros que não fossem italianos em sua máfia, permitindo envolvimento com atividades inaceitáveis aos olhos dos sicilianos, como a prostituição. A comunidade ítalo-americana havia sido largamente absorvida pela classe média. Os filhos dos chefes da máfia frequentaram universidades e não estavam preparados todo o trabalho sujo dos negócios da máfia. Os americanos optaram por ficar de fora dos negócios perigosos ligados à importação de drogas, permitindo que os sicilianos assumissem o controle, em troca de uma participação nos lucros. Com o desemprego entre os jovens na Sicília chegando a 30%, a Cosa Nostra siciliana tinha um reservatório quase infinito de homens famintos e desesperados, que estavam dispostos a matar e a correr grandes riscos em troca

9. Entrevista do autor com Richard Martin.

10. Interrogatório de Tommaso Buscetta.

de algumas centenas de dólares. Nos anos 1950 e 1960, a máfia americana comandava uma rede de imigrações ilegais que trazia sicilianos para os EUA. Muitos deles trabalhavam como mão de obra barata em pizzarias que se espalhavam pelos EUA. Alguns desses negócios tinham o duplo propósito de fornecer um canal legalizado para a distribuição de heroína nos EUA. Esse sistema apresentava muitas vantagens. A combinação de negócios legais e ilegais era uma fachada excelente para atividades criminosas, e o considerável fluxo de caixa de uma pizzaria poderia servir como meio de lavagem de dinheiro do tráfico. As pizzarias também forneciam um mercado lucrativo para outros negócios controlados pela máfia na Itália. Carregamentos de queijo, azeite e tomates também poderiam ser veículos de exportação úteis no contrabando de drogas para os EUA. Descobriu-se por, exemplo, que John Gambino, primo do falecido chefe Salvatore Inzerillo e mentor do falso sequestro de Michele Sindona, era dono de 240 pizzarias que geravam cerca de US$ 200 milhões em transações legais por ano.[11]

Durante muito tempo, as autoridades americanas não conseguiram perceber as conexões dessa ampla rede. Quando um agente disfarçado afirmou que a heroína encontrada na Pensilvânia era idêntica à encontrada com um réu siciliano preso em Nova York, seus superiores rejeitaram a evidência, referindo-se ao siciliano como "apenas mais uma almôndega"[12].

Mas os jovens sicilianos durões começaram a jogar pesado. Joe Pistone, um agente do FBI que conseguira se infiltrar na família Bonnano de Nova York no final da década de 1970, começou a ouvir os mafiosos americanos reclamando do poder crescente dos sicilianos, conhecidos como "*zips*".

Relembrando uma de suas experiências, Pistone citou a fala de um membro da família Bonnano:

"Ele disse que os *zips* eram sicilianos trazidos para o país para distribuir heroína e realizar crimes para Carmine 'Lilo' Galante... Eles ficavam em pizzarias, onde recebiam e distribuíam heroína, lavavam dinheiro e esperavam por outras ordens de Galante... Os *zips*, disse ele, viviam juntos

---

11. Para uma discussão mais completa do caso Pizza Connection, veja Sterling, *Octopus*, pp. 180-89 e pp. 249-64. Além disso, Alexander Shana, *The Pizza Connection* (Nova York, 1988), e Ralph Blumenthal, *The Last Days of the Sicilians* (Nova York, 1988). Sobre John Gambino e a propriedade das pizzarias, veja *L'Espresso*, 22 de abril de 1984.

12. Sterling, p. 242.

como em um clã e eram muito fechados. Eles eram, ele disse, os assassinos mais cruéis da máfia..."[13]

Mas em 1979 Carmine Galante, o chefe da família Bonnano, foi assassinado com a ajuda de seus próprios guarda-costas sicilianos, Cesare Bonventre e Baldo Amato. Outro mafioso siciliano, Salvatore Catalano, assumiu os negócios de heroína da família.

Catalano tinha mais de vinte anos em antecedentes criminais na Itália, mas era totalmente desconhecido pelas autoridades americanas. O FBI americano e a Agência Antidrogas começaram a observar Catalano e seu grupo de perto. No início dos anos 1980, enquanto investigavam o caso *Pizza Connection*, eles gravaram milhares de horas de escutas telefônicas e tinham centenas de agentes trabalhando dois turnos diários durante dezoito meses, apenas seguindo os passos de membros das gangues.

Por fim, eles perceberam que os homens que estavam acompanhando faziam parte de uma organização totalmente independente, trabalhando em conjunto com a Cosa Nostra americana. O motivo era simples, mas de importância fundamental. "Quanto ao tráfico de drogas, pelo menos no período em que vivi nos EUA, havia uma séria proibição na Cosa Nostra americana, impedindo seus membros de se envolverem com o tráfico", disse Buscetta. "Todos os que estão envolvidos no narcotráfico nos EUA – como Giuseppe Ganci, Gaetano Mazzara, Salvatore Catalano e Giuseppe Bono – são homens de honra da Cosa Nostra siciliana."[14] Eles agora entendiam o que Gaetano Badalamenti, o chefe da Comissão, estava dizendo aos seus sobrinhos americanos em uma ligação grampeada a respeito de alguns parceiros sicilianos no comércio de heroína. "Eles precisam de nós, eles não têm uma licença de importação. Nós temos a licença."[15]

Os investigadores conseguiram acesso às fotografias do luxuoso casamento de um dos seus principais acusados, Giuseppe Bono, que foi realizado no Hotel Pierre em 1980. Bono havia gastado US$ 5 mil para fotografar o evento e seus quinhentos convidados, criando uma espécie de álbum de fotos do tráfico de drogas internacional. Mas os promotores americanos não conseguiram identificar todos que estavam presentes. Havia convidados da Itália, Grã-Bretanha e Canadá, mas, segundo Buscetta, a maioria

13. Sterling, p. 244.

14. Interrogatório de Tommaso Buscetta.

15. *Ordinanza Sentenza do maxijulgamento*, vol. 11, pp. 2139-71.

eram sicilianos da Cosa Nostra. A disposição dos lugares correspondia à filiação dos convidados, com membros de famílias específicas sentados juntos na mesma mesa.[16]

Entender a divisão do trabalho existente entre as duas organizações ajudou a esclarecer a luta pelo poder que acontecia dentro da Cosa Nostra americana. "Ele nos explicou por que Sal Catalano, Baldo Amato e Cesare Bonventre participaram juntos no assassinato de Carmine Galante", disse Richard Martin. "Galante estava dirigindo os negócios dessa organização, mas não estava dividindo os lucros com a Comissão"... Com o depoimento de Buscetta, conseguimos analisar novamente algumas de nossas próprias evidências e... entender o que estava acontecendo." Então, os investigadores americanos puderam entender a importância de uma reunião que haviam acompanhado alguns anos antes, entre Paul Castellano, Catalano e Ganci. Na época, pareceu estranho que o mais poderoso chefe da máfia dos EUA, Castellano, cabeça da Comissão americana, se preocupasse com figuras obscuras como Catalano Ganci. Agora tudo estava esclarecido. Tendo se livrado de Galante, os sicilianos poderiam agora tratar diretamente com Castellano, o chefe da Comissão americana, que queria garantir que a máfia recebesse sua parte dos lucros nos negócios sicilianos.[17]

Com a ajuda de Buscetta, as relações já calorosas entre a polícia americana e italiana se aproximaram ainda mais. Martin, que falava italiano fluentemente, falava ao telefone quase diariamente com Falcone e Ninni Cassarà, o principal investigador da polícia de Palermo, que vivia ocupado com os promotores americanos, interpretando o dialeto siciliano gravado em suas escutas telefônicas. Os dois países elaboraram um acordo para compartilhar e proteger Buscetta. Embora tenha sido extraditado para a Itália, Buscetta seria admitido no Programa de Proteção à Testemunha americano, já que a Itália não tinha nenhum. Em troca de permitir que os italianos questionassem Buscetta primeiro, a Itália não exigiu a extradição de Gaetano Badalamenti, que tinha sido preso na Espanha em abril de 1984, deixando que os americanos o levassem para os EUA como um dos principais réus no caso *Pizza Connection*. Em 3 de outubro daquele ano, o ministro italiano do Interior, Oscar Luigi Scalfaro, encontrou-se com o general William French Smith para comemorar o sucesso da operação Buscetta e

16. Sterling, p. 54. Ver tambem *L' Espresso*, 22 de abril de 1984 e 18 de novembro de 1984.

17. Entrevista do autor com Richard Martin.

assinar o novo acordo internacional, estabelecendo uma nova era de cooperação e compartilhamento de informações.[18]

Se as confissões de Buscetta foram importantes para os promotores, talvez sua significância fosse ainda maior para os homens que viviam dentro do universo da Cosa Nostra. Abriu-se um grande precedente: um chefe da máfia infringiu a regra da *omertà* e viveu para contar a sua história. O grupo de promotores antimáfia de Palermo provou que poderia proteger suas testemunhas e manter seus segredos de maneira que nenhuma palavra vazasse. Esse fato enviou uma poderosa mensagem para centenas de mafiosos nas prisões italianas, que se perguntavam quando e se algum dia sairiam de lá e quanto tempo poderiam sobreviver fora da cadeia. Um desses mafiosos era Salvatore ("Totuccio") Contorno. Ele havia escapado por pouco de uma tentativa de assassinato, e os *corleonesi* haviam matado alguns de seus parentes. Por ter sido o leal guarda-costas de Stefano Bontate, ele era um homem marcado para morrer. Ele havia secretamente fornecido informações sobre seus inimigos para o investigador Ninni Cassarà, mas, durante dois anos na prisão, recusou-se a cooperar mais. Claramente, Contorno ainda nutria esperanças de se vingar quando foi capturado em Roma. Na ocasião, ele tinha três carros blindados, um estoque de armas, e vigiava a residência secreta de Pippo Calò (o chefe de Buscetta), a quem culpava pelo assassinato de Stefano Bontate.

Mas, na esteira da confissão de Buscetta, Contorno acabou decidindo seguir o mesmo caminho. Alguns investigadores dizem que Contorno encontrou-se secretamente com Buscetta, caindo de joelhos e beijando-lhe a mão. "Totuccio, você pode falar agora", supostamente teria dito Buscetta.[19] Quer tenha ocorrido ou não, não há como negar que Buscetta tenha sido uma influência decisiva: Contorno concordou em falar no dia 30 de setembro, um dia depois que a notícia da cooperação de Buscetta se tornou pública. No dia seguinte, 10 de outubro de 1984, Falcone voltou a Roma para ouvir as declarações de Contorno. "Pretendo colaborar com o sistema judiciário contando tudo o que sei sobre a Cosa Nostra... porque percebi que não são nada além de um bando de covardes e assassinos", disse Contorno no começo da reunião.[20]

---

18. *La Repubblica*, 4 de outubro de 1984.

19. Lodato, *Quindici anni di mafia*, p. 154.

20. Interrogatório de Salvatore Contorno.

Salvatore Contorno era muito diferente de Buscetta. Buscetta estava entre os mais inteligentes membros da Cosa Nostra. Contorno era um homem de ação. Buscetta era ponderado, fluente em várias línguas estrangeiras; Contorno falava apenas o dialeto siciliano. Quando finalmente prestou depoimento no tribunal, foi necessária a presença de tradutores para que os advogados do norte da Itália pudessem compreender o que ele dizia. Até mesmo o promotor-chefe Antonio Caponetto, ele próprio da cidade siciliana de Caltanissetta, teve dificuldade de entender o sotaque carregado de Contorno. O inspetor de polícia Gianni De Gennaro certa vez perguntou a ele qual percentual do que ele sabia a respeito da máfia havia sido revelado aos promotores. Vinte, quarenta, sessenta, oitenta por cento? "Vinte", respondeu Contorno. Nesse momento, Buscetta, que estava na sala, virou-se para Contorno e perguntou: "Totuccio, você sabe o que é porcentagem?", e Contorno disse: "Não". "Esse é o Contorno", lembrou Antonio Manganelli, chefe do Servizio Centrale Operativo, chefe de uma das polícias antimáfia italianas. "Ele é uma pessoa com uma intuição, um instinto como o de um animal, com uma habilidade para sentir o cheiro do perigo e com reflexos incrivelmente rápidos, o que explica como conseguiu sobreviver", acrescentou Manganelli.[21] Enquanto todos os soldados leais de Bontate caíam nas armadilhas feitas por seus próprios amigos, Contorno sempre conseguiu evitá-las. Ele conseguiu sobreviver a uma emboscada feita por cerca de dez mafiosos armados até os dentes. Um dia, ele estava dirigindo com seu filho de 10 anos quando percebeu alguns rostos muito familiares ao redor deles. Ao olhar no retrovisor, notou uma moto que vinha em alta velocidade e subitamente parou, então, então soube que estava em apuros. O terrível assassino Pino "o Sapato" Greco abriu fogo da garupa da moto com seu famoso rifle Kalashnikov. Contorno conseguiu proteger seu filho no banco do passageiro, sem perder o controle do carro, enquanto o para-brisa se despedaçava em cima deles. Quando a moto deu a volta para atirar novamente, Contorno conseguiu puxar o menino do carro, pegar a arma e se esconder na frente do veículo. Embora estivesse armado com uma simples pistola calibre 38 contra o rifle Kalashnikov, ele conseguiu afastar o segundo ataque, acertando Greco enquanto ele atirava sobre a moto. "Eu tenho certeza de que o acertei no peito, porque, quando ele caiu para trás, a arma apontou para cima, atingindo as janelas e a parede no segundo andar de um prédio

---

21. Entrevista do autor com Antônio Mangarelli.

atrás de mim", Contorno contou a Falcone. "Ao ver Greco cair, percebi que era hora de fugir, e consegui escapar a pé... Mais tarde, fiquei sabendo que Greco não se ferira pois estava usando um colete à prova de balas. Na verdade, meu primo Nino Grado contou-me que o viu na praia em trajes de banho, e que não havia sinal de ferimentos."[22]

Embora Contorno não tivesse o conhecimento histórico e a visão abrangente da máfia que Buscetta tinha ele sabia muito sobre os eventos recentes da máfia em Palermo até o momento de sua prisão, em 1982, permitindo que a polícia emitisse 120 novos mandados de prisão. Contorno contou em primeira mão os mesmos eventos que Buscetta havia ouvido dos chefes Antonio Salamone e Gaetano Badalamenti.[23]

Contorno também forneceu informações imprescindíveis para o caso *Pizza Connection* nos EUA. Ele estivera presente em uma casa de fazenda na Bagheria (fora de Palermo) quando um grupo de mafiosos de Nova York chegou para testar a qualidade de um carregamento de heroína. "Eu vi pacotes de celofane cheios de um pó branco e vi algo fervendo no fogão, exalando um odor ácido e intenso... Emanuele D'Agostino explicou-me que a mercadoria era para vários compradores diferentes, mas seria enviada de uma só vez. Ele explicou que, para distinguir os vários destinos, os pacotes foram marcados com lápis ou com cortes na parte inferior da embalagem... Alguns dias depois, chegou a notícia de que a polícia havia apreendido um carregamento de quarenta quilos de heroína em Milão, e D'Agostino me disse que eram os mesmos carregamentos."[24]

Embora os italianos detidos nessa ocasião tenham sido condenados por Falcone no caso Spatola, os promotores norte-americanos não puderam julgar os réus americanos. O depoimento de Contorno ofereceu a possibilidade de uma vitória no caso.

"Falcone então voou para Milão para analisar a heroína apreendida no navio, e, como era de se esperar, os pacotes de celofane estavam marcados exatamente como Contorno havia descrito", disse Richard Martin.[25] Essa era a peça que faltava no quebra-cabeça. Ao reunir as provas americanas e

---

22. Interrogatório de Salvatore Cotorno. Falcone também reconstruiu a tentativa de assassinato contra Contorno nas acusações do julgamento. *Ordinanza Sentenza*, vol. 13, pp. 2603-31.

23. Lodato, p. 154.

24. Interrogatório de Salvatore Contorno.

25. Entrevista do autor com Richard Martin.

italianas, os promotores puderam documentar cada momento crucial do circuito de tráfico de heroína. Um agente disfarçado havia discutido o carregamento com alguns chefes da máfia (Salvatore Inzerillo, Rosario e Joe Gambino) em Nova York, e viajou com outros réus para buscar a mercadoria em Milão, onde as drogas haviam sido apreendidas. Agora eles poderiam rastrear todo o percurso do carregamento até a refinaria na Sicília, onde os mafiosos de Nova York se encontrariam com seus parceiros sicilianos. Contorno pôde identificar os mafiosos americanos como Salvatore Catalano, Giuseppe Ganci e três outros réus da operação *Pizza Connection*. Em 1980, a polícia italiana os havia fotografado juntamente com outros mafiosos sicilianos, mas não sabia de quem se tratava. O processo americano contra a família Gambino acabou fracassando porque eles não tinham conseguido levantar evidências da metade italiana da negociação. Agora, armados com a confissão de Contorno e a informação confirmada sobre os sacos de celofane carregando heroína, eles poderiam reiniciar a investigação como parte da grande conspiração *Pizza Connection*.

Capítulo 9

Após as revelações de Buscetta no outono de 1984, Ralph Jones, cônsul-geral dos EUA em Palermo, enviou uma carta secreta à embaixada de Roma e ao Departamento de Estado, em Washington, refletindo sobre as possíveis consequências políticas das prisões.

"Os magistrados de Palermo emitiram 366 mandados de prisão contra todo tipo de mafiosos... baseando-se em grande parte nas inéditas confissões do chefe Tommaso Buscetta... Os mandados de prisão atingiram exclusivamente membros do braço militar da máfia... Nenhum político foi preso. O ex-prefeito de Palermo Vito Ciancimino (Democrata-Cristão) foi indiciado, já que é o responsável por controlar vários membros do conselho da cidade... O PCI (*Partito Comunista Italiano*) pode fazer valer a sua proximidade com a máfia, movendo-se contra o ministro das Relações Exteriores, Giulio Andreotti, cuja facção por algum tempo tentou se garantir cooperando com o PCI no governo regional, sendo considerada por muitos a facção mais próxima à máfia em todo o cenário político siciliano..."[1]

Embora tenha sido apenas um pequeno primeiro passo, a acusação de Vito Ciancimino abriu a caixa de Pandora das relações entre políticos e a máfia.

Há mais de vinte anos existiam suspeitas em torno de Ciancimino, mas ninguém jamais agira contra ele, nem contra nenhum dos grandes políticos que exalavam o "odor da máfia". Ele havia sido o responsável pelas obras públicas durante o infame "saque de Palermo", quando Salvatore Lima era prefeito da cidade. A comissão antimáfia do Parlamento tinha dedicado cerca de setenta páginas para documentar sua obscura ascensão da barbearia de

1. O cabo é citado em *Europeo*, 2 de julho de 1993.

seu pai, em Corleone, ao ápice do poder na província de Palermo. Ser amigo tanto de ministros do governo e Roma quanto dos mafiosos locais provou-se ser uma receita de sucesso para Ciancimino, que acumulara imensa fortuna durante a sua carreira política. Os rumores de seus laços com a máfia eram tão persistentes e difundidos que, quando ele se elegeu prefeito, em 1970, tornou-se um escândalo nacional que acabou forçando-o a renunciar depois de apenas alguns meses. Depois disso, Ciancimino manteve uma vida discreta, mas sua influência e poder dentro do governo municipal permaneceram notórios. Dizia-se que ele controlava várias agências da cidade, colocando parentes, amigos políticos e mafiosos em empregos importantes. Um sobrinho dele ajudou a administrar o departamento que distribuía água dos poços particulares de Michele Greco, "o Papa", e de outros chefes da máfia. Se funcionários municipais eram presos por crimes comprovados, tinham seus empregos de volta ao sair da prisão.[2]

A acusação de Ciancimino logo levantou suspeitas sobre outros políticos de Palermo, em particular sobre Salvatore Lima. Os dois haviam começado a carreira como auxiliares de Amintore Fanfani, o mais bem-sucedido político democrata-cristão do fim da década de 1950 e início dos anos 1960. Raramente apareciam em público ou faziam discursos e comícios políticos, e mesmo assim, em época de eleição, votos se materializavam em seu favor, fossem para eles próprios, fossem para candidatos apoiados por eles.

Embora exercessem seu poder nos bastidores, Ciancimino e Lima tinham estilos e talentos diferentes. Ciancimino era um homem grosseiro, de maneiras ásperas, que refletiam sua origem humilde de *corleonesi*. Ele gostava de se mostrar, gabando-se de que nada poderia ser feito na prefeitura sem que ele desse aval. E não deixava de usar sua reputação obscura como forma de intimidar adversários.

Lima, por outro lado, era uma figura mais tranquila e polida, que havia conseguido (até certo ponto) se distanciar de Palermo, tornando-se membro do Parlamento nacional e do Parlamento Europeu, em Estrasburgo. Com seu porte alto e olímpico e seu cabelo prateado de aparência distinta, Lima

2. A carreira de Ciancimino foi descrita no relatório final da Comissão Antimáfia do Parlamento italiano, *Relazione conclusiva*, 4 de fevereiro de 1976, *VI Legislatura, doc. XXIII, n. 2*, pp. 214-37, reimpresso em Tranfaglia, *Mafia: politica e affari*, pp. 72-108. Ver também a acusação de Ciancimino, Tribunal de Palermo, *Procedimento penale contra Vito Ciancimino* +4, n. 411/90, e a sentença da corte: *Sentenza contro Vito Ciancimino*, Tribunal de Palermo, 17 de janeiro de 1992. Sobre o papel de Ciancimino no sistema de abastecimento de água de Palermo, ver *Sentenza contro Ciacciofera*, Michele + 88, pelo *Ufficio Istruzione di Palermo*, em 1º de março de 1988.

desfilava entre os homens mais poderosos do cenário nacional e internacional. Enquanto Ciancimino entendia apenas os ardis da política de Palermo, Lima jogava em um campo muito maior, tecendo alianças, equilibrando interesses delicados e construindo uma forte máquina política em toda a Sicília. Lima foi capaz de aumentar seu poder na Sicília para depois alcançar um papel na política nacional, primeiro como parte da "facção" Fanfani e depois ao lado da facção de Andreotti, dentro do Partido Democrata Cristão.[3]

No mundo balcanizado da política italiana do pós-guerra, desde o conselho da cidade de aldeias empobrecidas até a formação dos governos nacionais têm sido caracterizados pela presença de facções, coligações e barganhas políticas. Além das negociações entre a meia dúzia de partidos principais, havia grupos e facções dentro de cada partido, com seus membros lutando entre si em negociações por poder, dinheiro e apadrinhamento de empregos. O Partido Democrata-Cristão era o maior de todos e tinha pelo menos cinco ou seis facções internas, que guerreavam entre si para construir o próprio reino. O poder político dentro do partido (e, portanto, no governo) era determinado pelo número de "cartões de filiação" que cada facção controlava. Numa versão moderna de "Almas Mortas", de Gogol, muitos cartões eram feitos para pessoas que já haviam morrido ou que nem sequer existiam, mas que mesmo assim ajudavam a determinar deliberação nos partidos políticos, onde grandes decisões eram tomadas, alianças estratégicas feitas e importantes recursos e empregos divididos. A facção de Salvatore Lima controlava cerca de 25% dos membros do Partido Democrata-Cristão na Sicília, de acordo com Giorgio Galli, autor de um relato da história do partido.[4] Quando Lima decidiu amarrar sua carroça aos velozes cavalos de Andreotti, foi um momento decisivo na carreira dos dois. Os votos cativos de Lima impulsionaram a carreira de Andreotti dentro do partido, e o político siciliano, sensível ao prestígio e à imagem, queria garantir que sua importância fosse reconhecida publicamente. Quando formalmente se uniu à facção Andreotti, em 1964, Lima insistiu em uma demonstração pública de respeito, condizente com seu poder. "Se eu for com o Andreotti,

---

3. Ver o ensaio sobre Lima escrito por Vincenzo Vasile em *Tranfaglia, Nicola, Cirillo, Ligato e Lima,* (Roma-Bari, 1994); e o *Atto di acusa* da Procura de Palermo, arquivado em outubro de 1992, e o *Relazione conclusiva,* de 4 de fevereiro de 1976, *VI Legislatura, doc. XXIII, n. 2,* pp. 214 -37, reimpresso em *Tranfaglia,* pp. 72-108.

4. Giorgio Galli, *Storia della Democrazia Cristiana* (Milão, 1993) e *Storia dei Partiti politici italiani* (Milão, 1991). Também ver entrevista do autor com Galli.

não quero ir sozinho, mas com meus coronéis, tenentes, infantaria e bandeiras", disse Lima ao braço-direito de Andreotti, Franco Evangelisti. "E quando ele chegou ao escritório de Andreotti no Parlamento, realmente chegou à frente de um exército", relembrou Evangelisti durante uma entrevista no ano de 1992.[5]

A jogada valeu a pena para os dois. Lima entrou para o Parlamento em 1968, e Andreotti tornou-se primeiro-ministro em 1972 e permaneceu a figura central do partido durante os vinte anos seguintes. Lima progrediu com seu mentor e foi até nomeado subsecretário de Finanças. Como o próprio Andreotti, Lima foi hábil em eliminar as acusações de conluio com a máfia com comentários espirituosos e eruditos: "Dante escreveu: 'Na igreja com os santos e na taverna com os pecadores'", disse aos repórteres uma vez. "O homem vive com a sociedade que encontra ao seu redor. Certamente, aqui na Sicília, o risco de certos contatos é maior. As pessoas que não convivem com a máfia não arriscam nada; quem tem esse problema em casa corre esse risco", disse ele.[6] Mas os rumores de seus laços com a máfia o perseguiram: o nome de Lima foi mencionado 163 vezes em um imenso relatório da comissão antimáfia de Parlamento.[7] Quando o partido o nomeou subsecretário de Finanças, um importante economista renunciou em protesto. Lima não poderia aspirar a um cargo público muito alto, teria que permanecer em um papel secundário como um conselheiro, embora conselheiro de Andreotti, o homem mais poderoso do país.

Lima nunca esqueceu que a fonte de seu poder era a Sicília e envolveu-se intensamente na política da ilha. Mesmo depois de ter se tornado membro do Parlamento Europeu, em Estrasburgo, passava grande parte do tempo mantendo a paz entre os vários membros da facção de Andreotti na Sicília, escolhendo candidatos a prefeito e conselho, mediando disputas e organizando viagens de campanha de Andreotti para a Sicília. Durante a década de 1970, ele conseguiu colocar o problemático Ciancimino sob a proteção de Andreotti. Embora nunca tenha se tornado próximo dos círculos internos do primeiro-ministro, Ciancimino deu apoio a Andreotti nas convenções do partido de 1976 a 1983. Ciancimino supostamente controlava apenas 3% dos votos democratas-cristãos na Sicília como um todo,

---

5. *La Repubblica*, 23 de outubro de 1992.

6. *La Repubblica*, 23 de outubro de 1992.

7. Sterling, *Octopus*, p. 229

mas continuou exercendo grande influência em Palermo, onde podia contar com 17% dos membros do partido. "No início da década de 1960, antes de Lima, a facção Andreotti representava menos de 10% dos membros do partido, mas, no final da década de 1970, já estava em 15%", disse Galli.[8]

No início dos anos 1980, os homens de Andreotti ocuparam os mais importantes cargos da Sicília: Mario D'Acquisto era o presidente da Região da Sicília. E Nello Martellucci, escolhido a dedo por Lima, era prefeito de Palermo. Mas o assassinato do general Dalla Chiesa, em 1982, balançou as coisas. Tanto D'Acquisto quanto Martellucci foram acusados de fracassar em apoiar o general, sendo forçados a renunciar. Crescia a pressão para uma "reforma" no partido na Sicília, que pudesse banir o espectro da máfia que sempre estivera presente. Em 1983 Ciancimino se retirou do partido, mas essa saída se mostrou mais aparente do que real. Membros da facção de Ciancimino continuaram concorrendo a cargos públicos e ocupando posições-chave. Seus homens controlavam quatro das dezesseis principais agências da cidade e ocupavam muitos assentos no conselho da cidade. Os democratas-cristãos tinham maioria simples no conselho da cidade, 41 dos 80 assentos, e Ciancimino poderia chantagear a maioria, ameaçando retirar seus votos a qualquer momento.[9]

Em abril de 1983, Salvatore Lima sugeriu que uma médica chamada Elda Pucci se tornasse prefeita, renovando os rostos e limpando a imagem dos democratas-cristãos de Palermo. Mas, quando Pucci tentou exercer o real poder de sua posição, abrindo contratos de licitação pública para a manutenção das ruas, dos esgotos e da iluminação pública, ela de repente se sentiu prejudicada por forças dentro de seu próprio partido.[10]

A calamidade nos contratos públicos de Palermo tornara-se tão óbvia que não podia mais ser ignorada. O sistema estava, literalmente, vazando a céu aberto. Cerca de 40% do suprimento de água da cidade era (e ainda é) perdido através de buracos nos antigos e enferrujados dutos da cidade, e a água só ficava disponível a cada dois dias. Só para se ter uma ideia, na cidade de Milão, perdiam-se apenas 6% da água, e a média nacional era 15%. Quando a água chegava, o seu teor metálico tornava-a imprópria para o consumo. Para esses serviços terceirizados, Palermo pagava três ou

8. Entrevista do autor com Galli.

9. *Galuzzo, Obiettivo Falcone*, p. 172.

10. Entrevista com Elda Pucci no *L'Espresso*, em 29 de julho de 1984.

quatro vezes mais do que as principais cidades italianas. Pagava quase três vezes mais do que a cidade de Turim em iluminação pública, embora Turim tivesse quase três vezes mais postes de luz, e em Palermo as ruas fossem tão mal iluminadas que se tornava perigoso andar à noite. Roma – dificilmente um modelo de eficiência tecnológica no norte – gastava £ 32 bilhões (cerca de US$ 40 milhões) para a manutenção de ruas e esgoto; Palermo gastou € 59 bilhões (cerca de US$ 70 milhões), embora tenha cerca de um quarto do tamanho.[11] Como os canos com vazamentos da cidade, Palermo também estava perdendo milhares de dólares por ano em contratos públicos ilegais, trabalhadores que não cumpriam as suas funções, propinas, corrupção e ineficiência. O conde Arturo Cassina controlava os contratos públicos de ruas e esgoto havia mais de trinta anos, e, como obteve esse monopólio graças a políticos e mafiosos, e não a licitações legais, tinha pouco interesse em melhorar os serviços.

Quando a proposta da prefeita Pucci foi derrubada no conselho da cidade, ela pediu demissão, deixando Salvatore Lima e o partido à procura de um novo prefeito. Em 1984 eles escolheram outro membro do partido, Giuseppe Insalaco, que parecia ser uma escolha muito mais maleável. Insalaco cresceu na cidade de Palermo, e seu nome não estava livre do cheiro de corrupção e dos laços com a máfia. Mas Insalaco provou-se uma grande surpresa (e uma decepção) para aqueles que o escolheram. Muitos anos tendo que abaixar a cabeça diante das decisões de seus chefes locais fizeram com que Insalaco acumulasse imenso ressentimento reprimido contra seus líderes políticos, que se aproximaram logo que se tornou prefeito. Um de seus primeiros atos no governo foi encher a cidade de cartazes antimáfia que celebravam o assassinato de Pio La Torre, o comunista assassinado em abril de 1982. "Agora eles verão quem é o verdadeiro Giuseppe Insalaco", disse ele a um jovem membro do conselho, Leoluca Orlando, logo após sua nomeação como prefeito.[12] Mas a rebeldia de Insalaco durou pouco, assim como a de Pucci, quando tentou avançar com a reforma nos contratos da cidade. Ele começou a receber cartas anônimas e ameaças telefônicas, e, quando voltou a falar com Orlando, depois de alguns meses no cargo, seu tom havia mudado. "Estou com medo, estou com medo", disse ele em particular. "Nunca vi um homem

11. Nino Rocca e Umberto Santino, *Le tasche di Palermo* (Palermo, 1992), p. 22.

12. Leoluca Orlando, *Palermo* (Milão, 1990), pp. 42-43.

envelhecer tanto em tão poucos meses", disse a ex-prefeita Elda Pucci em uma entrevista naquele ano. "Eu acho que no final ele temia que tudo acabasse mal... E o fato de seu governo cair por causa da questão dos contratos da cidade é uma confirmação de que, em Palermo, é impossível permanecer no poder sem o consenso de certos 'grupos de poder' fora das instituições." Quando perguntaram a Pucci se ela estava se referindo à máfia, ela disse: "Vou deixar essa conclusão por sua conta", valendo-se da discrição comum entre os políticos sicilianos.[13]

Com a queda de um governo atrás do outro, os democratas-cristãos tentaram a figura de outro reformador, Leoluca Orlando, protegido de Piersanti Mattarella, o presidente da Região da Sicília, que havia sido assassinado em 1980, depois de ter tentado limpar os contratos locais. Mas o governo de Orlando caiu antes mesmo que ele pudesse assumir o cargo. Ele exigiu uma votação secreta para se certificar de que tinha o apoio genuíno de seu próprio partido, e certamente acabou perdendo para a maioria, sabotado pelas forças antirreforma. "Quem ele pensa que é?", Ciancimino teria dito de Orlando. "Ele acha que pode ser prefeito de Palermo sem nem sequer me dar um telefonema?" O partido recorreu então a Nello Martellucci, um homem de Andreotti que havia renunciado ao cargo de prefeito após a denúncia de Dalla Chiesa em 1983. No outono de 1984, Palermo estava de volta ao lugar de onde começara.[14]

Foi nessa atmosfera de crise política local que Ciancimino foi denunciado em outubro de 1984. Buscetta disse claramente o que muitos já suspeitavam havia tempos, mas geralmente era apenas sussurrado a portas fechadas: "Ciancimino está nas mãos de Totò Riina". Quando Buscetta deixou a prisão, em 1980, seu chefe, Pippo Calò, insistiu para que ele permanecesse em Palermo, dizendo que, com a ajuda de Ciancimino, eles fariam muito dinheiro com a revitalização do antigo centro da cidade. Além disso, os promotores haviam apreendido cerca de ₤ 10 bilhões (algo em torno de US$ 200 milhões) em bens que acreditavam ter sido obtidos desonestamente por Ciancimino.[15]

13. Entrevista com Elda Pucci no *L'Espresso*, em 29 de julho de 1984.

14. Orlando, pp. 50-51.

15. Interrogatório de Tommaso Buscetta, *Sentenza contro Vito Ciancimino, Tribunale di Palermo*, 17 de janeiro de 1992.

Na esteira da acusação de Ciancimino, dois prefeitos recentes de Palermo, Pucci e Insalaco, e o atual prefeito, Martellucci, foram convocados perante a comissão antimáfia de Roma para testemunhar sobre o envolvimento de Ciancimino com a infiltração da máfia na administração da cidade. Insalaco se referiu a Ciancimino como "o senhor dos contratos", enquanto Pucci o descreveu como "o elemento poluidor mais perturbador e corrupto de Palermo". Martellucci foi mais evasivo. Sua resposta foi uma espécie de dança verbal complexa, negando a influência da máfia na vida da cidade, enquanto, ao mesmo tempo, reconhecia a necessidade de reforma. Quando pressionado para ser específico, ele disse: "Mafiosos existem, mas eu não os vi". Martellucci pode não ter visto os mafiosos, mas eles certamente o viram. Alguém explodiu uma bomba perto de sua casa em Palermo como um aviso – a mesma coisa que acontecera com a prefeita Pucci. E alguns dias após o depoimento em Roma, alguém ateou fogo ao carro do prefeito Insalaco em Palermo.[16]

Quando entrevistados pela imprensa, os ex-prefeitos foram ainda mais explícitos sobre a situação política em Palermo. "Certamente, a máfia existe... você a respira, você sente isso", disse Insalaco. "Ela enviou mensagens precisas, matando uma série de magistrados e políticos... Tem grande influência e determinou importantes decisões governamentais."[17]

"Quando aceitei o emprego, não sabia que estava sendo usada", disse Pucci. "Para Lima e Ciancimino, eu deveria durar apenas alguns meses e ir para casa. Eu deveria salvar a imagem da DC (*Democrazia Cristiana*) depois da polêmica sobre a morte de Dalla Chiesa. Eu sabia que cairia assim que tocasse no problema dos contratos com o governo..."

"O partido (*Democrazia Cristiana*) não existe mais... os membros do partido são apenas fantasmas nas mãos dos mesmos homens velhos que, para preservar seu próprio poder, destruíram o partido. É uma guerra de todos contra todos. Os partidos transformaram-se em reservatórios de votos. E depois há também a responsabilidade de Roma, que sempre demonstrou pouco interesse pelos problemas do sul em geral e da Sicília em particular... Afinal, durante anos o Estado delegou até mesmo o ato de cobrar impostos a cidadãos particulares, à família Salvo, como na época dos reis Bourbon... A democracia não existe na Sicília."[18]

---

16. *La Repubblica*, 4 de outubro de 1984.
17. Alfredo Galasso, *Mafia e Politica* (Milão, 1993), p. 33.
18. Entrevista de Elda Pucci para o *L'Espresso*, 29 de julho de 1984.

Perguntada sobre a máfia, Pucci fez referência a algo que chamou de "o terceiro nível", uma casta de políticos próximos à máfia, acima do braço militar da Cosa Nostra. O conceito era uma apropriação indevida de um termo que Giovanni Falcone inventara em um ensaio escrito com o procurador milanês Giuliano Turone, em 1982. Falcone e Turone tinham dito que havia três níveis de crimes cometidos pela máfia. O primeiro nível compreendia crimes comuns da máfia: extorsão, contrabando, tráfico de drogas; o segundo nível incluía as mortes cometidas dentro da máfia ou entre aqueles que fazem negócios com ela. O terceiro nível eram assassinatos com ramificações políticas maiores, decididas nos níveis mais altos da Cosa Nostra: o assassinato de importantes oficiais do governo. Falcone e Turone não disseram nada sobre uma casta de políticos que controlavam até mesmo a máfia, mas muitos italianos passaram a usar o termo nesse sentido.

"Enquanto o governo da Sicília não desempenhar o seu papel, o terceiro nível continuará comandando a classe política", disse Pucci. "O terceiro nível é o que dá a uma única família o controle da agricultura siciliana."

"Direi mais claramente: eu não sei se os Salvo são mafiosos. Mas sei que eles gozam de grande proteção política."

Como o cônsul americano havia previsto, com as prisões que se seguiram ao depoimento de Buscetta, muita sujeira foi tirada de baixo do tapete.

O fato de Buscetta ter mencionado apenas uma figura política em suas confissões criou uma pressão para que se intensificasse a investigação desses elementos de investigação. "A única coisa que não nos convence nas confissões extremamente importantes de Tommaso Buscetta é seu silêncio sobre quem realmente comanda a máfia, sobre o 'terceiro nível' da máfia", declarou o chefe do Partido Comunista na Sicília, Luigi Colajanni, ao jornal de Roma *La Repubblica*. "Como é possível que um chefe de seu calibre não saiba nada a respeito de quem está por trás dos *corleonesi* e dos Grecos?"[19] O cônsul-geral acertou quando disse que o Partido Comunista havia começado, como ele dizia, "a apertar os botões da máfia".

As revelações em Palermo coincidiram com uma série de acontecimentos embaraçosos em outros locais. Michele Sindona tinha acabado de ser extraditado dos EUA para a Itália, onde seria julgado por assassinato. Uma comissão parlamentar divulgou um relatório concluindo que os serviços secretos italianos tinham uma "repartição paralela" composta

19. *La Repubblica*, 3 de outubro de 1984.

exclusivamente por membros da loja maçônica P2 de Licio Gelli. Poucos dias depois da emissão dos 366 mandados de prisão em Palermo, o Parlamento em Roma estava programado para votar se o governo deveria exigir a renúncia do ministro das Relações Exteriores, Giulio Andreotti, por causa de seu envolvimento no caso Sindona.

A salvação de Andreotti veio de uma maneira um tanto inesperada: os comunistas. Quando a questão chegou à Câmara dos Deputados, a delegação comunista absteve-se do voto.[20] Enquanto o PCI (*Partito Comunista Italiano*) trovejou publicamente contra Andreotti e o poder político da máfia na Sicília, a realidade concreta não era tão simples assim. Afinal, Andreotti havia sido um dos protagonistas do famoso "compromisso histórico", a reaproximação entre os comunistas e os democratas-cristãos. Os comunistas tinham sido os parceiros silenciosos de Andreotti nos chamados governos de solidariedade nacional, que existiram entre 1978 e 1988. Mesmo depois, Andreotti continuou sendo o principal interlocutor do PCI dentro do governo.

Embora essa mistura de esquerda e direita pareça paradoxal, é um traço típico da história italiana. Desde a unificação da Itália, em 1870, os conservadores italianos se destacaram naquilo que os italianos chamam de *trasformismo* (transformação), na capacidade de cooptar a oposição política e "transformá-la" em uma força governamental. "Nós precisamos mudar tudo – para que nada mude", declarou o herói aristocrático no grande romance siciliano *The Leopard*, resumindo a essência do *trasformismo*.[21] Os democratas-cristãos eram mestres dessa arte política. Quando chegaram ao poder pela primeira vez após a Segunda Guerra, a Itália estava em pedaços e à beira de uma nova guerra civil: fascistas e comunistas mantinham suas armas prontas embaixo de suas camas, caso fossem necessárias; os democratas-cristãos se moviam entre dois extremos, como a ocasião exigia, sem jamais perder o equilíbrio. Os governos iam e vinham, com mais de um governo caindo a cada ano, mas os democratas-cristãos mantinham-se firmes no controle. É depoimento de sua habilidade política suprema que, com menos de 40% dos votos, pudessem ter dominado todos os governos por quase cinquenta anos. Criavam e rompiam alianças

---

20. *La Repubblica*, 5 de outubro de 1984.

21. Giuseppe di Lampedusa, *Il Gattopardo* (Milão, 1958), e *The Leopard*, traduzido por Archbald Colquhoun (Nova York, 1960). Essa citação está na página 42 da edição italiana, com tradução minha.

políticas conforme pediam as circunstâncias, muitas vezes jogando aliados uns contra os outros. Até mesmo a sensação de instabilidade e perigos iminentes teve seu uso: um eleitorado nervoso, com medo de ver o país mergulhado em um caos, assegurou que os democratas-cristãos reinassem absolutos como o primeiro partido da Itália. Mas a anarquia era apenas superficial: nas cátedras da política italiana, o mesmo grupo de líderes do partido nomeava ministérios, entrando e saindo do governo por mais de cinquenta anos. Amintore Fanfani foi primeiro-ministro pela primeira vez em 1954 e pela sexta vez em 1987. Mas o símbolo do governo permanente dos democratas era Andreotti: ele desempenhou um papel importante no primeiro governo pós-guerra da Itália, em 1946, e permaneceu no centro do poder desde então, ocupando praticamente todos os cargos importantes do governo.

O sucesso dos democratas-cristãos dependia de sua capacidade de ser profundamente sensíveis às mudanças e de ouvir atentamente os murmúrios da opinião pública. Na década de 1960, os democratas-cristãos convidaram o Partido Socialista a se juntar ao governo. Esse movimento preocupou os EUA, mas mostrou-se apenas um golpe de mestre político, dividindo a esquerda italiana e fortalecendo o Partido Democrata-Cristão. Esses governos de centro-esquerda aderiram a muitas das exigências dos socialistas e se formaram as bases do moderno Estado de bem-estar social italiano. Ao invés de sentirem-se ameaçados por essas mudanças, os democratas entenderam que poderiam usá-las como algo vantajoso. Os novos quadros de serviços públicos – fábricas administradas pelo governo, projetos nacionais de saúde, assistência social, benefícios para desempregados e incapacitados – poderiam ser usados pelo sistema de patronato.

Essa grande expansão do setor público criou centenas de milhares de empregos para os seguidores do partido e bilhões de dólares para serem distribuídos entre empresários amigos, uma parte que depois poderia retornar para o financiamento do próprio partido. Depois de uma década de governos de centro-esquerda, o PDC ainda estava firme no poder, e os socialistas – manchados por sua estreita associação com o governo – estavam destruídos. Não sendo mais uma alternativa plausível ao voto no Partido Democrata-Cristão, a ao DC, a parcela de votos dos socialistas caiu para apenas 9% em meados dos anos 1970.[22]

---

22. Ginsborg, *History of Contemporary Italy*, p. 375

Com o compromisso histórico, os democratas-cristãos repetiram com os comunistas, na década de 1970, o que haviam feito com os socialistas na década de 1960. Os democratas-cristãos conseguiram governar sem os seus "aliados habituais" (os Partidos Socialista, Republicano, Social-Democrata e Liberal) porque os comunistas concordavam em renunciar a todos os votos que poderiam causar problemas ao governo. Em troca de seu apoio, os comunistas não obtiveram um ministério sequer na administração do governo. Mas eles esperavam ganhar o respeito político da agitada classe média italiana e exerceram considerável influência indireta na política do governo. A fim de manter seus aliados felizes, os democratas-cristãos expandiram ainda mais o Estado de bem-estar social. O governo tornou praticamente impossível demitir alguém na Itália, aumentou o salário dos funcionários públicos, manteve-se aberto às indústrias estatais em dificuldades, patrocinou mais trabalhos públicos e tornou as pensões italianas as mais generosas de toda a Europa. Nos anos 1970, os gastos do Estado representavam cerca de 30% do produto interno nacional; no final dos anos 1980, já haviam aumentado para 52%. Para ajudar a pagar os gastos, o Tesouro italiano injetou mais dinheiro na economia, elevando a inflação para quase 20%.[23]

Ao retirar a sua oposição, os comunistas legitimaram o Estado com o sistema de patronato democrata-cristão. Em vez de eliminar o tradicional sistema de "divisão dos despojos", eles se contentavam com um pedaço relativamente pequeno da torta. Os comunistas ganharam a própria rede de televisão pública, assim como os socialistas tiveram no passado. A partir de então, os comunistas se sentariam ao lado dos democratas e dos socialistas no conselho de diretores de empresas estatais de bancos públicos. Enquanto os outros partidos forneciam contratos a empresários que lhes pagavam subornos, os comunistas (pelo menos em alguns casos) tentavam assegurar que certo número de contratos do governo iria para os cooperados comunistas patrocinados pelo partido. Ansiosos por se mostrarem dignos o suficiente para que lhes confiassem cargos de poder, os comunistas decidiram trabalhar dentro do sistema, em vez de denunciá-lo.

Mas o tiro saiu pela culatra. Os eleitores que queriam mudar o sistema, e não expandi-lo, puniram os comunistas nas urnas. Em 1976, quando nasceu o "compromisso histórico", os comunistas estavam logo atrás dos

23. Relatório do Centro Studi Confindustria, *Squilibri di bilancio, distorsioni economiche dell'economia italiana*, outubro de 1991, por Stefano Micossi e Giuseppe Tullio.

democratas-cristãos, com 35% dos votos; em 1980 os números já estavam abaixo dos 30%. Como resultado, acabaram retirando o apoio ao governo e retornaram ao deserto da oposição. Enquanto isso, os democratas-cristãos abocanharam 38% dos votos.[24]

Quando perguntado por um crítico impertinente se os muitos anos no poder haviam "esgotado" o partido, Giulio Andreotti sabiamente respondeu: "O poder só desgasta aqueles que não o detêm".[25]

Giovanni Falcone sabia que Tommaso Buscetta não havia contado toda a verdade sobre uma série de coisas. Por causa de sua posição legal, isso era quase inevitável. Os promotores italianos não só eram incapazes de oferecer sentenças reduzidas em troca de cooperação, mas também eram obrigados a processar as testemunhas por quaisquer crimes que tivessem confessado. A menos que Buscetta quisesse passar o resto da vida na cadeia, ele precisava tomar muito cuidado com o que dizia. Não é de se surpreender, portanto, que tenha negado a maioria das acusações que foram levantadas contra ele durante os trinta anos anteriores. Ele disse a promotores que jamais havia matado alguém. No entanto, uma vez que estava em segurança escondido nos EUA, admitiu ao seu biógrafo italiano que havia participado de vários assassinatos da máfia durante os seus primeiros anos na Cosa Nostra. Reconheceu ter contrabandeado tabaco (um crime pelo qual já havia cumprido pena), mas negou ter sido traficante de cocaína ou heroína.[26]

Buscetta insistia que seu *status* dentro da Cosa Nostra era em grande parte fruto do que ele chamava de *ascendente*, seu carisma pessoal, sabedoria e bom senso acumulados ao longo de décadas de experiência em três continentes.

"Infelizmente, minha personalidade forte e orgulhosa criou ao meu redor a lenda de um narcotraficante internacional e um chefe mafioso impiedoso e violento, que não corresponde à realidade. O mais incrível é que esse mito, além de influenciar a imprensa, influenciou tanto o mundo do crime que, dentro da prisão, eu era tratado com uma mistura de medo e respeito. Meu próprio jeito reservado de ser foi confundido, naquele mundo, com um poder obtido por meio de crimes que eu, na verdade, nunca cometi. Para mim, era inútil tentar convencer as pessoas de que eu não era o monstro

24. Sobre o período do "compromisso histórico" ver Ginsborg, pp. 375-402.

25. Giulio Andreotti, *Il Potere Lagora* (Milão, 1990), p. 34.

26. Enzo Biagi, *Il Boss è solo* (Milão, 1986), p. 181.; citado em Sterling, p. 74.

que muitos imaginavam... Quando eu afirmava minha inocência, as pessoas simplesmente riam."[27]

Essa explicação não é tão fantasiosa quanto parece. No universo da Cosa Nostra, a percepção do poder é poder, e é por isso que os mafiosos estão tão obcecados com questões de reputação e prestígio pessoal. No caso de Buscetta, era difícil julgar a veracidade de sua reputação inquestionável dentro da Cosa Nostra.

Por um lado, Buscetta parecia apresentar todos os indícios de ser um grande chefe quando foi preso no Brasil. Sua família administrava uma enorme fazenda de 65 mil acres no interior do Brasil, e ele tinha apartamentos de luxo tanto no Rio de Janeiro quanto em São Paulo. Seu apartamento no Rio ficava no mesmo prédio de Antonio Bardellino, um gângster que, com a admissão do próprio Buscetta, era de um grupo de mafiosos napolitanos admitidos na Cosa Nostra siciliana para gerir o tráfico de tabaco e heroína. Mas Buscetta insistiu que sua proximidade com Bardellino era apenas uma coincidência. Seu rancho, segundo ele, pertencia ao seu sogro e havia custado praticamente nada, pois o governo brasileiro estava doando vastas extensões de terra no vale do Amazonas para incentivar o desenvolvimento da área.[28]

"Não encontramos evidências de que Buscetta – pelo menos na época anterior à sua prisão – estivesse traficando drogas", disse Gianni De Genaro, o oficial da polícia que trabalhou de perto com ele. "Um grande traficante de drogas não tem problemas em pagar um advogado, e encontrei provas de que a mulher de Buscetta estava penhorando as suas joias para poder pagar um advogado. Ko Bak Kin – o grande traficante de drogas tailandês – nunca teve problemas como esse – sempre os melhores advogados, e sempre muito bem pagos."[29]

Como Buscetta esteve na prisão entre 1973 e 1980, era possível que ele não tivesse se restabelecido no comércio de drogas no pequeno intervalo de tempo antes de ser novamente preso em 1983. É improvável, contudo, que a posição de Buscetta na máfia se apoiasse inteiramente em seu carisma e bom senso.

Buscetta também costumava suavizar as ações criminosas de amigos próximos, como Stefano Bontate, enquanto os promotores de Palermo

27. Interrogatório de Buscetta.

28. Sterling, pp. 172-74.

29. Entrevista do autor com Gianni De Gennaro.

tinham amplas evidências do contrário. Da mesma forma, Falcone sabia que Buscetta não estava contando tudo o que sabia sobre o relacionamento entre a máfia e a política. As poucas referências que fez à política eram vagas, mas muito sugestivas. Havia, por exemplo, o relato enigmático de sua conversa com Gaetano Badalamenti sobre o assassinato do general Dalla Chiesa. Badalamenti disse que "algum político usara a máfia para se livrar da presença inconveniente do general". Buscetta também disse que o chefe de sua própria família, Pippo Calò, "certamente estava envolvido na morte do banqueiro [Roberto] Calvi". (Quando o corpo de Calvi foi encontrado pendurado na Ponte Blackfriars, em Londres, muitos suspeitaram de assassinato. Testemunhas disseram que Calvi ajudava com a lavagem de dinheiro para os *corleonesi*, enquanto Michele Sindona tinha desempenhado esse papel para as antigas famílias da máfia como Bontate e Inzerillo.)[30]

Buscetta se recusou, no entanto, a falar mais a respeito dessas relações. Ele negou repetidas vezes, por exemplo, conhecer os primos Salvo, apesar de conversas telefônicas grampeadas terem revelado que Nino Salvo desejava trazer Buscetta escondido para a Itália durante a grande guerra da máfia. Ele também negou – contra todas as evidências – que estivera na Itália em 1970, juntamente com vários grandes chefes da máfia, participando do que tudo indica ter sido uma cúpula da Cosa Nostra. Buscetta confidenciou a Falcone que havia muitas coisas que não poderia dizer. O Estado italiano – ou melhor, alguns poucos representantes isolados do Estado – havia apenas começado a combater a máfia. Ele queria ver até onde o governo estava disposto a ir, antes de confiar-lhe seus mais obscuros segredos.

Buscetta pareceu inspirar-se no sucesso das confissões de Salvatore Contorno. Em 25 de outubro de 1984, Dia de São Crispim, a polícia italiana emitiu 127 mandados de prisão com base no depoimento de Contorno, o segundo grande golpe contra a máfia em menos de um mês. Então, no dia 3 de novembro, os promotores ordenaram a prisão de Vito Ciancimino. Até então, ele tinha sido apenas indiciado.[31]

Quando Falcone e Paolo Borsellino mais tarde voltaram a Roma, Buscetta começou a se abrir um pouco mais. "Embora eu ainda tenha as minhas dúvidas sobre as verdadeiras intenções do Estado de combater a

30. Interrogatórios de Tommaso Buscetta e Francesco Marino Mannoia.

31. Lodato, *Quindici anni di mafia*, p. 154.

máfia, decidi revelar uma parte do que sei, reservando o resto para um momento oportuno", disse Buscetta no início da sessão de 10 de novembro de 1984.

"Os primos Ignazio e Nino Salvo são 'homens de honra' da família de Salemi e foram apresentados a mim como tal por Stefano Bontate quando cheguei a Palermo, em 1980. A amizade entre Bontate e os Salvo era muito próxima, e, como pude observar, eles se viam com frequência... O papel dos Salvo na Cosa Nostra é modesto, mas sua importância política é imensa. Eles têm relações diretas com membros famosos do Parlamento, alguns deles de Palermo, cujos nomes preferiria não revelar... Eu também encontrei Nino Salvo em Roma. Salvo teve que vir a Roma para ser interrogado por um promotor, e, como eu estava em Roma na época, hospedado com Pippo Calò, o encontrei junto com um membro do Parlamento que eu não via havia vários anos. O encontro aconteceu no saguão de um hotel durante o verão de 1980, provavelmente em setembro..."[32]

Para confirmar as suas alegações, Buscetta revelou que ele, sua esposa, filhos e sogro tinham passado todos os feriados de Natal e Ano-Novo com os convidados dos Salvo em Palermo – confirmado pelos registros de viagem que mostravam que os Salvo tinham alugado um avião privado para as férias da família Buscetta. Eles ficaram em uma casa dos Salvo em uma propriedade perto do enorme complexo hoteleiro Zagarella. Buscetta foi capaz de descrever o *layout* da propriedade e da casa em que se hospedou, deixando poucas dúvidas de que realmente tinha estado lá. "Ambos Nino e Ignazio Salvo vieram me ver na vila... e o jantar de véspera de Ano-Novo foi trazido para nós do Hotel Zagarella, por um empregado de Nino Salvo, zelador da vila, que morava em uma pequena casa nas proximidades."

As revelações de Buscetta sobre os Salvo ajudaram a esclarecer como a máfia controlava indiretamente os contratos da cidade de Palermo. "Por meio da mediação dos Salvo, (o prefeito Nello) Martellucci concordou em deixar que Ciancimino cuidasse da restruturação do centro histórico de Palermo", disse-me Stefano Bontate. Logo depois, quando uma bomba foi detonada na vila de Martellucci, Bontate ficou particularmente chateado, porque não entendeu o que mais Ciancimino e os *corleonesi* poderiam querer depois do acordo anterior. Buscetta afirmou acreditar que Bontate

32. Interrogatório de Tommaso Buscetta. Também, Stajano, *Mafia: L'atto di accusa dei giudici di Palermo*, pp. 326-29; Caponetto, *I miei giorni a Palermo*, pp. 54-56.

conhecia o prefeito Martellucci pessoalmente e que todos os contatos diretos eram tratados pelos primos Salvo.

Em 12 de novembro de 1984, Falcone ordenou a prisão de Nino e Ignazio Salvo, chefes da milícia mais rica e poderosa da Sicília e os homens suspeitos de serem os embaixadores da Cosa Nostra nos salões do poder.

A deserção de duas grandes figuras, Buscetta e Contorno, não foi golpe que a máfia deixaria passar sem resposta. Depois de vários meses de violência, no início de outubro de 1984, a máfia matou representantes dos clãs Badalamenti e Mineo, famílias perdedoras associadas a Buscetta e seus amigos. E em uma terrível demonstração de força, oito homens foram encontrados mortos no dia 18 de outubro, em um estábulo na Piazza Scaffa, em Palermo. O maior assassinato em grupo na história de Palermo foi instantaneamente comparado ao famoso massacre de São Valentim na Chicago de Al Capone. O motivo não estava claro: os investigadores suspeitavam que isso tivesse relação com o universo lucrativo das corridas de cavalos clandestinas ou com o mercado negro de venda de carne de cavalos. Mas Falcone e Borsellino suspeitavam que um assassinato dessas dimensões em um momento tão delicado deveria ter sido sancionado pela Comissão por ter um objetivo maior do que uma simples punição por infringir regras da máfia.

Paolo Borsellino foi designado para investigar o caso do massacre da Piazza Scaffa. O cenário do crime foi a favela de Corso dei Mille, território do chefe sanguinário Filippo Marchese, que Borsellino vinha investigando havia anos. Ele se dirigiu para o estábulo malcheiroso, onde as baias estavam cheias de pedaços de cérebros de algumas das vítimas que levaram tiros de espingarda à queima-roupa. O som de explosões repetidas de tiros foi ouvido de longe, pois as notícias do massacre circularam por horas antes que a polícia fosse alertada na manhã seguinte. De fato, quando os policiais chegaram, encontraram o pai de uma das vítimas na cena do crime, tentando recolher o corpo mutilado de seu filho. Claramente, a *omertà* ainda era muito poderosa em Palermo. Ao invés de relatar o assassinato do filho à polícia, o pai estava tentando remover evidências do crime.[33]

Duas semanas depois, a máfia atacou novamente. Leonardo Vitale, que havia sido libertado recentemente do sanatório para onde fora enviado depois de se tornar a primeira testemunha moderna da máfia, foi morto

---

33. *La Repubblica*, 19 de outubro de 1984.

depois de participar da missa dominical com sua mãe.[34] A máfia não podia atacar Buscetta e Contorno, mas podia enviar uma mensagem clara. Já haviam passado onze anos desde que Vitale entrara pela primeira vez na delegacia de polícia de Palermo oferecendo-se para revelar tudo o que sabia da máfia. O Estado italiano esquecera havia muito tempo de Vitale, mas a máfia esperou pacientemente, mostrando que suas sentenças de morte podem ser adiadas, mas jamais perdoadas.

Apesar da patética morte de Vitale, as investigações de Falcone e Borsellino não pareciam perder nada. Apenas quatro dias após o assassinato do Vitale, Vincenzo Marsala, uma testemunha da máfia subutilizada que não havia sido interrogada em mais de um ano, começou a falar. Anteriormente, Marsala tinha falado apenas – ou fora interrogado – sobre a máfia da cidade rural de Vicari e da morte de seu pai, um chefe local. Como se viu, Marsala tinha muito a dizer sobre a relação da máfia com a política. Um membro da máfia Vicari (Aurelio Ocelli) "costumava se gabar de sua amizade com Ciancimino e Salvo Lima, para quem angariava votos", afirmou Marsala. "Ele costumava ir a Vicari e às cidades vizinhas para conseguir votos. Todos sabiam que Ocelli era amigo de Vito Ciancimino, e foi por causa dessa amizade que ele foi admitido na máfia."[35]

Em uma sessão posterior, Marsala explicou que a Cosa Nostra tinha regras tão específicas para o comportamento político quanto para outras áreas da vida mafiosa: "Quando se trata de eleições nacionais e locais na Sicília, a máfia segue regras precisas... Desde que comecei a falar dessas coisas com meu pai, o único partido que apoiamos foi o Partido Democrata-Cristão, porque seus representantes foram os que deram a maior proteção para a máfia. Lembro-me de que Peppe Marsala (o *capo-mandamento* de Vicari) sempre apoiava Salvo Lima, e sei por ter aprendido com meu pai que toda a organização apoiava outros homens do partido, como (Mario) D'Acquisto, (Vincenzo) Carollo, Fasino. A regra fundamental era que só era permitido fazer campanha publicamente para os democratas-cristãos, embora você pudesse apoiar os candidatos de outros partidos para agradecê-los pelos favores prestados, mas apenas de maneira pessoal, nunca por meio de campanhas abertas. Era estritamente proibido votar ou apoiar os comunistas ou os fascistas".

34. Lodato, p. 158.

35. Interrogatório de Vincenzo Marsala.

Marsala disse que chegou a levar seu pai até a casa de Mario D'Acquisto, o presidente da região siciliana e um importante membro da facção Andreotti na Sicília. Seu pai teve a carteira de motorista revogada – uma medida comum contra suspeitos de envolvimento com a máfia – e recorreu a D'Acquisto para que fosse restabelecida. "Acredito que meu pai conseguiu sua carteira de volta, embora, mais tarde, a polícia a tenha tirado de novo."

Ao mesmo tempo em que Marsala falava sobre Salvatore Lima e Mario D'Acquisto, Buscetta indicava ao juiz Falcone que estava preparado para dar mais um passo adiante. Pediu, no entanto, que Falcone trouxesse Antonino Caponetto, o chefe do gabinete de investigação, para ouvir o que ele tinha a dizer, e que Vincenzo Geraci, promotor assistente da *Procura della Repubblica*, não estivesse presente.

Quando Caponetto e Falcone visitaram Buscetta em seu esconderijo em Roma, o mafioso preparou-lhes café: "Agora sei por que você é chamado de 'Caponetto'", disse Buscetta, brincando (Caponetto significa literalmente "mãos limpas" em italiano). Foi um trocadilho, brincando com o fato de Caponetto ser careca, mas também que a "cabeça" do escritório de investigação estava "limpa" de qualquer suspeita de corrupção.[36]

Quando terminaram o café, Buscetta contou uma história incrível sobre um fracassado golpe de Estado de direita. Em 1970, no auge do movimento de protesto de esquerda, um general italiano e membro da nobreza, o príncipe Junio Valerio Borghese, teria organizado uma conspiração neofascista. Os contornos básicos da história eram bem conhecidos. O chamado Golpe Borghese sempre se assemelhou a uma ópera cômica: Borghese tentou usar um grupo de "guardas florestais" para tomar o poder e fracassou miseravelmente. Mas Buscetta acrescentou um capítulo curioso à história. O príncipe Borghese tentou (e por fim fracassou) recrutar a máfia para sua trama. Pouco tempo antes do golpe fracassado, Buscetta e Salvatore Greco ("*Cichiteddu*", "Passarinho") – o chefe da Comissão na década de 1960 – foram detidos pela polícia italiana em um bloqueio policial de rotina enquanto viajavam com passaportes falsos. Eles estavam com Giuseppe Calderone, chefe da máfia de Catânia, e Giuseppe Di Cristina, o chefe de Riesi. Buscetta sempre negara ser de fato o homem detido pela polícia de Milão por carregar um falso passaporte canadense com o nome de Adalberto Barbieri. Agora, de repente, ele havia mudado a versão da história.

36. Entrevista do autor com Antonino Caponetto.

"Cerca de vinte dias antes de ser parado em Milão, recebi um telefonema em Nova York de Salvatore Greco ("*Cichiteddu*"), que vivia então no Peru, sob o nome de Renato Caruso Martinez. Ele me disse que precisávamos ir para a Itália imediatamente por algo muito importante, o que, obviamente, ele não explicou por telefone. Marcamos uma reunião em Zurique e aceitei o convite, mesmo sendo fugitivo na Itália naquela época. Aceitei devido à importância da pessoa que me pedira...

Fomos imediatamente para Catânia, onde ficamos na casa de Giuseppe Calderone... Encontramo-nos com Calderone e Giuseppe Di Cristina e ficamos sabendo que o príncipe Junio Valerio Borghese estava organizando um golpe de Estado anticomunista...

O príncipe Borghese queria que a Cosa Nostra fornecesse o apoio militar na Sicília para acabar com qualquer possível resistência... O golpe era claramente de origem fascista, o que preocupava tanto Salvatore Greco quanto eu; mas tanto Calderone quanto Di Cristina estavam entusiasmados. Além disso, alguns setores dos partidos do governo e outras instituições estavam dispostos a apoiar essa iniciativa."[37]

A aproximação, disse Buscetta, foi feita por meio dos maçons sicilianos, que tinham laços estreitos com a máfia. Em troca do apoio da Cosa Nostra, Borghese estava preparado para oferecer uma anistia aos seus membros ainda na prisão. Calderone e Di Cristina encontraram-se pessoalmente com Borghese em Roma, onde se uniram a Greco e Buscetta. O quarteto então dirigiu a Milão para encontrar com Gaetano Badalamenti. "Durante a viagem a Milão, ouvimos de Calderone e Di Cristina que Borghese queria que os mafiosos usassem uma fita verde ou alguma marca de identificação durante o golpe, o que criou sérias preocupações. Ainda pior foi a exigência de que déssemos a ele uma lista dos mafiosos, algo que nenhum chefe da máfia jamais consentiria. Badalamenti compartilhou nossas preocupações e informou a Calderone que não participaríamos nem estaríamos em posição neutra no que estava sendo preparado".

Ao explicar por que não havia relatado esse episódio antes, Buscetta disse a Falcone e Caponetto: "Eu estava com medo – e ainda estou –, temo que minhas afirmações possam comprometer a guerra contra a máfia, da qual o Estado sempre falou, mas apenas muito recentemente de fato começou; por enquanto, vejo apenas os primeiros sinais tímidos. Peço que compreendam

37. Interrogatório de Tommaso Buscetta.

que, se não disser tudo o que eu sei, é para evitar criar uma comoção que possa colocar em risco as suas próprias investigações". Quando os promotores tentaram pressioná-lo, Buscetta respondeu: "Não perguntem mais sobre isso, porque não tenho certeza de que o Estado saberia lidar com a reação ao que eu tenho a dizer sobre esse assunto... Se falasse sobre isso, não tenho certeza se estaria seguro nem mesmo na América"[38].

Percebendo que os recentes assassinatos em Palermo não haviam impedido as testemunhas de máfia, a Cosa Nostra aumentou as apostas. Em 23 de dezembro de 1984, o bonde ferroviário italiano 904, viajando entre Nápoles e Milão, foi explodido por uma bomba, matando dezesseis pessoas e ferindo outras duzentas. Investigadores descobriram que o ataque fora planejado por Pippo Calò (chefe de Buscetta), e executado pelos amigos de Calò no crime organizado e nos círculos neofascistas em Roma. Essa ação terrorista foi planejada aparentemente para desviar a atenção das confissões de Buscetta e Contorno na crescente campanha contra a máfia.[39]

---

38. *Caponetto*, pp. 54-56.

39. Alessandro Silj, *Il Malpaese* (Roma, 1994), pp. 257-58.

Capítulo 10

Após as confissões de Tommaso Buscetta e Salvatore Contorno, a preparação para o grande julgamento de Palermo tornou-se uma prioridade nacional. O governo forneceu recursos para a construção de um novo tribunal especificamente para esse julgamento, com a supervisão de Liliana Ferraro, cujo trabalho em Palermo evoluíra muito tempo desde a compra de uma nova mesa para Giovanni Falcone. Construída à sombra da prisão de Ucciardone, a megacorte, conhecida como "aula-*bunker*" ou "salão *bunker*", seria o maior e mais moderno tribunal já feito. Com um único tribunal gigantesco, o aula-*bunker* teria quase o tamanho de um estádio esportivo. Trinta enormes celas de aço foram construídas para abrigar centenas de réus, sendo dispostas em um semicírculo na parede de trás, de frente para o púlpito onde o juiz estaria sentado. No chão, um carpete verde que ia de parede a parede fazia o lugar se assemelhar a uma imensa mesa de sinuca. No centro, dezenas de mesas foram colocadas para que centenas de advogados e testemunhas pudessem se sentar. No mezanino acima, havia mais centenas de assentos destinados à imprensa e ao público. O *bunker* foi construído com placas de concreto reforçadas, feitas para resistir desde tiros de bazuca até um ataque de mísseis. Era rodeado por uma cerca de arame farpado e tinha um tanque do Exército estacionado de prontidão, ao lado da porta da frente. Um enorme sistema computadorizado permitia que os advogados tivessem acesso às milhares de páginas de evidências. O prédio estava repleto de dispositivos de segurança de tecnologia, detectores de metais, monitores eletrônicos, alarmes e câmeras de vigilância. Uma espécie de paranoia justificada dominou o processo de construção, já que governo tentou excluir empresas ligadas à máfia, que poderiam sabotar a construção do prédio plantando bombas ou dispositivos de escuta, ou fornecendo informações logísticas para um eventual ataque. Para a abertura do julgamento, três mil soldados armados seriam colocados fora do *bunker*.[1]

Com quase quinhentos réus agendados para julgamento – talvez contabilizando cerca de 10% dos membros da Cosa Nostra e muitos de seus líderes mais importantes –, o governo precisava estar pronto para qualquer coisa.

As preocupações com a segurança dos membros da comissão antimáfia também aumentaram consideravelmente. Motos da polícia com sirenes barulhentas limpavam as ruas quando os promotores passavam em seu caminho para o trabalho. Foram decretadas zonas onde não se podia estacionar na frente das casas dos magistrados, buscando evitar o tipo de carro-bomba que matara o promotor-chefe Rocco Chinnici. Um helicóptero sobrevoava os passos de Giovanni Falcone, a fim de identificar qualquer atividade suspeita em torno de sua casa ou escritório. Um avião militar especial ficava de prontidão no aeroporto de Palermo, à disposição dos promotores, para que eles pudessem evitar o risco dos voos comerciais quando precisassem viajar para interrogar testemunhas.

Os promotores, que trabalhavam de doze a quatorze horas por dia, limitaram seus movimentos o máximo possível. Falcone, que adorava nadar, desistiu de suas incursões regulares à piscina. Ao longo de sua vida, Falcone oscilara entre períodos em que estava magro e em forma e outros quando estava rechonchudo e acima do peso. Em 1985, sua figura ficou pesada durante os meses em que ele raramente deixava seu *bunker* sem janelas e via o céu apenas por momentos fugazes ao entrar e sair de seu carro blindado. Mas Falcone, um homem de hábitos sedentários, sofria menos com essa vida de privação do que os outros; nada o deixava mais feliz do que estar trabalhando, e parecia apreciar os longos dias passados em sua mesa devorando as montanhas de documentos, com música clássica tocando ao fundo.

Borsellino sentia mais intensamente a perda da liberdade, e em seus raros momentos em casa, permitia-se alguns momentos de quebra dos protocolos de segurança. Dizendo a seus guarda-costas que não precisaria deles nas horas seguintes, de repente saía da garagem do prédio dirigindo a *motorino* de seu filho, vestindo jeans, com o rosto escondido pelo capacete.

---

1. *Processo alla mafia*, um filme produzido pela televisão estatal italiana, RAE, 1986. Lodaro, *Quindici anni di mafia*, 189-192. Sterling, pp. 277-281. Entrevista do autor com Liliana Ferraro.

Poucos suspeitariam que aquele motociclista andando pelas ruas de Palermo fosse um magistrado distinto e muito protegido. Borsellino percebeu que essas saídas repentinas e inesperadas eram provavelmente menos perigosas do que seu percurso rotineiro para o escritório.

O clima da cidade, que ansiava pelo grande julgamento, oscilava entre o ceticismo e a euforia generalizada. Quando os trabalhos no *bunker* começaram, algumas pessoas fizeram comentários irônicos: "Nós realmente precisamos disso?". "Por que eles não gastam o dinheiro em outro hospital?" Mas também havia sinais de apoio crescente. Depois que a polícia emitiu 117 novos mandados de prisão devido às confissões de Salvatore Contorno, cerca de vinte mil estudantes realizaram uma manifestação para demonstrar sua solidariedade à polícia de Palermo. "Uma demonstração como essa mostra que muitas coisas estão mudando em Palermo, que a atitude das pessoas em relação à polícia não é a mesma de antes", disse o vice-chefe do esquadrão de investigação, Ninni Casarà.[2]

Pela primeira vez, uma verdadeira cultura antimáfia florescia em Palermo. Novos grupos antimáfia estavam surgindo entre a sociedade civil. Membros da família de vítimas da máfia formaram um grupo próprio bastante ativo, *Il Coordinamento Anti Mafia* (A rede antimáfia). Muitos párocos locais estavam discursando contra a máfia em seus sermões ou tentando criar alternativas para os jovens dos bairros mais pobres, de onde a máfia conseguia a maior parte de seus novos recrutas. O centro de pesquisa dos jesuítas tornou-se um ponto de apoio para a crescente oposição política à máfia. Após décadas em cima do muro, a Igreja Católica estava começando a tomar uma posição contra a máfia.

Na primavera de 1985, os democratas-cristãos perderam terreno nas eleições locais, passando de 46% para 37% dos votos em Palermo.[3] Para se adequar ao novo clima antimáfia, o partido nomeou Leoluca Orlando, um católico renomado (próximo aos jesuítas de Palermo), o novo prefeito da cidade. Em um lugar onde por muito tempo os funcionários do governo evitavam pronunciar a palavra "máfia", Orlando nunca deixou de censurar a Cosa Nostra e prestar homenagem às vítimas. Embora pertencesse a uma família nobre de Palermo (e havia suspeitas de possíveis laços com a máfia por parte do advogado de seu pai), a nomeação de Orlando foi um

2. Lodato, p. 155.

3. Galluzzo, *Obiettivo Falcone*, p. 175.

ato populista. Ele visitou os mais pobres, as regiões abandonadas da cidade e abriu as salas ornamentadas da prefeitura durante a noite para uso dos grupos de cidadãos. Como professor universitário que estudara jurisprudência na Alemanha, Orlando prometeu fazer Palermo voltar a ser uma grande capital europeia como fora no passado. Prestou seus respeitos aos procuradores antimáfia e frequentemente afirmava publicamente seu apoio. Sob a liderança de Orlando, o governo da cidade ocupou o seu lugar ao lado da acusação no julgamento como um "amigo da corte". Pela primeira vez, os promotores sentiram que tinham amigos no poder. O governo de Orlando foi apelidado de a "Primavera de Palermo" – fazendo parte da breve época da liberdade política na Tchecoslováquia, em 1968, conhecida como a "Primavera de Praga"[4].

"As pessoas estão começando a torcer por nós", disse Paolo Borsellino a Falcone quando sentiu o clima da cidade mudar. Falcone, imbuído de um profundo pessimismo siciliano, não tinha tanta certeza: "Eles estão em pé na janela, esperando para ver quem ganha a tourada".

Embora tenha se tornado moda fazer profissões públicas de apoio à perseguição da máfia, havia muitas formas sutis (e algumas notórias) de resistência ao novo espírito da cidade. Um grupo de vizinhos do prédio de Falcone escreveu uma carta pública impressa no *Giornale di Sicilai*, reclamando sobre os possíveis danos à sua propriedade caso o magistrado fosse assassinado no local. "Falcone ficou muito amargurado com essa carta", lembrou seu chefe, Antonino Caponetto. "Essas pessoas estavam mais preocupadas com uma propriedade do que com a vida de Giovanni."[5]

A força da máfia depende de um grau de consenso popular que vai muito além dos cinco mil ou seis mil membros da Cosa Nostra. Alguns estimam que entre cem mil e duzentas mil famílias sicilianas, em uma ilha de cinco milhões de pessoas, dependem inteiramente de alguma forma de atividade ilegal controlada pela máfia: traficantes de drogas, bilhetes de loteria ilegais, contrabando de cigarros, fitas cassete e de vídeo pirateadas, até mesmo vendedores de pão em carrinhos que não tinham licença. Além disso, milhões de dólares em dinheiro de drogas estavam sendo lavados em centenas de empresas legítimas: construtoras, restaurantes, lojas de roupas, supermercados. E muito disso se resumia a pessoas que tinham

---

4. Lodato, pp. 209-12, e Orlando, *Palermo*.

5. Caponetto, *I miei giorni a Palermo*, p. 50.

pouco ou nada a ver com a máfia, criando uma espécie de "zona cinzenta" que dava certo apoio à classe criminosa da cidade. Palermo (como muitas cidades pobres do sul da Itália) havia crescido economicamente com a máfia entre as décadas de 1970 e 1980. Embora, oficialmente, continuasse sendo uma das cidades italianas mais pobres em termos de renda familiar e desemprego, Palermo rapidamente tornara-se uma cidade com altos índices de consumo *per capita*. O centro de Palermo estava repleto de lojas de roupas de grife, Armani, Fendi, Benetton, e as ruas estavam lotadas de Alfas Romeo, Ferraris e Mercedes-Benz. Obviamente, os lojistas tinham que pagar por proteção, mas estavam ganhando dinheiro como nunca. E enquanto a guerra dos mafiosos, com suas centenas de cadáveres, proporcionava um espetáculo aterrorizante, quase todas as vítimas eram criminosos em geral; os únicos empresários mortos eram aqueles bravos ou tolos que desafiavam o poder da máfia.[6]

Essa "zona cinzenta" da sociedade, que viu a guerra contra a máfia com hostilidade ou indiferença, encontrou eco na voz do principal jornal de Palermo, o *Giornale di Sicilia*. O jornal sempre encontrou espaço para publicar cartas de protesto ou críticas ao esforço contra a máfia, mas ainda assim nunca achou por bem conceder uma entrevista a Leoluca Orlando durante seu primeiro mandato como prefeito da cidade. Em abril de 1985, o jornal deu destaque a uma carta de outra vizinha de Giovanni Falcone, Patrizia Santoro, que propunha que os promotores da máfia fossem transferidos para uma espécie de gueto nos arredores da cidade, garantindo assim a paz e a quietude dos cidadãos comuns: "Todo dia, de manhã, à tarde e à noite, sou continuamente agredida pelas sirenes ensurdecedoras dos carros de escolta dos juízes. Será que é possível para alguém tirar soneca à tarde, ou pelo menos desfrutar de um programa de televisão em paz, dado que, mesmo com as janelas fechadas, o barulho das sirenas é ensurdecedor?". A Sra. Santoro sugeriu que os "distintos senhores" da máfia fossem levados para "vilas na periferia da cidade... a fim de garantir a tranquilidade dos trabalhadores comuns e... garantir a nossa segurança no caso de um

6. O número estimado de famílias sicilianas dependentes da economia ilegal veio de uma entrevista com Francesco Misiani, ex-funcionário do Alto Comissariado para assuntos antimáfia. As estatísticas sobre renda e consumo são do escritório de estatísticas do governo italiano, o ISTAT, e são descritas na *Relazione di Minoranza*, apresentada pela comissão antimáfia do Parlamento em 14 de janeiro de 1990, *X Legislatura, doc. XXIII, n. 12-bis/I*.

assassinato, em que poderíamos nos envolver sem motivo (como no caso do carro-bomba que matou Chinnici)."[7]

A hostilidade do *Giornale di Sicilia* em relação ao grupo antimáfia não é nenhuma surpresa, especialmente, já que um de seus principais investidores era membro da família Costanzo, de Catânia, um dos quatro Cavaleiros do Apocalipse, que os procuradores de Palermo haviam indiciado por seus laços com mafiosos.

Mas os membros da comissão prestavam relativamente pouca atenção ao mundo ao seu redor. "Ficávamos tão isolados em nossas vidas no *bunker* que não estávamos muito conscientes do que acontecia lá fora", disse Antonino Caponetto. "Roma nos deu o oxigênio necessário para aguentar esses dois, com Martinazzoli no Ministério da Justiça, Rognoni e Scalfaro no Ministério do Interior e com ajuda de Liliana Ferraro, sem a qual nunca chegaríamos ao grande julgamento."[8] Falcone, que já era um trabalhador incansável, pareceu aumentar seu nível de dedicação em outros poucos graus. "Ele poderia trabalhar doze, quatorze, dezesseis horas por dia, sete dias na semana, mês após mês", disse Domenico Signorino, da *Procura della Repubblica*. "A sua capacidade de trabalho era quase assustadora. Aqueles de nós que trabalhavam com ele se revezavam, porque não conseguiríamos manter esse ritmo por muito tempo. O único capaz de acompanhá-lo era Paolo Borsellino."[9]

O grupo se reunia toda segunda-feira e muitas noites para comparar e compartilhar informações. Às vezes, durante as reuniões, Falcone e Borsellino debatiam acaloradamente, discutindo se certo réu era membro desta ou daquela família mafiosa. Os dois, que havia anos vinham preenchendo centenas de cadernos com anotações, tinham memórias enciclopédicas e conheciam toda a estrutura e a genealogia da máfia na Sicília, tanto para trás quanto para a frente. Quando os outros promotores eram confrontados com um nome que não conheciam, eles simplesmente telefonavam para Falcone ou Borsellino. "Se eu não sabia quem alguém era", disse Gianni De Gennaro, "eu pegava o telefone e ligava para Giovanni, e ele responderia prontamente: 'X é cunhado de Y, que é um soldado de tal família,

7. *Giornale di Sicilia*, 14 de abril de 1985, citado em Galluzzo, p. 190.

8. Entrevista do autor com Antonino Caponetto.

9. Entrevista do autor com Domenico Signorino.

e tem uma loja de roupas em sociedade com Z, que foi condenado a cinco anos pelos seguintes crimes."'[10]

Caponetto disse que a única pessoa que poderia fazer frente à memória de Falcone sobre delitos e fatos da máfia era Borsellino.[11]

Naquele ano, os promotores em Palermo expediram impressionantes 3.064 pedidos de investigação de dados de movimentação bancária de suspeitos da máfia (em Nápoles, uma cidade três vezes maior que Palermo, apenas 479 pedidos foram feitos). "Foi uma época emocionante, quase todos os dias havia uma nova descoberta, uma nova testemunha ou um registro bancário que apareceria", disse Ignazio De Francisci, que entrou para o grupo de magistrados em 1985.[12]

Havia muita camaradagem entre os membros do grupo. Tanto Falcone quanto Borsellino gostavam de brincar e fazer palhaçadas, muitas vezes como forma de aliviar a tensão do trabalho. Falcone gostava especialmente de fazer trocadilhos e de pregar peças. Quando amigos telefonavam para ele e atendiam dizendo "Franco, aqui", Falcone responderia: "Não, o Franco não está aqui". Quando usava o elevador no Palácio da Justiça, Falcone nunca se cansava de perguntar a seus colegas: "Quantas pessoas cabem neste elevador?". Elas responderiam "quatro", observando o sinal que dizia: "*Capienza Quattro Persone*" (Capacidade: Quatro Pessoas). Falcone então diria "Não, cinco. Você esqueceu 'Enza'", apontando para a palavra "*capienza*" na placa. No dialeto siciliano, a palavra "*capi*" significa "entrar" ou "embarcar", e "Enza" é um nome feminino. De modo que "*capienza*", disse Falcone, realmente significa "Entre, Enza", então a capacidade do elevador seria de quatro pessoas, e Enza. "Ele tinha esse tipo 'demente' de humor, que geralmente envolvia um jogo com as palavras", disse Leonardo Guarnotta, da força-tarefa antimáfia. Da mesma forma, Falcone frequentemente se referia ao seu chefe não como "*Caponetto*", mas pelo sinônimo "*Testa pulita*", ou "cabeça limpa". "Você viu Cabeça-limpa? Cabeça-limpa quer falar com você."[13]

Todos gostavam de provocar Borsellino por seu forte sotaque de Palermo. Ele tinha um problema específico com o som do "tr", que sempre soava com um "ch" suave. Eles diziam a ele: "Diga 'quattro' (quatro)". E ele,

10. Entrevista do autor com Gianni De Gennaro.

11. Entrevista do autor com Antonino Caponetto.

12. Entrevista do autor com Ignazio De Francisci.

13. Entrevista do autor com Leonardo Guarnotta.

em sua natureza dócil, obedecia, e quando dizia "quachro", todos caíam na gargalhada.[14]

Certa dose de humor negro encontrava espaço em suas brincadeiras, já que os promotores procuravam exorcizar o pensamento que acompanhava seu trabalho. No meio de uma conversa, Borsellino repentinamente dizia a Falcone: "A propósito, Giovanni, quando você vai me dar uma chave do seu cofre?". "Por que eu deveria?", Falcone perguntou. "Para que eu possa pegar as suas coisas depois que te matarem." No final de um longo dia de trabalho, os membros do grupo se divertiam compondo obituários um para o outro.[15]

Como Buscetta havia previsto, Falcone tinha se tornado uma celebridade, um símbolo na guerra contra a máfia, com sua foto regularmente estampada nos jornais. Sua maneira reservada e siciliana – com barba e olhos escuros – adquirira uma aura lendária. "Ele parecia um árabe misterioso", disse o juiz Stefano Racheli, um promotor de Roma que conheceu Falcone naquele período. "A maior qualidade de Falcone era que você nunca sabia exatamente o que ele estava tramando, mas via que ele sabia exatamente o que estava fazendo."[16]

Jonh Costanzo, um investigador americano da Agência de Repressão às Drogas, teve uma sensação semelhante quando assistiu Falcone interrogando uma testemunha em Nova York. "Falcone chegou para interrogar certa testemunha, e talvez ele tivesse três perguntas simples e precisas", disse Costanzo. "Nenhum de nós, incluindo as testemunhas, entendeu o significado das perguntas, mas elas eram peças que se encaixavam perfeitamente em um quebra-cabeça muito maior que Falcone tinha em mente. Ele obteve as respostas que queria e foi embora."[17]

Ignazio De Francisci, um dos dois jovens promotores que se juntaram à força-tarefa antimáfia em 1985 para ajudar a lidar com a crescente carga de trabalho, assistia às vezes aos interrogatórios comandados por Falcone apenas para vê-lo trabalhando. "Falcone era um espadachim imbatível", disse De Francisci. "Nunca vou me esquecer do primeiro interrogatório de Michele Greco. No começo, estava me perguntando por que estávamos perdendo tanto tempo. Falcone estava deixando que ele falasse sem parar sobre uma

14. Entrevista do autor com Giuseppe Ayala.

15. Falcone, *Cose di Cosa Nostra*, p. 15.

16. Entrevista do autor com Stefano Racheli.

17. Entrevista do autor com John Costanzo.

viagem de barco que fizera com um promotor-chefe de Palermo, com quem discutia uma questão de terra. Eu não entendi. Então, na terceira sessão, entendi que isso servia como evidência para mostrar uma relação de conluio entre a máfia e uma parte do Judiciário. Essa era sua maior habilidade: levar o réu para onde ele queria, sem que o outro se desse conta disso."[18]

Durante as interrogações, Falcone desenvolveu uma elaborada rotina pessoal que se tornou parte de sua personalidade profissional. Extremamente preciso e meticuloso, ele sempre viajava com vários blocos de papel e numerosas e caras canetas-tinteiro de cores diferentes, as quais ele colocava em fileira, perfeitamente organizadas. Ele usava diferentes cores para diferentes tipos de informações e escrevia com caligrafia elegante. O seu conhecimento a respeito das várias famílias da máfia era de tal ordem que ele podia farejar rapidamente que uma testemunha estava contando a verdade ou sabia exatamente do que estava falando. Sua maneira reservada e severa, extremamente meticulosa, e sua memória incrível para os detalhes transmitiam a ideia de que era melhor estar próximo do que tentar enganá-lo.

Borsellino também era muito habilidoso no trato com as testemunhas, porém, por razões diversas. Além do óbvio pré-requisito de uma reputação de incorruptibilidade e um grande conhecimento sobre os meandros da máfia, a maneira despreocupada de Borsellino, seu senso de humor e sua humanidade trabalhavam a seu favor. As testemunhas instintivamente confiavam nele e se abriam facilmente, pois sentiam que ele as respeitava e estava genuinamente interessado em suas vidas. Ele desenvolveu um relacionamento intenso com Pietra Verso, a viúva de uma das vítimas do massacre da Piazza Scaffa – o assassinato de oito homens nos estábulos em Palermo.

Quando se tornou público no bairro que ela estava cooperando com os promotores, o açougue da família perdeu a clientela e foi à falência. Quando Borsellino soube que a Sra. Lo Verso havia penhorado suas joias para ter algum dinheiro, ele usou seus próprios recursos para tirá-la dessa situação.[19]

Borsellino também foi fundamental para tirar o máximo proveito do depoimento de Vicenzo Sinagra, uma testemunha importante que havia começado a falar em 1983, mas que só tinha sido interrogada algumas vezes. Se Buscetta havia fornecido um vislumbre da vida no nível mais alto da máfia, Sinagra ofereceu uma visão do dia a dia de um mafioso comum.

18. Luca Rossi, *Il disarmati* (Milão, 1994), p. 267.

19. Entrevista do autor com Diego Cavalliero.

Sinagra não havia sido formalmente iniciado na máfia; tinha sido recrutado para uma série de trabalhos sujos quando mão de obra extra foi necessária durante a grande guerra da máfia, de 1981 a 1982. Com a ajuda de Sinagra, investigadores descobriram os horrores do famoso Quarto da Morte, um apartamento miserável perto da Piazza Sant'Erasmo onde o chefe Filippo Marchese torturava e matava suas vítimas.

A experiência de Sinagra provavelmente não foi muito diferente da de outros jovens recrutados pela máfia em Palermo. Ele cresceu nas favelas do Corso dei Mille, filho de um pescador que tinha dificuldades para alimentar sua esposa e seus quatorze filhos. Sinagra começou sua jornada no crime com alguns pequenos roubos antes de tentar alguns roubos maiores com um amigo. Em certo momento, porém, eles tiveram a má sorte de roubar alguém que tinha laços estreitos com os mafiosos. Em seguida, o parceiro de Sinagra agravou ainda mais a situação ao aparecer na vizinhança com roupas caras e uma moto nova, deixando claro para os mafiosos locais que era o responsável pelo roubo. Isso poderia ter levado à morte de Sinagra, mas, como tinha um primo na máfia, também com o nome de Vincenzo Sinagra e apelidado de "*Tempest*" (Tempestade), por sua ferocidade, ele acabou se salvando. Tempest aproximou-se de Vincenzo e disse que ele deveria fazer uma escolha: deixar Palermo, trabalhar para a máfia ou morrer. Vincenzo decidiu permanecer em Palermo, entregando recados para Fillippo Marchese, bombardeando lojas a fim de intimidar os proprietários a pagarem por proteção, cometendo assassinatos ou livrando-se dos corpos. Uma indicação de quão barata era a vida em Palermo naquela época – Vincenzo recebia apenas de US$ 200 a US$ 300 por mês. "Mas o primo Vincenzo Sinagra (Tempest) me disse que, depois da guerra da máfia, haveria muito dinheiro e que eu ficaria economicamente tranquilo", disse Sinagra mais tarde.[20]

A rotina de matar era quase sempre a mesma: as vítimas seriam atraídas para o fétido apartamento na Piazza Sant'Erasmo, para um quarto com o gesso desmoronando, uma lâmpada e uma mesa com duas cadeiras. Um odor repulsivo impregnava o ar vindo do quarto ao lado. Quando as vítimas apareciam, Sinagra e um de seus primos as amarravam a uma cadeira. O chefe, Filippo Marchese, chegava para interrogar as vítimas, às vezes tomando notas na mesa. Quando o interrogatório terminava, a vítima era

---

20. Interrogatório de Vincenzo Sinagra.

estrangulada. Não era um trabalho fácil. Muitas vezes, dois homens seguravam as extremidades da corda por mais de dez minutos, com um ou dois outros para manter a vítima quieta. Como último homem na hierarquia, era geralmente trabalho de Vincenzo segurar os pés e se livrar do corpo. O estrangulamento ficava reservado ao chefe.

"Embora fosse o chefe da família, Marchese pessoalmente estrangulava a maioria das vítimas, muitas vezes pelos motivos mais insignificantes", Sinagra afirmou em depoimento. "Marchese era uma figura de espírito sangrento e parecia que gostava de matar, ordenando que ninguém expressasse qualquer emoção durante o espetáculo." Depois do assassinato, eles geralmente mergulhavam os corpos das vítimas em tanques com um poderoso ácido que ficava armazenado no quarto ao lado, e que liberava um odor desagradável e nocivo enquanto decompunha os cadáveres. Às vezes, o ácido era impuro, e os corpos não eram completamente dissolvidos. Nesse caso, Vincenzo e seu primo se livravam dos restos, remando na baía de Palermo em um pequeno barco de pesca, lançando as partes parcialmente dissolvidas do corpo embaladas em sacos de um plástico grosso, cheio de pedras, para poder afundar.

Às vezes não havia ácido nenhum, e eles acabavam recorrendo a uma técnica para dispensar os corpos conhecida como *incapramento*, que significa algo como "encabreamento". Os policiais ficavam muitas vezes perplexos quando encontravam corpos em porta-malas de carros com as mãos e pés atados atrás do corpo, e uma corda atando-as ao pescoço, como os corpos de cabras mortas. Alguns investigadores imaginavam que essas vítimas eram mortas em um ritual muito doloroso específico. Vincenzo explicou que essas vítimas eram estranguladas normalmente e depois amarradas como "cabra" por razões puramente práticas. "Ao contrário do que você imagina, e do que se lê nos jornais, essas pessoas são *incaprattettati* ("encabreadas") não para morrerem em asfixia lenta, mas porque é a maneira mais fácil de fazer um corpo caber dentro do porta malas de um carro ou em um saco", ele disse. "É preciso amarrar a vítima imediatamente após a morte, antes do corpo endurecer."

Sinagra conduziu Borsellino pelo terreno da grande guerra da máfia entre 1981-82, mas sob a perspectiva de quem esteve no campo de batalha, fornecendo informações precisas de assassinatos específicos, identificando vítimas, assassinos e a motivação das mortes. Como a maioria dos corpos tinha sido destruída, Sinagra conseguiu transformar muitos casos de desaparecimento em assassinatos. Cerca de 160 pessoas suspeitas de serem mafiosos "desapareceram" durante a guerra da máfia entre 1981-82.[21] Enquanto Buscetta e Contorno tinham apenas ouvido dizer que essa ou aquela pessoa tinha sido morta, Sinagra realmente vira o fato acontecer. Ele levou Borsellino até a cena dos crimes e aos lugares onde os corpos tinham sido descartados.

Sinagra descreveu a morte de Antonio Rugnetta, um negociante de cigarros contrabandeados, que foi uma das muitas vítimas da caçada a Salvatore Contorno. Embora Sinagra não soubesse com quem estava falando, ele se lembrava claramente do interrogatório de Rugnetta nas mãos de Marchese. Ele continuava perguntando sobre alguém chamado "Curiano" ou "Curiolano della Floresta", que os promotores reconhecem como apelido de Contorno, "Coriolanus da Floresta". "Acredite em mim", Rugnetta tinha implorado, "se eu soubesse dizer onde ele está, eu diria." Quando perceberam que não conseguiriam nada de útil de Rugnetta, Marchese, junto com seu bom amigo Pino "Sapato" Greco, o estrangularam. Também estava presente no assassinato Pietro Vernengo, um dos ajudantes mais próximos de Marchese e um traficante importante que Borsellino tentara prender.[22]

Dois dos corpos que Sinagra ajudou a "encabrar" foram os que ficaram no porta-malas de um carro nos arredores de Palermo, conhecido como o "triângulo da morte", pouco antes do assassinato do general Dalla Chiesa.

Um telefonema anônimo havia alertado os *carabinieri* dizendo: "A operação Carlo Alberto está quase completa". Sinagra escutou Marchese e seu bando discutindo os planos iniciais do assassinato de Dalla Chiesa. O assassinato ocorreu em 3 de setembro de 1982, três semanas após a prisão de Sinagra.

Sinagra também tinha ouvido falar de um plano para matar Giovanni Falcone. "Eu sei, porque meu primo Vincenzo (Tempest) me disse que Filippo Marchese, falando sobre o juiz Falcone, disse que ele estava 'apertando as nossas bolas', e teria que ser morto por ir atrás de pessoas que não deveria." Os modos brutos e violentos de Marchese não o impediram de ter amigos nos círculos mais altos. "Marchese tem informantes, tanto na unidade de investigação da polícia, no primeiro distrito da polícia, quanto no

21. Chinnici e Santino, *La Violenza Programmata*, p. 213.

22. Interrogatório de Vincenzo Sinagra.

Palácio da Justiça", disse Sinagra. "Basicamente, ele sempre sabe de tudo." Alguém havia avisado Marchese sobre o relatório secreto de Ninni Cassarà de julho de 1982, sobre a guerra da máfia, conhecido como o "relatório sobre Michele Greco + 161", e ele avisou seus homens de que não deveriam dormir em casa por um tempo.

A carreira curta e infeliz de Sinagra na máfia veio ao fim em 11 de agosto de 1982, após somente um ano de atividade. Sinagra tinha sido um mafioso medíocre que frequentemente permitia que suas emoções o traíssem. Filippo Marchese o tinha repreendido em uma ocasião quando acabou deixando que seu rosto demonstrasse pavor, enquanto assistia seu chefe estrangular uma vítima. Vincenzo havia sido preso na primeira vez em que teve um papel de liderança em um ataque, traído por seu nervosismo. Ele deveria atrair um amigo de vizinhança (Diego Fatta) até uma armadilha, para que ele e seu primo Tempest pudessem matá-lo com um tiro à queima-roupa. Mas quando chegou o momento crítico, a pistola de Vincenzo falhou, e Tempest teve que terminar o serviço. Tomado pela emoção de ter ajudado a matar um amigo, Vincenzo deixou sua arma cair no carro de fuga, de modo que, quando a polícia o prendeu, mais tarde naquele dia, eles tinham suas impressões digitais.

Por quase um ano, Sinagra (juntamente aos seus cúmplices) fingiu estar louco, deixando crescer uma longa barba e repetindo sem parar que queria ir pescar. Mas Vincenzo era um fracasso até mesmo fingindo ser louco. Ele começou a surtar sob a pressão de ter que manter esse papel e decidiu falar.

Ao contrário de praticamente todas as primeiras testemunhas da máfia, Sinagra admitiu todos os piores crimes que havia cometido e até pediu perdão às famílias de suas vítimas.

Quando Borsellino o encontrou, Sinagra havia sido transferido para uma prisão no continente italiano, onde seria mais difícil para a máfia matá-lo. Quando a notícia dos terríveis assassinatos no Quarto da Morte se espalhou, Sinagra foi colocado em uma cela isolada e visto com terror. Além disso, sua família em Palermo, com medo de sofrer represálias pela decisão de Vincenzo de prestar depoimento, cortou relações com ele. Borsellino percebeu que, apesar de sua vida violenta, Vincenzo era na verdade uma pessoa de índole gentil que se vira presa nos clãs de Palermo. Borsellino se interessou pela sua situação e tentou aliviar seu isolamento. "Sei que você não é uma pessoa violenta", ele disse. "Não hesitaria em colocar minha filha mais nova na mesma cela que você", lembrou Sinagra.[23] Quando Vincenzo, que falava apenas o dialeto siciliano e tinha apenas escolaridade rudimentar, mostrou sinais de que queria aprender, Borsellino deu os livros velhos de seus filhos a ele. Sinagra, por sua vez, ajudou Borsellino a solucionar um crime que havia investigado por muito tempo: o assassinato do Dr. Paolo Giaccone, o médico forense que havia identificado as impressões digitais do sobrinho de Filippo Marchese (Giuseppe Marchese) no carro de fuga durante o massacre do Natal, cometido na Bagheria em 1981. Giaccone foi morto no dia 11 de agosto de 1982, no mesmo dia em que Sinagra foi preso pelo assassinato de seu amigo Diego Fatta.

"Meu primo Vincenzo (Tempest) me disse, no mesmo dia em que fui preso, que Salvatore Rotolo (outro membro do bando de Marchese) tinha matado um homem em um hospital, provavelmente um médico, que havia identificado as impressões digitais de Pippo [Giuseppe] Marchese na cena de um assassinato", disse Sinagra. "Tempest me disse isso para me dar ânimo na preparação para o assassinato de Diego Fatta, que, na verdade, nós cometemos algumas horas depois."[24] Com sua memória precisa, Sinagra relembrou que o assassino do Dr. Giaccone, Salvatore Rotolo, tinha uma espécie de tique nervoso: mantinha seu rosto com um sorriso permanente. E uma das testemunhas do assassinato do Dr. Giaccone havia notado que um dos criminosos corria da cena com um sorriso estampado no rosto.[25]

Naquela época, Rotolo era um dos 221 fugitivos da máfia que a polícia de Palermo estava tentando rastrear.[26] Mas aqui também houve progresso. Sob a direção de Beppe Montana, um jovem policial, a divisão de fugitivos de Palermo começara a recolher pistas nos dois anos anteriores. Em 1983, ele descobriu um grande arsenal, usado por Filippo Marchese e Michele Greco, incluindo metralhadoras, espingardas de cano curto e dezenas de pistolas calibre 38. Na primavera de 1984, ele prendeu Tommaso Spadaro, o parceiro de infância no pingue-pongue de Giovanni Falcone, conhecido como Rei da Kalsa, traficante de heroína e contrabandista de cigarros. (Spadaro foi encontrado em sua própria casa em Palermo, onde,

23. Entrevista do autor com Vincenzo Sinagra.

24. Interrogatório de Vincenzo Sinagra.

25. A reconstrução do assassinato do Dr. Giaccone está descrita no relatório do maxijulgamento de Palermo, vol. 17, pp. 3428-51.

26. O número de fugitivos da máfia está no *L'Espresso* de 25 de agosto de 1985.

evidentemente, ninguém tinha pensado em procurá-lo.) Em 1985, a polícia de Roma finalmente prendeu Pippo Calò, chefe de Buscetta e um dos integrantes da Comissão. No verão de 1985, os homens de Montana prenderam o assassino do Dr. Giaccone, Salvatore Rotobo.[27]

Borsellino sentiu simpatia instantânea por Montana. Como os melhores policiais de Palermo, ele ia muito além do seu dever, usando seus próprios meios e tempo para compensar a escassez de recursos do departamento de polícia. Ninni Cassarà e Montana frequentemente andavam por Palermo em suas próprias motocicletas, perseguindo criminosos perigosos, ou usando carros pessoais, já que o governo alegava não ter dinheiro para fornecer blindados. Montana e Borsellino amavam o mar, conversavam sempre sobre os pequenos barcos que mantinham perto de Palermo, usados para passeios em feriados e aos domingos. Certas vezes, Montana usava o próprio barco para navegar pela costa siciliana à procura de casas que pudessem servir de esconderijo para os mafiosos. No verão de 1985, ele alugou um pequeno chalé à beira-mar em vistas de poder explorar melhor uma área que acreditava estar repleta de esconderijos da máfia.[28]

No dia 11 de julho, Montana e seus homens realizaram a prisão de oito fugitivos da máfia, incluindo o chefe de Prizzi (uma cidade de Palermo), Tommaso Canella, aliado e parceiro de negócios de Michele Greco, "o Papa". Três dias depois, em um domingo, Montana levou a namorada e um casal de amigos para um passeio em seu pequeno barco, mas, quando ele voltou, no final do dia, dois assassinos estavam à espera dele. Depois que ele atracou o barco na marina de Porticello, eles dispararam quatro tiros de uma pistola calibre 38, matando Montana no local.[29]

Logo após o assassinato, Paolo Borsellino chegou ao local com o investigador da polícia Ninni Cassarà – ambos grandes amigos de Montana. Borsellino olhou para o corpo do jovem agente policial, pequeno e frágil em seu traje de banho, deitado em uma poça de seu próprio sangue no cais. Enquanto voltavam a Palermo, Borsellino encontrou Cassarà completamente transtornado pelo assassinato que acabara de acontecer. "Anos de trabalho juntos criaram uma grande amizade entre nós, ainda mais forte pela recente viagem de trabalho que fizemos juntos ao Brasil em 1984", lembrou

---

27. Sobre a trajetória de Montana, ver Lodato, pp. 159-61.

28. Petruzzella, *Sulla pelle dello stato*, p. 111.

29. Lodato, p. 162.

Borsellino. "Passei a apreciar sua humanidade extraordinária... sua pureza de alma, quase como a de uma criança, que irradiava de seu rosto inteligente e honesto. De repente, esse mesmo Ninni Cassarà, sempre despreocupado e otimista como todas as pessoas que são de coração puro, disse, quando me deixou em casa após a terrível visita ao cadáver de Montana: 'Precisamos encarar a verdade, nós somos cadáveres que andam.'" Então Cassarà voltou ao escritório e retomou seu trabalho.[30]

A polícia de Palermo imediatamente iniciou uma verdadeira caçada aos assassinos de Montana. Uma testemunha se lembrava dos primeiros números da placa do Peugeot branco que os assassinos haviam usado para fugir do local do crime. Começando uma busca insana entre os cerca de dez mil carros com esses mesmos números, os investigadores logo chegaram a um suspeito: Salvatore Marino, o filho de 25 anos de idade de um pescador do bairro de Piazza Sant'Erasmo (perto do Quarto da Morte). Testemunhas tinham visto Marino na marina de Porticello na tarde do assassinato, e, quando revistou sua casa, a polícia encontrou uma camisa com sangue e £ 34 milhões (cerca de US$ 30 mil) embrulhados em um exemplar de um jornal datado de domingo, dia 28 de julho, o dia do crime.[31]

Mas o que começou como um fato promissor na investigação do caso rapidamente se transformou em tragédia. Durante as mais de quinze horas de interrogatório, a polícia começou a espancar Marino e obrigou-o a beber água salgada, em um esforço para fazê-lo revelar os nomes de seus cúmplices. Às quatro horas da manhã do dia 2 de agosto, o suspeito havia sido reduzido a um corpo inconsciente e sangrento, e foi declarado morto na chegada ao hospital. A polícia agravou a situação ao mentir afirmando que o suspeito havia se afogado. A alegação da polícia logo desmoronou: havia marcas de dentes humanos no braço do suspeito.[32] Em 4 de agosto de 1985, a família de Marino carregou o caixão com o corpo espancado da vítima pela cidade em uma procissão, atacando os "assassinos da polícia". No dia seguinte, o ministro do Interior, Oscar Luigi Scalfaro (o atual presidente italiano), ordenou a transferência imediata de três altos funcionários da polícia, incluindo Francesco Pellegrino, chefe do gabinete de inves-

30. *Sulla pelle dello stato*, p. 112.

31. Lodato, pp. 168-69.

32. Depoimento de Vincenzo Pajno, Procuratore della Repubblica, antes do *Consiglio Superiore della Magistratura*, em 30 de julho de 1988.

tigação de Palermo. A boa vontade da população, que a polícia de Palermo construíra durante anos de trabalho paciente e perigoso, foi dissipada praticamente da noite para o dia.[33]

Ninni Cassarà ficou isolado em seu escritório após o assassinato de Beppe Montana, saindo raramente, apenas para comer e dormir. Em resposta à atmosfera de extrema tensão e perigo iminente, ele variava a sua programação e às vezes até passava a noite no escritório. Um dos jovens assistentes de Cassarà, Roberto Antiochia, de 23 anos, desistiu de suas férias para permanecer no calor de agosto em Palermo, com intuito de ajudar a proteger seu chefe.

Por volta das três horas da tarde de 6 de agosto, Cassarà pegou inesperadamente o telefone do escritório e disse à esposa, Laura, que chegaria logo em casa. Quando Cassarà chegou em um Alfa Romeo blindado com três guarda-costas, um enorme esquadrão de ataque da máfia de até quinze homens estava à sua espera. Demonstrando ter o controle total das ruas, os mafiosos ocuparam o edifício em frente ao apartamento de Cassarà sem atrair a atenção de nenhum cidadão. Laura Cassarà, que tinha o hábito de vasculhar a rua em busca de problemas quando o marido estava prestes a chegar, pisou na varanda do apartamento bem a tempo de vê-lo abatido em um verdadeiro apocalipse de tiros de metralhadora. Depois que os assassinos dispararam mais de duzentos tiros, Cassarà e Antioquia morreram. Um segundo guarda-costas, Giovanni Lercara, ficou gravemente ferido, enquanto o motorista de Cassarà, Natale Mondo, sobreviveu milagrosamente escondendo-se embaixo do carro.[34]

Na confusão e na angústia daqueles dias, alguns se perguntavam se toda aquela sequência de eventos – desde o assassinato de Montana até o assassinato de Salvatore Marino e, agora, o de Cassarà – não havia sido um plano cuidadosamente orquestrado. É possível que um informante dentro do departamento de polícia tenha entregado Salvatore Marino, a fim de eliminar uma testemunha potencial, desacreditar o trabalho da polícia e fornecer um motivo para o assassinato de Ninni Cassarà. É provável, no entanto, que a morte de Marino tenha sido um simples caso de policiais que perderam o controle em uma fúria cega contra o homem que culpavam pela morte de um amigo e colega. Mas os dez dias entre 28 de julho

---

33. Lodato, p. 169; *L' Espresso*, 20 de outubro de 1985.

34. Galluzo, *Obiettivo Falcone*, pp. 191-92; Lodato, pp. 170-72.

e 6 de agosto não poderiam ter sido melhores para a máfia, mesmo que tudo tivesse sido planejado. O chefe de polícia, Giuseppe Montesano, foi transferido; o chefe da divisão de investigação, Francesco Pellegrino, e dez outros policiais foram indiciados pelo assassinato de Salvatore Marino. O time de investigadores competentes que foi lentamente reconstruído após os assassinatos de Boris Giuliano e Emanuele Basile foi desfalcado após os assassinatos de Montana e Cassarà, e pelas consequências do assassinato de Marina. Nesse período de extrema tensão, a tradicional rivalidade entre policiais e *carabinieri* chegou ao ponto em que a cooperação entre os dois grupos de polícia ficou inviável. A polícia de Palermo quase fez um motim quando o ministro do Interior, Oscar Luigi Scalfaro, chegou para os funerais de Cassarà e Antiochia, e teve que ser contida pelos *carabinieri* designados para a proteção do ministro.

Mas se a morte de Salvatore Marino foi provavelmente um erro acidental, o assassinato de Cassarà foi uma profunda perturbação. Sua movimentação era tão irregular naquele período que alguém de dentro da delegacia certamente havia alertado os assassinos sobre a chegada de Cassarà. Era muito improvável que os quinze assassinos estivessem acampados por dias a fio no apartamento da frente, esperando o momento em que ele finalmente voltaria para casa (testemunhas da máfia mais tarde afirmaram que vários membros da Comissão estavam presentes para supervisionar e celebrar a morte de Cassarà).

Vincenzo Sinagra disse especificamente que seu chefe, Filippo Marchese, tinha um informante dentro da unidade de investigação de Cassarà. E Buscetta havia relatado a Falcone sobre outro possível espião dentro da força-tarefa: Bruno Contrada, que já havia dirigido a unidade de investigação, tornando-se depois um importante membro do serviço secreto italiano.

Contudo, as suspeitas centraram-se no motorista de Ninni Cassarà, Natale Mondo, culpado de ter sobrevivido ao assassinato sem estar armado. Depois disso, Mondo foi completamente exonerado, apenas para ser morto pela máfia em uma data posterior.

A morte de Cassarà atingiu especialmente Falcone. Os dois haviam trabalhado em sincronia durante anos e se tornaram amigos próximos. De todos os "cadáveres ilustres" que Falcone tinha visto desde que havia voltado a Palermo em 1978, Cassarà foi o mais difícil de aceitar. Jovem, inteligente, universitário, totalmente honesto e dedicado, Cassarà representava a promessa de um futuro diferente para a Sicília. Sua morte e a proteção completamente inadequada que recebera representavam a traição dessa promessa. Em comparação, os juízes eram bem protegidos, mas a máfia sabia que poderia atacá-los atingindo a polícia. Sem uma equipe policial eficaz que pudesse capturar os acusados, os juízes não teriam ninguém para processar, e as investigações adicionais ficariam paralisadas.

Embora o assassinato de Cassarà aparentasse ser uma retaliação direta ao assassinato do suspeito da máfia Salvatore Marino, Falcone entendeu que se tratava de uma contraofensiva mais ampla. "O grande julgamento está no centro da estratégia da máfia", disse. "A máfia não aceita a ideia de ser levada a julgamento pelo Estado... A máfia entendeu o quão perigosa a unidade de investigação se tornou, ao descobrir os esconderijos de seus fugitivos. Portanto, seguindo sua lógica, a unidade de investigação não deve continuar seu trabalho, pois chegaria invariavelmente a resultados positivos. É inútil continuar com as investigações ou talvez mesmo até promover os grandes julgamentos se não formos capazes de prender os fugitivos."[35] Embora a polícia tivesse conseguido prender alguns membros da Comissão (Pippo Calò, Mariano Agate), os líderes mais importantes, incluindo os "animais" de Corleone, Salvatore Riina e Bernardo Provenzano, permaneciam livres.

Os assassinatos afetaram a opinião pública, que antes estava inebriada com a euforia do maxijulgamento. "No início do verão de 1985, não era incomum ouvir as pessoas falarem da derrota da máfia", refletiu Borsellino em um discurso feito no ano seguinte. "Com os assassinatos de Montana, Cassarà e Antiochia, a Cosa Nostra demonstrou claramente que a sua estrutura estava intacta e que... era capaz de traduzir decisões mais terríveis em ação sangrenta."[36]

Alguns dias depois do funeral de Ninni Cassarà, a polícia chegou no meio da noite às casas de Giovanni Falcone e de Paolo Borsellino, pedindo aos magistrados que imediatamente fizessem as malas.

Os dois promotores foram levados diretamente para o aeroporto, onde um avião militar secreto esperava para levá-los a um destino desconhecido. Os investigadores da polícia acreditavam que a máfia estava prestes a realizar um plano para assassinar os dois promotores antes que eles pudessem terminar de redigir o volumoso documento no qual detalharam

35. Lodato, p. 174.

36. *Sulla pelle dello stato*, p. 113

as evidências para o grande julgamento. Somente quando o avião pousou, Falcone e Borsellino descobriram que estavam em Asinara, a Alcatraz da Itália, uma prisão ao largo da remota costa da Sardenha, onde alguns dos criminosos mais perigosos eram mantidos em quase total isolamento. Os magistrados souberam que ficariam por cerca de dois meses ali, hospedados em quartos providenciados pelo diretor da prisão. Os filhos e a esposa de Borsellino, a noiva de Falcone, Francesca Morvillo, que também era magistrada em Palermo, e a mãe de Francesca também foram levados para Asinara. A mudança era uma indicação clara da situação a que chegara a vida siciliana às vésperas do julgamento: os fugitivos andavam livremente por Palermo enquanto os promotores do governo tiveram que ir viver em uma prisão para sua própria proteção.[37]

37. Caponetto, pp. 68-69.

Capítulo 11

As famílias de Falcone e Borsellino passaram extensas férias de verão, a partir de meados de agosto de 1985 até o final do mês de setembro, na prisão da ilha de Asinara. Para os filhos pequenos de Paolo Borsellino, Manfredi e Fiammetta, foi tudo uma grande aventura. Eles puderam aproveitar a ilha; o ar era fresco, e a água do mar, límpida. Havia dezenas de guardas da polícia como companheiros de suas brincadeiras, e, quando decidiam dar um mergulho no mar, lanchas da polícia seguiam todos os seus movimentos. Eles não entenderam totalmente os motivos da súbita viagem para a ilha paradisíaca. "Para Manfredi (que tinha 12 anos na época), eram as férias perfeitas", disse a irmã de Borsellino, Rita. "Mas Lucia, que era um pouco mais velha (15 anos), sofreu muito mais, pois entendia melhor o que estava se passando." De uma hora para outra, ela parou de comer, e começou rapidamente a perder peso, em um caso grave de anorexia. A família estava convencida de que era uma reação ao terror que vivia, criado pela sombra que pairava sobre a vida de seu pai.[1]

Os dois promotores trabalharam duro tentando terminar seu trabalho e deixar tudo pronto para o maxijulgamento, recebendo visitas ocasionais de amigos e colegas. Quando deixaram a ilha, 33 dias após sua chegada, Falcone e Borsellino ficaram surpresos ao receberem uma conta pela hospedagem e traslado. Alternando entre irritação e divertimento, Borsellino guardou o recibo como lembrança.

Falcone e Borsellino estavam quase terminando a grande acusação formal quando retornaram a Palermo, no final de setembro, e, em 8 de novembro de 1985, haviam acabado: 8.607 páginas divididas em 40 volumes, com

1. Entrevista do autor com Rita Borsellino Fiore.

mais 4 mil páginas de apêndices, incluindo documentos, fotografias, que apresentavam evidências contra 475 acusados.[2]

Dado o receio que os promotores tinham de morrer antes que pudessem terminar o trabalho, o mero ato de depositar aquele documento enorme era em si um triunfo. Embora o esboço geral de várias evidências fosse bem conhecido, o escopo completo do caso em sua forma final causou um impacto muito grande. A acusação, a maior parte escrita pelo próprio Falcone, era de fato um documento magistral: uma espécie de saga histórica com a envergadura de um romance de Tolstoi. Começava assim: "Este é o julgamento da organização mafiosa conhecida como 'Cosa Nostra'... que, com violência e intimidação, semeou e continua a semear a morte e terror". Assim como o grande romance histórico da vida siciliana *O leopardo*, de Giuseppe di Lampedusa, é um diagnóstico lúcido de uma sociedade doente. A acusação traça um relato da decadência das antigas famílias aristocráticas sicilianas, cujo poder e terra são gradualmente erodidos pelos chefes da máfia que começava a surgir.[3]

O símbolo da nova ordem social era Michele Greco, "o Papa", que se apropriara da fortuna de seu nobre senhor de terras, o conde Tagliavia – como é demonstrado passo a passo na acusação. Primeiramente os Greco alugaram uma grande propriedade com várias vilas e uma fazenda lucrativa por pouco mais de US$ 1.000 por mês. Não se sabe como, mas os Greco conseguiram reduzir posteriormente o aluguel em mais da metade. Necessitando desesperadamente de dinheiro, os aristocratas colocaram as terras à venda. Apenas um comprador apareceu, oferendo pagar mais de US$ 1 milhão (em dinheiro de 1974) e fazendo um pagamento inicial de ₤ 150 milhões (cerca de US$ 100 mil). Porém, apesar de ser um dos principais empresários do setor imobiliário de Palermo, acabou cancelando o acordo, perdendo o depósito inicial, alegando que havia se confundido e que não tinha meios para realizar a compra. A atraente propriedade permaneceu à venda sem uma única oferta por vários anos, até que membros da família mafia Greco a compraram por uma fração do preço original. Intimidando o proprietário da terra e afastando todos os outros potenciais compradores, os Greco conseguiram assumir duas vastas extensões de terra por uma quantia ridiculamente baixa.

2. Stajano, *Mafia: L'atto di accusa dei giudici di Palermo*, p. VIII.

3. *Mafia*, p. 5.

Agindo como intermediário na venda estava Luigi Gioia, um advogado de Palermo e membro democrata-cristão do Parlamento nacional – guardião da passagem do *ancien régime* para o novo.[4]

Os promotores, então, documentaram com detalhes o modo pelo qual o clã Greco consolidara seu controle sobre a região, estabelecendo um reinado de terror sobre seu território. Durante a grande guerra da máfia de 1985, o primo do "*papa*" e chefe assassino Pino "*o sapato*" Greco literalmente esvaziou a vizinhança ao redor de sua casa após descobrir uma conspiração para matá-lo. Ao receber as ameaças de morte, dezenas de moradores simplesmente se mudaram, abandonando suas casas e negócios.

Como qualquer saga histórica, o relatório de acusação do grande julgamento tem um elenco de capangas, incluindo marginais de Palermo, contrabandistas napolitanos, chefes cruéis, vítimas aterrorizadas, testemunhas corajosas, empresários oportunistas, bancários desonestos, políticos corruptos e ministros do governo em cima do muro. Há um número infinito de tramas e subtramas: remessas de drogas, sequestros, assassinatos, negócios imobiliários, contratos com o governo, complexas transações financeiras, manipulação de leis, campanhas eleitorais suspeitas, amizades, alianças e traições, e traições dentro de traições. Mas, apesar da miríade de personagens, há alguns temas recorrentes: o crescimento do comércio de heroína, a ascensão dos *corleonesi* e a violência crescente da vida dentro da Cosa Nostra. O inquérito mostrou como as antigas rotas do comércio de cigarros contrabandeados foram convertidas no tráfico mais lucrativo dos narcóticos, como os *corleonesi* usavam o tráfico de heroína para se infiltrar em outras milícias e gradualmente eliminar todos os seus rivais. Também forneceu um vasto mapa organizacional da Cosa Nostra, baseado não só no depoimento de Tommaso Buscetta e Salvatore Contorno, mas também nos de várias outras testemunhas, vivas e mortas, corroboradas por centenas de escutas telefônicas e transações financeiras. Paralelamente, houve também o visível fracasso do governo em responder à ameaça da máfia. A acusação documentou os erros e as oportunidades perdidas pelo Palácio de Justiça de Palermo durante a década perdida dos anos 1970, quando a inércia do governo ou a completa anuência permitiram que a máfia crescesse exponencialmente. Contou as histórias trágicas e pouco conhecidas das primeiras

4. *Mafia*, pp. 84-88.

testemunhas da máfia, Leonardo Vitale e Giuseppe Di Cristina, que confiaram seus segredos à polícia entre 1973 e 1978, respectivamente – e ambos foram assassinados. Falcone citou as emocionantes confissões de Vitale, em meio à sua crise mística e religiosa: "Eu fui feito de bobo pela vida, pelo mal que havia em mim desde que eu era criança... Meu pecado é ter nascido em uma família mafiosa e ter vivido em uma sociedade em que os mafiosos são respeitados por isso, enquanto os que não são, são tratados com desprezo".[5]

Há heróis, assim como há vilões, especialmente o grupo de corajosos investigadores que morreram lutando contra a máfia durante um período de indiferença. Nos capítulos sobre os assassinatos dos inspetores de polícia Boris Giuliano, Emanuele Basile e Calogero Zucchetto, Paolo Borsellino escreveu: "A falta de um conhecimento abrangente e de uma estratégia lúcida e ampla contra o fenômeno da máfia não impediu que vários indivíduos, impelidos por notável zelo e consciência... conduzissem numerosas investigações eficazes contra vários grupos criminosos... Infelizmente, essas iniciativas não tiveram prosseguimento nos tribunais; foram iniciativas isoladas, ocorrendo em um clima de ceticismo geral, numa época em que a '*Pax Mafiosa*' gerava a ideia nociva de que não havia uma organização criminosa controlando os empreendimentos criminosos".[6]

Os promotores também prestaram homenagem ao magistrado que havia plantado a primeira semente do grande julgamento. "É importante lembrar que esta investigação foi iniciada há mais de três anos pelo procurador-chefe Rocco Chinnici, que dedicou toda a sua paixão cívica a esse intento, que acabou custando-lhe a vida."[7]

Embora não houvesse nenhum político entre os réus, o inquérito demonstrou quão profundamente a máfia estava arraigada na vida siciliana. Continha um relato lúcido do sistema de poder da máfia: o império da família Salvo e sua vasta influência no Parlamento siciliano; os empresários de Catânia, conhecidos como "Os Quatro Cavaleiros do Apocalipse", e suas relações com a máfia local e com os políticos de Roma; a perturbadora motivação política do assassinato do general Dalla Chiesa; e o papel da facção Andreotti na Sicília.

---

5. *Mafia*, p. 14.

6. *Ordinanza Sentenza contro Abbate + 706*, vol. 17.

7. *Mafia*, p. 2.

Essas conexões foram documentadas com cuidado e imparcialidade, a fim de construir evidências incontestáveis. Mas, uma vez ou outra, Falcone (que escreveu essa seção) deixava entrever *flashes* de uma ironia e indignação moral, em meio à sobriedade de seu relato. Ao investigar a máfia de Catânia, Falcone encontrou fotografias de uma festa em que apareciam o prefeito e membros da Câmara municipal divertindo-se despreocupadamente com Nitto Santapaola, o notório *capo-mafia* que, na época, conduzia uma sangrenta guerra de clãs pelas ruas da cidade. Há um pouco de humor negro na disposição das fotografias e no depoimento evasivo e pouco convincente dos políticos de Catânia. Uma foto mostra Santapaola em um amistoso abraço com Salvatore Lo Turco, membro da comissão antimáfia do Parlamento siciliano. Tentando se explicar, Lo Turco disse a Falcone: "Santapaola me conquistou com seu ar de cavalheiro e suas boas maneiras".[8]

Diante da importância histórica do material, duas editoras diferentes publicaram edições com fragmentos do relatório de acusação. Na introdução de uma delas, o jornalista Corrado Stajano escreveu: "Os quarenta volumes e as 8.607 páginas da acusação são um raio X essencial da Itália hoje... as contradições são difíceis de entender se você não levar a máfia em consideração... suas atividades comerciais legais e ilegais, o poder de sua riqueza e suas relações com aqueles que lucram com isso, a conivência de pessoas no governo, sua estrutura organizacional e poder militar, suas guerras internas por hegemonia, os assassinatos políticos, mas também sua língua e costumes. Pela primeira vez desde a unificação da Itália... temos uma reconstrução do fenômeno (máfia) em toda a sua complexidade".[9]

Menos de duas semanas depois de apresentar a denúncia, os procuradores de Palermo se viram novamente envolvidos em uma tragédia. Em 11 de novembro de 1985, um dos carros da polícia que escoltava Paolo Borsellino saiu de controle e matou dois estudantes do ensino médio que esperavam em um ponto de ônibus. Tomado pela tristeza e pela culpa, Borsellino fez vigília no hospital, onde uma terceira criança estava entre a vida e a morte. "Ele chorou dois dias seguidos", disse a mãe de Borsellino. "Ele não queria conversar com ninguém e até considerou abandonar a magistratura", disse sua irmã, Rita. "Tentamos explicar que não foi sua culpa, nem mesmo era o carro dele... Ele amava as crianças e sentia como se tivesse matado um de

8. *Mafia*, pp. 244-45.

9. *Mafia*, p. VIII.

seus próprios filhos. Talvez a única coisa que o tenha tirado desse sofrimento foi o fato de poder ajudar uma das crianças que permaneceu em coma por vários dias. Ele ia até lá todos os dias conversar com ela. Também sentiu o carinho dos pais das vítimas – especialmente da mãe da menina que morreu, Giuditta. A menina era sua única filha... mas ela abraçava Paolo cada vez que o via, o que o ajudou muito."[10]

Em seu desespero, Borsellino ligou para seu amigo e chefe, Antonino Caponetto, que estava tirando férias merecidas em Florença após a conclusão da acusação. Embora Borsellino não tenha pedido, Caponetto entendeu que Borsellino precisava de ajuda. Ele interrompeu suas férias e voltou imediatamente para Palermo. "Ele estava destruído", recordou Caponetto. Até o final de sua vida, Borsellino frequentemente se lembrava do episódio com lágrimas nos olhos, dizendo a Caponetto: "Se você soubesse como sempre penso naquele ato de amizade... e de quanto bem aquilo me fez".[11]

Enquanto isso, o jornal de Palermo, *Giornale di Sicilia*, tentou explorar o potencial político da morte das duas crianças, usando-as para atacar Borsellino e a força-tarefa antimáfia. Mas os colegas de escola das crianças mortas responderam com muita maturidade e bom senso, escrevendo uma carta em protesto à vergonhosa cobertura da imprensa e expressando seu apoio aos juízes que arriscavam suas vidas todos os dias pelo futuro da cidade.

O episódio, de certa forma, deu o tom para a crescente batalha pelos corações e mentes de Palermo antes da abertura do grande julgamento.

Como o julgamento dos chefões da máfia tornou-se uma realidade, forças que desejavam manter o *status quo* na Sicília intensificaram os esforços para minar as denúncias de qualquer maneira. De fato, o *Giornale di Sicilia* aproveitou todas as oportunidades que teve para levantar dúvidas sobre a relevância do julgamento, publicando desde artigos sobre as sirenes barulhentas dos juízes, sobre o custo e as proporções do julgamento, até, finalmente, expressões de preocupação com a "criminalização" da sociedade siciliana e os riscos para o sistema italiano de justiça, caso a palavra de criminosos confessos fosse usada para colocar cidadãos de bem na prisão. No passado, o jornal nunca mostrara muito interesse no problema das liberdades civis, tomando, por exemplo, um viés duro em relação à supressão

10. Entrevista do autor com Maria Pia Lepanto Borsellino e Rita Borsellino Fiore.

11. Caponetto, *I miei giorni a Palermo*, p. 70.

do terrorismo de esquerda, demandando maiores poderes policiais, prisão preventiva sem fiança, sentenças reduzidas para testemunhas terroristas e mesmo o retorno da pena de morte, que, na Itália, é uma causa apenas da extrema direita. Mas, de repente, passou a demonstrar uma enorme preocupação com os frágeis direitos dos acusados, que poderiam ser esmagados pelo julgamento titânico.[12]

Figuras políticas importantes foram citadas alertando contra um julgamento precipitado e o "clima de suspeita" no ar. E o proprietário do *Giornale di Sicilia* declarou sua crença de que "a máfia, hoje, está do lado de fora do poder político... Eu não acredito que existam laços orgânicos entre a política e a máfia, assim como não se pode dizer que todo funcionário público corrupto é necessariamente um mafioso".[13]

Ao mesmo tempo, o jornal demitiu um de seus maiores repórteres da máfia, Francesco La Licata, considerado próximo à força-tarefa antimáfia, enquanto promovia um editor com laços estreitos com os primos Salvo, réus no grande julgamento – uma situação que provocou uma greve em sua equipe editorial.

Enquanto a campanha da imprensa contra o julgamento estava a pleno vapor, uma série de manifestações foi organizada para protestar contra a prisão do ex-prefeito Vito Ciancimino e a eliminação de empregos em sistema de apadrinhamento nos contratos da cidade. Trabalhadores desempregados marcharam pela cidade gritando "Vida longa à máfia!" ou "Pelo menos com Ciancimino, tínhamos empregos!". O momento desses protestos, logo antes da abertura do julgamento, parecia cuidadosamente orquestrado.[14] O bispo de Palermo, cardeal Salvatore Pappalardo, inesperadamente uniu sua voz ao coro. Historicamente, a Igreja da Sicília sempre relutara em fazer qualquer coisa que perturbasse a estrutura de poder democrata-cristã da região, mas Pappalardo havia feito críticas à situação da máfia. Em uma homilia exaltada após a morte do general Dalla Chiesa, ele aparentemente havia culpado o governo, quando comparou Palermo à cidade de Sagunto, abandonada pela antiga Roma quando foi invadida pelos bárbaros. Mas com o advento do grande julgamento, o arcebispo aparentemente

12. Aurelio Angelini et al. *Uno Sguardo dal bunker: cronache del maxi-pro di Palermo* (Siracusa, 2987), pp. 27-31.

13. Lodato, *Quindici anni di mafia*, p. 282.

14. Orlando, *Palermo*, p. 102; Lodato, p. 279.

mudara de opinião. "Palermo não é Sagunto, e jamais será", disse ele em coletiva de imprensa. "Tem os seus problemas, como muitas outras cidades... A Igreja... não tem um posicionamento a respeito do grande julgamento. A Igreja espera que possa limpar alguns horizontes nebulosos, mas também teme que realizar um julgamento tão grande possa atrair muita atenção para a Sicília... Por que vocês prestam tanta atenção a essa questão (da máfia)? O meu trabalho como bispo representa talvez apenas dois por cento do meu trabalho... A máfia mata menos pessoas do que o aborto." Ele negou ter dito que os membros da máfia deveriam ser automaticamente excomungados da Igreja e até pareceu prestar apoio às manifestações pró-máfia que aconteciam, quando disse: "Muitos dos problemas de hoje se devem ao desemprego".[15] O arcebispo chegou a publicar um artigo no *Giornale di Sicilia* no qual parecia criticar implicitamente o julgamento, quando escreveu: "É muito melhor construir algo bom do que denunciar o mal". Como se fosse possível "construir algo de bom" sem antes libertar a Sicília do flagelo da máfia.[16]

Quando um grupo de estudantes de Palermo realizou uma manifestação à véspera do julgamento para expressar apoio aos promotores, o jornal reagiu como se a democracia na Itália estivesse em perigo: "Ninguém pense que eles podem influenciar o processo com pressões políticas, marchas e protestos em massa, que são o material de julgamentos sumários em certas ditaduras mediterrâneas".[17]

No dia em que o julgamento foi aberto, enquanto a maioria dos jornais italianos publicou manchetes como A MÁFIA ATRÁS DAS GRADES, o *Giornale di Sicilia* apresentou um convite estranho e ambíguo para encerrar toda a discussão do caso: SILÊNCIO, A CORTE ENTRA! O jornal adotou a posição bastante incomum de que evitaria a interpretação editorial no decorrer do julgamento. "Queremos documentar fielmente o que acontece sem comentários", escreveram os editores. E durante grande parte do julgamento, publicou duas colunas concorrentes: "Máfia" e "Antimáfia" – como se a imparcialidade jornalística exigisse manter uma posição equidistante entre a máfia e seus promotores.[18]

---

15. Lodato, pp. 178-79.

16. Angelini, p. 18.

17. Angelini, p. 21.

18. Angelini, pp. 18-20.

Antes mesmo de iniciar, o grande julgamento teve um começo desassossegado. Nenhum dos juízes da corte criminal em Palermo estava preparado para julgar o caso. Embora todos apresentassem razões plausíveis, muitas pessoas suspeitavam que os juízes haviam recuado por puro temor. Foi apenas quando alguém da corte civil de Palermo, o juiz Alfonso Giordano, aceitou a tarefa, que o grande julgamento encontrou seu juiz. Giordano seria ajudado por dois outros juízes em um quadro de três homens, caso algo acontecesse com ele durante o longo julgamento. Um homem de baixa estatura, com uma cabeça estranha e careca, de cabelo vermelho e com voz aguda, quase em falsete, Giordano parecia um herói às avessas.

O caso foi aberto em 16 de fevereiro de 1986, de maneira espalhafatosa. Mais de seiscentos membros da imprensa de todo o mundo compareceram às primeiras sessões, sentados nas poltronas verdes junto com centenas de cidadãos na galeria enorme, com as proporções de um estádio, de onde observavam o vasto salão octogonal de frente para a plataforma elevada dos juízes. Como os músico da orquestra de uma ópera, centenas de advogados lotaram as mesas no piso verde-claro. Na parte de trás e nas laterais da sala do tribunal, como um zoológico, trinta gaiolas abrigavam as centenas de mafiosos acusados, enquanto centenas de *carabinieri* com metralhadoras ficavam do lado de fora das grades, observando os réus.

A defesa imediatamente tentou tumultuar o caso, exigindo que o juiz Giordano renunciasse, um pedido que ele prontamente recusou. Provavelmente, os advogados esperavam induzi-lo a atacar a defesa de tal maneira que o caso pudesse ser revertido em recurso, mas Giordano jamais perdeu o equilíbrio, transmitindo a imagem de agir com firmeza, mas de forma justa.

O juiz Giordano precisaria ter paciência. Quando o julgamento começou, os réus imediatamente tentaram transformá-lo em um circo. Alguns interpunham o tribunal para exigir água e cigarros. Um tirou suas roupas e jogou um sapato em seu advogado.[19] Outro, levando a *omertà* a novos extremos, literalmente grampeou a boca, indicando com gestos que cortaria a garganta se uma declaração por escrito não fosse lida em voz alta para a corte. O primo de Vincenzo Sinagra (Tempest), que continuava fingindo loucura, começou a gritar de maneira ininteligível durante os procedimentos. Mesmo estando preso em uma camisa de força, ele lutou como

19. Sterling, *Octopus*, p. 280.

um touro contra o pequeno exército de agentes que o levaram para fora da sala do tribunal, demonstrando de onde vinha o seu apelido. Luciano Leggio, o antigo chefe de Corleone, insistiu que para os réus era impossível acompanhar o julgamento com os guardas da polícia observando cada movimento deles. Giordano jamais perdeu a calma durante esses tumultos, no entanto, nunca permitiu que o julgamento ficasse fora de controle. Ele tentou cuidadosamente separar as solicitações razoáveis daquelas que não eram. Ao final do julgamento, foi muito elogiado por sua conduta criteriosa e cuidadosa.[20]

Como o caso atolou por mais de um mês em procedimentos sem que a promotoria apresentasse suas principais testemunhas, alguns começaram a se perguntar se os ex-mafiosos realmente se atreveriam a depor no julgamento. Então, no início de abril, um atendente do tribunal anunciou: "Meritíssimo, Tommaso Buscetta está à disposição do tribunal".

A chegada de Buscetta eletrificou o público, e longas filas se formaram do lado de fora do tribunal, com membros do público ansiosos para ouvir o depoimento.

"Você poderia notar a importância de certos mafiosos com o barulho que os réus faziam quando estavam testemunhando: se alguém insignificante subisse no púlpito, os mafiosos continuariam conversando entre si, ignorando a testemunha, mas se alguém importante estivesse falando, haveria silêncio", disse o procurador do governo Giuseppe Ayala. "Quando Buscetta prestou depoimento, pôde-se ouvir o zumbido de uma mosca."[21]

Até mesmo um cético endurecido como o romancista Leonardo Sciascia ficou impressionado com a postura segura de Buscetta, com sua narração clara e cuidadosa. "Buscetta fala com uma voz firme e calma, nunca perde a compostura, não importa qual seja a pergunta", escreveu Sciascia. "Ele sabia o que queria dizer e o que não queria dizer, havia pensado sobre isso, medira suas palavras, era perspicaz e preciso." Buscetta ocupou o púlpito durante uma semana inteira, com o noticiário noturno transmitindo os destaques do dia e a *Radio Radicale* transmitindo todas as decisões do juiz.[22]

Em seu depoimento, Buscetta repetiu o que já havia dito a Falcone muitas vezes. Ele descreveu a estrutura da Cosa Nostra, a primeira guerra

20. *Processo alla mafia* (filme de 1986).

21. Entrevista do autor com Giuseppe Ayala.

22. Leonardo Sciascia, *A futura memoria* (Milão, 1989), p. 116.

da máfia dos anos 1960, a formação da Comissão, a crescente tensão entre as famílias tradicionais e os *corleonesi* e a guerra da máfia dos anos 1980. Mais uma vez, ele minimizou o próprio passado criminoso e o de seus amigos, e foi bastante evasivo sobre o tema das ligações entre a máfia e a política, recebendo muitas críticas por isso. Ele dizia não se lembrar do nome do parlamentar que conhecera em 1980, nem lembrava de quais políticos a família Salvo era próxima.

Mas ainda era possível vislumbrar flashes deste mundo de cumplicidade. Houve uma troca memorável quando um dos advogados de defesa perguntou a Buscetta sobre o papel da máfia no falso sequestro de Michele Sindona, na Sicília, em 1979.

ADVOGADO: O que [Stefano] Bontate lhe contou sobre suas relações com Sindona?

BUSCETTA: Que Sindona era louco, que ele queria começar uma revolução na Itália, algo que não interessava a Stefano Bontate, e então, disse a ele para esquecer esse assunto.

ADVOGADO: Mas Sindona falou com ele sobre a revolução. Bontate não estava preocupado em ser o guardião de tal segredo?

BUSCETTA: Os segredos de Sindona não são nada se comparados aos segredos que Bontate guardava.[23]

Alguns dos principais chefes, como Pippo Calò e Luciano Leggio, tentaram tumultuar o depoimento de Buscetta, desafiando-o diretamente – algo que o sistema judiciário italiano permitia. Acusados e acusadores estavam sentados lado a lado em frente aos juízes, oferecendo as suas versões conflitantes da realidade.

A tensão entre Buscetta e Calò foi um momento dramático no tribunal, já que eram amigos de longa data e se tornaram piores inimigos. Buscetta disse que foi ele quem iniciou Calò na máfia, enquanto Calò se tornou o chefe da "família" de Buscetta.

Como um velho casal se divorciando, Buscetta e Calò trocaram insultos e acusações, atingindo um ao outro. "Infelizmente, ele sempre teve essa ideia de si mesmo como uma espécie de super-homem", disse Calò. "Essa vaidade de deixar as pessoas saberem que seu nome é Buscetta... Ele é um

23. A transcrição completa do maxijulgamento está reimpressa no *Giornale di Sicilia*, entre fevereiro de 1986 e dezembro de 1987. Partes substanciais aparecem em um volume editado por Lino Jannuzzi, *Così parlò Buscetta* (Milão, 1986). A citação é da página 115.

mentiroso..." Buscetta respondeu. "Você é um vaidoso, você sempre teve esse vício", disse Calò.[24]

Calò reclamou da conduta imoral de Buscetta, por ter abandonado sua primeira esposa e filhos, se casado duas vezes e até mesmo ter tido um caso com uma bailarina mexicana. Fazendo o papel do amigo da família em questão, Calò contou que um dos irmãos de Buscetta, com quem estivera na prisão, reclamava constantemente de que Buscetta estava fugindo de suas responsabilidades familiares. "O irmão (de Buscetta) veio me ver em Roma... e me disse com lágrimas nos olhos: 'Veja o que Masino fez, ele sumiu de novo, deixando-me com um filho na prisão e outro usando drogas.'"[25] Nesse ponto, Buscetta acusou Calò: "A única coisa verdadeira que ele disse neste tribunal é que ele e o meu irmão eram amigos muito próximos. O que ele está se esquecendo de dizer neste momento é que ele estava sentado à mesa, juntamente com o resto da Comissão, quando eles decidiram sobre a morte de meu irmão e de seu filho". Então, voltando-se para Calò, Buscetta disse: "Hipócrita... Você matou a minha família inteira: meu cunhado, meus filhos, meu genro, meus primos. Por que você não me matou?". Calò então respondeu, com um ar de ameaça: "Não se preocupe".[26]

Calò insistiu que a raiva de Buscetta em relação a ele vinha de um incidente em 1980, quando Calò disse que não permitiria que Buscetta e sua esposa brasileira permanecessem em seu esconderijo romano por tempo indeterminado.

Buscetta, sempre muito sensível em relação a qualquer alusão aos seus muitos casamentos e à sua moralidade duvidosa, disparou contra Calò: "Você nunca teria coragem de me dizer para sair, você não tem colhões!". Ao que Calò respondeu: "E eu sou o mafioso? Olha quem está falando...".[27]

Buscetta então acusou Calò do assassinato de um membro de sua própria família mafiosa (Giovanni, em siciliano, Giannuzzu, Lallicata), cujo único erro foi ter estado próximo demais do chefe exilado Gaetano Badalamenti.

CALÒ: Você continua o mesmo, sempre contando suas mentiras...

BUSCETTA: Você diz que são mentiras... Giannuzzu, Giannuzzu Lallicata, você o matou com suas próprias mãos... Você e eu conversamos

---

24. Jannuzzi, p. 135.

25. Jannuzzi, p. 140.

26. Jannuzzi, pp. 144-45.

27. Jannuzzi, p. 137.

sobre isso... Você e eu... Então, Calò voltou-se para o juiz Giordano e disse: "Eu ofereci a minha hospitalidade ao Sr. Buscetta e o aceitei quando ele era um fugitivo, deixei-o dormir na minha casa e veja como ele me agradece...".[28]

Embora essa lavação de roupa suja possa ter afetado a imagem de "homem de honra" nobre e imperturbável de Buscetta, a evidente intimidade entre ele e Calò deixou a impressão de que ambos eram atores importantes na vida da Cosa Nostra. Calò acabou entregando a sua ligação com os réus do crime organizado: era preciso descrever as testemunhas como criminosos amorais, mas não foi possível evitar que um pouco dessa lama acabasse sujando as próprias mãos.

O confronto entre Luciano Leggio e Buscetta criou uma situação paradoxal em que a testemunha e acusado pareceram trocar os papéis. Buscetta alegou nunca ter encontrado Leggio, enquanto o chefe de Corleone insistiu que conheciam um ao outro. "Buscetta disse que não me conhece... está mentindo... Nós nos encontramos, não uma vez, mas várias vezes..."[29] Leggio descreveu como havia enriquecido com o mercado negro durante e depois da Segunda Guerra Mundial, como ele havia encontrado Buscetta várias vezes durante os anos 1960, geralmente na companhia de Salvatore Greco, "*Cichiteddu*" (o suposto chefe da Comissão na época). Ele admitiu conhecer todos os principais chefes do período, falando com respeito de "Don Paolino Bontate" e seu filho Stefano Bontate, Gaetano Badalamenti e Totò Riina – "Eu tenho muito carinho por ele... porque dividimos a mesma cela, junto com um de seus irmãos..."

Segundo Leggio, Buscetta era um fomentador de discórdia, que agira de forma dissimulada na guerra da máfia, tentando depor o chefe de sua própria "família", Angelo La Barbera, jogando-o contra os poderosos Greco. Para embasar sua afirmação, Leggio invocou as palavras do próprio La Barbera, cujo clã fora de fato eliminado no conflito. Leggio afirmou que intercedeu a favor de La Barbera, tentando apaziguar a situação entre ele e Salvatore Greco (Cichiteddu), com quem estava em guerra. "Eu agi como embaixador [para Cichiteddu] com aquela boa alma, Angelo La Barbera... Ouvi dizer que eu era seu inimigo... Eu nunca fui inimigo de ninguém... A prova disso é que, quando estávamos juntos na prisão, Angelo La Barbera chegou na cela e me pediu: 'Você precisa me fazer um favor...'. La Barbera sabia

28. Jannuzzi, p. 148.

29. Jannuzzi, pp. 194-95.

da minha amizade com Cichiteddu e com a família Greco... (ele me disse) 'Você tem que dizer a Cichiteddu para não dar ouvidos ao que Buscetta diz... Ele é um verme... um encrenqueiro de duas caras... ele é a razão de todos os meus problemas...' Isso é o que La Barbera me disse, e eu passei adiante, como embaixador de Totò [Salvatore Greco]." Mesmo se alguém escolhesse acreditar nessa caracterização de Buscetta como "um verme", o relato de Leggio deixava claro o fato de que Buscetta era um ator-chave na máfia dos EUA, ampliando seu papel e colocando-o no mesmo nível de importância de Leggio e dos outros chefes do período. Ao retratar Greco (Cichiteddu) como uma espécie de chefe de Estado que recebia visitas de embaixadores, Leggio deu mais peso às afirmações de Buscetta de que Greco era realmente o chefe da Comissão na época.[30]

O eixo central da defesa de Leggio foi a história do fracasso da tentativa de golpe de Borghese, nos anos 1970, no qual se retratou como um patriota e uma vítima política. Sua sentença de prisão perpétua por assassinato, insistiu Leggio, foi uma punição por ter rejeitado o pedido de ajuda dos neofascistas em sua tentativa fracassada de derrubar a democracia, liderados pelo príncipe Junio Valerio Borghese. "Minha convicção é política", disse ele ao tribunal. Segundo a versão de Leggio do golpe de Borghese, Buscetta e Salvatore Greco (Cichiteddu) eram a favor de ajudar os neofascistas e viajaram juntos da América para apoiar o projeto. O plano era que a máfia realizasse uma série de atentados terroristas e assassinatos, fornecendo a justificativa para o golpe de direita. Mas Leggio disse que ele vetou a ideia. Segundo ele, o ódio de Buscetta por Leggio e pelos *corleonesi* tem origem nesse episódio. "Buscetta me considera o homem que destruiu seus sonhos de glória", disse Leggio. Buscetta esperava, disse ele, poder retornar à Itália sob o novo regime e fazer uma fortuna com "contratos do governo, suprimentos logísticos, armas e contrabando". Resumindo, havia centenas de milhares de dólares em jogo... e ele esperava ter sua parte nisso.[31]

O relato de Leggio foi uma reviravolta interessante para o golpe de Borghese, que pôde ajudar a entender as respostas evasivas de Buscetta sobre o assunto e sua relutância em admitir conhecer o chefe de Corleone. Mas como defesa, a estratégia de Leggio saiu pela culatra. Evidentemente, ele esperava surpreender o tribunal falando sobre o golpe. Mas não havia

30. Jannuzzi, p. 203.

31. Jannuzzi, pp. 197-201.

pensado na possibilidade de Buscetta já ter antecipado o relato, contando a mesma história a Falcone em depoimento. "O promotor público, que tinha uma cópia do depoimento de Buscetta, informou isso a Leggio, deixando-o perplexo", escreveu Antonino Caponetto em suas memórias. "Buscetta percebeu que, mais cedo ou mais tarde, Leggio iria contar essa história e... então, adiantou a pancada."[32]

O depoimento de Leggio acabou involuntariamente fortalecendo a credibilidade de Buscetta: embora ambos usassem a história a seu favor, os fatos importantes eram idênticos. Leggio validara implicitamente a existência da Comissão: em ambas as histórias, todos os supostos chefões, Leggio, Greco, Gaetano Badalamenti, Giuseppe Calderone e Giuseppe Di Cristina, discutiram a decisão como os chefes de um governo coletivo. O relato de Leggio também deixou claro seu papel dominante na Cosa Nostra na época. Ele teve dificuldade de explicar à corte por que o sucesso do golpe dependia de sua aprovação, se, como ele argumentava, ele não tinha nenhum papel na máfia, que nem sequer existia. "Eles procuraram você para realizar um golpe de Estado por causa de sua notoriedade, por causa do seu nome?", o juiz Giordano perguntou a Leggio. "Um mito foi criado ao meu redor, e naturalmente... Eles queriam minha aprovação, porque havia esse mito. Então, eles queriam esse mito."[33]

Depois de Leggio, o júri e o público voltaram sua atenção para Michele Greco, "*o papa*", que havia sido capturado durante o julgamento, depois de passar quatro anos foragido. Greco, supostamente eleito chefe da Comissão em 1978, retratou-se como um agricultor de frutas cítricas, trabalhador e bem-sucedido, difamado por cartas anônimas e por causa da notoriedade de seu primo Salvatore "*Cichiteddu*" Greco, que tornara o nome Greco sinônimo de máfia. Ao mesmo tempo, "*o papa*" gabou-se de seus muitos amigos na aristocracia e na magistratura de Palermo, descrevendo a vida idílica que levava na grande propriedade de Favarella, adquirida do conde de Tagliavia. "Tantas figuras respeitáveis e ilustres têm nos visitado... Você se lembra de Sua Excelência (Emanuele) Pili (ex-promotor-chefe de Palermo)..."

Então, Greco passou a enumerar uma longa lista de funcionários do alto escalão da polícia e dos *carabinieri*, que tinham as chaves e a entrada livre da propriedade. Outros convidados frequentes, que Greco foi forçado

---

32. Caponetto, p. 55.

33. Jannuzzi, pp. 207-8.

a admitir, eram notórios chefes da máfia, como Paolino Bontate, seu filho, Stefano, e Salvatore "*Cichiteddu*" Greco. Mas eles não vinham para as reuniões da chamada Comissão, porque eram caçadores apaixonados, ansiosos para atirar em pássaros e coelhos na vasta reserva de caça de Favarella. "O pobre Stefano (Bontate) veio muitas vezes", disse Greco. "Stefano tinha uma grande paixão pela caça e pelos cães de caça... Nós estávamos juntos na Sexta-feira Santa, poucos dias antes de seu infortúnio, disse ele. O "infortúnio" de Bontate foi seu assassinato, na primavera de 19881.[34]

Salvatore Contorno apresentou um outro lado da vida da máfia. Ao contrário de Buscetta, Contorno era muito mais franco sobre os próprios crimes, que incluíam assassinato, tráfico de drogas e contrabando. Contorno insistiu em falar em um jargão das ruas de Palermo que até mesmo os sicilianos tinham dificuldade de compreender. Um especialista em dialetos locais da Universidade de Catânia foi trazido para atuar como intérprete, enquanto Contorno descrevia sua vida dentro da Cosa Nostra. Se Buscetta havia conhecido o mundo fora da máfia, Contorno claramente não conhecia nenhuma realidade fora da Cosa Nostra.

Aparentemente sem arrependimentos, Contorno parecia usar os braços da lei, agora que não podia mais disparar sua pistola calibre 38. Quando os réus dentro das celas zombavam dele, ele lançou insultos de volta. Quando um advogado perguntou como ele definiria um assassino, Contorno respondeu: "Um bom garoto, alguém que faz a diferença". Como escreveu Sciascia, Contorno viveu dentro do mundo da Cosa Nostra "da maneira como o resto de nós vive dentro de nossa própria pele, como se a máfia fosse o Estado em que você nasce e do qual sempre permaneceu cidadão".[35]

As credenciais criminais de Contorno eram impecáveis. Ele tinha um longo registro policial antes de se tornar testemunha. E quando foi capturado em Roma, em 1982, os investigadores encontraram com ele dois carros blindados, várias armas, dezenas de milhares de dólares em dinheiro, um pouco de heroína e 140 quilos de haxixe.[36] Ele estava perseguindo Pippo Calò, a quem responsabilizou pela morte de seu chefe, Stefano Bontate. "Pena que não consegui encontrá-lo", disse ele ao tribunal no grande julgamento.[37]

34. Jannuzzi, pp. 220-25.

35. Jannuzzi, pp. 91-92.

36. Jannuzzi, p. 169.

37. Sterling, p. 284.

Por experiência direta, Contorno pôde identificar remessas específicas de drogas e, como resultado, forneceu informações confiáveis quando descreveu um laboratório de heroína na propriedade Favarella de Michele Greco: "A porta estava aberta, e eu pude sentir o cheiro, eles estavam trabalhando as drogas", falou no depoimento.[38] Mas com Favarella sendo cada vez mais o palco de reuniões da Comissão e local de ocultação de foragidos, a refinaria era considerada um risco muito grande. "Havia muita confusão, muitos policiais por perto, então eles mudaram o laboratório de local", afirmou.[39]

Com seu conhecimento mais pessoal e atualizado da Cosa Nostra, Contorno conseguiu se levantar, virar-se e identificar cerca de 150 dos mafiosos sentados nas celas atrás dele.

Ao todo, havia mais de mil testemunhas, tanto na acusação quanto na defesa. Havia Ko Bak Kin, traficante de drogas da Tailândia, que admitiu seu papel em numerosas remessas de heroína para Palermo, e Vincenzo Sinagra, que descreveu os horrores do Quarto da Morte. Seu depoimento foi crucial para inúmeras condenações por homicídio, incluindo a própria: um mandato de 21 anos, que ele ainda está cumprindo.

Mesmo quando as coisas não corriam de acordo com o que a acusação planejara, a impressão geral do caso confirmou a visão da força-tarefa antimáfia. Por exemplo, quando um jornal local publicou uma matéria em que o réu Vincenzo Buffa poderia estar cooperando com promotores, as mulheres de sua família mostraram um espetáculo público assustador da força da *omertà* siciliana. Sete mulheres, a esposa de Buffa, a filha mais velha, e cinco irmãs, começaram a gritar em coro: "Enzo não é uma testemunha. Ele não falou e ele não vai falar". Apesar das ordens do juiz Giordano de permanecerem em silêncio, as mulheres, gritando na direção das celas dos réus, tiveram que ser retiradas à força do recinto.[40]

Comparativamente, o julgamento quase não teve revelações políticas. Os ministros do governo, como Giulio Andreotti, conseguiram dar seu depoimento em Roma, longe dos olhos do público. Andreotti negou as conversas que o general Alberto Dalla Chiesa anotara em seu diário, dizendo que o general devia ter confundido o nome de Andreotti com o de outra pessoa. O advogado da família Dalla Chiesa tentou fazer com que Andreotti fosse

38. Jannuzzi, p. 158.

39. Sterling, p. 285.

40. Angelini, p. 117.

acusado de perjúrio, mas, sendo um caso de palavra de um homem morto contra o de um ministro do Exterior, nada pôde ser feito.

Nino Salvo havia morrido de câncer em um hospital suíço pouco antes do julgamento começar, mas seu primo, Ignazio Salvo, prestou depoimento. Ao descrever sua família como vítima da máfia, em vez de mafiosos, ele acabou confirmando o poderoso papel da máfia na economia e na política da Sicília. Menos de uma década depois de muitos insistirem que a máfia não existia, ali estava Ignazio Salvo, um dos empresários mais ricos e poderosos da Sicília, oferecendo uma descrição do poder da máfia muito similar à que fora feita pela acusação.

"Por muitos anos, a completa ausência do Estado na guerra contra a máfia e os quase infindáveis casos de corrupção e conluio deixaram os cidadãos indefesos nas mãos das organizações mafiosas. Não se tem escolha a não ser tentar sobreviver evitando os perigos para sua própria família, principalmente se sua atividade empresarial o coloca em contato direto com essas organizações. Eu nunca fui um mafioso, mas sou um dos muitos empresários que, para sobreviver, tiveram de lidar com esses inimigos da sociedade."[41]

41. Mafia, p.328.

Capítulo 12

O período do grande julgamento – de fevereiro de 1986 a dezembro de 1987 – foi uma época de grandes e genuínas realizações, mas também de sérios retrocessos, porém menos visíveis. No centro das atenções estava o transcorrer do julgamento, mas, enquanto isso, vários acontecimentos mais sutis começaram a balançar os alicerces da força-tarefa antimáfia de Palermo.

O fato de o julgamento ter ocorrido em um clima de respeito à lei, em que foram dadas aos réus todas as oportunidades para defenderem a sua causa, foi em si um triunfo da civilização. A Itália inteira pôde escutar todas as noites as histórias de homens como Buscetta e Contorno, conhecer o horror com os relatos de Vincenzo Sinagra sobre o Quarto da Morte, e ver figuras míticas como Luciano Leggio e Michele Greco, "*o papa*", reduzidas a meros mortais, apreendendo ensinamentos inestimáveis para uma nação que apenas recentemente começara a assimilar a gravidade do problema da máfia.

"A opinião pública agora sabe os nomes das pessoas que atiram e matam e os nomes daqueles que negociam heroína", disse Paolo Borsellino, em uma entrevista na época do julgamento. "Não é algo insignificante, mas também não é tudo", acrescentou Borsellino, advertindo contra o risco de se considerar o julgamento como a "derrota" da máfia. "Infelizmente, essas pessoas ainda são extremamente perigosas", disse ele. "Essa verdade amarga tornou-se evidente no verão passado, quando a máfia mostrou seu terrível poder de fogo", disse ele, referindo-se aos assassinatos de Ninni Cassarà e de Beppe Montana. Em menos de uma semana, eliminaram um esquadrão de investigadores inteiro de Palermo...

Há, também, uma estatística perturbadora: um terço dos réus no grande julgamento são fugitivos, e três quartos dos chefes mais importantes e dos assassinos responsáveis pelos piores crimes estão à solta.[1]

Nos bastidores, durante o julgamento, a força-tarefa antimáfia continuou seu trabalho investigativo. Antes mesmo de o julgamento ter sido concluído, o grupo terminou de recolher as evidências para outro grande julgamento, o segundo em uma série planejada de quatro. O "maxi-dois", como era chamado, era muito menor do que o primeiro: as evidências estavam contidas em cinco volumes de cerca de 1.400 páginas, envolvendo oitenta acusados. Enquanto o primeiro julgamento concentrou-se em Palermo, o "maxi-dois" lidou com a máfia dos arredores da cidade, no campo. Como Vincenzo Marsala, filho do ex-chefe da cidade de Vicari, disse a Giovanni Falcone: "A verdade é que você tem que agir com pulso de ferro com a máfia, e, se você não começar com o campo, nunca vai arrancar essa erva daninha pela raiz. O campo é o grande reservatório de mão de obra para a máfia, onde há sempre sangue fresco para ser recrutado como seus membros"[2].

Durante esse período, Giovanni Falcone alcançou grandes realizações profissionais, mas também viveu felicidade na vida pessoal. Em um dia de primavera em 1986, ele e a juíza Francesca Morvillo deixaram o trabalho no Palácio de Justiça de Palermo e foram para a prefeitura, onde se casaram. Com a presença apenas de amigos próximos, foram casados pessoalmente pelo prefeito, Leoluca Orlando. "Naquele dia ele realmente parecia feliz", disse a secretária Barbara Sanzo. "Ele voltou para o escritório e não pôde deixar de mostrar a aliança." Na época de seu casamento, Falcone tirou a barba, deixando apenas um bigode elegante. Ele voltou a praticar natação e perdeu o peso que ganhara nos dois anos anteriores. "De repente, ele parecia dez anos mais jovem", lembrou Sanzo.[3]

Giovanni Falcone e Francesca Morvillo tinham muito em comum. Ambos eram de Palermo e tinham uma natureza tímida e introvertida, e ambos tinham sido excelentes alunos no Direito. Francesca vinha de uma família de magistrados, mas era muito respeitada por seus próprios méritos. Ambos tinham casado muito jovens e vivido uma grande decepção, algo

---

1. Lodato, *Quindici anni di mafia*, pp. 186-87.
2. Interrogatório de Vincenzo Marsala.
3. Sobre o casamento de Falcone, baseio-me nas entrevistas do autor com Barbara Sanzo, Rita Fiori Borsellino, Pasqua Seminara e Francesco Lo Voi.

que aumentara o apreço e a felicidade que encontraram juntos. Francesca era carinhosa, expansiva e solícita com Giovanni. "'A Doce Francesca', dizia Paolo", lembrou Rita Borsellino, sua irmã. "É assim que me lembro dela quando era menina – estudamos juntas no ensino médio."

Mas havia muito mais do que doçura em Francesca Morvillo. Enquanto mantinha as aparências externas de boa esposa siciliana, ela era uma mulher de pensamento independente que entendia o trabalho do marido e tinha sua própria carreira e interesses intelectuais. "Acho que essa coisa de 'Doce Francesca' foi um pouco exagerada", disse Pasqua Seminara, grande amiga e colega de magistratura no Palácio de Justiça de Palermo. "Francesca tinha, sim, uma natureza doce, mas não era a clássica 'boa esposa' que ficava em casa esperando que seu importante marido voltasse. Ela era uma excelente advogada criminal... Ela tinha vida própria, uma personalidade forte e um caráter decisivo... Giovanni tinha muito respeito por suas opiniões." Quando Falcone estava viajando ou trabalhando até tarde, Francesca ia sozinha ou com amigos para peças de teatro, *shows* e filmes.

"Não era um casamento convencional, era um casamento inteligente", disse o juiz Francesco Lo Voi, que, junto com a juíza Seminara, sua esposa, saíam frequentemente com Giovanni e Francesca. Falcone estava quase sempre viajando, e, quando estava em Palermo, muitas vezes trabalhava até tarde da noite. "Não eram muito afeitos a pequenas experiências da vida cotidiana. Mas eles gostavam muito um do outro. Acho que Giovanni nunca viajou sem trazer um presente para Francesca, e acho que Francesca nunca saía para fazer compras sem levar algo para Giovanni."

O casal decidiu não ter filhos. Falcone preocupava-se de não ter tempo suficiente para as crianças, além de expô-las às restrições e aos perigos de sua vida à prova de balas. "Nós deveríamos trazer crianças para o mundo, não órfãos", disse Falcone, brincando.

Com o primeiro maxijulgamento no tribunal e a acusação do segundo julgamento terminada, Paolo Borsellino decidiu deixar a força-tarefa antimáfia, candidatando-se ao cargo de promotor-chefe de Marsala, uma cidade na costa ocidental de Sicília, a aproximadamente uma hora e meia de carro de Palermo.

A decisão de Borsellino tinha muitas razões. Com o trabalho investigativo dos dois primeiros julgamentos terminados, determinado ciclo de trabalho fora concluído. Três brilhantes novos promotores, Giacchino Natoli, Giacomo Conte e Ignazio De Francisci, foram admitidos na força-tarefa e treinados para assumir parte da carga de trabalho. Mas os maxijulgamentos concentraram-se em Palermo e em todas as cidades ao redor, enquanto o poder da máfia no resto da Sicília permaneceu intocável. Borsellino viu a mudança para Marsala como um "trabalho missionário", que levaria a abordagem da força-tarefa antimáfia para outros escritórios de investigação na ilha. Segundo amigos próximos, Borsellino também sentia inevitavelmente um desejo de ser seu próprio chefe, de agir por conta própria.

Enquanto permanecesse em Palermo, ele seria considerado um satélite na órbita de Giovanni Falcone, que, pela força da sua personalidade, reputação e intelecto, tornara-se o centro de todas as grandes investigações. Agora Borsellino teria a chance de ser o chefe do próprio escritório e aplicar o que sabia mesmo que em uma pequena cidade provinciana.

Outro fator, segundo alguns, era o desejo de escapar da pressão de estar cinco longos anos na linha de frente das investigações. O brilho intenso dos holofotes concentrara-se na capital, levando sua família a viver em constante ansiedade, perguntando-se se ele voltaria para casa a cada noite. Sua filha, Lucia, estava só pele e ossos, sofrendo de anorexia nervosa, com muitos quilos abaixo do peso, e Borsellino sentia que, ao deixar Palermo, poderia diminuir a pressão sobre a família.

O grande amigo e colega de Borsellino Vincenzo Geraci desempenhou um papel fundamental na obtenção do emprego em Marsala. Integrante da força-tarefa antimáfia na *Procura della Repubblica* de Palermo, Geraci foi eleito para o corpo de governo do Judiciário italiano no início de 1986, com o intuito de representar os juízes de Palermo em Roma. Além de trabalharem juntos, Geraci e Borsellino eram amigos próximos, e suas famílias faziam parte do mesmo pequeno grupo social. Ambos os homens eram politicamente conservadores e ambos faziam parte da corrente judicial.

Como tudo na vida italiana, o Judiciário está dividido em linhas políticas, com cada corrente elegendo seus representantes para o *Consiglio Superiore della Magistratura* (CSM). Apesar de seus nomes genéricos, intercambiáveis e não políticos, *Magistratura Indipendente* (Magistratura Independente), *Unità per la Costituzione* (Unidade para a Constituição) e *Magistratura Democrática*, todos os três grupos tinham orientações políticas claras. Tanto Borsellino quanto Geraci eram membros da Magistratura Independente, um grupo conservador que representava a todos, desde os democratas-cristãos até membros da extrema direita. Falcone era membro do grupo de centro-esquerda, *Unità per la Costituzione*, enquanto a *Magistratura Democrática* estava associada ao Partido Comunista Italiano e a outros partidos menores de esquerda.

Por causa do trabalho de Geraci no julgamento e em outros casos, alguns magistrados em Palermo romperam com sua "corrente" política para apoiar sua candidatura, acreditando que ele traria maior compreensão da guerra contra a máfia. "As pessoas no *Consiglio* não conseguiam entender muitas coisas porque não tinham conhecimento direto do problema da máfia", disse Giuseppe Ayala, que argumentou sobre o julgamento no tribunal e que, como Falcone, era membro da corrente centrista do Judiciário. "Quando Vincenzo Geraci apresentou sua candidatura para o CSM, senti que deveríamos apoiá-lo, ignorando a noção das correntes, mesmo que eu tivesse algumas reservas pessoais sobre ele... Aqui, finalmente, havia alguém que era um de nós e entendia nossos problemas... Giovanni [Falcone] me disse: 'Então você decidiu apoiá-lo?'. 'Sim, e vou tentar convencer meus amigos a fazer o mesmo', eu disse a ele. Ao que ele disse: 'Eu jamais votarei nele'."[4]

Falcone e Geraci haviam trabalhado juntos em vários casos, mas existia certa tensão entre eles. Geraci era um procurador excepcionalmente inteligente e ambicioso, que se ressentia da atenção que se concentrava quase exclusivamente em Falcone. As tensões cresceram durante o depoimento de Buscetta: "Não gosto desse magistrado", disse ele a Falcone, falando de Geraci. Mas, quando a posição do *procuratore della Repubblica* de Marsala surgiu, Geraci lutou por seu amigo Borsellino. Para vencer a batalha, Geraci teve que desafiar o rígido sistema de idade que dominava as nomeações judiciais. O sistema de idade – um grande nivelador – foi apoiado por uma coalizão incomum. Junto aos políticos medíocres de todas as faixas políticas, que esperavam progredir automaticamente sem se esforçar, o sistema de idade também contava com o apoio da esquerda italiana, que argumentava que, embora arbitrário, o sistema era, no mínimo, equitativo. Muitos da esquerda temiam que, uma vez abandonado o critério de idade, os critérios políticos ficassem em primeiro plano, permitindo que os partidos no poder dominassem o processo de nomeação.

Geraci conseguiu levar adiante a nomeação de Borsellino. A missão foi facilitada pelo fato de que os principais concorrentes não tinham experiência em casos de máfia e apenas um ou dois anos a mais de idade.

---

4. Entrevista do autor com Giuseppe Ayala.

No mês seguinte à aprovação da transferência de Borsellino para Marsala, a polícia de Palermo prendeu Vincenzo Puccio, um dos três assassinos do capitão Emanuele Basile, que Borsellino passara anos investigando. Poucos meses depois, um segundo assassino, Giuseppe Madonia, também foi capturado, junto com seu pai, Francesco Madonia, o poderoso chefe do bairro de Resuttana. Depois de vários julgamentos, apelações e novos julgamentos, as condenações por assassinato do infame trio Puccio, Madonia e Bonnano finalmente foram confirmadas pela mais alta corte da Itália – à revelia. Agora, finalmente, os assassinos teriam que cumprir suas sentenças de prisão perpétua. Parecia uma boa hora para sair de Palermo.

No entanto, apenas três meses depois de Borsellino se mudar para Marsala, um vertiginoso ataque à sua transferência foi publicado, no dia 10 de janeiro de 1987, em um dos jornais mais respeitados do país, o diário de Milão *Corriere della Sera*, escrito por ninguém menos que o romancista Leonardo Sciascia. Intitulado "Profissionais antimáfia", o artigo dizia que a guerra contra a máfia havia se tornado "um instrumento de poder" e um trampolim para o sucesso na Sicília. Sciascia escolheu como seus principais alvos o prefeito Leoluca Orlando e Paolo Borsellino. Sobre Orlando, ele escreveu:

"Tomemos o exemplo de um prefeito que, por convicção ou estratégia, aparece – em entrevistas de televisão, em conferências, simpósios e reuniões escolares – como líder, um antimáfia. Mesmo que ele dedique todo o seu tempo a essas aparições e não tenha tempo para se dedicar aos problemas da... cidade que ele administra (...da falta de água à abundância de lixo)... qualquer um que, mesmo que timidamente, se atreve a reprovar sua falta de zelo com a administração da cidade corre o risco de ser chamado de mafioso".[5]

Sciascia passou então a atacar a recente promoção de Borsellino e concluiu o artigo com esta frase mordaz: "Nada é mais eficiente para avançar na carreira judicial na Sicília do que ter participado de alguns julgamentos de máfia".[6]

Para milhões de italianos, incluindo Falcone e Borsellino, que cresceram lendo os romances de Sciascia, o artigo foi um choque. Sciascia não era apenas o maior escritor vivo da Sicília; ele havia escrito brilhantes

5. *Corriere della Sera*, 10 de janeiro de 1987, reimpresso em Sciascia, *A futura memoria*, pp. 128-30.

6. *A futura memoria*, p. 130.

denúncias contra a máfia, numa época em que os políticos sicilianos insistiam que a máfia não existia. Agora que a maioria dos sicilianos compartilhava o ponto de vista de Sciascia, ele se voltara contra eles em uma vingança.

O que explicava essa bizarra reviravolta? Parte da razão provavelmente estava no temperamento não conformista de Sciascia. Sciascia estava acostumado a nadar contra a corrente e, agora que a maré predominante era antimáfia, ele sentia a necessidade de manter uma postura independente contra o que ele percebia como os riscos de um novo conformismo. Desde o início de sua carreira, Sciascia esteve obcecado com o problema da justiça e os perigos de um Poder Judiciário arbitrário, desde a Inquisição espanhola na Sicília até os julgamentos espalhafatosos de Stalin e Mussolini. Sciascia tornou-se defensor de Enzo Tortora, um apresentador de televisão italiano, preso em 1983 e injustamente acusado de traficar drogas durante uma investigação sobre o crime organizado em Nápoles. Os promotores mantiveram Tortora detido por muito na prisão sem possibilidade de pagar fiança, confiando apenas nas palavras de um par de criminosos muito suspeitos, com praticamente nenhuma evidência corroboradora. A carreira de Tortora foi destruída, e ele acabou morrendo de câncer enquanto lutava em uma batalha judicial tentando provar sua inocência.

Sciascia tinha razão de se alarmar com o caso Tortora, mas estava errado em culpar os juízes de Palermo pelos pecados de seus colegas em Nápoles. Falcone e Borsellino haviam investigado os primos Salvo por quase três anos antes de finalmente indiciá-los, e só o fizeram quando tiveram o depoimento de duas testemunhas diferentes e provas físicas corroborativas em forma de conversas e registros financeiros. Mesmo assim, os acusados foram libertados sob fiança e autorizados a responder ao processo do conforto de suas casas.

Além disso, Sciascia erroneamente agrupou duas figuras completamente diferentes, Orlando e Borsellino. Era totalmente legítimo exigir de um político como Orlando que seus discursos inflamados fossem seguidos por resultados concretos. Havia o risco real de que a retórica substituísse a ação na guerra contra a máfia. Mas Borsellino estava trabalhando nas trincheiras havia vinte anos, apresentando acusações e condenações muito antes que o combate à máfia estivesse em voga. Diante do número de promotores mortos em Palermo – Cesare Terranova, Gaetano Costa e

Chinnici –, a afirmação de Sciascia de que combater a máfia era um caminho certo para o sucesso era completamente absurda.

Tornar-se procurador em Marsala dificilmente era um caminho para a fama e para a fortuna. Borsellino estava, na verdade, saindo dos holofotes de Palermo para um trabalho difícil em uma cidade provinciana, à custa de grande sacrifício pessoal e financeiro. Como sua família permaneceu em Palermo, Borsellino teve que manter duas residências, vivendo em um pequeno apartamento em cima da estação de polícia de Marsala durante a semana e voltando para casa nos fins de semana. O único erro de Borsellino, mesmo no artigo equivocado de Sciascia, foi ter se julgado o candidato qualificado para o cargo. Sciascia nunca deixou claro por que considerava o sistema de progressão por idade do sistema judiciário um bastião da democracia.

Em resposta aos muitos ataques direcionados ao seu artigo, Sciascia admitiu não saber absolutamente nada sobre Paolo Borsellino, e que amigos haviam passado algumas informações sobre sua recente promoção. Sciascia, que já estava idoso e com problemas de saúde, não se deu ao trabalho de verificar se as acusações tinham algum embasamento. Mais tarde, Sciascia pediu desculpas a Borsellino, em particular, por criticá-lo injustamente. "Eles conversaram, e Sciascia pediu que Paolo perdoasse o erro", disse Rita Borsellino. "'Não posso ficar bravo com Sciascia porque ele é muito bom', disse Paolo. 'Eu leio os seus livros.' Sciascia foi mal aconselhado a esse respeito, ele foi manipulado."[7]

Nesse período, Sciascia tinha muitos amigos nos Partidos Radical e Socialista, ambos que, por diferentes razões, começaram uma batalha para reduzir drasticamente os poderes do Judiciário italiano. O Partido Radical sempre esteve na linha de frente dos direitos civis na Itália, e, depois das vitórias a respeito do aborto e divórcio, estava em busca de uma nova causa para aumentar as suas forças. O Partido Socialista tinha suas próprias razões para desejar a ruína do Judiciário italiano: sob o comando de Bettino Craxi (que se tornou secretário do partido em 1976), os socialistas estavam ocupados transformando as práticas de suborno governamental em uma espécie de ciência exata. Provavelmente, algum de seus amigos políticos havia tentado colocar Sciascia contra Borsellino e a força-tarefa antimáfia.

7. Entrevista do autor com Rita Borsellino Fiore.

Logo após o artigo de Sciascia, Giovanni Falcone embarcou para uma viagem de férias pela União Soviética com o prefeito Leoluca Orlando. Ambos viram o artigo como um mau presságio. "Quando a chuva cai, de repente você pode ver todas as conchas dos caracóis", disse Orlando a Falcone, repetindo um velho provérbio siciliano.[8]

De fato, o artigo de Sciascia fornecia respeitabilidade ideológica àqueles que queriam atacar os juízes. Políticos corruptos, advogados de máfia, até mesmo policiais da vizinhança, pessoas que nunca haviam lido uma palavra do romancista siciliano, se declararam amantes de Sciascia. "Salvo Lima e Mario D'Acquisto (líderes da facção Andreotti em Palermo) se tornaram *sciasciani*", escreveu Saverio Lodato, correspondente em Palermo do jornal comunista *L'Unità*... "E quantos amantes de Sciascia no Palácio da Justiça!... Lá onde estão todos os juízes inúteis... que nunca escreveram uma acusação ou uma sentença de qualquer tipo... Aqueles que pareciam chocados quando um jornalista mencionava possíveis conexões entre a máfia e a política... Todos aqueles magistrados que usam perucas e repetem a ladainha de que 'o promotor nunca é contra ninguém'. Eles quase podiam saborear as promoções que estavam logo ali, agora que, com a ajuda de Sciascia, o sistema de idade voltou à moda... Até mesmo os valentões da vizinhança em suas poderosas motocicletas Kawasaki e BMW (comumente usadas em ataques da máfia) proclamavam que 'concordavam com o escritor'."[9] O *Giornale di Sicilia* aderiu a esse ponto de vista, declarando que "a campanha antimáfia do *show business* está... nas últimas, já que suas cartas estão todas na mesa".[10]

Os membros da força-tarefa antimáfia podiam sentir o clima ao redor deles mudar. Mesmo antes do início do julgamento, os promotores temiam que o público e o mundo político estivessem dando muita importância à sua realização. "A imprensa parecia dizer que... o destino da máfia dependia desse julgamento... Talvez a Sicília fosse ser liberta desse flagelo, talvez a máfia pudesse ser destruída", disse Borsellino ao jornalista Luca Rossi. "Mas essa era uma atitude que não nos agradava, isso nos assustou. Porque quanto mais importância se colocava no julgamento, menos energia era direcionada às investigações... Você não derrota a máfia com um único julgamento...

8. Orlando, *Palermo*, p. 71.

9. Lodato, p. 208

10. *Giornale di Sicilia*, 14 de janeiro de 1987, citado em Lodato, p. 207.

Você combate a máfia com um trabalho contínuo."[11]

O julgamento ainda não havia terminado, e as pessoas agiam como se a guerra contra a máfia tivesse sido ganha. Já em agosto de 1986, Antonino Caponetto lançou uma nota de preocupação em uma entrevista no jornal romano *Il Messaggero*. "Durante meses eu não ouvi o governo ou algum político importante pronunciar a palavra máfia", disse ele. "Espero que, se estiver ausente de suas bocas, esse problema... permaneça, pelo menos, em seus pensamentos."[12] No mesmo verão, o sociólogo e especialista em máfia Pino Arlacchi renunciou à posição como consultor da comissão antimáfia do Parlamento, dizendo que "a atividade da comissão estava praticamente parada". Parecia que, agora que a vitória estava a caminho, não havia razão para o resto do governo continuar ocupando-se com o problema da máfia. Arlacchi também foi movido por outro acontecimento: a nomeação do senador democrata-cristão Claudio Vitalone para o cargo de presidente da comissão antimáfia. O senador Vitalone era ex-promotor, mas também fora conselheiro próximo de Giulio Andreotti e um magistrado com uma reputação duvidosa. Vitalone teve sua promoção negada pelo *Consiglio Superiore della Magistratura* por causa de conduta não profissional como promotor assistente em Roma. Ele foi acusado de tentar monopolizar (e às vezes enterrar) casos políticos delicados, apresentando os outros promotores a seus amigos no poder, e de tentar investigar criminalmente uma suposta fraude cometida por seu próprio irmão. Diante dos rumores persistentes sobre os laços da facção de Andreotti com a máfia na Sicília, colocar Cláudio Vitalone como chefe da comissão antimáfia no Parlamento era um pouco como deixar a raposa cuidando do galinheiro.[13]

A redução geral nas defesas foi reforçada por um período de paz em Palermo, com quase nenhum caso de violência. Com o grande julgamento, os assassinos tiraram umas férias em Palermo. Depois de cerca de 150 assassinatos por ano durante o auge da grande guerra da máfia, a morte tirou férias: havia uma média de apenas 33 assassinatos por ano nos anos de 1985, 1986 e 1987, dos quais apenas uma parte envolvia o

11. Rossi, *I disarmati*, p. 211.

12. Galluzzo, *Obiettivo Falcone*, p. 189.

13. A conduta de Vitalone como magistrado e sua rejeição pela *Corte di Cassazione* são objetos de debate nas discussões do *Consiglio Superiore della Magistratura* em 6 de maio de 1982 e 28 de novembro de 1985. Ver também: *L' Espresso*, 18 de maio de 1986.

crime organizado.[14] O público em geral acabou confundindo a queda nos homicídios com um enfraquecimento da máfia – uma interpretação desmentida pelos assassinatos dos investigadores da polícia Beppe Montana e Ninni Cassarà. Para aqueles que conheciam bem a máfia, a proibição de matar indicava qualquer coisa menos fraqueza. Foi um sinal de seu extraordinário controle da cidade: a Cosa Nostra podia aumentar ou diminuir o nível de violência em Palermo como se tivesse um termostato, dependendo se queriam que o clima fosse quente ou frio. Numa época em que um júri se sentava a cada dia julgando 460 suspeitos de envolvimento com a máfia no *bunker*, claramente não era um momento para tiroteios nas ruas de Palermo. Como o número de assassinatos cometidos pela máfia é geralmente um sinal de conflito interno, a ausência de mortes era uma boa indicação de que os líderes da Cosa Nostra continuavam reinando supremos.

Durante esse novo tempo de *Pax Mafiosa*, Falcone e Borsellino tiveram novamente a sensação perturbadora de que não sabiam mais o que estava acontecendo dentro do universo nebuloso da Cosa Nostra. Não surgiram novas testemunhas desde a decisão de Salvatore Contorno de colaborar, em outubro de 1984, e as informações dadas por ele datavam do período anterior à sua prisão, em março de 1982. O conhecimento de Buscetta sobre a Cosa Nostra era ainda mais desatualizado, já que ele deixara Palermo para ir ao Brasil logo após o Ano-Novo, em 1981. O massacre dos amigos e parentes de Buscetta e Contorno, o assassinato de Leonardo Vitale e de outros haviam provocado a maré de deserções da máfia. Como todo mundo na Sicília, as testemunhas em potencial pareciam estar esperando o resultado do grande julgamento antes de decidir se seu posicionamento contra a máfia era real ou apenas faz de conta.

Com base em informações do início da década de 1980, os promotores haviam assumido que Luciano Leggio, de Corleone, e Michele "*o papa*" Greco eram as figuras mais poderosas da Cosa Nostra. Mas ambos estavam agora na prisão, Leggio desde 1974, Greco desde 1986. Enquanto isso, rumores sugeriam grandes mudanças dentro da liderança da Cosa Nostra. Segundo relatos, Filippo Marchese, o chefe brutal do Quarto da Morte, havia sido estrangulado e eliminado da mesma forma que despachara tantas de suas vítimas. Havia rumores de que o braço direito de Michele Greco, Pino "*o sapato*" Greco, havia encontrado um destino semelhante.

14. Chinnici e Santino, *La Violenza Programmata*, p. 126.

Em 2 de setembro de 1987, outro dos superassassinos de Michele Greco, Mario Prestifilippo, foi abatido nas ruas de Bagheria enquanto andava de moto, saindo de um esconderijo para outro.[15] Esse fato pareceu confirmar a impressão de que alguém dentro da máfia estava decidido a consolidar o seu poder, se livrando de jovens rivais perigosos e enfraquecendo Michele Greco. Em 1984, Buscetta havia dito a Falcone: "Michele Greco, com a sua personalidade branda e fraca, era a pessoa perfeita para se tornar chefe da Comissão, de modo a não ficar no caminho dos projetos de Riina"[16]. Evidentemente, agora que ele estava na prisão, Greco não tinha mais utilidade. Buscetta acreditava que Riina estava agindo sob as ordens de Luciano Leggio, que continuava sendo o "chefe dos chefes". Mas depois de doze anos na prisão, era difícil imaginar que Leggio ainda estivesse no comando. As suspeitas voltaram, mais uma vez, para seus misteriosos tenentes, "os animais", Riina e Bernardo Provenzano, nenhum dos quais havia sido visto em quase vinte anos.

A polícia quase capturou Riina várias vezes, chegando sempre um pouco tarde demais. Eles haviam descoberto o apartamento onde ele vivia com sua esposa, Antonietta Bagarella, a irmã mais nova de mafiosos conhecidos de Corleone (Calogero Bagarella, morto em um tiroteio de 1969, e Leoluca Bagarella, suspeito de ter assassinado o inspetor de polícia Boris Giuliano). A polícia também encontrou convites para o casamento de Riina, celebrado em uma igreja de Palermo em 1974. A cerimônia foi realizada pelo padre mafioso Agostino Coppola (primo do gângster ítalo-americano Frankie "*Three Fingers*" Coppola), que havia sido indiciado por seu papel em um sequestro. O casal teve quatro filhos, todos nascidos no mesmo hospital de Palermo e registrados respeitosamente sob seus nomes verdadeiros. Claramente, o chefe estava vivendo bem debaixo do nariz dos investigadores em Palermo, certamente tendo a proteção e a cumplicidade de muitas, muitas pessoas. A última fotografia que a polícia tinha de Riina datava dos anos 1970. Riina aparecia sorrindo para a câmera como qualquer outro turista entre os pombos da Praça de São Marcos, em Veneza, e a imagem acabou se tornando um símbolo risível da impunidade da máfia.[17]

---

15. Lodato, p. 214; *Richiesta di custodia cautelare nei confronti Agate, Mariano + 57*, pela Procura della Repubblica di Palermo, 20 de fevereiro de 1993.

16. Interrogatório de Tommaso Buscetta.

17. Arlacchi, *Gli Uomini del disonore*, p. 28.

Mas a polícia de Palermo dificilmente pegaria Riina em breve. O departamento ainda não havia se recuperado dos assassinatos de seus principais investigadores, Beppe Montana e Ninni Cassarà, e das transferências em massa que se seguiram à morte do suspeito da máfia Salvatore Marino. Quando encontraram o corpo do famoso Mario Prestifilippo, assassino da máfia, no final de 1987, os novos oficiais da polícia de Palermo não sabiam identificar quem era a vítima, apesar de sua carreira criminosa ter sido documentada durante anos. A memória histórica do departamento tinha sido apagada, e agora eles estavam tateando no escuro.

À medida que o grande julgamento avançava para sua fase final, a política começou a intrometer-se cada vez mais nos processos criminais.

Em março de 1987, o reinado de quase quatro anos do premiê socialista Bettino Craxi chegou ao fim. Por seis anos, os democratas-cristãos tinham compartilhado o poder ao permitir que membros de outros partidos liderassem o governo. Primeiro, Giovanni Spadolini, do minúsculo Partido Republicano, foi nomeado primeiro-ministro. Mas quando ficou claro que a visibilidade e o prestígio do cargo fizeram o pequeno partido quase dobrar seu número de votos de 3% para 6%, os socialistas e democratas-cristãos minaram seu governo. Craxi ocupou seu lugar e começou a emergir como homem forte na política italiana. Depois de quatro anos, os democratas-cristãos decidiram que já tinham feito o suficiente pela carreira de Craxi às suas próprias custas. Afinal, eles eram o maior partido no Parlamento e já estavam à margem por tempo suficiente. O velho Amintore Fanfani, que fora primeiro-ministro em 1954, voltou a ser o primeiro-ministro (pela sexta vez) em abril de 1987. Mas seu governo durou apenas dez dias, pois também foi sabotado por facções rivais da coalizão. As disputas entre os cinco partidos da coalizão do governo estavam além de qualquer solução. O presidente Francesco Cossiga não teve outra escolha a não ser dissolver o Parlamento e convocar eleições nacionais em junho.

A votação parlamentar foi apenas uma das duas principais eleições que viriam. Os socialistas e o pequeno Partido Radical da oposição reuniram assinaturas suficientes para realizar um referendo nacional buscando reduzir o poder do Judiciário italiano. Estimulado pela provação do apresentador de televisão Enzo Tortora e outros equívocos da Justiça, o referendo tentou responsabilizar os magistrados pelos seus erros. Um juiz ou promotor poderia ser responsabilizado pessoalmente por danos caso tenha detido ou indiciado um cidadão inocente. Havia muita coisa que precisava de reforma nos sistemas legais da Itália: regras claras para as acusações rápidas e audiências de fiança depois das prisões, limites sobre o uso de prisões preventivas; mas o referendo dava ênfase à punição dos promotores. Parecia mais uma forma de intimidação do que de fato um ato de reforma.

O ataque ao Judiciário tornou-se o componente central da campanha dos socialistas para as eleições políticas em junho. Bettino Craxi havia criado sua fortuna política com uma inteligente mistura de "conservadoras" e "liberais". Ele se esforçou para se separar ideologicamente do Partido Comunista, fazendo de seu partido um apoiante da Otan e amigo dos EUA, com uma linha dura contra a inflação e limitando o aumento de salário dos trabalhadores. Mas ele precisava manter certo apelo de esquerda, mantendo-se liberal em questões sociais como aborto, divórcio e direitos civis. Ao atacar os juízes, Craxi parecia estar defendendo os direitos dos réus.

Mas havia mais do que apenas relações públicas na campanha. A magistratura representava um sério obstáculo para os ambiciosos planos de Craxi. Em 1976, ele assumiu um partido desorientado, à beira da extinção, que havia diminuído de 25% para apenas 9% dos votos. Ao lado dos astutos e fortes comunistas e democratas-cristãos, os socialistas italianos pareciam perdedores idealistas. Craxi estava determinado a mudar tudo isso. Quando seu partido entrou novamente no governo, ele decidiu aumentar sua força adotando o velho sistema democrata de clientelismo, mas infundindo-lhe novo fôlego. Os democratas-cristãos vinham construindo lentamente seu império por quase quarenta anos. Craxi precisava compensar o tempo perdido.[18]

"Tragam os votos e o dinheiro" era a palavra de ordem do dia. Essas foram as ordens que Craxi deu ao membro do partido Valerio Bitetto quando o Bitetto foi nomeado em 1980 para ocupar um cargo entre os diretores da ENEL, empresa nacional de eletricidade da Itália. A ENEL era uma das maiores indústrias estatais do país, que foi saqueada para financiar as campanhas eleitorais faraônicas do partido. Bitetto direcionaria os contratos de energia para empresários de confiança, que devolveriam uma porcentagem do dinheiro ao partido.

Bitetto não viu nada de incomum nas instruções de Craxi, como disse aos promotores quando o esquema foi descoberto em 1992. "Eu não fui

---

18. Sobre a ascensão de Craxi ao poder no Partido Socialista, ver Ginsborg, *A History of Contemporary Italy*, pp. 377-78.

ingênuo, eu sabia como o mundo funcionava", ele mais tarde afirmou em depoimento. "Se o partido tivesse pouco dinheiro, teria poucos votos... A ENEL estava sob o domínio dos democratas-cristãos e o Partido Socialista foi cortado dos grandes negócios. Nós tivemos que arregaçar as mangas e começar a trabalhar."[19]

Craxi trouxe um novo realismo econômico para o governo italiano, mas em algum ponto do caminho ele e seu partido perderam completamente a noção de quaisquer ideais que possam originalmente tê-los guiado na criação do partido. "No início dos anos 1980, com o triunfo da doutrina de Reagan e o fracasso da social-democracia, os antigos ideais de Craxi desmoronaram e foram substituídos por novos valores de sucesso, competitividade e paixão por dinheiro", explicou um ex-amigo socialista Carlo Ripa di Meana.

Com a rapidez dos convidados que chegam atrasados ao banquete, os socialistas começaram a tentar colocar seus homens em todos os pontos-chave do governo, indústria, bancos, transportes, imóveis, arte, teatro, jornalismo. Eles criaram feudos, dividiram empregos, apartamentos e mulheres, organizaram festas pródigas, simpósios patrocinados e iniciativas culturais. Em todos os encontros, o tema era o mesmo: "Tragam votos e dinheiro". Como provaram o gosto do poder, a nova geração de líderes socialistas vivia como reis otomanos, viajando com enormes comitês de lacaios, carregadores, garotas bonitas e parasitas.

Embora o Judiciário italiano nunca tenha se destacado pela vigilância na área de corrupção política, os socialistas tinham motivos de sobra para temer que algum promotor zeloso tentasse acabar com a festa. Já no início da década de 1980, os magistrados haviam descoberto muitos dos escândalos que acabariam por derrubar o sistema cerca de dez anos depois, mas foram efetivamente reprimidos. Havia várias maneiras de tumultuar as investigações de corrupção. A mais bem-sucedida foi a imunidade parlamentar, que foi finalmente derrubada apenas em 1993. O sistema funcionava tão bem que, antes de 1992, apenas um ministro do governo fora processado por corrupção.

A instituição da imunidade parlamentar criou a armadilha perfeita: os promotores não eram autorizados a investigar membros do Parlamento sem a permissão do Parlamento, que rejeitava a esmagadora maioria dos casos

19. Das confissões de Bitetto para a *Procura della Repubblica* de Milão, extraído do livro *Tangentopoli* (publicado por *Panorama*, Milão, 1993), pp. 50-62.

com base em evidências insuficientes. E, no entanto, se os promotores tentassem reunir as provas necessárias, eles correriam o risco de ser sancionados por violar a imunidade parlamentar. Isso, de fato, é o que aconteceu com o juiz Carlo Palermo, um jovem magistrado operando no nordeste da cidade de Trento.

Investigando uma suspeita de tráfico de armas e drogas do leste da Europa para a Sicília, ele tropeçou em um enorme escândalo de suborno. Os financistas do Partido Socialista italiano estavam envolvidos com dinheiro recebido de contratos que ajudaram a fechar entre empresas italianas e o governo da Argentina.

Uma série de evidências levou ao ministro socialista Gianni De Michelis e ao próprio primeiro-ministro Craxi. (As acusações foram além de mera especulação: havia indícios de que os socialistas tinham organizado a venda de equipamento militar para os argentinos durante a guerra com a Grã-Bretanha pela posse das Ilhas Falklands – o que ajudou a explicar a relutância da Craxi em condenar a Argentina e apoiar os aliados da britânicos.) Quando o juiz Carlo Palermo enviou a acusação incriminatória à comissão parlamentar, pedindo permissão para continuar sua investigação, Craxi montou uma contraofensiva pesada, acusando Carlo Palermo de violar sua imunidade parlamentar. Logo depois, era Palermo, e não Craxi, que estava sob investigação – com sua carreira em risco. O Parlamento negou o pedido do juiz Palermo para prosseguir com o caso de corrupção, e audiências disciplinares foram convocadas para analisar se o magistrado deveria ser destituído de sua posição.

(Vale a pena lembrar que um dos membros da comissão parlamentar que se recusaram a renunciar à imunidade de Craxi foi o senador Claudio Vitalone – um dos homens de Giulio Andreotti. Craxi havia votado contra a exigência da renúncia de Andreotti por suas relações com Michele Sindona, e agora a facção Andreotti estava devolvendo o favor a Craxi, em sua hora de necessidade.)

A história de Carlo Palermo não termina por aí. Ele pediu para ser transferido para Trapani, na Sicília, para tomar o lugar de seu amigo Giangiacomo Montalto, que havia sido morto pela máfia em janeiro de 1983. Como o caso da investigação de armas e drogas do juiz Palermo tinha um forte componente siciliano, os dois magistrados trabalharam juntos. Palermo continuou a investigar o caso na Sicília e contribuiu para a investigação que levou à descoberta da maior refinaria de heroína da Europa, na pequena cidade de Alcamo, na Sicília. Mas em 3 de abril de 1985, ele escapou por pouco de uma tentativa de assassinato. O carro de Palermo foi completamente destruído por uma bomba colocada na estrada, mas ele sobreviveu. A força da explosão foi absorvida por outro carro, que levava uma mulher e seus dois filhos pequenos, todos mortos. Aparentemente a máfia parecia estar por trás do ataque, mas muitas pessoas se perguntaram se foi a investigação de corrupção do juiz Palermo que havia provocado o atentado contra sua vida. O episódio de quase morte do juiz Carlo Palermo não impediu os socialistas de persegui-lo, impondo sanções disciplinares contra ele. O juiz Palermo, de fato, finalmente renunciou ao cargo de promotor, assumindo um cargo sem relevância no Ministério da Justiça de Roma.[20]

Além do escudo da imunidade parlamentar, havia outras estratégias para inviabilizar as investigações de corrupção. Em 1984, juízes em Milão descobriram a existência de um enorme "fundo" na maior estatal italiana, a IRI, usado para garantir cerca de £ 300 bilhões (mais de US$ 350 milhões) para o financiamento de campanhas eleitorais, grupos políticos católicos, e jornais democratas-cristãos e socialistas. A *Procura della Repubblica de Roma* abriu sua própria investigação, criando um conflito jurisdicional. E – como aconteceu com a investigação da loja maçônica secreta, a P2 – a Suprema Corte da Itália (*La Corte Suprema di Cassazione*) interveio em favor de Roma. A investigação acabou sem levar a grandes acusações. Em 1987, quando o caso ficou dois anos parado no Ministério Público de Roma, houve apelos por uma investigação parlamentar, mas os partidos governistas conseguiram reverter a medida. A *Procura de Roma* tornou-se uma espécie de "triângulo das Bermudas", onde as investigações com implicações políticas entravam, mas nunca mais emergiam. A certa altura, em 1985, cerca de 46 procuradores-adjuntos exigiram que seu chefe renunciasse, assegurando que ele havia intervindo para influenciar ou impor sua vontade em inúmeros casos políticos.[21]

Apesar da flexibilidade de alguns distritos judiciais, os principais partidos políticos tinham boas razões para temer uma magistratura

20. As vicissitudes de Carlo Palermo estão descritas em crônicas no *L'Espresso*, 14 de abril de 1985; 19 de maio de 1985; 29 de julho de 1984, e no livro *Attentato* (Trento, 1992).

21. Sobre os fundos do IRI ver: *L'Espresso*, 13 de janeiro de 1984; *Panorama*, 10 de fevereiro de 1985; *L'Espresso*, 17 de fevereiro de 1987; *L'Espresso*, 3 de maio de 1987, *L'Espresso*, 16 de agosto de 1987. Sobre os protestos dos promotores assistentes em Roma, ver *L'Espresso*, 16 de junho de 1985.

forte, independente e agressiva. E assim a campanha eleitoral de 1987 foi fortemente vinculada ao ataque aos juízes. Embora o caso Tortora em Nápoles fosse o exemplo citado por todos, Palermo, por incrível que pareça, tornou-se o centro da campanha eleitoral. Os dois líderes do referendo para punir os promotores – Marco Pannella, do Partido Radical, e o líder socialista Claudio Martelli, o "herdeiro" de Bettino Craxi – decidiram concorrer ao Parlamento de Palermo. (Na Itália, antes da recente reforma eleitoral, os membros do Parlamento podiam concorrer simultaneamente em mais de um distrito.) Para muitos, a campanha parecia ser um ataque sutil e às vezes não tão sutil contra a força-tarefa antimáfia de Palermo.

Advogando o tema dos direitos dos réus, o Partido Radical estava abertamente cortejando o mundo do crime, buscando a adesão de membros nas prisões por toda a Itália. Na necessidade desesperada de fundos, os radicais disseram que, se não recebessem contribuições de dez mil pessoas, o partido iria se dissolver. O Partido Radical não teve dificuldade para atingir seu objetivo, recebendo contribuições de assassinos condenados e figuras do crime organizado. A campanha foi um grande sucesso na prisão de *Ucciardone*, em Palermo, onde Luciano Leggio, o chefe de Corleone, pediu para se filiar ao Partido Radical. O líder radical Marco Pannella, conhecido por seu teatro político (em um momento posterior, ele conseguiu eleger para o Parlamento a estrela pornô Cicciolina), defendeu a decisão de conceder a entrada de chefes condenados no partido. "Nós, os radicais, não podemos negar esses pedidos", disse ele. "Não apresentamos condições prévias aos nossos membros."[22]

Para muitos mafiosos, os socialistas e os radicais haviam se mostrado mais úteis do que seus velhos amigos no Partido Democrata-Cristão. Um exemplo disso ocorreu durante o maxijulgamento. A defesa bolou uma manobra legal que quase cancelou o julgamento. Citando uma lei antiga e quase desconhecida, eles exigiram que cada um dos depoimentos ouvidos no caso fosse lido em voz alta no tribunal – coisa que literalmente dobraria os dois anos do julgamento. Essa tática de paralisação poderia ter levado a uma anulação, já que não ficou claro quantos jurados teriam pedido esse tipo de obstrução legal. Uma coalizão de democratas-cristãos e comunistas se formou para derrubar a lei, garantindo a continuação do julgamento.

---

22. *Panorama*, 27 de setembro de 1987.

Tanto os socialistas quanto radicais condenaram a medida, alegando preocupação com os direitos civis.

Pannella e Martelli, os líderes da campanha contra os juízes, saíram-se muito bem nas eleições em Palermo. Martelli reuniu cerca de 117 mil votos, e o Partido Socialista quase dobrou o seu eleitorado palermiano, subindo de 9,8% para 16,4%. O Partido Radical, cuja presença era quase nula, chegou a 2,3% dos votos. Pela primeira vez, os socialistas superaram o Partido Comunista em Palermo, enquanto os democratas-cristãos caíram para 35,2%, sua menor porcentagem de votos em anos. Uma década esforçando-se por reforma na Sicília custou aos democratas 10% de seus votos. Uma análise distrital revelou que os votos dos socialistas e dos radicais concentraram-se em áreas onde havia alta densidade de votos da máfia.[23]

Logo após a eleição, o prefeito Leoluca Orlando denunciou o fato de os socialistas requererem os votos da máfia, criando uma crise no governo local. O Partido Socialista renunciou ao governo da cidade em indignação, forçando Orlando a formar uma coalizão "anormal" que incluía os democratas-cristãos, os comunistas e um pequeno grupo de reformadores católicos chamado "A Cidade dos Homens". A ideia de Orlando era formar um governo de "fusão" que ultrapassasse as linhas tradicionais do partido e unisse todos os grupos comprometidos com um programa de reforma do governo e a luta contra a máfia. Essa combinação – desafiando a aliança nacional entre socialistas e democratas-cristãos – era vista como uma ameaça particular aos socialistas, que nunca perdiam uma oportunidade de atacar o governo em Palermo.[24]

Infelizmente, a guerra contra a máfia se confundiu com essa grande disputa de poder, de modo que opositores políticos atacaram indiscriminadamente Orlando e a força-tarefa antimáfia. Claudio Martelli, vice-secretário dos socialistas, referiu-se à coalizão de Orlando como "um governo sombrio de magistrados e jesuítas".[25]

Depois das eleições, formou-se um novo governo nacional que refletia essa nova hostilidade em relação à magistratura. O governo anterior, formado em 1983, na esteira dos assassinatos de Dalla Chiesa e Chinnici,

23. Sobre os resultados das eleições de 1987, ver Massimo Morisi, *Far Politica in Sicilia* (Milão, 1993), p. 156.

24. Orlando, *Palermo*, pp. 74-79.

25. Morisi, p. 144. Entrevista com Claudio Martelli, *Panorama*, 6 de setembro de 1987.

forneceu as bases para a realização do grande julgamento. A força-tarefa antimáfia tinha a quem recorrer e recebia ajuda concreta dos ministros da Justiça e do Interior. Esses ministros foram substituídos em julho de 1987 por outros cujas credenciais antimáfia eram muito suspeitas. O novo ministro do Interior (a principal posição de aplicação da lei no país) passou a ser Amintore Fanfani, cujos apoiadores sicilianos já haviam incluído entre as figuras questionáveis da política, como Vito Ciancimino e Salvatore Lima. E o novo ministro da Justiça era Giuliano Vassalli, um dos líderes da campanha para limitar os poderes do Judiciário. Embora fosse um respeitado jurista, Vassalli investiu muito de sua energia recentemente em atacar o uso de *pentiti*, quando criminosos se tornavam testemunhas do governo. Ao escolhê-lo, o governo deixou claro que bloquearia a legislação pedida pelos procuradores da máfia: um programa de proteção a testemunhas e a possibilidade de negociar com criminosos para obter sua cooperação.

Esses revezes em Roma foram imediatamente sentidos em Palermo. "Com essa mudança nos cargos, tudo parou", disse Antonino Caponetto, chefe do escritório de investigação. "Antes, nós tínhamos o que queríamos: máquinas de xerox, computadores, aviões, helicóptero para proteger Falcone. De repente, tudo parou."[26]

Os promotores da força-tarefa fizeram o possível para ignorar o clima político da cidade, esperando que, se mantivessem o seu trabalho, tudo seria apenas uma tempestade passageira. Em agosto de 1987, eles terminaram a acusação do terceiro julgamento, seguindo seu plano de fazer um novo julgamento a cada ano. O último caso utilizou novas evidências – como a descoberta, em 1985, de uma imensa refinaria de heroína na cidade de Alcamo (perto de Palermo) – para rastrear a rede siciliana do tráfico internacional de drogas.

Embora o grupo tivesse mantido o impressionante ritmo de trabalho, a ausência de Paolo Borsellino era sentida. "Sem Paolo, a distância entre Falcone e o resto de nós cresceu," disse Ignazio De Francisci, o membro mais jovem do grupo. "Borsellino tinha a experiência profissional e pessoal para estar lado a lado de Falcone, como iguais. Ao mesmo tempo, ele era mais acessível, mais semelhante a nós, e por isso agia como uma espécie de ponte entre Falcone e nós... Lembro-me de uma vez em que Paolo deu um importante conselho sobre como lidar com Falcone. Ele me disse:

26. Entrevista do autor com Antonino Caponetto.

'Não desafie Falcone diretamente na frente de outras pessoas em uma reunião. Se você tiver um desentendimento com ele, vá até ele no dia seguinte, de maneira privada'. E, de fato, Falcone ficava muito mais aberto e flexível. Borsellino também oferecia uma espécie de meio-termo entre o ritmo de trabalho alucinante de Falcone e nosso ritmo mais normal... Porém, conseguimos seguir em frente, preparando o trabalho tanto do maxi dois quanto do maxi três."[27]

A campanha contra os juízes se intensificou durante o outono de 1987, em antecipação ao referendo nacional sobre o Judiciário, previsto para novembro. Alguns afirmavam que a magistratura italiana era um instrumento político do Partido Comunista – o "caminho judicial para o comunismo", como era chamado. Jornais conservadores até retrataram a força-tarefa antimáfia de Palermo como um criatório de poder de esquerda. A força-tarefa tinha se esforçado para fugir dessa percepção, certificando-se de que seus membros viessem de diferentes pontos do espectro político. Quando foram admitidos três novos promotores em 1985, o primeiro deles, Giacomo Conte, era um homem da esquerda; Giaocchino Natoli era um centrista; e o terceiro, Ignazio De Francisci, era um político conservador. Queriam deixar claro que o único objetivo da força-tarefa era combater a máfia. Isso não impediu que alguns jornais fizessem suas próprias interpretações da verdade. Um deles até mesmo retratou o estudioso e moderado De Francisci como radical de olhos arregalados. "Eu sempre fui um estudante nota A, que jamais suportou participar de manifestações... Eu sempre votei no Partido Democrata-Cristão", disse De Francisci.[28]

Mas a campanha contra os juízes funcionou. O sucesso dos socialistas nas eleições parlamentares de junho foi seguido por uma vitória igualmente significativa no referendo de novembro: os magistrados agora poderiam ser processados por danos, caso cometessem erros de julgamento.

Enquanto a nação estava votando no referendo judicial, o júri no julgamento se retirou para considerar seu veredicto. E assim, de meados de novembro a meados de dezembro, Palermo esperou.

Às sete e meia da noite do dia 16 de dezembro de 1987, o juiz Alfonso Giordano chamou o tribunal para ordenar e começar a ler os veredictos, um processo que, dada a dimensão do caso, levaria uma hora e meia. Diante de

---

27. Entrevista do autor com Ignazio De Francisci.

28. Rossi, *I disarmati*, p. 269.

um tribunal atordoado, Giordano infligiu veredictos de culpa a 344 réus, totalizando 2.665 anos de prisão. Não só centenas de "soldados" da máfia foram considerados culpados, como também o tribunal proferiu dezenove penas de prisão perpétua para muitos dos chefes mais importantes da Sicília: Michele Greco, "*o papa*"; Francesco Madonia; e, à revelia, Salvatore Riina e Bernardo Provenzano. Pela primeira vez na história, o tribunal aceitou o fato de que a Cosa Nostra era uma organização hierárquica, governada por uma "Comissão", na qual diferentes famílias frequentemente agiam em conjunto. Vários dos assassinos do Quarto da Morte receberam sentenças de prisão perpétua: Vincenzo "*Tempestade*" Sinagra e seu irmão Antonio e Salvatore Rotolo. Em muitos casos, a máfia foi mais ágil em fazer justiça do que o tribunal: Rosario Riccobono, Filippo Marchese e Giuseppe "*o sapato*" Greco estavam desaparecidos, enquanto Mario Prestifilippo tinha sido baleado e morto pouco antes do veredicto.

O tribunal mostrou misericórdia com as testemunhas da promotoria Tommaso Buscetta e Salvatore Contorno, condenados a três e seis anos, respectivamente. Vincenzo Sinagra, cujo depoimento franco e preciso foi fundamental para condenar os agentes do Quarto da Morte, foi recompensado por sua franqueza com uma robusta sentença de 21 anos de prisão.

Apesar das acusações de ser uma monstruosidade judicial, o maxijulgamento provou-se muito eficiente: levou apenas 22 meses do começo ao fim, apenas seis meses a mais que o julgamento *Pizza Connection*, em Nova York, o maior caso de tráfico de drogas na história dos EUA, que teve apenas 22 réus. A corte de Palermo também conseguiu – ao contrário das previsões dos defensores das liberdades civis – discriminar cuidadosamente entre as centenas de acusados: 114 acusados foram libertados por falta de provas. O tribunal decidiu que Luciano Leggio não poderia ser responsabilizado pelas decisões da Comissão durante os anos em que estivera na prisão. Giuseppe Calò foi absolvido de vários crimes cometidos em Palermo enquanto estava em Roma, mas condenado a 23 anos de prisão por outros crimes. "Nós não condenamos ninguém simplesmente com base na palavra de testemunhas", afirmou o juiz Giordano em uma entrevista após o veredicto.

A máfia, no entanto, não foi tão indulgente: um dos absolvidos, Antonio Ciulla, foi assassinado uma hora após ser libertado. Apesar das informações dadas por cinco testemunhas diferentes, incluindo Buscetta e Contorno, de que Ciulla era um traficante de heroína da máfia que operava no norte da Itália, o tribunal o absolveu por falta de provas de corroboração. Ciulla comprou doces e champanhe depois de sair da prisão de *Ucciardone*, mas seus assassinos o pegaram antes que pudesse chegar em casa para celebrar. Ele foi o primeiro de pelo menos dezoito réus absolvidos no julgamento que mais tarde foram executados pela máfia.[29]

29. Lodato, pp. 220-23.

Capítulo 13

O veredicto do maxijulgamento de Palermo foi, em muitos aspectos, o fim de uma era. Antonino Caponetto, sucessor de Chinnici, agora com 68 anos, decidiu que era hora de deixar Palermo. Após passar quatro anos e meio vivendo como prisioneiro em um quartel militar, ele estava ansioso para voltar para sua família em Florença, onde poderia passar os últimos dois anos de sua carreira antes da aposentadoria. Antes de fazer seu pedido de transferência, porém, Caponetto queria ter certeza de que a força-tarefa antimáfia ficaria em boas mãos. Giovanni Falcone era o candidato óbvio para o trabalho, e Caponetto queria se certificar de que o *Consiglio Superiore della Magistratura* pensasse da mesma maneira. Caponetto sabia que havia alguma resistência e hostilidade em relação a Falcone e à força-tarefa, mas achou que seria muito difícil, na esteira do triunfo do julgamento, que alguém em Roma negasse o cargo a Falcone.

Havia seis candidatos para o cargo de chefe do gabinete de investigação, todos eles com tempo de serviço superior ao de Falcone. Mas, após a nomeação de Borsellino como procurador-chefe de Marsala, o conselho judicial indicou que o mérito era tão importante quanto a idade na pontuação. Em termos de qualificações, particularmente no que diz respeito às investigações da máfia, nenhum dos outros cinco candidatos poderia ser comparado a Falcone.

Com a decisão prevista para meados de janeiro, os vários candidatos começaram a buscar apoio para a nomeação. "Giovanni nunca teve muitos amigos importantes no Palácio da Justiça em Palermo ou em Roma", escreveu Caponetto mais tarde. "O fato de que Falcone tinha a cabeça e ombros acima dos outros criou em torno dele um clima de incompreensão, rivalidade, ciúme e inveja." Um dos candidatos rivais para chefiar o escritório de investigação, Marcantonio Motisi, ameaçou renunciar à magistratura caso Falcone conseguisse o emprego. Motisi tinha muitos anos de serviço a mais do que Falcone, já era um procurador-chefe e não suportava a ideia de trabalhar com alguém que, a seu ver, seria inferior.[1]

Em janeiro de 1988, a politicagem e as brigas internas no Palácio da Justiça foram interrompidas pelo fortalecimento da violência da máfia. Giuseppe Insalaco, o ex-prefeito de Palermo que tentara legalizar os contratos da cidade, foi assassinado. A estranha carreira de Insalaco englobava todas as contradições de Palermo: uma criatura fruto de um sistema político corrupto, ele havia se voltado contra o sistema durante seu breve período como prefeito em 1984 e finalmente fora destruído por ele. Nos últimos meses de vida, Insalaco tornou-se fugitivo da Justiça, acusado de ter recebido dinheiro de uma clínica para surdos-mudos da qual fora administrador. Embora possa ter havido algum mérito nas acusações, provavelmente não é uma coincidência que elas tenham aparecido por meio de cartas anônimas, no momento em que Insalaco estava ameaçando abrir o sistema de atribuição de contratos da cidade. Insalaco foi chantageado, ameaçado, teve seu carro queimado e, agora que a moratória sobre a violência observada durante o julgamento havia acabado, ele tinha sido assassinado.[2]

No dia do funeral de Insalaco (14 de janeiro de 1988), a máfia fez mais um acerto de contas. Natale Mondo – o policial que por pouco escapou da morte quando seu chefe, Ninni Cassarà, foi assassinado, em 1985 – foi baleado e morto em Palermo. Mondo, suspeito de ter traído Cassarà, havia sido transferido e depois absolvido. Agora, com a foto de seu cadáver em todos os jornais, ele finalmente recebia a retratação pública que queria.[3]

Alguns dias depois da morte de Mondo, uma terceira bomba atingiu Palermo: a polícia encontrou uma espécie de "testamento político final", no qual o prefeito Insalaco, do além-túmulo, atirava em seus inimigos, fazendo acusações perturbadoras contra muitos dos políticos mais importantes da cidade. Dois jornais nacionais, *La Repubblica* e *L'Unità*, conseguiram cópias e, em 17 de janeiro de 1988, começaram a publicá-las na íntegra. Como Insalaco era fugitivo, tanto da polícia quanto de seus assassinos da máfia,

---

1. Caponetto, *I miei giorni a Palermo*, p. 90.

2. Corriere della Sera, 13 de janeiro de 1988; Lodato, *Quindici anni di mafia*, pp. 230-32.

3. Lodato, p. 235.

ele registrou vários de seus segredos e suspeitas no papel, em uma série de documentos. Um deles, chamado "As Duas Faces de Palermo", era uma lista dos bons e maus governantes da cidade. Havia quinze nomes na lista de governantes do mal: além dos suspeitos rotineiros como Vito Ciancimino e Nino e Ignazio Salvo, havia um número de pesos pesados políticos: o líder do Partido Republicano e ministro do governo, Aristide Gunnella; os irmãos Giovanni e Lui Gioia (ambos parlamentares democratas-cristãos); Salvatore Lima; e o ex-primeiro-ministro Giulio Andreotti.[4]

Em um longo livro de memórias, ou diário, Insalaco contou a história de suas dificuldades legais e das tentativas de ameaças e de chantagem. Ele descreveu reuniões com políticos locais que prometiam ou ameaçavam usar suas amizades na magistratura para silenciar ou reativar as investigações sobre o suposto delito de Insalaco. Ele falou de um encontro com o líder do Partido Republicano, Gunnella, sobre a reatribuição de contratos de cidade. Insalaco interpretou o tom de Gunnella como uma ameaça direta e decidiu mandar seus filhos para longe da Sicília. O ex-prefeito também falou sobre o poder secreto de uma misteriosa confraria, Os Cavaleiros do Santo Sepulcro, uma ordem religiosa que data da Idade Média. Embora não estivesse claro qual o propósito que uma ordem de cruzados teria na Palermo do final do século XX, o fato de que era presidida pelo conde Arturo Cassina, o rei dos contratos da cidade, sugeria outros objetivos além da guarda do túmulo de Cristo. Como Insalaco apontou, várias pessoas em sua lista dos maus governantes de Palermo, incluindo o procurador da República, Vincenzo Pajno, e o policial Bruno Contrada, eram "cavaleiros" do Santo Sepulcro. O fato de Insalaco não gostar de Pajno pode ter origem no processo de acusações criminais contra ele, enquanto as suspeitas em relação a Contrada existiam havia muitos anos. Em 1984, Tommaso Buscetta tinha avisado Giovanni Falcone de que Contrada poderia estar agindo em acordo com a máfia durante seus dias como chefe do Esquadrão de Investigação da polícia de Palermo.

Mas isso não impediu que Contrada se tornasse uma das autoridades mais importantes dos serviços secretos italianos.

Os assassinatos de Insalaco e Mondo e as revelações do ex-prefeito serviram como evidência solene de que a máfia não estava acabada depois

4. Lodato, pp. 234-35; Galasso, *Mafia e Politica*, pp. 31-40. O mais completo relato do testamento de Insalaco está impresso em *Antimafia*, vol. 2 (1990).

do julgamento, lembrando tudo o que estava em jogo com a nomeação do novo diretor do escritório de investigação do Palácio da Justiça. Será que os "poderes secretos" de Palermo, sobre os quais Insalaco escrevera, influenciariam a seleção do novo procurador-chefe?

Poucas semanas antes da votação final, marcada para 19 de janeiro, um subcomitê do *Consiglio Superiore della Magistratura* (CSM) em Roma havia reduzido os seis candidatos a dois: Falcone e Antonino Meli, um juiz do tribunal de apelações de Caltanissetta, que tinha 68 anos. Após uma longa carreira, Meli queria voltar a Palermo, onde morava sua família, e estava concorrendo em três cargos diferentes.

Meli parecia ter apenas a sua idade a seu favor. Tinha uma carreira longa, sem mácula, mas sua formação não era muito adequada ao trabalho em Palermo. Ele tinha sido primariamente um juiz comum, tinha pouca experiência com a máfia e já trabalhara como magistrado em investigações. Talvez o mais grave fosse o fato de ter 68 anos, apenas dois anos a menos que o limite para aposentadoria compulsória. Com a força-tarefa antimáfia no meio de uma série de investigações complexas, parecia uma péssima ideia entregar o escritório a alguém que teria que deixar o emprego justamente quando começaria a alcançar algum progresso.

Mas o Concílio de Roma, embora devesse se dedicar a uma administração imparcial da Justiça, representava interesses especiais. Vinte membros foram eleitos diretamente por seus colegas magistrados, a grande maioria dos quais estava mais preocupada em proteger suas carreiras do que com a guerra contra a máfia em Palermo, e tinham um forte interesse pessoal na defesa do sistema de idade. Os outros dez foram escolhidos diretamente pelo Parlamento, com o mesmo sistema de divisão de espólios que governava todo o resto: quatro assentos iam para os democratas-cristãos, três para os comunistas, dois para os socialistas e o restante para um dos partidos menores do governo.

O subcomitê de nomeações do Conselho fez a uma votação preliminar, na qual favoreceu Meli em vez de Falcone por uma margem de três para dois. Quando Caponetto conversou com alguns membros do Conselho, ele ficou perturbado com a mentalidade burocrática mesmo entre simpatizantes da candidatura de Falcone: "Se fizermos de Falcone um procurador-chefe hoje, em dez anos ele estará no Supremo Tribunal", disse Giuseppe Borrè, um magistrado de esquerda, que estava preocupado com o possível efeito cascata que a decisão poderia ter nos planos de carreira e nas hierarquias do serviço civil.[5]

Parecia absurdo que o Conselho fosse usar a "juventude" de Falcone como um empecilho. Afinal de contas, ele tinha 48 de idade, em um momento de sua vida em que a longa experiência e a energia juvenil se misturaram, colocando-o no ápice de sua força. Um colega americano, Rudolph Giuliani, tornara-se o número três do Departamento de Justiça dos EUA aos trinta e poucos anos e, aos 39, fora nomeado advogado do Distrito Sul de Nova York, o principal distrito federal do país, à frente de um exército de procuradores e agências federais. Enquanto Falcone, com quase 25 anos de experiência, ainda ocupava o humilde cargo de procurador assistente.

Com a nomeação de Falcone aparentemente em perigo, Caponetto escreveu um telegrama cancelando o pedido de transferência que havia feito. Por não querer ver quatro anos e meio de trabalho árduo serem perdidos, ele preferiu ficar em Palermo durante os últimos dois anos antes de sua aposentadoria, a fim de que seu grupo pudesse continuar trabalhando. Caponetto manteve o telegrama pronto, se necessário. A batalha ainda não estava perdida, já que alguns membros do Conselho permaneciam indecisos. Todos os dias, à medida que suas esperanças aumentavam e diminuíam diante de cada rumor, Caponetto e Falcone debatiam se enviariam ou não o telegrama. Uma noite, quando as coisas pareciam particularmente ruins, eles concordaram que Caponetto deveria revogar a transferência. Mas na manhã seguinte, quando Caponetto estava prestes a chegar ao Conselho Judicial, Falcone entrou em seu escritório com um ar feliz e confiante. "Nino, rasgue esse telegrama", disse Falcone.[6] Na noite anterior, Falcone havia recebido garantias de que sua nomeação era quase certa.

Caponetto rasgou o telegrama, mas permaneceu desconfiado. Com os muitos anos de convivência, Caponetto entendeu que Falcone tinha em si uma estranha mistura de ceticismo e ingenuidade. Como promotor, Falcone agia com um realismo pessimista, e podia captar imediatamente qualquer sinal de inconsistência na fala de uma testemunha, rapidamente eliminando os possíveis enganos.

Mas no âmbito de sua vida pessoal, Falcone poderia ser incrivelmente ingênuo. "Fora de seu trabalho, era uma pessoa de uma franqueza

5. Caponetto, p. 89

6. Caponetto, p. 88.

surpreendente, com uma fé ilimitada nas promessas de outras pessoas", escreveu posteriormente Caponetto.[7]

Na tarde de 19 de janeiro de 1988, o dia em que o CSM se reuniu, Falcone preparou cuidadosamente uma lista de todos os membros do encontro. À caneta, escreveu os nomes daqueles que certamente apoiariam Meli e daqueles que haviam se comprometido em apoiá-lo. No meio, escreveu a lápis os nomes dos indecisos. À medida que a noite avançava, ele recebia informações do progresso do debate. Os nomes foram verificados de coluna em coluna. No final da longa noite, mesmo os nomes escritos à caneta abaixo do nome dele tiveram que ser riscados e escritos novamente do outro lado. Por volta das nove e meia da noite, chegou a contagem final: 14 votos para Antonino Meli e 10 votos para Falcone. Cinco membros se abstiveram.

Ao sair do escritório depois da longa noite, uma multidão de repórteres o esperava do lado de fora do Palácio da Justiça. Apesar da derrota, ele reagiu com seu inabalável autocontrole característico. "Nós vamos continuar trabalhando como antes", disse ele. "Irei permanecer no meu trabalho, não tenho mais comentários a fazer."[8] Mas, logo cedo na manhã seguinte, quando chegou pontualmente ao escritório, ainda segurava nas mãos o papel com os nomes. E com visível amargura, entregou-o para Caponetto. "Naquele papel você poderia ver os traços da agonia que ele sofrera naquela noite, na forma como tinha riscado todos os nomes e trocado de lugar", escreveu Caponetto. "No final das contas, foram dois nomes que trocaram de colunas e que fizeram toda a diferença."[9]

Uma das mudanças de última hora foi a de Vincenzo Geraci, que, segundo Caponetto, havia prometido um voto a favor de Falcone na manhã da votação. Como único procurador da máfia entre os votantes, a opção de Geraci teve muita influência sobre os demais. O comportamento de Geraci, vindo de um amigo e colega, foi como uma facada nas costas. Borsellino ficou tão abalado com tal atitude que cortou relações com Geraci. A amizade tão próxima que nutriam transformou-se, quase da noite para o dia, em uma inimizade poderosa.

Mas o movimento para impedir Giovanni Falcone foi muito além da atitude de Geraci. "Foi uma complexa manobra orquestrada", disse Giuseppe

7. Caponetto, p. 87.

8. *Corriere della Sera*, 20 de janeiro de 1988.

9. Caponetto, p. 89

Di Lello, outro dos membros fundadores da força-tarefa. "Eu acho que é um erro demonizar apenas uma pessoa, Geraci... Havia muita gente que queria parar Falcone, porque ele perturbara o equilíbrio em muitas situações."[10]

Embora alguns acreditem que a "conspiração" para tolher Falcone teria surgido nos círculos políticos de Roma e da Sicília, ela foi levada de bom grado pelos próprios colegas de Falcone no Palácio de Justiça de Palermo, que agiu com base em motivações diversas. A inveja profissional, o simples desagrado pessoal, alguns princípios bem-intencionados mas de uma visão tacanha e uma rigidez burocrática, uniram-se com as forças escusas da ambição pessoal e influência política, em uma mistura poderosa. Trabalhando isolados nos escritórios de investigação, Caponetto e Falcone tiveram pouco contato com as legiões de magistrados sem rosto que enchiam os corredores de mármore cavernosos do Palácio de Justiça de Palermo. Eles evitaram a política judicial, para a qual alguns magistrados dedicavam mais tempo do que a seus casos. Eles tentaram prestar o mínimo de atenção possível ao zumbido das fofocas do tribunal e ao sarcasmo das figuras vestidas de preto que lotavam seus inúmeros corredores.

O ceticismo com que Falcone havia recebido as investigações bancárias na época do caso Spatola não tinha sido dissipado por seus sucessos posteriores. Pelo contrário, suas realizações foram como sal nas feridas de seus críticos. Quando importantes oficiais do governo – o ministro da Justiça, o ministro do Interior, até mesmo o presidente da República – chegaram a Palermo, a primeira pessoa que procuraram na multidão foi Giovanni Falcone, seguindo adiante sem notar outros magistrados mais velhos, os juízes de recurso, os procuradores-chefe, até mesmo o presidente do tribunal. As escoltas policiais e os Alfas Romeo azuis blindados dos procuradores antimáfia tornaram-se símbolos de *status* em Palermo. Então, os juízes haviam começado a reivindicá-los, e agora todos queriam proteção e ressentiam-se por não tê-la, mesmo magistrados que nunca se colocaram na linha de fogo.

"A principal característica dos magistrados é a inveja profissional", disse Ignazio De Francisci, o mais novo membro da força-tarefa. "Mesmo no meu nível, havia inveja: um colega queria um guarda-costas e me disse que não era justo que só nós os tivéssemos; ele também havia investigado a família Marchese. Mas o que não disse foi que ele os libertou... Em Palermo,

10. Entrevista do autor com Giuseppe Di Lello.

carreira é tudo. As pessoas morrem de desgosto por isso. Vaidade e poder. Com talvez a vaidade sendo o mais importante dos dois... A magistratura é uma casta profissional, com seus líderes, suas facções e alianças, com bases de poder criminosas... O *Consiglio Superiore della Magistratura* é a expressão daquele ponto nevrálgico que odeia Falcone, é a expressão da burocracia."[11]

A campanha para impedir Falcone obteve sucesso graças a uma série de manobras de bastidores, feitas muito antes do voto decisivo. O primeiro movimento foi persuadir Antonino Meli a se candidatar ao cargo de chefe do gabinete de investigação. Originalmente, Meli estava disputando três vagas e esperava tornar-se presidente do tribunal. Na verdade, ele era o candidato mais graduado para aquele cargo, que é uma posição mais prestigiosa e menos exigente, considerada por muitos a mais adequada para um juiz de 68 anos de idade prestes a se aposentar. De fato, Meli retirou sua candidatura para a chefia do escritório de investigação, deixando clara a sua preferência pelo cargo de presidente do tribunal. Mas sua retirada praticamente garantia a vitória de Falcone.

Os outros candidatos, embora mais experientes, estavam mais próximos de Falcone em idade e experiência. Como o CSM, liderado pelo próprio Geraci, preferia Paolo Borsellino a um magistrado mais experiente para o cargo de Marsala usando o critério de qualificações superiores, seria quase impossível rejeitar Falcone por alguém com apenas alguns anos a mais de experiência. Meli, por outro lado, era vinte anos mais velho que Falcone, com dezesseis anos a mais de experiência como magistrado. Rejeitá-lo criaria um sério problema institucional, invertendo completamente o sistema de tempo de serviço.

Logo antes da decisão final, Meli renovou repentinamente sua candidatura ao escritório de investigação e, ao mesmo tempo, revogou sua candidatura ao cargo de presidente do tribunal. O CSM deveria então escolher entre Meli e Falcone, sem a possibilidade de oferecer a Meli outra posição caso perdesse. Segundo vários membros do CSM, esse conflito foi habilmente gerenciado por Geraci e Umberto Marconi, outro membro do Conselho Judicial. "Geraci e Marconi informaram a Meli sobre seus respectivos canais em Palermo que, se ele não revogasse sua candidatura à presidência do tribunal, ele não conseguiria nenhuma das duas posições", disse Vito D'Ambrosio, um membro da época e agora um promotor na alta corte

11. Rossi, *I disarmari*, p. 268.

italiana. "Meli, que era basicamente um tipo honesto, mas ingênuo... concordou em fazer parte disso... Houve um acordo muito preciso. Embora Geraci e Marconi jamais tenham admitido isso, eles nunca o negaram."[12]

Apesar de não citar nomes, o próprio Antonino Meli admitiu que agira por "amizade", depois de ter sido abordado por outros magistrados mais velhos que não queriam ser ultrapassados por Falcone. "Eles nunca vão admitir isso, mas uma coisa é certa", disse De Francisci, da força-tarefa antimáfia: "Meli não foi para o escritório de investigação por iniciativa própria. Alguém o colocou lá".[13]

Uma vez que o confronto entre Meli e Falcone foi organizado, ainda havia o problema de convencer a maioria a apoiar Meli. Apesar da diferença de idade, muitos juízes estavam preparados para apoiar Falcone, e vários outros estavam esperando para ver como determinados membros-chave votariam. Vincenzo Geraci desempenhou um papel extremamente ativo – e bastante duvidoso – em convencer sua própria corrente judicial a apoiar Meli, de acordo com Stefano Racheli, membro do mesmo grupo dentro do CSM, a Magistratura Independente, uma facção conservadora e democrata-cristã.

Geraci aparentemente esperava se abster da votação e, ao mesmo tempo, convencer seu grupo a apoiar Meli de forma unânime. "Ele queria ser o arquiteto dos bastidores, no entanto, sem que o público soubesse", disse o juiz Racheli. Porém, alguns membros estavam indecisos ou mais inclinados a apoiar Falcone, mas estavam dispostos a votar em Meli se a grande maioria do grupo fizesse isso. "Geraci disse: 'Vou me abster; já que sou de Palermo, é melhor agir com imparcialidade'. Mas Marcello Maddalena, outro membro do nosso grupo, e uma pessoa muito decente, disse que votaria em Falcone, a menos que todos se opusessem à indicação... 'Se você se abstiver, disse ele a Geraci, 'então não há uma recomendação para o grupo e eu me sentirei livre para votar em Falcone', o que arruinaria todo o plano de Geraci... Então, Vincenzo Geraci foi forçado a abandonar sua aparência de neutralidade e votar contra Falcone... E ele não ficou nada feliz com isso."[14]

A Magistratura Independente era apenas um dos três grupos dentro do Conselho. A maioria dos membros da própria facção de Falcone, União

12. Entrevista do autor com Vito D'Ambrosio.

13. Entrevista do autor com Ignazio De Francisci.

14. Entrevista do autor com Stefano Racheli.

pela Constituição, também votou contra sua indicação. "Um dos principais adversários foi Umberto Marconi, membro da minha facção e do Falcone", disse o juiz Vito D'Ambrosio, que participou de todas as discussões do grupo sobre a votação. "Marconi se opôs a Falcone porque seu eleitorado consistia de magistrados medíocres que não queriam ver Falcone recompensado por seus méritos... Eles queriam proteger as próprias carreiras."

Mas Falcone ainda poderia ter sido eleito caso a esquerda se reunisse para apoiá-lo. Apesar da defesa apaixonada de um dos seus líderes, Giancarlo Caselli, a maioria do grupo votou a favor de Meli. Eles estavam particularmente preocupados com o abismo cronológico entre Meli e Falcone. Eles temiam que, caso o CSM tivesse total liberdade para ignorar o critério de idade, o Conselho poderia começar a rejeitar candidatos por motivos políticos. No final, eles caíram na mesma armadilha usada por aqueles que convenceram Meli a seguir adiante com a candidatura para o escritório de investigação. "Eles tinham uma visão limitada, e todos nós pagamos o preço", disse Giuseppe Di Lello, da força-tarefa antimáfia, ele mesmo um membro da Magistratura Democrática.[15]

Mas o suspense continuou até a votação na noite de 19 de janeiro de 1988, realizada na sede do CSM, nos antigos quartéis-generais da era fascista, no *Palazzo dei Marescialli*. O debate que precedeu a votação foi bastante dramático, revelando alguns dos momentos mais altos e mais baixos da história recente do Judiciário italiano.

Os partidários de Meli tiveram o cuidado de não proferir nenhuma palavra de crítica a Falcone, mas fizeram censuras veladas contra ele, por meio do uso frequente de um jargão que se tornara comum durante a campanha contra os juízes. Umberto Marconi investiu contra os "cultos de personalidade" e o "protagonismo distorcido". O juiz Sergio Letizia anunciou que "não acreditava em gênios ou super-homens". Outro magistrado, Sebastiano Suraci, advertiu contra "o perigo de encorajar, certamente não no caso do próprio Dr. Falcone, atitudes de personalismo exasperado, inspiradas pelo desejo de progredir rapidamente na carreira"[16].

Em um uso bizarro de lógica indireta, muitos magistrados argumentaram que Falcone deveria ser rejeitado justamente por ser excepcional.

---

15. Entrevista do autor com Giuseppe Di Lello.

16. As citações do debate sobre a nominação estão todas na minuta das audiências do *Consiglio Superiore della Magistratura*, em 18 de janeiro de 1988.

"O melhor sinal que o Conselho pode enviar a um país em guerra contra a máfia é não dar essa posição ao Dr. Falcone, mostrando que o Dr. Falcone não é o único magistrado na Itália capaz de combater o fenômeno da máfia", declarou o juiz Antonio Bonajuto.

Um ano de debate público que havia começado com o artigo de Sciascia sobre os "profissionais antimáfia" e terminado com um referendo contra os juízes tinha claramente cobrado um alto preço. Alguns dos membros do Conselho se referiram abertamente tanto ao artigo de Sciascia quanto ao referendo; outros simplesmente usaram a munição retórica fornecida por esses fatos para explicar sua decisão de votar contra Falcone.

Umberto Marconi repetiu parte da retórica do Partido Socialista sobre o perigo de "bases de poder dentro e fora do Judiciário", e lembrou-os do contexto político no qual ocorria a votação: "Toda uma nação está esperando, e esperando não apenas pela lei sobre a punição civil dos juízes; as expectativas do público estão direcionadas para o governo... para o Parlamento e para os partidos políticos. Sim, para os partidos".

Nesse discurso velado, Marconi conjurou um espectro pairando sobre o Judiciário italiano, sugerindo que os partidos políticos reduziriam drasticamente os poderes do Judiciário se o CSM não agisse para cortar as asas de seus magistrados mais ousados, como Falcone, eliminando os chamados centros de poder, como a força-tarefa antimáfia de Palermo.

O juiz Stefano Racheli tentou trazer a discussão de volta ao problema imediato, que era a escolha da pessoa mais capacitada para chefiar o escritório de investigação de Palermo, um ponto que parecia ter se perdido na discussão. "Quero lembrar a todos aqui que esta é a nossa única tarefa no momento presente", disse ele. Nenhum dos defensores de Antonino Meli sequer tentou argumentar que era o candidato mais qualificado. "Não quero criticar ninguém", continuou ele, "mas acho importante fazer duas breves observações: o magistrado proposto pela Comissão (Meli) está prestes a se aposentar e nunca, repito, nunca trabalhou como procurador de investigação. Ter mais idade e uma carreira sem mácula não é suficiente para se tornar o chefe do gabinete de investigação de Palermo."

Giancarlo Caselli, o único membro do grupo de esquerda Magistratura Democrática a apoiar Falcone, atacou a "abstração" do debate sobre idade, que mal tocara no problema da máfia. Ele lembrou o Conselho da "centralidade do gabinete de investigação de Palermo e do salto quântico" feito pela força-tarefa depois de décadas de impunidade para a Cosa Nostra e de indiferença, de fracasso e até mesmo de cumplicidade por parte da magistratura siciliana.

Com amarga ironia, denunciou a hipocrisia da discussão do "protagonismo" judicial. "A história do protagonismo é um pouco como a história das mulheres quando usavam o véu. Antes, todas as mulheres eram bonitas, mas quando o véu caiu, as pessoas começaram a notar as diferenças. O mesmo aconteceu com a magistratura. Quando nenhum dos magistrados criava problemas... eles eram ótimos. Mas, quando alguns juízes começaram a tomar uma posição clara, quando começaram a dar sinais de vida e tentavam restabelecer o Estado de Direito, a fazer as coisas que antes eram impensáveis, de repente eram acusados de 'protagonismo'... Isso enquanto há juízes que se retiraram da linha de frente... e que não se arriscam a nada. E ninguém os critica... Mas é inconcebível, e um tanto escandaloso, falar de privilégios a respeito dos promotores em Palermo que trabalharam em condições que são conhecidas por todos nós."

Alguns membros do CSM haviam apontado que Meli tinha uma atitude impiedosa e reagia violentamente às críticas, o que o levara a se envolver em uma querela pública com um colega em Caltanissetta, a quem ele havia processado. Mais ainda, seu comportamento durante o processo de nomeação tinha sido perturbador: sua retirada repentina e a declaração igualmente súbita de sua candidatura, além do fato de que ficara irritado quando alguns membros do Conselho questionaram sua falta de experiência na Promotoria. "Sua contínua impulsividade não seria uma característica ideal para o cargo", disse um integrante do CSM, Massimo Brutti.

Finalmente, no final do debate, Vincenzo Geraci pediu a palavra para proferir um discurso de extraordinária eloquência destinado a transmitir a impressão de um homem atormentado por um martírio interno, parecido com Hamlet, dividido entre a lealdade a seu bom amigo Giovanni Falcone e seu sentido de dever com a lei.

"Nada pode apagar em mim, que estive ao seu lado em experiências dramáticas e emocionalmente dolorosas, a consciência dos méritos de Giovanni Falcone na guerra contra a máfia. Com algum desconforto, sou forçado a reviver momentos da minha própria vida que permaneceram marcados na memória, daquele pequeno grupo – que com sarcasmo chamavam de os 'samurais' –, pois generosamente nos entregávamos... a um enorme sacrifício pessoal e risco de vida no combate à barbárie da máfia, numa época em que as ruas de Palermo eram, literalmente, como hoje novamente, pavimentadas com cadáveres, e os principais representantes do Estado na ilha eram assassinados um após o outro... Eu sinto a obrigação moral de dar meu próprio depoimento de que Giovanni era o melhor de todos nós e eu considero um imenso privilégio ter podido trabalhar ao lado de quem escreveu páginas de redenção cívica no livro da história, não apenas do Judiciário, mas também do nosso país... Espero que vocês permitam que expresse meu tormento pessoal indescritível durante todo esse processo e o dilema inextricável em que me vejo. Por um lado, os célebres talentos de Falcone e os laços pessoais e profissionais que me vincularam a ele há anos me induzem a favorecê-lo nesta escolha, mas há um obstáculo representado pela personalidade de Meli, que sempre demonstrou grande e silencioso senso de dever, mesmo em tempos longínquos e dramáticos, quando foi deportado para vários campos de concentração nazistas na Polônia e na Alemanha, onde permaneceu prisioneiro de guerra por dois anos... Nessas condições, peço que compreendam quanto sofrimento e humildade são necessários para dar o meu voto a favor da proposta da Comissão (a favor de Meli)."O discurso de Geraci continua sendo uma das melhores homenagens retóricas a Giovanni Falcone, e seria genuinamente tocante se alguém não soubesse o quanto Geraci trabalhou nos bastidores para torpedear a indicação de seu colega. O lirismo do discurso, entregue quando ele estava afundando as esperanças de Falcone, fez sua traição parecer ainda mais arrepiante. Na esteira do assassinato de Falcone, em maio de 1992, Borsellino fez um discurso emocionado na biblioteca pública de Palermo, no qual se referiu às ações de Geraci naquela noite: "Giovanni Falcone começou a morrer em 19 de janeiro de 1988, quando foi traído por um Judas".[17]

Geraci insistiu que havia se tornado o bode expiatório de uma decisão coletiva. "As pessoas optaram por me atacar porque eu sou um para-raios conveniente, e isso os ajuda a evitar atacar os comunistas e os membros de esquerda da Comissão que votaram contra Falcone nesta e em outras ocasiões", disse ele. "Afinal de contas, eu era apenas um entre os outros trinta membros do comitê."[18]

---

17. Caponetto, p. 82.

18. Essa e as citações seguintes foram retiradas das entrevistas do autor com Vincenzo Geraci, Leonardo Guarnotta, Giuseppe Ayala e Ignazio De Francisci.

Mas os magistrados próximos a Giovanni Falcone insistem que Geraci deve ser analisado por um parâmetro diferente. "O comportamento de Geraci realmente nos surpreendeu", disse Leonardo Guarnotta, um dos quatro membros originais do grupo antimáfia. "Nós trabalhamos juntos, ele conhecia todos os nossos problemas. Ele sabia muito bem que, se nomeasse Meli ou alguém que não fosse Giovanni, o escritório de investigação não poderia continuar trabalhando como fizera até então... Ele disse que Meli era um cavalheiro e ninguém jamais questionou esse fato. Mas ele não era o homem certo para o trabalho, e alguém como Vincenzo Geraci sabia muito bem disso. Se ele não conhecesse tão bem a nossa situação, eu poderia acreditar que ele teve boa-fé. Mas por causa de sua experiência e inteligência, eu não acredito mesmo que ele tenha agido de boa-fé."

Geraci insiste que suas objeções a Falcone se basearam em desavenças importantes e duradouras de filosofia jurídica. "Eu era um dos que estavam preocupados com o tamanho do maxijulgamento", disse ele. "As razões para o conflito com Falcone decorrem do fato de que eu era contra um julgamento para quinhentas pessoas." É verdade que a *Procura della Repubblica* recomendou reduzir o número de réus para 350 indivíduos. Mas isso parece uma tentativa tardia de se justificar. Se Geraci tinha essas objeções filosóficas à abordagem do maxijulgamento, ele nunca as expressou durante o debate no CSM em que a nomeação de Falcone foi considerada. Além disso, à época do julgamento, quinhentos réus já havia passado. A força-tarefa antimáfia havia reduzido por conta própria o tamanho de seus julgamentos: tanto o maxi-dois quanto o maxi-três envolviam menos de cem réus. O maxijulgamento original foi um evento único, necessário para estabelecer o precedente legal da Cosa Nostra ao demonstrar a organização em todas as suas ramificações.

Se as objeções de Geraci a Falcone se baseavam em questões de princípio legal, não está claro por que ele precisou esconder suas reais intenções: fingindo apoiar Falcone (ou estar indeciso) em público, enquanto trabalhava energicamente contra sua candidatura em particular. "Geraci tinha uma missão política mais abrangente, de bloquear, deslegitimar e destruir a força-tarefa antimáfia, que só pode ter se originado em um plano político", disse o juiz D'Ambrosio. "Geraci tinha uma proximidade notória com a facção de Andreotti na Sicília." Segundo alguns escritores, Geraci tinha ambições de concorrer a um assento no Senado italiano, com o apoio do

Partido Democrata-Cristão. Geraci negou a acusação, e de fato nunca concorreu a nenhum cargo político.

Mas a hostilidade contra Falcone não começou nem terminou com Vincenzo Geraci. A resistência a Falcone era compartilhada por vários juízes capazes e honestos dentro da força-tarefa antimáfia da *Procura della Repubblica*. A situação foi agravada pela estrutura peculiar do Judiciário italiano daquele período: havia procuradorias do Ministério das Relações Exteriores, o gabinete de investigação e a *Procura*, que trabalhavam nos mesmos casos. Mas, por lei, o escritório de investigação assumiu a liderança na interrogação de testemunhas e na descoberta de provas, enquanto os magistrados da *Procura* foram reduzidos ao papel mais passivo de verificar e examinar criticamente as evidências produzidas pelos investigadores. Magistrados como Vincenzo Geraci, Giusto Sciacchitano e Alberto Di Pisa ficavam em silêncio enquanto Giovanni Falcone interrogava testemunhas como Tommaso Buscetta e Salvatore Contorno. A personalidade carismática de Falcone acentuou ainda mais o desequilíbrio entre os dois cargos. "Eu costumava dizer aos meus colegas que temos que encarar o fato de que Falcone é o motor", lembrou Giuseppe Ayala, promotor público no maxijulgamento. "Outras pessoas podem ser as rodas e até mesmo o volante, mas não vamos a lugar nenhum sem o motor." Mas muitos desses magistrados, que haviam trabalhado diligentemente em casos de máfia por tanto tempo ou mais tempo do que Falcone, estavam com inveja do reconhecimento que ele recebia.

"Geraci, Di Pisa, Sciacchitano e vários outros nunca puderam aceitar o fato de que, quando você está jogando futebol com um campeão mundial, você tem que passar a bola para ele se quiser que seu time vença", disse De Francisci. "Essas pessoas estavam convencidas de que eram tão boas quanto Falcone, talvez melhores." Os magistrados da *Procura* estavam entre os amigos mais próximos de Vincenzo Geraci, e olhavam com desconfiança para a perspectiva de Giovanni Falcone obter maiores poderes.

Mas a inveja de seus pares, por si só, não teria sido suficiente para condenar a candidatura de Falcone. "Essa votação foi parte de um jogo muito maior", disse Leonardo Guarnotta, do grupo antimáfia. "Lembre-se de que os socialistas, particularmente Craxi e Martelli, lideraram uma violenta campanha contra nós." "Os interesses da magistratura, que queria manter o *status quo* e o sistema de idade, coincidiam perfeitamente com os interesses da classe política, que temia Falcone", disse Giuseppe Ayala. "Por diferentes razões, eles se uniram em um único ponto: Giovanni Falcone não deveria receber a nomeação."

Enquanto Giovanni Falcone se recusava a comentar publicamente a nomeação, Antonino Caponetto, às vésperas de sua partida de Palermo e perto de se aposentar, protestou em voz alta. "No momento em que a máfia começou a matar novamente, precisávamos de uma decisão inovadora e corajosa que garantisse a continuidade dos processos judiciais e das investigações da máfia", disse ele após a decisão do CSM. "Eu teria pensado que, para o bem da guerra contra a máfia, as pessoas poderiam ter deixado de lado seus interesses menos nobres... Evidentemente, eu estava enganado. Na Sicília, esses sinais têm muito peso." Em sinal de desaprovação, Caponetto demitiu-se da Associação Nacional dos Magistrados. De fato, a batalha entre Meli e Falcone foi tão feroz que dividiu todo o Judiciário italiano. Centenas de magistrados de toda a Itália – incluindo Falcone e vários membros do CSM – desligaram-se de suas tradicionais "facções judiciais" e formaram um quarto grupo próprio.

Poucos dias depois de sua derrota, Giovanni Falcone jantou em companhia de vários membros do *Consiglio Superiore della Magistratura* na casa do juiz Stefano Racheli, um dos membros do Conselho que havia deixado sua facção judicial em protesto pela votação. Falcone tinha um humor extremamente sombrio, imaginando como a humilhação pública seria interpretada em Palermo. "Eu sou um homem morto", disse Falcone. Ele estava bastante ciente dos perigos do isolamento político na guerra contra a máfia, lembrando o que o general Della Chiesa havia dito pouco antes de sua morte: "Acho que entendi as novas regras do jogo: eles matam o homem no poder quando há essa combinação fatal: ele se tornou muito perigoso, mas pode ser morto porque está isolado". A vitória no maxijulgamento provou novamente quão perigoso Falcone se tornara, enquanto a rejeição que veio em seu próprio clã mostrou quão profundamente isolado ele estava. "Eu sou um homem morto", repetiu.

Capítulo 14

Abandonando seu desespero inicial, Falcone respondeu à derrota de maneira característica, mergulhando de cabeça no trabalho. Segundo amigos, o trabalho era um refúgio para Falcone, uma espécie de narcótico. E ele estava silenciosamente preparando seu maior golpe desde as revelações de Tommaso Buscetta no outono de 1984.

Os três anos da longa estiagem de testemunhas da máfia chegaram ao fim na primavera anterior, quando Antonino Calderone decidira falar. Falcone estava atrás de Calderone desde 1981, quando (durante o caso Spatola) ele seguiu um rastro de dinheiro do tráfico de drogas até uma conta bancária em nome da esposa de Calderone. Posteriormente, Buscetta indicara que o irmão mais velho de Calderone, Giuseppe, fora membro da Comissão – fato corroborado por uma conversa telefônica grampeada entre dois mafiosos.

Antonino Calderone havia sido preso pela polícia francesa em Nice, onde ele, sua esposa e filhos viviam com nomes falsos, dirigindo uma lavanderia. Os Calderone estavam entre os grandes perdedores na recente guerra da máfia. O irmão mais velho, Giuseppe, havia sido assassinado em 1978, e Antonino Calderone foi forçado a fugir da Sicília em 1983, temendo por sua vida. Ao entrar na prisão de Nice, ele se convenceu de que estava prestes a ser morto por outros internos sicilianos. De repente, começou a gritar por um guarda, exigindo a presença do diretor da prisão e do juiz Giovanni Falcone. Calderone foi transferido para uma instituição de saúde mental para sua própria proteção e, em 9 de abril de 1987, Falcone – junto com o investigador policial Antonino Manganelli e o promotor francês Michel Debaq – sentou-se frente a frente com Calderone em uma prisão de Marselha. Depois de uma recusa inicial de falar, Calderone disse de repente: "Eu sei muita coisa sobre a máfia, porque eu sou um membro dela". Uma vez que começou, Calderone falou por quase um ano.[1]

Embora todas as testemunhas anteriores tivessem sido da capital de Palermo, Calderone descreveu o poder da máfia em Catânia, a segunda maior cidade da Sicília, localizada na costa leste da ilha, aos pés do vulcânico monte Etna. Antes dos anos 1980, quando o nível de violência na cidade de Catânia começara a se equiparar ao de Palermo, muitos acreditavam que a máfia estava confinada ao oeste da Sicília e que Catânia – que se vangloriava de ser a Milão do sul – estava livre desse mal. Como Calderone revelou, a presença da Cosa Nostra em Catânia remonta ao período fascista. A própria família de Calderone é uma história da máfia catanesa em miniatura. Um dos seus tios ajudou a fundar a primeira família mafiosa da cidade, em 1925, e foi processado pelo "Prefeito de Ferro" de Mussolini, Cesare Mori. Outro tio ajudara a máfia a se reerguer depois da Segunda Guerra Mundial, organizando o mercado negro do contrabando do tabaco. Nos anos 1960, o irmão mais velho de Calderone, Giuseppe, conhecido como Pippo, tornou-se o chefe da família Catania, enquanto Antonino Calderone era o subchefe da família.

Os Calderone tinham boas relações com os chefões "tradicionais" da máfia, Stefano Bontate, Salvatore Inzerillo e Giuseppe Di Cristina, eliminados na guerra da máfia dos anos 1980. Não foi por acaso que Pippo Calderone foi assassinado em 1978, apenas alguns meses depois da morte de Di Cristina. A luta pelo poder em Catânia e em outras cidades provinciais no final dos anos 1970 foi um prelúdio da grande guerra da máfia de Palermo, nos anos 1980. Totò Riina e os *corleonesi* primeiramente eliminaram as camadas de apoio de seu alvo final, Stefano Bontate, livrando-se de seus aliados em outros lugares da ilha.

O principal aliado de Totò Riina em Catânia era Nitto Santapaola, que era amigo íntimo e protegido dos Calderone. Santapaola era na época o subchefe da família Catania e se tornara o chefe no ano de 1975, quando Pippo Calderone foi promovido à Comissão. Enquanto o Calderone mais velho atuava como diplomata da máfia, Santapaola cuidava dos negócios em casa, ganhando milhões de dólares em contrabando de heroína,

1. A discussão de Calderone é baseada principalmente nos depoimentos feitos a Falcone. Essas confissões foram discutidas por Pino Arlacchi no livro *Men of Dishonor*. Embora as páginas referidas aqui correspondam à edição em inglês, as traduções são minhas, diretamente do original em italiano.

estabelecendo-se como chefe na liderança dos empresários de Catânia e aumentando seu braço militar ao arregimentar cuidadosamente um exército particular, que era exclusivamente leal a ele, de maneira semelhante à que fizera Riina.

Antonino Calderone era diferente de Buscetta e de Contorno. Enquanto eles não expressavam arrependimento por seus crimes, Calderone parecia sofrer de remorso genuíno. Ele começou a gritar, contorcendo-se e agonizando no chão, enquanto contava sobre sua participação no assassinato de vários garotos adolescentes suspeitos de terem roubado a bolsa da mãe de Nitto Santapaola. Falcone e Manganelli precisaram pedir aos guardas da prisão para conterem Calderone, temendo que ele pudesse ferir sua cabeça no chão.

Como irmão de um membro da Comissão, Calderone estava em posição de testemunhar sobre o funcionamento da organização e confirmou o papel essencial do órgão de governo da máfia nos grandes assassinatos dos anos 1970 e 1980.

De fato, embora do outro lado da Sicília, Calderone foi a primeira testemunha da máfia a fornecer em primeira mão extensos relatos de líderes da máfia em Corleone. Ao descrever Luciano Leggio, Calderone disse: "Ele gostava de matar. Ele tinha um jeito de olhar para pessoas que poderia assustar qualquer um, até mesmo nós, mafiosos. Uma coisa banal poderia tirá-lo do sério, e então uma luz estranha apareceria em seus olhos, e um silêncio se fazia em torno dele. Quando você estava na companhia dele, precisava tomar cuidado com as palavras. O tom de voz errado, uma palavra mal colocada e, de repente, esse silêncio. Tudo ficava imediatamente abafado, desconfortável, e você sentiria a morte no ar".[2]

O relato de Calderone sobre Totò Riina e Bernardo Provenzano, os sucessores de Leggio, foi ainda mais arrepiante. "Os chefes de Corleone não tiveram nenhuma educação, mas eram astutos e diabólicos", disse Calderone. "Ambos eram inteligentes e ferozes, uma combinação rara na Cosa Nostra." Ele descreveu Bernardo Provenzano como uma máquina de matar. "Meu irmão costumava chamá-lo '*u tratturi*', 'o trator' (em siciliano), por causa de sua capacidade de extermínio." Mas Riina, que era chamado de "*u curto*" (apenas pelas costas), "o pequeno", era ainda mais perigoso. "Totò Riina era totalmente ignorante, mas tinha intuição e

2. Arlacchi, *Men of Dishonor*, p. 75.

inteligência, e era também insondável e imprevisível", disse Calderone. "Ao mesmo tempo, era selvagem. Sua filosofia era de que, se o dedo de alguém estivesse doendo, era melhor cortar o braço inteiro." Ele seguia o antigo código de conduta da brutalidade siciliana, em que a força é a única lei e não há uma contradição entre benevolência e violência extrema. Riina tinha uma fala mansa, altamente persuasiva e muitas vezes sentimental. Ele chorou ao recordar que sua mãe não pôde visitá-lo na prisão no continente, durante os anos 1960, pois era pobre demais e não podia arcar com a viagem. Calderone descreveu-o como um pai dedicado e marido fiel: "Eu não quero nenhuma outra mulher além da minha Ninnetta", disse ele a Calderone, acrescentando: "E se eles não me deixarem casar com ela, eu vou matar algumas pessoas".[3]

Mas com Riina não era possível distinguir o que era genuíno e o que era apenas uma encenação. Calderone descreveu a cena surreal de um banquete em homenagem ao seu irmão morto, organizado pelos homens que o tinham matado. Riina fez um discurso veemente, descrevendo Pippo Calderone como um grande pacificador que levara muitos mafiosos durões às lágrimas, embora eles tivessem razões para suspeitar que o próprio Riina tivesse dado sua bênção ao assassinato. A admiração de Riina por Calderone pode ter sido sincera: ele acabou se arrependendo de ter mandado matá-lo, do mesmo modo que o presidente de uma empresa lamenta ter que demitir um bom funcionário durante um período de dificuldade econômica.

Mais do que qualquer outra testemunha, Calderone prestou depoimento sobre a relação entre a máfia e os Cavaleiros do Trabalho de Catania. Os Calderone haviam atuado como "fiscais" da família Costanzo, os principais construtores da cidade, garantindo que a empresa não tivesse problemas quando trabalhasse em outro lugar da Sicília. Quando Pippo Calderone foi morto, seu lugar na folha de pagamento foi ocupado por Nitto Santapaola. A máfia catanense explodiu as construções de empresas rivais e até mesmo assassinou um concorrente da empresa Costanzo. Calderone reforçou a convicção de Falcone de que os catanenses haviam desempenhado um papel importante no assassinato do general Dalla Chiesa. Certa vez, Gino Costanzo chamou Calderone de lado e falou sobre o perigo representado por Dalla Chiesa: "O que nossos palermitanos estão fazendo? Dormindo?

3. Arlacchi, p. 22.

Eles não percebem que a situação é séria?". Ao relatar o incidente, Calderone comentou: "Se ele falou abertamente assim comigo, que na época era quase um zero à esquerda dentro da Cosa Nostra, você pode imaginar o que ele estava dizendo aos chefes das famílias de Catania".[4]

Segundo o relato de Calderone, os Costanzo também ajudaram a fornecer um álibi para Nitto Santapaola na época do assassinato de seu rival Alfio Ferlito (a "recompensa" pela ajuda de Catânia no assassinato de Dalla Chiesa). Santapaola e sua família estavam hospedados no complexo de hotéis de luxo dos Costanzo, em Perla lonica, na companhia de um coronel dos *carabinieri*, quando o assassinato ocorreu. Gino Costanzo havia convidado o coronel a se hospedar de graça no hotel, para que, se necessário, esse policial complacente pudesse ser forçado a confirmar o álibi de Santapaola.[5]

Talvez a maior novidade na confissão de Calderone tenha sido sua disponibilidade para falar sobre a relação de conivência entre a máfia e membros do governo italiano. Ele descreveu como ele e seu irmão preparavam presentes elaborados todos os anos no Natal para os principais juízes, promotores e políticos da cidade. Calderone explicou como os principais empresários de Catânia mantinham funcionários importantes sob seu comando, dando-lhes moradia em apartamentos sem que pagassem aluguel. A máfia catanesa era geralmente informada sobre os mandados de prisão antes de eles serem emitidos e, algumas vezes, nomes específicos saíam da lista.

Isso ajudou a explicar por que não houve grandes processos de máfia ou investigações de corrupção em Catânia. Os principais promotores haviam sido transferidos (mas não expulsos da magistratura) por contrariar a lei em favor dos Cavaleiros do Trabalho. A polícia de Catânia havia liberado Nitto Santapaola depois de apenas algumas perguntas de rotina após seu carro blindado ter sido encontrado na cena de um tiroteio violento em que várias pessoas morreram. Além disso, sua licença de porte de armas foi mantida, apesar de sua extensa ficha criminal. (Não é de surpreender que nenhum procurador ou policial tenha sido assassinado em Catânia.)

Quando os mafiosos de Catânia precisavam de um passaporte falso para viagens ao exterior, eles recorriam a Giuseppe Lupis, membro

4. Arlacchi, p. 172.

5. Arlacchi, p. 172 [pp. 198-99, edição italiana].

parlamentar em Roma, do pequeno Partido Social-Democrata. Segundo Calderone, alguém no escritório de Lupis obteria um passaporte na embaixada alemã em Roma, ignorando as ordens das autoridades italianas que tentavam restringir viagens de criminosos condenados. Isso ajudou a explicar por que Lupis se tornara um dos parlamentares mais votados da cidade.[6]

"Políticos sempre nos procuram, porque controlamos muitos e muitos votos", disse Calderone a Falcone. "Para você ter uma ideia, imagine que cada 'homem de honra' tenha, entre amigos e parentes, pelo menos quarenta a cinquenta votos. Há cerca de 1.500 a 2.000 homens de honra em Palermo. Multiplique por cinquenta e você terá um belo bloco de 75 mil a 100 mil votos para distribuir entre candidatos e partidos aliados."[7]

O grande número de assentos no Parlamento italiano (945 – um para aproximadamente quarenta mil eleitores) significa que um candidato pode vencer com apenas alguns milhares de votos. A existência de pelo menos doze partidos importantes e o antigo sistema proporcional da Itália tornaram ainda mais fácil manipular resultados com blocos de votos bem organizados. Embora a máfia tendesse a apoiar o partido mais poderoso, o Partido Democrata-Cristão, no sistema proporcional, algumas vezes, era muito vantajoso apoiar um candidato de um partido menor. Nas eleições de 1968, Giuseppe Lupis (a quem Calderone acusou de dirigir o "escritório de passaportes" da máfia) pôde abocanhar três assentos no Parlamento para seu pequeno Partido Social-Democrata, com apenas 34 mil votos. Nessas mesmas eleições, dois candidatos democratas-cristãos com mais de 25 mil votos não foram eleitos, enquanto Aristide Gunriella, do Partido Republicano, ganhou uma cadeira no Parlamento recebendo apenas 12 mil votos.[8]

Segundo Antonino Calderone, *Onorevole* Gunnella devia boa parte de sua fortuna à máfia e à sua amizade com Giuseppe Di Cristina, chefe de Riesi, morto em 1978. "O exemplo da família Di Cristina é clássico", disse ele. "Eles eram os chefes da máfia de Riesi por três gerações... eles apoiaram a *Democrazia Cristiana*, eles eram todos filiados ao PDC." Inclusive, o

6. Arlacchi, p. 93
7. Arlacchi, p. 183 [p. 2.12, edição italiana].
8. Os dados estatísticos eleitorais são do Ministério do Interior italiano e são publicados após cada eleição pelo parlamento italiano.

irmão de Di Cristina foi prefeito da cidade pelo Partido Democrata-Cristão. "Mas quando o escândalo de todos esses mafiosos no PDC siciliano eclodiu, Giuseppe Di Cristina... foi expulso do partido e colocado em prisão domiciliar. Ele então abandonou o DC e foi com Gunnella..." Apesar do histórico criminal de Di Cristina, Gunnella deu ao chefe um emprego na estatal siciliana que Gunnella dirigia.[9]

Gunnella acabou consolidando sua posição eleitoral, controlando cerca de trinta mil votos, tornando-se um político com poder formidável dentro de seu pequeno partido. Apesar do alvoroço causado por sua proximidade com Di Cristina, Gunnella era constantemente defendido pelo líder do Partido Republicano, Ugo La Malfa. Embora considerado homem de grande integridade pessoal, La Malfa evidentemente decidiu que seu partido não poderia prescindir de um de seus políticos mais votados. Ao invés de expulsar Gunnella do partido, La Malfa o nomeou vice-secretário e ministro do governo.[10]

Calderone conhecera Gunnella e vários outros políticos sicilianos importantes. Alguns foram formalmente apresentados a ele como membros da Cosa Nostra, mas agora tinham desaparecido da cena política.

Mas talvez a revelação mais explosiva de Calderone tenha envolvido Salvatore Lima, o principal tenente de Giulio Andreotti na Sicília, os primos Salvo e a transferência de Francesco Cipolla, um policial diligente e zeloso que trabalhava em Catânia. "Tentamos que ele fosse transferido com nossas próprias conexões em Catânia, mas não conseguimos", disse Calderone. "Decidimos finalmente ir a Palermo e encontrar os Salvo... Aqueles eram outros tempos. Com a mentalidade de hoje, eles simplesmente matariam um investigador como Cipolla sem perder tempo e dinheiro com as transferências..." Quando Pippo e Antonino se reuniram com os primos Salvo no seu escritório em Palermo, a conclusão foi imediata: "'Para isso, precisamos de Salvino'. Falavam de Salvo Lima, o parlamentar." Os Calderone reuniram-se com Lima em Roma, no escritório de outro empresário de Palermo, Nino Salvo. Lima ouviu atentamente e prometeu pensar no assunto. "Mais tarde, os Salvo disseram a Pippo que o ministro do Interior do período havia dito a Lima para ter paciência, porque Cipolla deixaria Catânia de

9. Arlacchi, pp. 184-85 [pp. 213-14, edição italiana].

10. Arlacchi, p. 184 [p. 214, edição italiana].

qualquer maneira, já que havia pedido transferência para ficar perto de sua esposa, que era professora."[11]

Durante grande parte do segundo semestre de 1987, Falcone voou uma vez por semana para Marselha para conversar com Calderone, recolhendo cerca de mil páginas de depoimento. A polícia começou a investigar cuidadosamente as declarações de Calderone e descobriu que seus depoimentos eram muito precisos. "Verificamos mais de oitocentos detalhes dos depoimentos de Calderone", disse Antonio Manganelli, o agente policial responsável por lidar com Calderone.[12]

Em janeiro e fevereiro de 1988, Manganelli e Falcone esforçavam-se para preparar os mandados para uma série de prisões baseadas nas confissões de Calderone. Entre outras razões, eles queriam agir no início de março, antes que Antonino Meli assumisse o escritório, de modo que a complexa transferência de poder não afetasse a conclusão da operação.

No entanto, antes de prosseguir com as prisões, Falcone queria seguir o veio político indicado por Calderone. Ele imaginou que as revelações de Calderone talvez pudessem persuadir Tommaso a contar o que sabia sobre as relações entre a máfia e a política. Falcone tinha bons motivos para acreditar que Buscetta, assim como Calderone, conhecia o *Onorevole* Salvatore Lima. O período mais ativo de Buscetta na Cosa Nostra em Palermo fora no início dos anos 1960, exatamente quando Lima era prefeito. Ele pode ter usado sua influência na prefeitura para obter alvarás de construção para aliados na construção imobiliária.

Diante do impacto das revelações de Calderone, Falcone viajou em fevereiro até um local secreto nos EUA, onde Buscetta estava escondido. Falcone contou a Buscetta sobre o depoimento de Calderone a respeito de Lima. Falcone encorajou-o a ser mais franco sobre uma misteriosa reunião da qual Buscetta dissera ter participado em um hotel romano, em 1980, com Nino Salvo e um certo membro do Parlamento, cujo nome se recusava a revelar. Mas Buscetta se manteve impassível. "Desde que decidi colaborar com o sistema de Justiça por vontade própria, eu lhe disse em várias ocasiões que falaria sobre a relação entre a máfia e a política somente quando fosse o momento certo. Pelo que tenho visto até agora, devo dizer, com amargura, que falta um comprometimento sério por parte do Estado em

11. Arlacchi, p. 177 [p. 205, edição italiana].

12. Entrevista do autor com Antonio Manganelli.

realmente combater a máfia. Existem tantos episódios, incluindo os recentes sobre os quais li no jornal. Seria insensato tocar nesse assunto, que é um nó crucial do problema da máfia, quando muitas das pessoas de que eu teria que falar não saíram do cenário político. Portanto, não pretendo confirmar ou negar o encontro com Lima em Roma, ou se sequer o conheço, pelas razões que expliquei há pouco.[13]

Buscetta, referindo-se aos recentes acontecimentos nos jornais, lera as manchetes a respeito da recente rejeição de Falcone. Se Falcone não tinha influência política em Roma para se tornar o chefe de um escritório de treze homens em Palermo, era uma loucura pensar que ele poderia fazer uma investigação contra membros do Parlamento e pessoas no nível mais alto do governo.

O primeiro sinal de que a vida no escritório de investigação de Palermo iria mudar tornou-se claro quase imediatamente, ou até mesmo antes de seu novo chefe, Antonino Meli, assumir o cargo. No final de janeiro e início de fevereiro, enquanto Caponetto ainda estava nominalmente no comando, todos os magistrados de investigação receberam duas notas austeras enviadas por Marcantonio Motisi, o vice-chefe do escritório. Deixando claro que estava agindo a pedido de Meli, Motisi reclamou que muitos promotores não estavam lidando com casos suficientes, referindo-se de forma enigmática a um possível "reinado de terror" caso os magistrados não cumprissem as metas estipuladas pela nova direção. Esse fato causou a sensação de que o escritório estava retornando à administração burocrática do passado, em que os procuradores eram avaliados principalmente pela quantidade, e não pela qualidade, de seus casos. No passado, os detratores de Falcone tentaram usar estatísticas contra ele quando começou a dedicar mais tempo ao caso Spatola, em 1980, mas ele acabou recebendo o apoio de seus chefes, primeiro Rocco Chinnici e depois Caponetto. Agora os burocratas estavam de volta ao poder e aparentemente ansiosos para se vingar.[14] No dia 9 de março de 1988, a polícia da Sicília emitiu cerca de 160 mandados de prisão baseados no depoimento de Antonino Calderone. Foi o último ato da era de Caponetto e a última grande operação gerada pela força-tarefa criada por ele em 1983.

---

13. Interrogatório de Tommaso Buscetta; também citado nas acusações da morte de Salvatore Lima, *Il delitto Lima*.

14. Das minutas da audiência do Consiglio Superiore della Magistratura (CSM), 31 de julho de 1988, depoimento de Falcone.

Cinco dias depois, Caponetto despediu-se de seus colegas em uma cerimônia para receber seu sucessor, Meli, em Palermo. Durante a cerimônia, Caponetto notou lágrimas correndo pela face de Giovanni Falcone. Foi a primeira vez que Caponetto viu Falcone expressar tamanha emoção, já que normalmente ele era um modelo de autocontrole.[15]

Os juízes do Palácio da Justiça "quiseram dizer adeus à Caponetto no mesmo momento em que saudavam Meli, para criar um senso de continuidade e harmonia", como Antonio Palmieri, o presidente do tribunal, mais tarde testificou. "Fiz um discurso conciliador, instando todos a deixar o passado para trás e seguir em frente juntos. Caponetto respondeu com o mesmo espírito... a única voz desafinada era a de Meli... que, quando falou, não pôde deixar de soar uma nota polêmica... relembrando os eventos que precederam a sua nomeação."[16]

Antonino Meli, um homem orgulhoso e teimoso, de pele fina e caráter genioso, continuava remoendo algumas das coisas que tinham sido ditas durante o debate sobre sua nomeação. Para ele era imperdoável que até mesmo muitos de seus próprios defensores tivessem afirmado que a idade era o único motivo que fazia dele o candidato apropriado, e não Giovanni Falcone, enquanto outros haviam afirmado que ele não tinha condições de ocupar o cargo de procurador-chefe. "Como se eu tivesse passado quarenta anos apenas aquecendo um assento!", ele disse. Embora fosse verdade que ele nunca havia trabalhado com investigações, julgou alguns casos de máfia e até foi o responsável pela sentença de Michele Greco, "o papa", sentenciado com prisão perpétua pelo assassinato do procurador-chefe Rocco Chinnici.

O fato de Meli ter chegado a Palermo irritado e ressentido não foi algo inteiramente acidental. Alguém atirou gasolina no fogo, enviando-lhe desagradáveis cartas anônimas que fizeram seu sangue ferver. "Os maçons o elegeram", dizia uma das duas cartas. "Você é um merda e deveria voltar para o buraco de onde saiu." Os membros da força-tarefa antimáfia recebiam esse tipo de carta o tempo todo, e faziam o possível para ignorá-las. Geralmente, eram enviadas por criminosos tentando intimidar e desestimular os procuradores, ou tentando tirar as investigações dos trilhos. Mas Meli ficou furioso com seus novos colegas – certamente

15. CSM, 30 de julho de 1988, depoimento de Palmieri.

16. Caponetto, *I miei giorni a Palermo*, p. 91.

como o escritor anônimo esperava que faria. Embora fosse inconcebível que os promotores da força-tarefa pudessem desperdiçar seu tempo com cartas anônimas, sem falar de cartas tão vulgares e obscenas como essas, Meli parecia convencido de que eles eram os autores. Meses depois, ainda digerindo as cartas, ele disse: "Tenho boas razões para acreditar que esta carta não veio de Roma, de Milão ou de Turim, mas de um local próximo, muito próximo".[17]

Dias depois da chegada de Meli ao escritório de investigação, o novo líder da *Procura della Repubblica*, Salvatore Curti Giardina, mandou prender dois jornalistas acusados de publicar trechos do depoimento de Calderone. Curti Giardina foi outro beneficiário da ênfase dada à nomeação por idade, um dos muitos magistrados que ascenderam radicalmente ao topo à custa apenas de sua longevidade, depois de anos ocupando cargos medianos. Os jornalistas Attilio Bolzoni, do *La Repubblica*, e Saverio Lodato, do *L'Unità* (ambos de publicações de esquerda), se apossaram dos depoimentos, dando destaque às acusações de Calderone contra importantes figuras políticas. Um dos políticos mencionados, o líder republicano Aristide Gunnella, ficou furioso e ameaçou entrar com ações legais. Curti Giardina, em vez investigar Gunnella por seus supostos laços com a máfia, tomou uma atitude extrema, prendendo os dois jornalistas. Curti Giardina fez mais do que simplesmente acusá-los de revelar documentos confidenciais. Usando argumentos legais questionáveis, Curti Giardina acusou os jornalistas de "roubo", afirmando que eles haviam roubado propriedades do governo usando uma máquina de xerox do governo para copiar documentos. Essa acusação mais séria permitiu que Curti Giardina mantivesse os jornalistas na prisão de *Ucciardone* por seis dias, uma punição bastante severa para a publicação de uma reportagem.[18]

Em vez de rejeitar o caso contra os jornalistas, Meli delegou-o para o seu fiel subchefe, Marcantonio Motisi, que seguiu com a investigação. Poucas semanas depois da chegada de seu novo chefe, os membros da força-tarefa antimáfia estavam sendo tratados como suspeitos em uma investigação de seu próprio gabinete. Motisi chamou Falcone e os outros para serem interrogados. Até mesmo Borsellino, que estava em Marsala

17. CSM, 30 de julho de 1988, depoimento de Meli.

18. Lodato, *Quindici anni di mafia*, e CSM, 30 de julho de 1988, depoimento de Meli.

havia mais de um ano, teve que depor. Quando Borsellino chegou, Meli disse a ele brincando: "Agora, cuidado para não sair algemado". Apesar de sua reputação de "protagonistas", os membros da força-tarefa sempre mantiveram uma distância cautelosa da imprensa e não tinham a reputação de vazar documentos. Mais do que qualquer outra pessoa, eles estavam cientes do dano que a publicidade poderia causar a uma investigação delicada da máfia, e suas principais operações tiveram sucesso em parte porque o escritório conseguia evitar a divulgação das colaborações de testemunhas como Buscetta, Contorno e Calderone. Ao depor no caso do "roubo" de Boizoni-Lodato, Falcone não gostou do tom das perguntas, cheias de insinuações e indiretas. De repente, ele se viu sendo tratado como um réu criminal.[19]

Enquanto isso, a atmosfera aberta e amigável do escritório de investigação transformou-se rapidamente em um clima fechado e hierárquico. Meli permanecia entrincheirado atrás de sua mesa e jamais se aventurava a uma visita aos escritórios dos outros procuradores. "A atitude predominante é 'eu sou o chefe e você é o subordinado'", notou Palmieri, o presidente da Corte, observando Meli e sua equipe.[20]

O procurador-chefe Meli chegava prontamente ao escritório todas as manhãs, mas raramente voltava depois do almoço. Embora essa seja a rotina normal dos funcionários do Estado italiano, a força-tarefa antimáfia também trabalhava nas tardes e muitas vezes durante a noite. Depois de toda a polêmica, Meli claramente queria evitar a impressão de estar interferindo na força-tarefa, mas aparentemente estava exagerando, ao ignorar quase completamente o trabalho do grupo.[21]

"Nós esperávamos... que ele poderia pelo menos convocar uma reunião para uma troca de opiniões, para discutir os enormes problemas de como administrar esses julgamentos, mas nada disso aconteceu", disse Falcone mais tarde naquele ano.[22]

Pouco antes de deixar Palermo, Antonino Caponetto atribuiu a Giovanni Falcone o processo número 1817, o maxijulgamento e todos os seus desdobramentos, para que o caso não naufragasse durante o período de transição. O

19. CSM, 31 de julho de 1988, depoimento de Borsellino e Falcone.

20. CSM, 30 de julho de 1988, depoimento de Palmieri.

21. CSM, 30 de julho de 1988, depoimento de Meli.

22. CSM, 31 de julho de 1988, depoimento de Falcone.

caso, que era conhecido coletivamente como o julgamento "*contêiner*", incluía oficialmente todo o trabalho na organização Cosa Nostra, mas foi dividido em seções gerenciáveis, maxi-um, dois e três. O material de Calderone formaria a base do maxi-quatro. Agora que Meli estava em Palermo, Falcone e o grupo sentiam que era importante, para o novo chefe, familiarizar-se com o caso e, eventualmente, como Caponetto, assumir sua direção geral enquanto delegava o trabalho do dia a dia à força-tarefa.

Meli parecia inclinado a assumir o trabalho, mas então um evento inesperado atrapalhou. Em uma operação policial que se seguiu após as confissões de Calderone, a polícia prendeu uma pessoa próxima do novo procurador-chefe, o sogro do filho de Meli. Embora a conexão entre os dois homens não fosse próxima, o fato causou constrangimento público para Meli. Ele ficou furioso quando as notícias sobre a prisão apareceram nos jornais, com sua fotografia e a manchete sobre um "parente do procurador-chefe preso". Embora a história tivesse sido publicada em muitos jornais, Meli viu sinais de uma conspiração contra ele, reforçada pelo fato de que, entre os jornalistas ofensivos, estava Attilio Bolzoni, do *La Repubblica*, um dos presos por publicar as confissões de Calderone. Meli estava acostumado a trabalhar na pacata cidade provincial de Caltanissetta e não estava preparado para a perseguição da mídia e as inevitáveis críticas inerentes ao trabalho em casos com grande relevância nacional. Mais uma vez, ele estava convencido de que seus infortúnios haviam sido orquestrados por membros de sua equipe que se opunham à sua chegada. Em um súbito ataque de melindre, ele se recusou a assumir a direção do caso 1817.

Embora se recusasse a realizar reuniões ou estudar os documentos do julgamento, Meli começou a afirmar sua autoridade por meio da delegação de casos. Durante a formação da força-tarefa antimáfia, uma série de protocolos específicos foi elaborada e aprovada pelo *Consiglio Superiore della Magistratura*, criando uma divisão clara do trabalho no escritório de investigação de Palermo. Todos os casos de máfia deveriam ser designados para o grupo e, uma vez que a natureza de alguns crimes não era clara, havia um diálogo constante entre os procuradores para ajudar a discriminar cada caso. Meli desconhecia esse sistema e logo começou a virá-lo de cabeça para baixo. Sem consultar ninguém, ele distribuiu os novos casos que chegaram à sua mesa seguindo critérios próprios e, às vezes, aparentemente ao acaso.

Quando um suspeito em um importante caso de máfia foi morto, ele designou a investigação a um procurador de fora da força-tarefa. Quando o joalheiro que Falcone havia investigado por lavagem de dinheiro no caso de Spatola foi sequestrado, Meli tratou o fato como um caso criminal. Não tendo experiência com os julgamentos da máfia, Meli não reconhecia os nomes dos réus e, portanto, não conseguia distinguir um crime passional de um assassinato da máfia. Mas isso não o impediu de tomar decisões por conta própria, sem pedir orientação.

Falcone e os membros da força-tarefa esperavam por semanas a chegada de documentos sobre certo crime que vinham da *Procura della Repubblica*, apenas para descobrir que o caso já havia sido atribuído a outra pessoa. Muitas vezes, eles só saberiam o que aconteceu quando o outro procurador, igualmente perplexo, chegasse e perguntasse por que tinha sido designado para um caso que certamente tinha relações com a máfia.

Quando Falcone e os membros da força-tarefa perguntavam se, pelo menos, poderiam obter cópias das provas para ver se tinham alguma ligação com seus próprios casos, Meli recusava o pedido. Meli dizia que eles poderiam ver parte do material caso pudessem identificar quais partes das evidências tinham relação direta com seu próprio caso, no entanto, sem poder examinar a documentação anteriormente. Isso era completamente contrário ao espírito de dividir informações que sempre prevalecera durante o período Caponetto. Além disso, gerava um grave problema prático. A força-tarefa mantinha apenas um banco de dados central com as informações dos processos de máfia, minuciosamente lançando evidências dos novos casos importantes em um computador. Meli parecia não entender que era essa visão global do fenômeno que havia sido a chave para o sucesso da força-tarefa.

Em uma atmosfera crescente de incompreensão mútua, os membros da força-tarefa e seu novo chefe começaram a se comunicar principalmente por meio de cartas. Apesar de Giovanni Falcone ter continuado com sua costumeira visita ao procurador-chefe na maioria das manhãs para mantê-lo atualizado sobre o seu trabalho e de Meli dizer que o comportamento de Falcone era extremamente cordial, não havia condições de discutir assuntos mais sérios. O grupo escrevia cartas educadas e formais, expressando suas preocupações com o manejo dos casos de máfia; e Meli, por sua vez, respondia em termos igualmente educados e formais, expressando sua discordância. A atribuição arbitrária dos casos da máfia foi logo seguida por um novo fato igualmente perturbador. Uma enxurrada de novos casos que claramente não eram relacionados à máfia: batedores de carteiras, casos de roubo e prostituição, cheques sem fundo, agressões conjugais e processos criminais comuns começaram a chegar à mesa de Giovanni Falcone e aos membros de seu grupo. Isso também ia contra as regras que haviam sido estabelecidas. Os membros da força-tarefa sempre cuidaram de certo número de casos criminais comuns para ajudar no grande volume de casos do escritório, mas eles o faziam voluntariamente, de forma limitada, com a permissão de Caponetto, o procurador-chefe. De repente, começaram a receber dúzias de casos antigos com bilhetes de repreensão sobre o grande volume de casos acumulados no escritório, cobrando um aumento de produtividade. Segundo o próprio Meli, muitos desses casos antigos, envolviam pequenos crimes para os quais não havia provas ou suspeitos; mas, dentro de uma concepção burocrática de jurisprudência, finalizar esses casos melhoraria a produtividade do escritório – mesmo que significasse fechar um caso "contra suspeitos desconhecidos" ou abortar prematuramente uma investigação complexa.

"O procurador-chefe Meli, às vezes, muitas vezes, pede que eu dê os casos por encerrados, mas algumas investigações têm um tempo que é necessário, como casos que envolvem políticos, tal qual o assassinato do (presidente da Região Piersanti) Mattarella", disse Falcone. "Gradualmente, surgiu um conflito entre duas filosofias jurídicas diferentes: uma do tipo de administração burocrática e hierárquica e outra cujo objetivo é obter resultados das investigações." "Falcone nunca desistia dos casos", disse Giuseppe Di Lello, um dos membros originais do grupo. "Havia suspeitos que ele seguiu por anos. Ele nunca desistiu de procurar registros bancários, acrescentando novas evidências."[23]

Depois de ter inicialmente se recusado a se envolver na investigação central da máfia, Meli repentinamente mudou de ideia e anunciou que assumiria o comando. Ele não apenas continuaria delegando casos que não tinham relação com a máfia à força-tarefa, como também anunciou que escolhera três novos magistrados de investigação ao grupo. "No passado, o acréscimo dos novos membros havia sido fruto de reflexões e discussões

23. Entrevista do autor com Giuseppe Di Lello.

entre o grupo e o procurador-chefe", disse Borsellino.[24] A força-tarefa não era uma máquina com partes acopladas, mas um mecanismo delicado que exigia alto grau de compatibilidade e comprometimento. Muitos procuradores não eram adequados para esse trabalho, não por não serem capazes, mas porque suas vidas não permitiam que viajassem com frequência ou trabalhassem longas noites. Alguns, com crianças pequenas ou com parentes doentes, não podiam largar tudo a qualquer momento e voar para Bruxelas ou Istambul, ou trabalhar até as duas horas da manhã para concluir mandados de prisão urgentes. Além disso, enquanto Meli insistia que estava simplesmente "expandindo" ou "reforçando" a força-tarefa, na realidade ele estava transformando todo o seu *modus operandi*. A premissa original da força-tarefa era ter um grupo de procuradores que se dedicassem exclusivamente, ou quase exclusivamente, a investigações do crime organizado e que trabalhassem juntos, cada um permanecendo a par do trabalho do outro. No entanto, os procuradores antimáfia estavam cada vez mais perdendo tempo em casos sem relação alguma com o universo da máfia. E muitos casos individuais estavam sendo divididos entre os membros de todo o escritório, entre profissionais que não estavam familiarizados com os mais de um milhão de páginas de documentos geradas pela força-tarefa nos cinco anos anteriores. Os casos eram agora atribuídos a um ou dois procuradores, enquanto os outros membros do grupo foram excluídos. Em suma, o escritório estava voltando ao seu antigo estilo de administração: todos os promotores fariam um pouco de tudo e cada um investigaria seus próprios casos de maneira isolada.

Meli parecia pensar que os magistrados da força-tarefa eram primas-donas mimadas, acostumados a escolher seus casos e trabalhar menos do que os demais procuradores. Mas até mesmo para os padrões medíocres de Meli, os membros da força-tarefa estavam entre os "mais produtivos" do escritório. Nos seis meses finais de 1987, antes da chegada de Meli, Giuseppe Di Lello e Leonardo Guarnotta tinham finalizado 99 e 85 casos, respectivamente, incluindo a documentação do terceiro julgamento e outras investigações complexas da máfia. Sua carga de trabalho era, na verdade, maior do que a de muitos dos procuradores que lidavam apenas com os casos criminais comuns, incluindo os procuradores que agora estavam sendo impostos à força-tarefa. O próprio Falcone, apesar de trabalhar na

24. CSM, 31 de julho de 1988, depoimento de Borsellino.

imensa investigação de Calderone, trabalhou em outros 60 casos no período.[25] Enquanto o procurador-chefe Meli estava reformulando a força-tarefa, ele ainda não tinha se disposto a ler as evidências produzidas pelo grupo nos quatro anos anteriores. Ele disse aos membros da força-tarefa que estava esperando as férias de verão, em agosto, para estudar o primeiro julgamento. Enquanto isso os julgamentos maxi-um e maxi-dois haviam terminado, o terceiro estava no tribunal, e o grupo estava tentando, com dificuldade, preparar o quarto.[26]

25. CSM, 30 de julho de 1988, depoimento de Palmieri e Meli.

26. CSM, 31 de julho de 1988, depoimento de Giacchino Natoli.

Capítulo 15

Desde o momento de sua chegada a Marsala, em agosto de 1986, Paolo Borsellino mergulhou em um mundo novo. Embora Marsala estivesse a apenas vinte quilômetros de Palermo, Borsellino saiu da relativamente bem equipada força-tarefa antimáfia para um escritório provinciano desestruturado. Havia apenas um procurador assistente no escritório, e ele planejava partir em alguns meses, tendo pedido (e obtido) uma transferência. "Eu sou a *Procura de Marsala*", brincava Borsellino, referindo-se à sua equipe inexistente. O escritório era responsável por todos os processos criminais em uma área geográfica substancial que se estendia bem além da cidade de Marsala, incluindo o importante centro de Mazara del Vallo, o maior porto de pesca da Itália, e várias cidades no interior, consideradas importantes centros de atividade mafiosa. O escritório de Borsellino deveria ter oito procuradores, mas eram cargos difíceis de preencher: como muitas cidades menores do sul da Itália, Marsala era vista como um local difícil, reservado a magistrados novatos que haviam se saído mal nos exames de admissão e aceitariam qualquer posição que lhes fosse oferecida. Na verdade, o substituto do assistente transferido era um garoto recém-saído da faculdade de direito, Diego Cavalliero.[1]

"Não pude ser de muita ajuda nos primeiros meses – foi meu primeiro emprego", disse Cavalliero. "Nós começamos, como dois trabalhadores manuais, tirando o pó e observando as centenas de casos antigos. Ele trabalhava doze horas por dia e muitas vezes nos finais de semana... Ele tem uma resistência incrível para o trabalho. Eu costumava chamá-lo de 'CDF', porque ele permanecia sentado em sua mesa por dias a fio,

1. Entrevista do autor com Diego Cavalliero.

devorando centenas de documentos. Mas ele também tinha uma capacidade incrível de ver os pontos cruciais de um caso logo de cara, partindo direto para o que era essencial."

Marsala não é um lugar fácil para pessoas de fora, especialmente para procuradores da máfia, que têm que ser excepcionalmente cuidadosos ao escolher amizades e ao aceitar convites. "É uma cidade muito fechada", disse Cavalliero. "Depois que as lojas fecham, às oito da noite, não há nem sequer um cachorro nas ruas. Não é como Palermo, onde as pessoas ficam nas *piazzas* a qualquer hora do dia... Toda a vida social da cidade ocorre a portas fechadas, entre pequenos grupos de amigos que se conhecem por toda a vida. Há clubes noturnos fechados, grupos que se reúnem para jogar cartas, lojas maçônicas. Lembro-me de ver Paolo Borsellino saindo à noite apenas duas vezes nos dois anos em que estivemos juntos em Marsala... Ele precisava ser muito cuidadoso. Havia muitas pessoas nesses lugares que queriam poder se gabar com seus amigos: 'Eu conheço o procurador-chefe. Eu falo com ele por você'."

Em certo momento, parecia que o escritório receberia um segundo procurador assistente, um outro novato. "Ele era um garoto muito gentil de Roma", disse Cavalliero. "Quando ele chegou, perguntou sobre os teatros em Marsala. Onde estão os cinemas? E os *shows*? Paolo e eu nos entreolhamos e sorrimos. Esse garoto esperava encontrar em Marsala as coisas que costumava encontrar em Roma. O garoto começou a chorar e foi embora de Marsala. Para nós que estávamos vivendo longe de casa era muito difícil..."

"Nosso único divertimento era sair do escritório por volta das dez horas da noite e comer alguma coisa no pequeno quarto de Paolo – acima da delegacia de polícia, pelo qual ele tinha de pagar aluguel. Ele cozinhava, e eu lavava os pratos. Ele não era um ótimo cozinheiro, então eu tentava fazê-lo sair para jantar. Essa é a 'recompensa' de Borsellino por ser um 'profissional antimáfia'." Durante seus dois anos e meio em Marsala, Cavalliero se tornou uma espécie de filho adotivo da família Borsellino, muitas vezes passando os fins de semana com eles em Palermo. "Paolo até me serviu café na cama", lembrou Cavalliero. "Ele era um verdadeiro católico praticante, não ia apenas às missas de domingo, mas também a todas as pequenas atitudes entre segunda e sábado. Ele sempre foi alguém a quem todos pediam ajuda quando estavam com problemas. Se alguém precisasse encontrar um apartamento, ligava para Paolo; se não conseguissem instalar o telefone, ligavam para Paolo. Sua porta estava quase sempre aberta."

Borsellino também deixou sua marca no trabalho. Pouco depois de chegar, no final de 1986, ele e seus guarda-costas se depararam por acaso com um ataque da máfia no caminho para o trabalho. Dois assassinos em uma moto cortaram o tráfego e atiraram em um homem dentro de um carro, um açougueiro que certamente se recusara a comprar sua carne do fornecedor "certo". Borsellino disse a seus guarda-costas que seguissem a moto, e eles conseguiram localizá-la em uma garagem. Depois de ligar pedindo reforço policial, eles invadiram a garagem, descobrindo que ali funcionava uma importante sede da máfia local. "Eles prenderam nove ou dez pessoas", disse Calogero Germanà, um policial que trabalhou com Borsellino durante esse período. "Foi uma operação linda. Eles acertaram o coração da máfia de Marsala."[2]

Investigar a máfia local era extremamente difícil. Palermo parecia uma cidade aberta, de mente cívica, quando comparada com a *omertà* sufocante do campo nos arredores de Marsala. Diego Cavalliero lembra-se de ter ido à cena de um assassinato na cidade de Salemi que levou semanas para ser relatado à polícia. "Um corpo foi deixado na traseira de um caminhão embaixo do sol. Nesse espaço fechado, o corpo se decompôs rapidamente e começou a emitir um fedor terrível", disse ele. "O caminhão estava parado em um estacionamento, com pessoas passando por ele todos os dias. Mas ninguém denunciou o assassinato até que o cheiro se tornou tão insuportável que trabalhadores que colhiam uvas em um campo próximo não conseguiam mais trabalhar por causa do mau cheiro. Isso é a *omertà*!"[3]

Embora Marsala fosse a maior cidade da região, a capital da máfia local era, na verdade, Mazara del Vallo. Sede de milhares de barcos de pesca, grandes e pequenos, era o canal natural para todo tipo de comércio, legal e ilegal. Cigarros de contrabando, haxixe e heroína entravam e saíam entre a multidão de barcos de pesca que se deslocavam entre a Sicília e o norte da África. "Se você tentasse colocar um cão farejador de drogas no porto de Mazara, ele ficaria louco", disse Diego Cavalliero. "Os cheiros do porto pesqueiro eram tão variados e tão poderosos que um cão com um olfato treinado ficaria completamente confuso."

2. Entrevista do autor com Calogero Germanà.

3. Entrevista do autor com Diego Cavalliero.

Mazara del Vallo era o reino do chefe da máfia Mariano Agate, que já havia sido condenado no maxijulgamento de Palermo. Muito mais do que outro chefe local, Agate era o *capo-mandamento* (líder distrital) de toda a área e membro da Comissão. E mesmo enquanto esteve preso, seus homens mantiveram a região firmemente sob seu comando. Os mafiosos de Mazara pareciam manter estreitas relações com os *corleonesi*. Embora Corleone seja próxima de Palermo, é uma área agrícola, e os *corleonesi*, como Totò Riina, têm maior afinidade com os chefes da máfia rural do que com os chefes da cidade de Palermo", disse Calogero Germanà, o chefe de polícia de Mazara del Vallo durante os primeiros anos de Borsellino em Marsala. "Os laços entre Mazara del Vallo e Corleone são muito próximos. Gaetano Riina, o irmão de Totò Riina, mora em Mazara." (Um dos documentos de identificação falsos com os quais Totò Riina viajou durante seu período como fugitivo foi adquirido em Mazara. "Isso pode dar uma ideia de quão próximos eram esses laços", disse Germanà.[4])

Durante anos, Germanà e o comandante local dos *carabinieri* reuniram cuidadosamente informações sobre a máfia de Mazara del Vallo. Aplicando a experiência adquirida na força-tarefa antimáfia de Palermo, Borsellino conseguiu traduzir essas evidências em um grande processo de acusação. "Borsellino nos deu, na verdade, uma nova metodologia de investigação", falou Germanà. "Seu plano era atacar no topo da organização, neutralizando as pessoas com poder de decisão. Ele tinha a visão global que nos faltava."

No final de 1987, Germanà e Borsellino preparavam acusações contra cerca de 72 réus, incluindo mandados de prisão contra os quatorze suspeitos mais perigosos. Em uma escala um pouco menor, o caso foi uma espécie de "maxijulgamento" da máfia de Mazara del Vallo. Os métodos da força-tarefa antimáfia de Palermo estavam dando frutos em toda a Sicília, e não apenas em Marsala. Procuradores nas cidades sicilianas de Messina e Agrigento montaram importantes maxijulgamentos próprios, recebendo apoio dos procuradores de Palermo.

Em março de 1988, Borsellino terminou de redigir os cinco volumes de evidências contra a máfia de Mazara – enquanto Falcone supervisionava a operação Calderone e Antonino Meli assumia o escritório de investigações de Palermo.

---

4. Entrevista do autor com Calogero Germanà.

Seguindo o conceito de Borsellino e Falcone segundo o qual Palermo deveria atuar como uma espécie de centro de informações sobre a Cosa Nostra, Borsellino enviou uma cópia das volumosas evidências do caso Mazara ao novo chefe do gabinete de investigação. Por causa dos laços orgânicos entre a "família" Mariano Agate, membro da Comissão, e a máfia de Palermo, partes do caso de Borsellino se encaixam com evidências já existentes no julgamento "contêiner" contra a Cosa Nostra, que estava em andamento. Isso não significava, como alguns sugeriram, que a força-tarefa tivesse o monopólio de processar todos os casos da máfia. Em vez disso, a ideia era que os procuradores de pequenas províncias julgassem os réus por crimes locais e que Palermo administrasse as acusações mais amplas de extorsão que envolviam a organização da Cosa Nostra, acusações que precisavam ser entendidas em um contexto mais amplo.

Não muito tempo depois de enviar o longo relatório para Palermo, Borsellino ficou surpreso ao encontrá-lo de volta em sua mesa. O procurador-chefe Meli havia devolvido os volumes imediatamente, sem dizer uma palavra a Giovanni Falcone, que, após ter conversado com Borsellino, esperava os documentos. Borsellino, achando que devia ser um descuido, mandou os grossos volumes de evidências de volta para Meli, com uma carta explicativa. Mas, novamente, o pacote voltou imediatamente, dessa vez com uma nota curta dizendo que o caso estava fora da jurisdição de Palermo.[5]

Embora estivesse em Marsala havia um ano e meio, Borsellino acompanhava de perto os acontecimentos em Palermo. Frequentemente ele conversava ao telefone com seus amigos da força-tarefa e às vezes passava por seu antigo escritório quando voltava para casa em Palermo, nos finais de semana. Ele sentiu as mudanças que ocorreram no escritório, ouviu as crescentes reclamações de seus colegas e viu a estrutura da força-tarefa sendo gradualmente destruída. E então, como Borsellino pôde diretamente experimentar, Meli estava devolvendo evidências de outras partes da Sicília sem sequer trocar uma palavra com Falcone. Estando ou não ciente disso, Meli estava anulando a decisão do tribunal, que estabelecera que a máfia era uma organização unificada, com seu centro em Palermo. Para Borsellino e seus ex-colegas, parecia que a força-tarefa estava sendo desmantelada, peça por peça.

5. Minuta das audiências do Consiglio Superiore della Magistratura (CSM), 31 de julho de 1988, relato de Paolo Borsellino.

Além disso, a situação em Palermo parecia fazer parte de uma contrarrevolução mais ampla, destinada a desfazer os oito anos de progresso constante em processos judiciais contra a máfia. Em abril o governo escolheu como novo ministro do Interior Antonio Gava, um poderoso democrata-cristão de Nápoles suspeito de ter estreitos laços com a Camorra napolitana. Um dos assessores políticos de Gava, Ciro Cirillo, foi resgatado de sequestradores terroristas em 1981 com a ajuda da Camorra, e muitos acreditavam que Gava havia participado das negociações secretas que levaram à sua libertação. Os rumores sobre Gava não foram comprovados, e aparentemente ninguém no governo parecia se importar com a possibilidade de o principal oficial da lei no país estar ligado ao mundo do crime organizado.[6]

Em Roma, o Parlamento italiano não estava conseguindo manter o apoio à guerra contra a máfia. O socialista ministro da Justiça, Giuliano Vassalli, se opôs veementemente a qualquer lei que estabelecesse um programa de proteção de testemunhas, afirmando que seria perigoso criar a ilusão de que o governo poderia proteger as famílias das testemunhas quando na verdade isso não era possível. Houve também muita resistência em oferecer reduções de pena a mafiosos que colaborassem com o Estado. Além disso, o Parlamento italiano aprovou uma série de medidas liberais com relação aos direitos civis, que se contrapunham às complexas investigações da máfia. Um estatuto de 1984 ditava que todos os criminosos deveriam ser libertados dois anos depois de serem presos, mesmo no meio do julgamento, quaisquer que fossem seus crimes ou as chances de fugirem. Grandes casos de máfia levavam muito tempo para serem julgados, por causa do imenso volume de evidências e das garantias constitucionais para os réus, isso não apenas na Itália. O caso *Pizza Connection*, nos EUA, levou cerca de três anos, desde a acusação até o julgamento, mesmo envolvendo apenas 22 réus. Uma lei especial teve de ser aprovada no meio do maxijulgamento, para impedir que a maioria dos réus ficasse livre. Mas menos de um ano após a sua condenação, a maior parte dos réus já estava à solta, obtendo pagamento de fiança por meio de recursos ou fazendo uso de qualquer outra lacuna legal.[7]

6. *Domanda di autorizzazione a procedere contro il Senatore Antonio Gava, XI Legislatura, doc. IV, n. 113*, de 7 de abril de 1993.

7. Sterling, *Octopus*, pp. 292-96.

A lei de 1986 concedeu generosas reduções de sentença e liberdade condicional para "prisioneiros modelo". Criminosos condenados poderiam sair seis semanas durante o ano e se qualificar para o regime semiaberto, deixando a prisão de dia para participar de trabalhos externos e voltando à noite para dormir na prisão. Embora essas medidas humanitárias possam ter ajudado a reabilitar alguns, centenas de mafiosos aproveitaram-se delas e fugiram da cidade. "Na segunda metade de 1988, 2.992 prisioneiros em liberdade ou em regime semiaberto desapareceram", escreveu a jornalista americana Claire Sterling. "Metade dos fugitivos era de mafiosos condenados por homicídio, roubo, sequestro e tráfico de drogas." Um deles era membro da Comissão da Cosa Nostra.[8]

Ainda, alguns dos tribunais de recursos na Sicília e em Roma pareciam determinados a reverter os crescentes números de condenações em primeira instância. Assim como o próprio caso Basile de Borsellino, muitos processos saltavam de tribunal a tribunal, sendo revertidos dezenas de vezes, com os réus livres, acabando como fugitivos. (Na Itália, não há restrição para julgar um réu novamente pelo mesmo delito.) O mais estarrecedor de tudo foi a tendência da Suprema Corte da Itália, que parecia derrubar todas as condenações da máfia que encontrava. Em um estranho fato do destino, todos os casos de crime organizado passaram a ser julgados quase exclusivamente por um juiz bastante enigmático, Corrado Carnevale – conhecido como *l'ammazza-sentenze*, "o assassino de sentenças". Embora a Suprema Corte da Itália esteja dividida em várias seções, ficou decidido que todos os casos de crime organizado deveriam ser ouvidos pela "primeira seção" da Suprema Corte, da qual Carnevale, "o assassino de sentenças", era o presidente.

Considerado por alguns como o "quinto pilar" da máfia, por outros, como um purista judicial, a única coisa certa sobre Carnevale é que, caso a caso, ele libertou mafiosos condenados, frequentemente baseando-se nos mais ínfimos detalhes técnicos. Erros na forma, erros nas datas de arquivamento e outros erros aparentemente superficiais levaram à reversão de importantes processos. Enquanto invocava o princípio da aplicação estrita da lei, Carnevale, às vezes, parecia ultrapassar a linha do ativismo judicial: ele frequentemente entrava nos méritos das próprias evidências, aparentemente substituindo o júri e o juiz. Em alguns casos, ele determinou que as

8. Sterling p. 293.

testemunhas em que o júri decidira acreditar não tinham credibilidade. Ele anulou, por exemplo, a condenação de Michele Greco, "o papa", e de seus homens pelo assassinato do juiz Rocco Chinnici, afirmando não acreditar no depoimento do informante libanês Bou Ghebel Ghassan, que havia conversado com alguns homens de Greco antes e depois das explosões. Ele desfez as condenações em outro caso, alegando que certas conversas grampeadas eram enigmáticas, e que não estavam claramente falando sobre drogas, escolhendo ignorar evidências bem estabelecidas de que os traficantes sempre falavam em códigos, referindo-se a "camisas" e "ternos" em vez de heroína e cocaína. Ele libertou 100 dos 120 membros condenados uma vasta rede de criminosos de Catânia, operando ao norte na cidade de Turim, 26 deles condenados à prisão perpétua. Ele libertou Antonio Salamone, o membro da Comissão, apesar de sua condenação no maxijulgamento, por causa de sua idade avançada e saúde frágil. Nem a idade nem a doença impediram que Salamone desaparecesse prontamente, retornando, acredita-se, para suas riquezas no Brasil.[9] Como a Penélope de Homero na *Odisseia*, que toda noite desfazia o sudário que cuidadosamente tecia durante o dia, "o assassino" começou a puxar os fios do maxijulgamento da Cosa Nostra, costurado meticulosamente pela força-tarefa antimáfia de Palermo.

Ao mesmo tempo, a capacidade de investigação da polícia de Palermo parecia ter entrado em colapso, pois ainda não se recuperara dos assassinatos de Ninni Cassarà e Beppe Montana, em 1985, e das transferências e prisões em massa de policiais após a tortura e a morte do suspeito Salvatore Marino. O departamento havia entrado em uma espiral descendente de assassinatos, suspeitas e traições. Transferências após transferências, os recém-chegados ficavam por apenas um ou dois meses. No verão de 1988, outro líder do escritório de investigação foi transferido, culpado pelo assassinato de Natale Mondo no início daquele ano, acusado de tê-lo colocado em perigo por meio de uma operação secreta. Ao mesmo tempo, Francesco Accordino, o chefe do Esquadrão de Homicídios de Palermo, foi transferido, após ter recebido uma ameaça de morte – de um telefone interno do próprio departamento de polícia. Embora Accordino tenha resistido à transferência, ele foi enviado para trabalhar como inspetor postal em Reggio Calábria. O novo chefe do Esquadrão de Investigação da polícia

---

9. Sterling, p. 292. Sobre Carnevale, ver Sterling, p. 294, e as comissões antimáfia *Relazione di minoranza, X Legislatura, Doc. XXIII n. 12/bis/I*, 24 de janeiro de 1990.

anunciou que ele planejava trabalhar para a "normalização" da situação em Palermo; mas, para muitos, normalização significava a anulação da memória histórica do departamento.[10]

Percebendo que estava em uma posição mais livre do que seus amigos em Palermo, Borsellino decidiu falar. Se Falcone protestasse, seria interpretado tanto como insubordinação por parte de um procurador assistente contra seu chefe, quanto como uma tentativa egoísta de minar e substituir seu rival, Meli. Borsellino aceitou um convite para falar sobre a guerra contra a máfia em um simpósio em Agrigento, no dia 16 de julho de 1988.

Ignorando a convenção observada pela maioria dos magistrados de se ater a vagas generalidades em discursos públicos, Borsellino expôs uma acusação pungente do retrocesso na guerra contra a máfia, denunciando o enfraquecimento da força-tarefa antimáfia e a completa paralisação da polícia de Palermo. O organizador do evento, Giuseppe Arnone, ativista político em Agrigento, ficou tão entusiasmado com o discurso de Borsellino que perguntou se poderia pegar as anotações de Borsellino e entregá-las a um jornal local. Curiosamente, nem o *Giornale di Sicilia* de Palermo nem o *La Sicilia*, de Catânia, publicaram qualquer nota sobre o discurso. Mas, alguns dias depois, Borsellino recebeu pedidos de entrevista de Attilio Bolzoni, do jornal de Roma *La Repubblica*, e Saverio Lodato, do jornal comunista *L'Unità*, os dois jornalistas que haviam sido presos pela publicação das confissões de Antonino Calderone. Longe de fugir de comentários públicos, Borsellino expôs a situação em uma entrevista conjunta, criando um escândalo nacional do dia para a noite:

"Eles tomaram o controle das principais investigações antimáfia, tirando-as de Giovanni Falcone. As investigações policiais permaneceram paradas por anos. O Esquadrão de Investigação jamais foi reconstruído (após o assassinato de Ninni Cassarà)... O último relatório policial digno desse nome data de 1982, o dossiê (escrito por Cassarà) sobre Michele Greco + 161. Desde então, não temos uma imagem abrangente da máfia de Palermo... Envio material ao procurador-chefe de Palermo e, para minha grande surpresa, me é devolvido. Tenho a impressão de que há uma manobra em andamento para desmantelar a força-tarefa antimáfia.

Até recentemente, todas as investigações antimáfia, por causa da unidade da Cosa Nostra, estavam centralizadas em Palermo. Agora, em vez

---

10. Caponetto, *I miei giorni a Palermo*, p. 85.

disso, os casos estão sendo dispersos em todas as direções. 'Todo mundo deve trabalhar em tudo' é a explicação oficial. Mas isso não é convincente... Eu tenho a desagradável sensação de que alguém quer voltar no tempo..."[11]

Como nenhuma notícia sobre a situação de deterioração em Palermo havia vazado do nebuloso escritório de investigação, o público italiano ficou chocado. O presidente da República, Fancesco Cossiga, chamou o *Consiglio Superiore della Magisi* (CSM) para uma sessão de emergência, exigindo a investigação imediata dos problemas em Palermo. Os membros do Judiciário que já haviam se dispersado para as férias de verão retornaram, chamados para uma bateria de audiências, incluindo cerca de quatorze magistrados de Palermo.

Quando mais tarde foi perguntado por amigos sobre o motivo de ter tomado essa atitude pública, Borsellino respondeu: "Eu lamentei ver a força-tarefa morrendo e senti que, se tivesse que morrer, isso deveria acontecer em público". Certamente, as audiências realizadas em 30 e 31 de julho foram o centro das atenções nacionais, movendo a batalha de Palermo dos corredores do Palácio da Justiça para a primeira página de todos os principais jornais. Mas, no nível pessoal, Borsellino arriscou-se a um linchamento profissional. Dentro da fechada casta da magistratura, ninguém ventilava críticas à imprensa. Segundo a opinião de muitos, Borsellino deveria ter apresentado uma reclamação formal à CSM – esquecendo que o próprio conselho judicial, com sua decisão por Antonino Meli em vez de Giovanni Falcone, fora o principal responsável pela situação em Palermo. Muitos magistrados desejavam que Borsellino sofresse acusações disciplinares e que fosse destituído de sua posição como procurador-chefe de Marsala. "Nenhuma declaração de Borsellino corresponde à verdade", disse Meli à imprensa, abrindo a possibilidade de um processo por difamação.[12]

Meli estava convencido, assim como outros em Palermo, de que as ações de Borsellino haviam sido cuidadosamente orquestradas em concordância com Falcone e a força-tarefa, em uma tentativa de tirá-lo do caminho. Na verdade, Falcone foi pego de surpresa pelo movimento impetuoso de Borsellino. "Giovanni não estava preparado nem totalmente satisfeito com Borsellino", disse Liliana Ferraro, amiga e colega de ambos no Ministério

11. Caponetto, pp. 84-85.

12. CSM, 30 de julho de 1988, depoimento de Meli.

da Justiça.[13] Ao longo da carreira, Falcone sempre preferira manter-se nos bastidores, evitando deliberadamente grandes confrontos frente a frente, principalmente aqueles dos quais ele poderia emergir gravemente ferido e machucado. Mas com a situação revelada, Falcone não tinha outra escolha senão enfrentar o desafio diretamente. Percebendo que a carreira de Borsellino estava em perigo e que ambos corriam o risco de ser julgados pelo CSM, Falcone decidiu hastear a bandeira branca, entregando sua carta de demissão em 30 de julho de 1988, no dia da sessão do CSM.

"Nos últimos anos em que trabalhei em investigações sobre o crime organizado, tolerei em silêncio as inevitáveis acusações de 'protagonismo' e má conduta profissional. Acreditando que estava realizando um serviço útil, fiquei feliz de poder fazer meu trabalho e senti que isso era simplesmente um dos muitos inconvenientes ligados a esse tipo de trabalho. Eu tinha certeza de que os julgamentos públicos desses casos acabariam por demonstrar, como de fato aconteceu, que as investigações de que participei foram conduzidas com absoluto respeito à lei. Quando surgiu a questão de substituir o procurador-chefe do gabinete de investigação de Palermo, doutor Caponetto, apresentei minha candidatura, acreditando que era a única maneira de garantir a continuidade do nosso trabalho... Mais uma vez, naquela ocasião, fui forçado a ouvir calúnias e uma campanha difamatória de inaudita baixeza, à qual não respondi, acreditando, talvez erroneamente, que meu papel me impunha silêncio. Mas agora a situação mudou completamente, e não tenho mais razões para me manter calado. O que eu mais temia aconteceu: as investigações sobre a máfia estão estagnadas, e esse delicado mecanismo conhecido como a força-tarefa antimáfia... parou. Paolo Borsellino, cuja amizade muito me honra, demonstrou mais uma vez seu senso de justiça e sua própria coragem, denunciando publicamente omissões e inércia na guerra contra a máfia que estão lá para qualquer um ver. Em resposta, uma campanha indecorosa foi lançada, distorcendo o profundo valor moral de seu gesto, reduzindo tudo a uma disputa entre 'facções' de magistrados."[14]

Durante dois dias, em uma maratona de audiências, cerca de quatorze magistrados de Palermo reuniram-se diante do conselho judicial. A grande

13. Entrevista do autor com Liliana Ferraro.

14. A carta de Falcone apareceu no *Corriere della Sera* e em outros jornais italianos em 31 de julho de 1988. Ela foi reimpressa em inúmeros livros, incluindo Galuzzo, *Obiettivo Falcone*, e Rossi, *I disarmati*.

maioria dos presentes confirmou a descrição de Borsellino da situação em Palermo. "Se quisermos ir direto para a origem do conflito, ela está na polêmica nomeação de Meli como chefe do gabinete de investigação", disse Carmelo Conti, presidente do Tribunal de Apelações de Palermo. "Não é que Meli não seja uma pessoa íntegra... mas porque Meli, sem dúvida, tem um caráter bastante difícil e autoritário, totalmente contrário ao de seu antecessor, Caponetto... os outros procuradores, Falcone acima de tudo, estão desorientados por essa nova abordagem... E esse novo clima tornou-se insuportável não só para os procuradores, mas também para o povo de Palermo, que se sente perdido e sem nenhuma liderança."[15]

O presidente do tribunal, Antonio Palmieri, afirmou em depoimento que o procurador-chefe ignorara totalmente o sistema de designação de casos que havia sido estabelecido para regulamentar o gabinete de investigação, alterando a natureza da força-tarefa. Os juízes-chefes produziram estatísticas que demonstravam que, em vez de serem os preguiçosos que evitavam encarar sua parcela de trabalho, os membros do grupo já estavam entre os procuradores mais "produtivos" de Palermo (quatro membros da força-tarefa estavam entre os cinco procuradores mais produtivos). Cada caso retirado da força-tarefa por Meli foi discutido. Testemunhas confirmaram que o procurador-chefe jamais havia realizado reuniões de pessoal ou visitado os escritórios de outros procuradores para discutir suas necessidades e problemas.

Quando Meli prestou depoimento na tarde de 30 de julho de 1988, as afirmações de Conti a respeito de seu "caráter difícil e autoritário" foram confirmadas, assim como o clima de paranoia que vivia desde a sua nomeação. Meli parecia ter ficado psicologicamente desequilibrado com os eventos dos oito meses anteriores: "Eu cheguei (a Palermo) depois de uma polêmica que me destruiu", disse ele. "Eles disseram que Falcone era um profissional excelente, e eu fui o primeiro a reconhecê-lo, sempre – e sobre mim, apenas a vantagem da idade, como se eu tivesse passado quarenta anos aquecendo um assento!" Meli parecia tremer de raiva enquanto falava sobre as cartas anônimas obscenas que recebera e, ao mesmo tempo, defendia sua opção de não assumir o controle julgamento "contêiner" da máfia. "Esse julgamento não deveria acabar em mãos tão indignas, em mãos indignas – que eram indignas, ficou claro com as declarações publicas do Dr. Caponetto –, em

15. CSM, 30 de julho de 1988, depoimento de Carmelo Conti e Antonio Palmieri.

mãos tão indignas!" Ele explicou que o Palácio da Justiça de Palermo bolara um "plano de desestabilização", que começara com as cartas anônimas, prosseguindo com a publicação das notícias sobre a prisão do sogro de seu filho em um ataque da máfia e culminou com a entrevista de Borsellino. "Eu cheguei ao escritório de investigação e recebi essas cartas anônimas me chamando de merda, e então essas coisas aconteceram... Eles dizem que esta entrevista de Borsellino é parte desse plano de desestabilização."[16]

As audiências deixaram claro o que alguns haviam percebido antes da nomeação de Meli: que seu temperamento irritado, contencioso e imprevisível o tornava incapaz de ocupar um lugar tão importante com o de procurador-chefe de Palermo.

Mas as pessoas que deveriam mediar o conflito de Palermo foram as que ajudaram a criá-lo escolhendo Meli para o cargo. Se o CSM condenasse Meli e aceitasse o diagnóstico de Borsellino, seria uma confirmação de culpa no cartório. Na verdade, Meli usou essa situação várias vezes durante a sua audiência: "Quando Borsellino tem a ousadia de falar sobre más escolhas, ele está criticando vocês, assim como a decisão que vocês tomaram, censurando e ofendendo vocês também... Em outras palavras, senhores, (Borsellino) deveria estar preocupado em ser o procurador-chefe de Marsala, e não vir aqui e criticar Palermo, falando continuamente sobre más escolhas... Em resumo, estou farto, vamos falar francamente, estou mesmo farto, cansado, enojado".

Giovanni Falcone tentou despersonalizar a discussão, dizendo que as diferenças fundamentais entre ele e seu chefe no manejo de dezenas de casos individuais e no tratamento dos casos de máfia em geral levaram a um impasse. "Não há nada de pessoal nisso, as relações entre o procurador-chefe e mim não poderiam ser mais cordiais; nós nos vemos diariamente, e acredito que ambos agimos de boa-fé. Mas as coisas se desenrolaram de tal maneira que aqueles que trabalhavam nessas investigações estavam em um beco sem saída. Estamos voltando ao velho gerenciamento burocrático/administrativo dos casos da máfia, uma das principais causas dos fracassos nas décadas passadas."[17]

Inevitavelmente, o debate sobre o "caso Borsellino" dividiria o Conselho mais ou menos nas mesmas linhas de divisão formadas durante a batalha

16. CSM, 30 de julho de 1988, depoimento de Meli.

17. CSM, 31 de julho de 1988, depoimento de Falcone.

original entre Meli e Falcone. A maioria dos que votaram em Meli tendeu a defender sua escolha, e aqueles que votaram em Falcone tenderam a defender Borsellino. Como resultado, Borsellino se viu em um tribunal hostil, que poderia colocar em risco a sua carreira. Em vez de avaliar os méritos das reclamações públicas de Borsellino, muitos participantes do conselho concentraram-se na decisão de Borsellino de discutir negócios jurídicos na imprensa. O juiz Sergio Letizia, que votara contra a nomeação de Giovanni Falcone, acusou Borsellino de revelar confidências de seus amigos ao revelar publicamente os problemas da força-tarefa antimáfia. "E então... após ter conversas particulares com seus colegas, você achou apropriado torná-las públicas e até mesmo objeto de uma entrevista de jornal?"

Borsellino manteve-se firme, sem perder o equilíbrio. "Eu não revelei nenhuma das confidências dos meus colegas, apenas afirmei minhas próprias convicções em conversas com meus colegas... Eu levantei uma questão pois senti que era importante levantar essa questão, em uma mesa-redonda, sobre a situação das investigações da máfia. Ou falamos de maneira cifrada, dizendo que houve 'uma queda na tensão'..., para que as pessoas não entendam do que estamos falando, ou enfrentamos esses problemas de frente, citando fatos reais e colocando o dedo direto na ferida, dizendo: 'O escritório central de investigações criminosas da máfia não está mais funcionando'... Não vejo por que a opinião pública não deva ser informada a respeito desses problemas; em vez disso, é perigoso quando a opinião pública não é informada sobre eles."[18] Embora as longas audiências fossem realizadas em sessão fechada, não há nada que impeça os membros individuais de discuti-las publicamente. Dia após dia, o Palácio de Justiça de Palermo era a principal notícia, com jornalistas aglomerando-se na porta do CSM esperando obter mais detalhes sobre as audiências. "Todos nós percebemos que a batalha estava sendo travada no âmbito da opinião pública", disse Vito D'Ambrosio, membro do *Consiglio Superiore della Magistratura*. "Jornalistas conservadores lotavam o escritório de Vincenzo Geraci, enquanto jornalistas de esquerda ocupam o meu escritório."[19] Enquanto a maioria da imprensa parecia apoiar Falcone e Borsellino, o influente jornal conservador *Il Giornale* atacava violentamente, retratando-os como os agentes de um golpe comunista. "Os comunistas querem controlar o movimento antimáfia, e, para isso,

18. CSM, 31 de julho de 1988, depoimento de Borsellino.

19. Entrevista do autor com Vito D'Ambrosio.

apoiam magistrados-protagonistas da facção de Falcone", escreveu o jornal no início das audiências. "Se conquistarem o Palácio da Justiça de Palermo, o Partido Comunista Italiano ficará intocável", prosseguiu no dia seguinte.[20]

Depois do fim das audiências, praticamente todo o Conselho passou acordado a noite do dia 4 de agosto de 1988, debatendo furiosamente o que fazer com a situação de Palermo. Como Borsellino havia iniciado a discussão e questionado a decisão do próprio Conselho, o clima não era favorável a ele. O mau pressentimento gerado pela batalha anterior entre Meli e Falcone foi intensificado pela polêmica mais recente. "Geraci estava furioso com Borsellino. Ele queria a cabeça de Borsellino em uma bandeja", disse D'Ambrosio. "As coisas ficaram muito tensas. A certa altura, eu disse algo muito duro para Geraci: 'Você não vai ter a cabeça de Borsellino, e, se conseguir, eu irei pedir a sua'."[21]

A questão não era se deveriam censurar Borsellino, mas como censurá-lo. Durante a tempestuosa sessão que durou a noite toda, o Conselho finalmente elaborou um acordo que rejeitava as críticas de Borsellino ao escritório de Palermo, mas que reconhecia sua boa-fé em fazê-las. "Isso é o melhor que podemos fazer", disse D'Ambrosio. "Aqueles de nós que eram amigos de Falcone queriam garantir que ele não fosse destruído por essa querela. E nós fomos capazes de aprovar uma declaração que expressava total apoio a Falcone e o apreço por seu trabalho." O documento pedia que Falcone e Meli superassem as suas diferenças, ressaltando que o procurador-chefe deveria tentar ser mais sensível às necessidades do grupo antimáfia.

Falcone estava sofrendo uma pressão esmagadora para voltar atrás em sua renúncia e, na realidade, tinha pouca escolha. Qualquer pedido de transferência precisaria da aprovação do próprio CSM, que deixara claro o desejo de que ele permanecesse em Palermo. E tendo dito que o problema não era pessoal, mas profissional, Falcone teve que se contentar com uma promessa vaga de que todos deveriam superar suas diferenças e fazer um novo esforço para trabalharem juntos. A crise deixara Falcone mais fraco e mais exposto do que nunca. Apesar das palavras de louvor, as audiências haviam deixado claro que Falcone perdera o controle de suas investigações e que a força-tarefa antimáfia estava sendo desmantelada contra sua vontade. Ele nem sequer recebeu autorização para renunciar. Além disso,

20. *Giornale*, 31 de julho de 1988, e 1º de agosto de 1988.

21. Entrevista do autor com Vito D'Ambrosio.

a questão havia levado Falcone a uma amarga polêmica pública (justa ou injustamente) e diminuiu seu *status* de figura imparcial que estava acima de qualquer embate. O Palácio da Justiça de Palermo passou a ser comumente chamado de "Palácio do Veneno", e Falcone cada vez mais era visto como mais um entre os vários atores em uma complexa luta pelo poder.

O morno acordo feito pelo CSM foi acompanhado, quase simultaneamente, por outro golpe para Falcone. Em agosto, o gabinete de ministros anunciou que havia escolhido um novo comissário-chefe para assuntos antimáfia (a posição que o general Dalla Chiesa esperava ocupar), Domenico Sica, promotor de Roma que atuara na luta contra o terrorismo. Além disso, anunciaram que o novo comissário-chefe teria novos poderes, muito além do que o general Dalla Chiesa havia sonhado: a possibilidade de autorizar grampos telefônicos e de coordenar investigações em todo o sul da Itália. Pessoas no governo disseram que Falcone chegou a ser cotado para o cargo, mas que o governo acabou decidindo por outra pessoa pois não queria dar a entender que havia tomado partido na polêmica de Palermo.

"Borsellino arruinou as chances de Falcone de se tornar comissário-chefe", disse Vincenzo Geraci. "Esse seria o cargo perfeito para ele, porque ele era realmente um investigador, e não um juiz."[22]

"Como muitas coisas ditas por Vincenzo Geraci, isso é quase a verdade, sem ser a verdade", comentou o juiz D' Ambrosio.[23] Falcone achava que a história de quase ter sido comissário-chefe era uma completa ficção: ninguém jamais o procurara para perguntar se ele estaria interessado no trabalho. Quando as declarações de Borsellino se tornaram públicas, o governo apressou-se em fazer a nomeação, já que a polêmica forneceu uma desculpa perfeita para novamente negar a Falcone um emprego para o qual ele era notadamente o candidato mais qualificado. Domenico, o novo comissário-chefe, era uma pessoa inteligente e capaz, mas nunca havia trabalhado com casos de máfia. No entanto, acredita-se que ele tinha amigos poderosos no Partido Socialista, enquanto Falcone não tinha nenhum. É, de fato, bastante improvável que o governo tivesse qualquer intenção de dar tanto poder a Falcone.

---

22. Entrevista do autor com Vincenzo Geraci.

23. Entrevista do autor com Vito D'Ambrosio.

Capítulo 16

Era evidente que a imagem de Giovanni Falcone havia sido manchada pela contínua "controvérsia de Palermo", dada a interpretação cínica que alguns deram de sua decisão de não renunciar. O jornal conservador *Il Giornale* insinuou que Falcone estava hospedado em Palermo para proteger um passado obscuro – uma acusação ultrajante e sem fundamento, que provavelmente ninguém teria ousado fazer um ano antes. "Falcone tinha um motivo específico para concordar com esse último compromisso", dizia o artigo. "Giovanni Falcone talvez receie que... os segredos da 'sua' força-tarefa sejam revelados."[1] Falcone estava condenado, não importava o que ele fizesse: se ele insistisse em se demitir, teria sido rotulado como uma prima-dona que se recusava a trabalhar sob autoridade de outra pessoa; e, ao concordar em ir adiante, seria acusado de botar panos quentes.

Os chefes da Cosa Nostra tinham uma visão bastante diferente da luta pelo poder em Palermo.

Em 20 setembro de 1988, alguns dias depois que Giovanni Falcone desistira da renúncia, agentes americanos que grampearam o telefone do Café Giardino, no Brooklyn, gravaram uma conversa (em dialeto siciliano) entre Joe Gambino e um interlocutor anônimo que acabara de voltar de Palermo.

GAMBINO: O que ele [Giovanni Falcone] fez? Ele renunciou?

ANÔNIMO: Não, eles pegaram leve, e ele retirou a renúncia. Ele voltou para o seu antigo cargo para continuar com o trabalho.

GAMBINO: Merda![2]

---

1. *Giornale*, 10 de setembro de 1988.

2. *L'Espresso*, 11 de dezembro de 1988.

O interlocutor anônimo então consolou Gambino, atualizando-o com os últimos detalhes da política italiana, em particular sobre as reformas no código penal italiano, projetadas para limitar significativamente o poder de juízes para prender e manter os réus presos.

ANÔNIMO: Agora eles aprovaram a nova lei, agora eles não podem processar como fizeram no passado... Eles não podem prender pessoas quando bem entendem. Antes disso, têm que ter provas sólidas, eles têm que condenar primeiro e prender depois.

GAMBINO: Ah, então é como aqui na América.

ANÔNIMO: Não, é melhor, muito melhor. Agora esses desgraçados, os magistrados e policiais, não poderão nem sequer sonhar em prender alguém do jeito que eles faziam antes!

GAMBINO: Os policiais vão se ferrar! E esse outro que voltou [Falcone] não será capaz de fazer nada também? Todos eles vão se ferrar!

ANÔNIMO: Sim, eles vão levar na bunda.

Depois de três dias, Joe Gambino recebeu mais notícias da Itália vindas de um segundo interlocutor, também desconhecido. A conversa voltou a se focar no novo código penal, na lei para responsabilizar legalmente os procuradores pelos seus erros e nos vigorosos esforços do ministro da Justiça, o socialista Giuliano Vassalli, para punir os procuradores da Calábria que, segundo ele, ultrapassaram os limites de sua autoridade na perseguição à máfia.

GAMBINO: Me disseram que o novo código foi aprovado na Itália.

ANÔNIMO: É melhor que a lei americana... a prova tem que ser irrefutável... e os procuradores são responsáveis. Os procuradores podem se foder. Vassalli os colocou em julgamento... Ele está dizendo aos promotores: "Andem na linha, seus desgraçados...".

GAMBINO: Sim, mas com essas novas leis eles não poderão fazer nada.

ANÔNIMO: Eles vão catar coquinho.[3]

Enquanto o público italiano se desorientava ainda mais com teorias de conspiração distorcidas sobre Falcone, os chefes da Cosa Nostra demonstraram, mais uma vez, sua compreensão lúcida e sagaz da realidade. Apesar de estarem extremamente desapontados por Falcone ter desistido de sua renúncia, eles perceberam, corretamente, que Falcone teria dificuldade de fazer qualquer coisa com um clima político tão desfavorável.

3. Galluzzo, *Obiettivo Falcone*, pp. 280-81.

De fato, assim que Falcone voltou a trabalhar em Palermo, em setembro de 1988, os mesmos problemas que haviam provocado sua renúncia em julho voltaram a surgir. Procuradores em Termini Imerese, uma pequena cidade a meia hora de distância, na costa noroeste da Sicília, enviaram a Palermo provas que reuniram sobre vários réus apontados pela nova testemunha da máfia, Antonino Calderone. Os procuradores presumiram que Palermo iria querer usar o material no caso que Falcone estava construindo a partir das revelações de Calderone. Mas Antonino Meli devolveu as provas, insistindo que o processo fosse feito localmente. Assim como fizera com Paolo Borsellino seis meses antes, Meli agiu sem consultar os membros da força-tarefa antimáfia. Não importava que a Termini Imerese estivesse totalmente despreparada para lidar com esse caso – havia apenas dois procuradores de investigação na cidade, com uma carteira de quase dois mil casos e apenas um promotor assistente na *Procura della Repubblica* para lidar com a construção do caso. Eles quase não tinham experiência em casos de máfia. A força policial local, por causa de meios inadequados ou intimidação, não conseguiu gerar um único relatório sobre a atividade da máfia na área em cerca de nove anos, embora Termini Imerese fosse conhecida por ser um grande esconderijo para os fugitivos da máfia.[4]

Quando souberam da decisão de Meli, os procuradores antimáfia alertaram que isso traria "danos extremamente sérios a várias investigações em andamento", em uma carta de protesto ao presidente do tribunal de Palermo. "Após décadas de investigações fragmentadas, dispersas em mil direções e com resultados completamente decepcionantes, foi mérito do falecido procurador-chefe Rocco Chinnici ter intuído a unidade da máfia e ter começado a dirigir investigações que levassem em conta essa realidade..." A decisão de Meli, eles escreveram, "apaga de forma arbitrária evidência comprovada e reunida por meio de enorme sacrifício, e às vezes até perda de vidas, por muitos magistrados e investigadores, e nos joga de volta ao tempo em que tudo estava espalhado no labirinto de numerosos julgamentos, cada qual tratado com uma visão míope e burocrática".[5]

Por causa das diferenças irreconciliáveis entre o grupo antimáfia e Antonio Meli, a batalha jurisdicional do caso Calderone foi para a Suprema

4. *L'Espresso*, 16 de abril de 1989.

5. Carta de 5 de setembro de 1988, reimpressa em Galluzzo, pp. 282-83.

Corte da Itália, ou melhor, para a primeira seção da Suprema Corte, presidida por Corrado Carnevale, o "assassino de sentença".

A máfia parecia tirar vantagem da paralisia do sistema judiciário, fazendo a ofensiva mais uma vez. Em 14 de setembro, o juiz siciliano aposentado Alberto Giacomelli foi assassinado perto de sua casa, em Trapani. Em 25 de setembro de 1988, os assassinos da máfia atacaram o carro do juiz Antonio Saetta, matando a ele e a seu filho Stefano, que era deficiente mental, quando retornavam a Palermo após o fim de semana no interior. Membro do Tribunal de Apelações de Palermo, o juiz Saetta estava programado para ouvir o apelo do maxijulgamento original. Saetta mostrara-se forte e incorruptível em julgamentos anteriores. Ele havia condenado os três assassinos do capitão Manuele Basile e mantido o veredicto contra Michele Greco, "o Papa", pelo assassinato de Rocco Chinnici – antes de Carnevale, o "assassino de sentença", arquivar os dois casos.[6]

No dia seguinte, outro grupo de assassinos matou Mauro Rostagno, ex-radical estudantil que fundara um centro de reabilitação de drogas na Sicília e que cometera o erro de denunciar, com convicção, os traficantes de drogas da máfia na televisão local.

Em 27 de setembro, Giuseppe Lombardo, cunhado da testemunha da máfia Salvatore Contorno, foi baleado e morto em Palermo; foi aproximadamente o trigésimo parente ou amigo próximo de Contorno a ser eliminado. No dia seguinte, outro grupo de assassinos bateu à porta do chefe da máfia Giovanni Bontate e sua esposa, e os assassinou em sua casa. Apesar de sua condenação no grande julgamento, Bontate foi libertado da prisão devido a uma hérnia de disco. Embora tivesse sido poupado durante a primeira guerra da máfia, aliando-se aos *corleonesi* contra seu irmão mais velho, Stefano, Giovanni Bontate agora havia sido tirado de cena em uma posterior consolidação do poder ocorrendo dentro da Cosa Nostra.[7]

As reações à mais recente série de assassinatos variaram. "Estas são as mortes anunciadas", disse Paolo Borsellino, dirigindo-se a uma reunião de magistrados em Palermo no dia do assassinato de Bontate. "Nós estamos diante de uma nova ameaça criminosa que trará outras mortes, talvez outros cadáveres ilustres. Estamos em um clima como aquele que precedeu a morte

6. Lodato, *Quindici anni di mafia*, pp. 261-63.

7. O relatório dos assassinatos e as citações que se seguem são do *Corriere della Sera* de 29 de setembro de 1988.

de Dalla Chiesa. A Cosa Nostra investindo contra juízes como Giacomelli e Saetta e jornalistas como Rostagno, que estão na linha de frente da batalha, mas que são deixados sozinhos, como o general que foi morto há seis anos.

O presidente do Tribunal de Apelações de Palermo, Carmelo Conti, foi ainda mais radical. "A guerra está perdida, não há esperança. Não adianta enganar a nós mesmos, o Estado nos abandonou."

Mas Antonio Gava, o ministro do Interior com suposta ligação com a Camorra napolitana, viu razões para otimismo na onda de crimes atuais: "Essas formas de maior violência são sinais de que a máfia percebe que o Estado está fazendo um esforço maior para combatê-la".

Poucos dias depois, quando Antonino Calderone, a mais recente grande testemunha da máfia, subiu ao tribunal de Palermo, anunciou que não iria testemunhar. "Eu não me sinto protegido", disse.

Outra testemunha, Salvatore Contorno, escondida nos EUA, anunciou que também não iria mais cooperar. "Percebi que o Estado [italiano] não quer destruir a máfia", relatou ele em entrevista ao jornal *Europeo*. "Enquanto eu continuo a viver como fugitivo, temendo por minha vida, as pessoas que denunciei estão deixando a prisão... sabe-se lá com quais artifícios legais. Não vale o risco."[8]

Numa avaliação rigorosa da situação, o novo alto comissário para assuntos antimáfia, Domenico Sica, disse ao Parlamento que o governo italiano havia efetivamente perdido o controle de grande parte do terço sul do país. "Em muitas partes da Sicília, Calábria e Campânia, grupos do crime organizado têm domínio absoluto sobre o território", disse ele.[9]

Ao mesmo tempo, em novembro de 1988, Antonino Meli escolheu iniciar uma nova contraofensiva atacando Giovanni Falcone e o grupo antimáfia. Reunindo-se com vários membros da comissão antimáfia do Parlamento que estavam visitando Palermo, Meli reclamou que Falcone e o grupo tinham medo de prender os Cavaleiros do Trabalho de Catânia – Carmelo e Pasquale Costanzo, denunciados por Antonino Calderone. Imediatamente, um membro socialista da comissão antimáfia falou publicamente de "fatos e interesses perturbadores que alguns querem encobrir."[10] Foi um tanto irônico que Meli, que argumentara que Palermo não tinha jurisdição sobre a maioria dos réus

8. *Europeo*, 8 de novembro de 1988.

9. *Corriere*, 16 de novembro de 1988.

10. Galluzzo, p. 284.

na investigação de Calderone, estivesse culpando Falcone por não prender réus do outro lado da Sicília. Mas imediatamente o "caso Costanzo" foi notícia de primeira página, com acusações de que Falcone estava sendo condescendente sobre os Cavaleiros do Trabalho – que o próprio Falcone fora o primeiro a investigar. Meli foi chamado a Roma para testemunhar perante a comissão antimáfia do Parlamento, onde intensificou as agressões contra sua própria equipe. "Eu me encontro... com seis procuradores intocáveis e com todos esses julgamentos se acumulando todos os dias, e em deferência à decisão do CSM, não posso atribuí-los à força-tarefa para não criar sentimentos ruins... Curvo-me diante do meu colega Falcone – quem não reconheceria seus enormes méritos? Eu construiria uma estátua de ouro de Falcone. Mas eles não são todos como Falcone. A proporção é de dez para um, ou dois, três no máximo. Nenhum deles tira mais do que um três."[11]

Apesar de sua declaração sobre querer construir uma estátua de ouro de Giovanni Falcone, Meli repetiu suas acusações sobre a recusa de Falcone em prender os irmãos Costanzo. Meli cometeu uma grave violação da ética legal por discutir uma investigação em andamento, mas sua acusação colocou a integridade e a reputação de Falcone em jogo. Sem sequer ouvir qualquer prova, alguns membros do *Consiglio Superiore della Magistratura* exigiram que Meli e Falcone fossem transferidos de Palermo.[12]

De acordo com membros do grupo antimáfia, Meli simplesmente não conseguiu entender a estratégia de Falcone, que envolvia tentar manobrar os Costanzo para se tornarem testemunhas do governo: "Estive presente durante o depoimento do Costanzo", disse Ignazio De Francisci, do grupo antimáfia. "[Falcone] tinha uma estratégia de grande amplitude... ele estava tentando convencer Costanzo, que estava prestes a ser indiciado, a se tornar testemunha... então Falcone não o prendeu, mas deixou-o sentir o cheiro da prisão... e Costanzo deu sinais de abertura... Então vem Meli, diz que Falcone está tentando proteger Costanzo e diz que devemos prender os Costanzo."[13]

A decisão de Falcone de não prender imediatamente os irmãos Costanzo estava de acordo com sua tradicional dedicação e meticulosidade como

11. *Corriere*, 14 de novembro de 1988.

12. *Corriere*, 18 de novembro de 1988. O membro que pedia a transferência de Falcone e Meli foi Erminio Pennachini, um nomeado do Partido Democrata-Cristão.

13. Entrevista do autor com Ignazio De Francisci.

procurador. Ele resistira a prender os primos Salvo em 1983, quando seu antigo chefe, Rocco Chinnici, demonstrara impaciência com a demora. Ele esperou até o ano seguinte, quando tinha duas testemunhas preparadas para prestar depoimento afirmando que eles eram realmente membros da Cosa Nostra. Somente então ele tinha provas suficientes para ganhar uma condenação no tribunal. Falcone compreendeu que, como estava realizando uma revolução judicial, precisava ter a certeza de que os casos eram extremamente fortes. Milhares de advogados de defesa, juízes e políticos esperavam para atacar a força-tarefa antimáfia e desacreditá-la por dar um passo em falso, prendendo alguém com provas frágeis. Afinal de contas, o maxijulgamento havia claramente estabelecido que você não poderia condenar alguém simplesmente pela palavra de uma testemunha da máfia, e Falcone tinha relativamente pouco sobre Costanzo além do depoimento de Calderone. Além disso, Calderone não havia acusado os Costanzo de serem membros da Cosa Nostra (como era o caso dos primos Salvo), ele apenas dissera que eles haviam se beneficiado por meio de sua associação e proximidade com os mafiosos. Eles estavam em uma posição um tanto ambígua entre serem a vítima ou o algoz, e Falcone, no mínimo, queria mais provas antes de botá-los na cadeia. Outro procurador, Carlo Palermo, já havia indiciado os Costanzo, e tinha sido um total fracasso. Eles haviam sido absolvidos, alegando serem vítimas de ações judiciais excessivas, enquanto Palermo, depois de escapar por pouco do assassinato, acabou lutando contra as acusações disciplinares que efetivamente acabaram com sua carreira de promotor.[14]

"Falcone acreditava, como no caso dos Salvo, que, quando você mira no alto, tem que ter absoluta certeza de que acertará o alvo ou de que voltará para você, com força ainda maior, como um bumerangue", disse o juiz Vito D'Ambrosio. "Claro que você pode prender os Costanzo sem provas sólidas, e então, quando eles forem absolvidos, não somente destruirão você, mas também destruirão o seu trabalho... Essa cautela profissional por parte de Giovanni foi confundida por Meli, um homem estúpido, uma pessoa de inteligência genuinamente limitada, como uma forma de medo ou conluio. Para outras pessoas, foi uma boa oportunidade para desacreditar Falcone. Muitos interesses convergiram em querer desacreditar Falcone."[15]

---

14. *Europeo*, 25 de novembro de 1988.

15. Entrevista do autor com Vito D'Ambrosio.

Dessa vez, as mesmas pessoas que protestaram contra o abuso do poder judicial e clamaram por uma lei que responsabilizasse os procuradores por seus erros estavam tentando crucificar Falcone por não prender alguém por evidências insuficientes. Como não havia base para as acusações contra Falcone, o caso foi encerrado, mas contribuiu para a atmosfera de confusão na guerra contra a máfia e também para corroer o prestígio de Falcone.

Assim como o "caso Costanzo" estava morrendo, em 23 de novembro de 1988, o mais alto tribunal da Itália desferiu outro golpe na força-tarefa antimáfia. Na batalha jurisdicional levantada pela inquisição de Calderone, o tribunal decidiu em favor de Antonino Meli, ordenando que o processo contra a Cosa Nostra deveria ser espalhado entre vários escritórios locais em toda a Sicília, em vez de ser concentrado em Palermo. A decisão, no entanto, foi muito além do caso individual; ameaçou a premissa legal do maxijulgamento e desafiou diretamente a concepção de máfia da própria força-tarefa. Famílias da máfia são autônomas em sua natureza e operam "sem qualquer dependência de ligações hierárquicas com a Comissão", escreveu o tribunal. A máfia é "uma pluralidade de associações criminosas, muitas vezes em contraste uma com a outra, que, embora adotando métodos e estruturas da máfia, têm uma ampla esfera de poder de tomada de decisões".[16] A seção da corte, presidida por Corrado Carnevale, o "assassino de sentença", simplesmente agia como se os oito anos de casos mafiosos não tivessem existido. "Não houve evidências que apoiassem essa tese, e milhares de depoimentos que a contradiziam diretamente", disse Giuseppe Ayala, promotor público do maxijulgamento.[17]

Com base nessa decisão, Antonino Meli conseguiu espalhar o caso de Calderone entre doze escritórios diferentes de funcionários locais da Sicília. A maioria dessas cidades não tinha nenhum recurso para lidar com casos desse tamanho e complexidade. Algumas delas, como Enna e Termini Imerese, tinham apenas um procurador para realizar todo o trabalho de julgamento de todo o distrito.[18] Não surpreende que quase todos os 160 réus na investigação de Calderone tenham ficado fora da prisão.[19]

---

16. Sterling, *Octopus*, p. 294; Galluzzo, p. 283.

17. Entrevista do autor com Giuseppe Ayala.

18. *L'Espresso*, 16 de abril de 1989.

19. Galluzzo, p. 283; Sterling, p. 295.

Olhando de fora para o mandato de Antonino Meli no escritório de investigação de Palermo, parece que ele havia deliberadamente sabotado a guerra contra a máfia, mas até mesmo os detratores mais severos de Meli nunca questionaram sua boa-fé. "Meli era um cavalheiro", disse Giuseppe Ayala. "Mas ele era um antigo magistrado perto da aposentadoria que não entendia nada da máfia, não tinha ideia alguma, ou tinha ideias antiquadas."[20] Por trás da luta entre Falcone e Meli, havia duas visões radicalmente diferentes do papel do magistrado. Tecnicamente, no sistema legal italiano, não há separação clara entre procuradores e juízes de julgamento – ambos são, teoricamente, "juízes". Nesse esquema, o "magistrado investigativo" (que, até 1989, era chamado de *giudice istruttore*), era uma estranha criatura híbrida que, por um lado, tinha vastos poderes de investigação e, ao mesmo tempo, deveria "julgar" sua própria evidência de forma imparcial e serena. Alguns magistrados interpretaram a necessidade da imparcialidade como um limite para o *giudice istruttore*, que deveria fazer o trabalho passivo de apenas avaliar a documentação apresentada pela polícia. Outros magistrados, como Falcone, achavam que a lei impunha a eles uma obrigação positiva de "investigar" o caso, a fim de poder julgar quem deveria ser julgado por determinado crime. Enquanto, em lugares como a Sicília, a interpretação passiva da lei se harmonizava bem com uma atitude de *laissez-faire* em relação à máfia, era também motivo de orgulho para os magistrados, que se consideravam o fiel da balança da Justiça. Ao atacar Falcone, Meli, sem dúvida, sentiu que estava mantendo o papel tradicional do magistrado e que, embora isso pudesse atrapalhar investigações específicas da máfia, o trabalho do juiz era aplicar a lei obedientemente – quaisquer que fossem as consequências. O sistema italiano é movido por leis, e não por precedentes judiciais, portanto, teoricamente, nada é permitido a menos que seja especificamente sancionado por lei. O sistema anglo-saxão baseado em precedentes tem um forte elemento de tentativa e erro: nos EUA, os promotores estão livres para tentar uma nova estratégia legal, que pode se tornar lei se os tribunais a defenderem. "Falcone era um inovador, ele tinha uma abordagem extremamente americana e pragmática", disse John Costanzo, chefe de estação da Agência Antidrogas dos EUA em Roma.[21] Meli, sem dúvida, sentiu que estava realizando um serviço público ao cortar as asas

20. Entrevista do autor com Giuseppe Ayala.

21. Entrevista do autor com John Costanzo.

de Falcone, enquanto, ao mesmo tempo, satisfazia seu orgulho ferido e a necessidade de afirmar a própria autoridade. Isso também coincidiu com outros interesses. Embora não fosse cúmplice voluntário em um plano para destruir o grupo antimáfia, Meli pode ter sido um peão em um jogo maior. "Ele certamente foi incitado por outros contra Falcone, de modo que ele sentiu que tudo o que Falcone fez estava errado", disse Ayala. "Ele foi um instrumento útil em um plano que foi dirigido por outros, dentro e fora da magistratura."

Três dias após o Supremo Tribunal italiano ter espalhado o caso Calderone aos quatro ventos, em 26 de novembro de 1988, Meli e Falcone assinaram uma espécie de trégua nos escritórios de Carmelo Conti, o presidente do Tribunal de Apelações de Palermo. Nesse documento, Falcone concordou em aceitar o direito de Meli de tomar as decisões finais na direção geral dos casos de máfia; em troca, Meli reconheceu o direito da associação antimáfia de administrar sua operação cotidiana.[22]

Falcone, já golpeado e machucado por um ano de controvérsia pública, estava particularmente relutante em virar o escritório de cabeça para baixo – especialmente à luz da decisão da Suprema Corte. Além disso, uma investigação extremamente delicada na qual ele havia trabalhado durante anos estava prestes a ruir. O caso tinha interesse especial para Falcone, porque envolvia muitos dos réus do caso Spatola, que já estavam de volta às ruas e ao comércio de heroína após suas condenações em 1982. Mostrou que, certamente, a algumas das famílias "perdedoras" da guerra da máfia tinha sido permitido voltar à lida com o lucrativo e perigoso tráfico de drogas. Envolvendo grupos em diferentes partes da Sicília e dos EUA, o caso contradizia diretamente a opinião da Suprema Corte italiana de que a máfia era simplesmente uma associação vaga de bandos criminosos independentes.

O primeiro indício de que as famílias perdedoras estavam tentando fazer uma retomada surgiu em uma escuta feita em março de 1985, que capturou um apelo desesperado feito por Rosario Spatola, em Palermo, ao seu primo John Gambino, no Brooklyn, Nova York. Spatola, que havia sido um dos principais corretores imobiliários de Palermo e amigo de membros do Parlamento, estava em apuros. Ele tinha sido preso por seu envolvimento no cartel Spatola-Inzerillo-Gambino e, enquanto estava fora, grande parte de sua família de máfia (e sangue), incluindo seu chefe, Salvatore Inzerillo,

22. Galluzzo, p. 285.

havia sido assassinada e enterrada. Temendo por sua vida, sem dinheiro e desesperado, ele chamou Gambino para ver se ele poderia voltar para o jogo da heroína. Curiosamente, Spatola e Gambino chamavam um ao outro de *compare*, "padrinho", termo siciliano que se reserva para amigos que testemunharam o batismo dos filhos um do outro. Ao contrário do termo *padrino*, usado por um inferior em relação a um superior, *compare* é geralmente usado por mafiosos de *status* aproximadamente iguais, que estão próximos.

SPATOLA: *Compare*, eu queria te dizer uma coisa, estou aqui sem uma licença, sem emprego, as coisas estão apertadas...

GAMBINO: Está apertado para todos nós, estamos em um caminho ruim...

SPATOLA: Não há dinheiro, e a situação é um inferno. Eu não sei, com todos esses julgamentos, onde isso vai acabar... Você tem problemas por aí também?

GAMBINO: Até agora não, *compare*, espero que não sejamos derrotados em todas as frentes.

SPATOLA: *Compare*, me ajude agora!

GAMBINO: Eu farei tudo que puder, mas é difícil porque eles [os *corleonesi*] têm tudo em suas mãos, entende?[23]

Quando Spatola fala de não ter uma "licença", ele provavelmente está se referindo à permissão dos *corleonesi* para lidar com drogas. Gambino indica que ele não pode agir por conta própria, sem a aprovação dos *corleonesi*, que têm "tudo em suas mãos". Quando a guerra da máfia eclodiu, em 1981, John Gambino teria voado de Nova York para Palermo para receber instruções dos *corleonesi*. Ele foi orientado a matar todos os membros das famílias perdedoras que tentaram fugir para os EUA. E em um sinal de que os laços familiares da máfia são frequentemente mais fortes do que laços de sangue, acredita-se que a máfia americana tenha matado o primo de Gambino, Pietro Inzerillo, irmão de Salvatore Inzerillo, cujo corpo foi encontrado em New Jersey com notas de dólar na boca e ao redor dos órgãos genitais. Mas algum tempo de depois de 1985, agora que os Inzerillo e as Spatola não representavam mais uma séria ameaça, os *corleonesi* aparentemente decidiram deixá-los voltar aos negócios, permitindo-lhes explorar suas excelentes conexões internacionais. A polícia italiana notou que muitos dos Inzerillo que haviam fugido para salvar suas vidas de Palermo

23. *L'Espresso*, 18 de dezembro de 1988.

em 1981 começaram a voltar à cidade, vivendo abertamente e ocupando posições de prestígio em seu antigo bairro – algo que eles não poderiam fazer se ainda estivessem sob a sentença de morte dos *corleonesi*.

Os Inzerillo e os Spatola estavam operando não apenas fora de Palermo, mas também em Torretta, a pequena cidade vizinha onde Rosario Spatola havia escondido Michele Sindona durante seu falso sequestro de 1979. Em 1986 a polícia italiana descobriu que donas de casa comuns de Torretta estavam sendo usadas como "mulas" para transportar drogas entre a Sicília e os EUA. Uma mulher de meia-idade de Torretta foi presa no aeroporto de Palermo quando a polícia a viu encharcando-se com quantidades muito generosas do perfume Chanel No. 5, em um esforço para fugir dos cães farejadores de drogas.

Quando eles a procuraram, encontraram um estoque de heroína em suas roupas íntimas. Quando começaram a prestar mais atenção à cidade de Torretta, os policiais chegaram a encontrar até torneiras de ouro em algumas casas de campo.[24] "A cidade inteira estava nessa", disse Gianni De Gennaro, o oficial da polícia que coordenou a parte italiana da investigação.[25]

À medida que se aprofundaram, os investigadores descobriram que os Inzerillo, na Itália, estavam de volta ao contato regular com seus parentes nos EUA e na América Latina. Entre outras coisas, os diferentes ramos da família criaram uma rede para transportar heroína da Itália para Santo Domingo, na República Dominicana, dentro de garrafas de vinho, que então seriam importadas para os EUA. "Somos donos da República Dominicana", teria dito um dos acusados. Quem estava cuidando da operação em Santo Domingo era Tommaso Inzerillo, que foi grampeado conversando com seu primo, Francesco Inzerillo, na Itália. Em uma conversa, Francesco Inzerillo teve o cuidado de avisar seu primo que, embora eles estivessem de volta aos negócios, os *corleonesi* ainda estavam no comando. Em um trecho, ele explicitamente diz: "*U curtu* (o Pequeno) de Corleone [Totô Riina] tem tudo em suas mãos". Outra novidade do caso é que, entre outras coisas, a Cosa Nostra siciliana estava trazendo cocaína de volta para a Europa, às vezes em troca direta por heroína. Esse era um bom indicador de que as máfias siciliana e americana estavam em contato com os cartéis de cocaína da Colômbia. Depois de saturarem o próspero mercado norte-americano de cocaína, os

24. Sterling, p. 307.

25. *Corriere*, 2 de dezembro de 1988.

colombianos queriam expandir-se para a Europa, e os sicilianos os ajudavam a alcançar os ricos mercados do norte da Itália de Milão e Bolonha.

Para conseguir quebrar o cartel, os EUA e a Itália realizaram uma grande operação conjunta. Como no caso *Pizza Connection*, Falcone trabalhou próximo de Rudolph Giuliani novamente e, em particular, com Louis Freeh, em Nova York. Enquanto isso, outro veterano da equipe da *Pizza Connection*, Richard Martin, estava atuando como coordenador, tendo se tornado a ligação do Departamento de Justiça dos EUA na Embaixada de Roma. A operação foi chamada de "Torre de Ferro", por causa do nome da cidade de Torretta, que significa "pequena torre" em italiano. A operação assumiu grandes proporções, pois os investigadores encontraram membros da rede operadora Spatola-Inzerillo-Gambino não somente em Torretta, Palermo e Nova York, mas também em Nova Jersey, Pensilvânia, Virgínia, Flórida, Califórnia e América Latina. Mais uma vez, muitos dos representantes americanos estavam negociando heroína em pizzarias. O centro nervoso da operação parecia ser o Café Giardino, o restaurante do Brooklyn onde os irmãos John e Joe Gambino mantinham sua base.

Na manhã de 1º de dezembro de 1988, a polícia de ambos os lados do Atlântico estava pronta para agir. Quando os policiais disfarçados entraram no Café Giardino dos Gambino, às onze horas da manhã, uma festa estava acontecendo. "Esta é a sua última dança, pessoal", disse a polícia quando começaram o ataque. Setenta e cinco suspeitos foram presos nos EUA, enquanto a polícia italiana, liderada por Gianni De Gennaro, trabalhando em estreita cooperação com Falcone, fez 133 prisões.[26]

---

26. Essa reconstrução da Operação Torre de Ferro está baseada nas conversas com Gianni De Gennaro, Antonio Manganelli e também nos relatos em Sterling, pp. 305-307; *Corriere*, 2 de dezembro de 1988; *L'Espresso*, dias 11 e 18 de dezembro de 1988.

Capítulo 17

Giovanni Falcone conseguiu saborear a satisfação da operação Torre de Ferro por apenas um curto período de tempo. O "armistício" em que trabalhou com o promotor-chefe Antonino Meli, em novembro de 1988, começou a desmoronar quase imediatamente após a sua promulgação. Os dois membros mais radicais da força-tarefa, Giuseppe Di Lello e Giacomo Conte, recusaram-se a assinar o acordo. Ambos acreditavam que Falcone havia feito concessões demais a Meli e que era um erro continuar investigações quando eles já não tinham controle algum. Segundo eles, era necessário romper publicamente com Meli. "Vimos que não havia como se opor a Meli dentro dos parâmetros institucionais", disse Giuseppe Di Lello. "Falcone queria fazer concessões, mas... Senti que precisávamos denunciar Meli publicamente, em conflito aberto. Falcone achava que os danos seriam maiores do que os benefícios."[1]

Agora Falcone se via policiado e impedido por seu chefe e desafiado por seus próprios colegas de dentro da força-tarefa. Em conversas entre amigos, Falcone, brincando, se referia aos colegas mais jovens, Di Lello e Conte, como os aiatolás. Magistrados com uma orientação política mais aberta, Di Lello e Conte eram (na visão de Falcone) puristas intransigentes, que achavam que era importante travar uma batalha de princípios, mesmo que isso significasse interromper as investigações em andamento. Eles argumentavam que, como existia um problema político, era preciso agir politicamente. Ao serem forçados a trabalhar com uma das mãos amarrada às costas, sentiam que estavam legitimando as ações de um governo que queria lutar contra a máfia sem realmente fazê-lo. Já Falcone preferia combater a

1. Entrevista do autor com Giuseppe Di Lello.

máfia com uma mão só a não combatê-la. "Falcone era muito pragmático", disse o juiz Vito D'Ambrosio, "ele tentou se adaptar às situações para criar as melhores condições possíveis para poder fazer o seu trabalho".[2]

Diante das decisões desfavoráveis do Supremo Tribunal italiano e do *Consiglio Superiore della Magistratura*, Falcone sentiu que uma "trégua" era a única maneira de salvar o que fosse possível das investigações em andamento e impedir que o trabalho da força-tarefa parasse. Falcone também tinha consciência dos sentimentos de seus colegas americanos, que o encorajaram a continuar. "Sem a força-tarefa italiana, a máfia vai ganhar", disse Louis Freeh na época. "O desmantelamento do grupo italiano criaria problemas insolúveis para nós aqui... A máfia foi desestabilizada nos dois países, mas não está acabada. Este é um momento crítico para todos nós. Sem a força-tarefa italiana, estaríamos paralisados também."[3]

No final de janeiro de 1989, Conte e Di Lello, depois de se recusarem a aceitar qualquer conciliação, foram expulsos da força-tarefa por Meli. "Falcone viu a partida deles como um momento de esclarecimento, quase uma libertação", disse o juiz D'Ambrosio. "Ele estava sendo atacado de dentro da própria força-tarefa e, ao mesmo tempo, tinha que fazer uma mediação com Meli... Ele disse: 'Deixe Meli fazer o que ele quiser, desde que ele me deixe trabalhar'. Ele acreditava que poderia trabalhar de tal maneira que Meli nem sequer poderia entender o que ele estava fazendo. 'Desde que ele não jogue uma pá de cal no trabalho.'"[4]

"Falcone não queria abandonar seus casos, especialmente o grande julgamento 'contêiner'", disse Di Lello. "Ele era coerente em suas próprias crenças. Ele era um homem de lealdade ferrenha às instituições e não desejava minar essas instituições... Ele não subestimou (a dimensão política) do problema, mas acreditava que a dimensão política (da máfia) sucumbiria diante de um trabalho investigativo constante e paciente do Judiciário, quando exatamente o contrário se fazia. A dimensão política era mais forte... as investigações tinham parado em Vito Ciancimino e nos primos Salvo..."

Em 1989, nessas condições desanimadoras, a força-tarefa caminhava titubeante. "Os maxijulgamentos foram bloqueados, mas fizemos alguns julgamentos menores, mas bastante significativos, como a Torre de Ferro

2. Entrevista do autor com Vito D'Ambrosio.

3. Sterling, *Octopus*, p. 296.

4. Entrevistas do autor com Vito D'Ambrosio, Giuseppe Di Lello e Ignazio De Francisci.

e outros casos de tráfico internacional, que fizemos individualmente ou em grupos pequenos de dois ou três", disse Ignazio De Francisci. Mas tornou-se cada vez mais evidente, ao longo de 1989, que eles estavam perdendo a guerra. Trabalhando de mãos atadas, era impossível que um punhado de procuradores pudesse fazer mais do que um pequeno arranhão em um vasto e complexo problema, se os outros órgãos do Estado, como a polícia, os tribunais, o Parlamento e o governo nacional, não fizessem a sua parte.

Durante o apogeu da força-tarefa, entre 1983 e 1986, o apoio de ministros favoráveis em Roma fez uma diferença enorme no êxito das investigações. A repressão governamental não só reduziu drasticamente a taxa de mortalidade, como também desestruturou o tráfico de drogas. Em 1985, quando a força-tarefa estava no auge de seus poderes, o número de mortes por *overdose* de drogas na Itália foi reduzido quase pela metade, caindo de 398 mortes para 242, e permanecendo baixo (292) em 1986. Mas com a mudança de governo em 1987, a guerra contra a máfia estagnou. O número de mortes por *overdose* saltou imediatamente para 542 óbitos em 1987, e, depois que a força-tarefa começou a se desintegrar, em 1988, as mortes relacionadas a drogas dispararam para quase três vezes mais que nos anos anteriores (atingindo 809 mortes em 1988 e 951 em 1989). Segundo um relatório publicado mais tarde pela comissão antimáfia, esse aumento foi "uma indicação da relação clara entre o enfraquecimento dos esforços antimáfia e o problema cada vez maior da dependência de drogas".[5]

Enquanto o Estado italiano recuava, grupos criminosos organizados de toda a Itália avançavam, espalhando-se por partes da Sicília e do sul da Itália, onde antes eram ausentes, fortalecendo-se nas áreas onde não eram particularmente fortes. Lugares como Catânia e Reggio Calabria substituíram Palermo como as capitais com maior número de assassinatos da Itália. Puglia, uma região que sempre foi vista publicamente como um oásis de indústria e progresso no sul da Itália, estava completamente sitiada. Crimes de intimidação, como assassinatos, incêndios criminosos e a explosão de lojas e locais de trabalho dobraram em cinco anos, sinais reveladores de que grupos criminosos estavam dominando a economia. A situação era ainda pior nas regiões tradicionalmente afetadas pelo crime organizado: Sicília, Calábria e Campânia, onde assassinatos e outros crimes graves aumentaram

5. *Relazione di Minoranza* pela comissão antimáfia do Parlamento, em 24 de janeiro de 1990, *X Legislatura, doc. XXIII, n. 12-bis/I,* capítulo III.

50% em relação aos seus níveis já altos. E no meio dessa onda de crimes no sul da Itália, o número de pessoas presas na verdade caiu pela metade entre 1984 e 1989, de 31.254 prisões para 15.678 – enviando uma mensagem clara de que era possível escapar impunemente de assassinatos e de uma série de outros crimes. Ainda mais desalentador era o fato de que, à medida que os crimes aumentavam, o número de suspeitos denunciados à polícia diminuía. Em outras palavras, à medida que o império da máfia crescia, os cidadãos comuns ficaram cada vez mais receosos de denunciar os crimes de que foram vítimas.

Graças à complacência dos tribunais italianos, no início de 1989, apenas 60 dos 342 réus condenados no maxijulgamento ainda estavam na prisão.[6] E muitos deles não pareciam estar sofrendo com isso. Os chefões mais importantes da Comissão passavam meses a fio não na prisão de Ucciardone, mas no *Ospedale Civico de Palermo* (Hospital Cívico), onde desfrutavam de acomodações semelhantes às de um hotel. Pippo Calò, Francesco Madonia, Salvatore Montalto e Bernardo Brusca – todos membros da Comissão condenados no maxijulgamento – estavam entre os dez principais chefes hospedados em um pavilhão especial do hospital. Junto com esses dez havia dois criminosos comuns, cujo dever era servir aos grandes mafiosos. Como na prisão, toda a alimentação deles era trazida de restaurantes externos. Calò ficou no hospital de Palermo por quase dois anos inteiros com diagnóstico de asma. Outros estavam lá apenas para testes, que chegavam a demorar meses para serem feitos. Giuseppe Ayala, procurador público no maxijulgamento, desafiou esse sistema fazendo com que os réus fossem examinados por médicos de Milão, que os diagnosticaram com saúde perfeita. Mas um tribunal de Palermo pediu uma segunda opinião de médicos sicilianos, que confirmaram suas doenças misteriosas.[7] O diretor do *Ospedale Civico* era Giuseppe Lima, irmão de Salvatore Lima, um membro do Parlamento suspeito de ter ligações com a máfia. Apesar de oferecer uma estadia confortável para a Comissão da máfia, os serviços médicos do hospital eram atrozes. Dezenas de milhões de dólares foram investidos no *Ospedale Civico* na compra de equipamentos caros que jamais foram retirados de suas caixas – supostamente comprados para gerar propina de fornecedores –, enquanto muitos serviços básicos do hospital não estavam sendo oferecidos (quando

6. Sterling, p. 291.

7. *L'Espresso*, 19 de fevereiro, 1989.

a máquina de tomografia do hospital voltou a funcionar, o fato foi anunciado no jornal como um evento excepcional).[8]

Seja pela falta de apoio do governo, seja pela desmoralização, muitos procuradores simplesmente pararam de investigar os crimes da máfia. Falcone e os procuradores de Palermo iniciaram as investigações bancárias e as tentativas de congelar os ativos financeiros da máfia no início dos anos 1980, e só em 1984 os procuradores em toda a Itália iniciaram 2.586 verificações financeiras, a fim de confiscar bens de criminosos. Em 1988 esse número caiu para 619 verificações. Em algumas regiões, os esforços ficaram quase inteiramente estagnados. Na Calábria, as buscas bancárias diminuíram de 1.432 em 1984 para apenas 24 em 1988 – isso num período em que o número de assassinatos passou de 105 para 222, os grandes roubos quase triplicaram de 143 para 406, e os casos de incêndios saltaram de 265 para 362. Mesmo quando os procuradores conseguiram confiscar os recursos, os criminosos frequentemente recuperavam o controle sobre seus bens. Quando um bem pertencente à máfia era levado a leilão – apartamentos, empresas, automóveis ou barcos –, ninguém se atrevia a fazer um lance, de modo que, no final, alguém próximo ao dono pudesse comprá-los de volta por uma pequena fração de seu verdadeiro valor. "Dessa forma, os bens retornam ao mafioso de quem foram confiscados", disse Antonio Palmieri, presidente da Suprema Corte do Palermo, em abril de 1989.[9]

Havia sinais de que os juízes também estavam sendo efetivamente intimidados. No início de 1989, Gianfranco Riggio, presidente da Corte Criminal de Agrigento, renunciou repentinamente a seu novo emprego na equipe do Alto Comissariado para assuntos antimáfia. Riggio havia desempenhado um papel importante no vitorioso maxijulgamento de Agrigento. O juiz confirmou então os rumores de que membros de sua família haviam sido ameaçados. Embora Riggio tivesse sido amplamente criticado por sua renúncia, o fato de admitir publicamente que fora ameaçado certamente faz dele alguém mais corajoso do que a maioria. Dezenas de funcionários, talvez centenas, aceitavam ameaças ou propinas em silêncio.[10]

---

8. Sobre um tratado a respeito do sistema de saúde de Palermo e particularmente do *Ospedale Civico*, ver o livro *Sanità alla sbarra*, por Riccardo Arena (Palermo, 1994), p. 60 e pp. 205-18.

9. *L'Espresso*, 16 de abril de 1989.

10. *L'Espresso*, 16 de abril de 1989.

Havia outros sinais de contrarrevolução em Palermo. Após mandar prender jornalistas em 1988 pela publicação de documentos com teor político, Salvatore Curti Giardina, o *procuratore della Repubblica*, deu um passo a diante em 1989, passando a censurar os seus próprios procuradores. Quando Alberto Di Pisa, procurador assistente, apresentou um relatório probatório para o julgamento do ex-prefeito Vito Ciancimino, Curti Giardina simplesmente removeu uma sessão de vinte páginas que tratava das relações de Ciancimino com outras grandes figuras políticas como Salvatore Lima e Giovanni Gioia, argumentando que eram "fatos irrelevantes".[11]

A falta de um programa de proteção às testemunhas tinha mais ou menos colocado um ponto final ao surgimento de novas testemunhas da máfia. Stefano Calzetta, uma importante testemunha da segunda fase do maxijulgamento, tentava agora anular seu depoimento entrando com um recurso no tribunal. "Eu bati a cabeça e perdi minha memória", disse ele. Desprotegido e sem dinheiro, Calzetta estava praticamente desabrigado, passando seus dias nos jardins públicos da *Piazza della Vittoria*, em Palermo, em frente à delegacia, imaginando que era menos provável que fosse assassinado ali do que em outros lugares da cidade. Salvatore Contorno, incapaz de se adaptar à vida nos EUA e lutando para manter sua grande família com o modesto salário do programa americano de proteção a testemunhas, preferiu se arriscar na Itália, apesar da falta de segurança ou de apoio financeiro.[12]

Em maio de 1989, durante a invasão de um esconderijo da máfia perto de Palermo, a polícia ficou surpresa ao encontrar Contorno junto aos membros do bando criminoso de seu primo, Gaetano Grado, um mafioso traficante de drogas que havia sido condenado no grande julgamento. Impelido pela necessidade de dinheiro e (talvez) por um desejo de vingança, Contorno parecia ter retornado à vida do crime. Quase pela primeira vez desde a guerra da máfia de 1981-82, vários membros importantes das famílias vencedoras foram assassinados, e a polícia suspeitou que o esconderijo de Grado pudesse ter algo a ver com isso. Quando os investigadores entraram, com um helicóptero da polícia sobrevoando, encontraram inúmeras armas, incluindo uma espingarda de cano curto perto de onde Contorno estava dormindo. O "caso Contorno" era um exemplo claro do fracasso do esforço (ou falta

11. *Corriere della Sera*, 25 de janeiro de 1989.

12. *L'Espresso*, 25 de junho de 1989.

de esforço) da Itália em proteger e proporcionar vidas alternativas às suas testemunhas da máfia.[13]

Havia algo de mais sinistro no retorno de "Totuccio" Contorno à máfia. Em 5 de junho de 1989, uma mão invisível enviou a primeira de cinco cartas anônimas, escritas em papel timbrado do Ministério do Interior, para vários escritórios do governo em Palermo e Roma. As cartas acusavam Falcone, juntamente com outros procuradores e investigadores da polícia, de terem providenciado para que Contorno retornasse à Sicília, com o intuito de que ele travasse uma guerra contra Totò Riina e a máfia *corleonesi*. A notícia das cartas chegou aos ouvidos de Falcone, mas, tendo sido vítima de centenas de ataques anônimos ao longo dos anos, ele fez o possível para ignorá-las.[14]

Embora continuasse trabalhando duro, Falcone estava, até certo ponto, matando tempo durante a primavera de 1989. Com a revisão do código penal italiano, o escritório de investigação onde ele tinha trabalhado nos nove anos anteriores logo deixaria de existir. Como parte da reforma do sistema legal, praticamente todos os poderes de procuradoria e investigação ficariam concentrados na *Procura della Repubblica*. Enquanto o novo arranjo poderia, no longo prazo, simplificar e fortalecer o sistema, no curto prazo representava um problema prático para Falcone. Para dar lugar a ele, o tribunal de Palermo criou um cargo para um terceiro vice-procurador da República, no novo e expandido escritório do procurador. Falcone candidatou-se ao novo cargo em fevereiro. Naquele mesmo mês, ele concedeu uma entrevista longa e conciliatória à revista católica de direita *Il Sabato* (O Sábado), apresentando uma visão excessivamente tranquilizadora da situação das investigações de máfia em Palermo. "Eu acho que a queda na intensidade das investigações que se seguiu ao final do maxijulgamento foi superada... Agora essa pausa, esse período de desaceleração acabou, e estamos começando a trabalhar com um bom nível de intensidade." Falcone também parecia minimizar a importância das investigações sobre a relação entre a máfia e a política.[15] Para aqueles que sabiam da situação deteriorada de Palermo, Falcone parecia determinado a superar a imagem que deixara em alguns círculos conservadores, de ser um jacobino perigoso, imagem essa que contribuíra fortemente para as derrotas passadas. No

13. *L'Espresso*, 11 de junho de 1989.

14. Salvatore Parlagreco, *Il mistero del corvo* (Milão, 1990), p. 66.

15. *Il Sabato*, 11 de fevereiro de 1989.

entanto, seu pedido de emprego foi ignorado por cinco meses no *Consiglio Superiore della Magistratura*.

Sem novas testemunhas importantes e incapaz de conduzir os julgamentos máximos seguintes, Falcone concentrou-se em casos internacionais de tráfico de drogas, como a Operação Torre de Ferro. Processar o tráfico de drogas era uma forma de atacar os interesses vitais da Cosa Nostra sem se deparar com problemas políticos ou jurisdicionais complexos. Não podendo mais contar com muita ajuda em seu escritório local, Falcone pôde usar os recursos e o profissionalismo da polícia e dos magistrados de fora da Sicília. Após a morte de Ninni Cassarà, Falcone trabalhou mais perto de Gianni De Gennaro e Antonio Manganelli na *Criminalpol* em Roma, homens em quem ele confiava plenamente e que tinham recursos para atuar em larga escala.

A cooperação estrangeira tornou-se ainda mais importante do que antes. Para evitar problemas na Sicília, a Cosa Nostra não estava mais refinando a base de morfina em heroína ali; eles agora estavam comprando as drogas puras em sua origem, evitando grandes transferências de dinheiro ao trocar heroína diretamente por cocaína. Os dias em que era possível acompanhar os principais negócios de drogas simplesmente verificando as contas locais ficaram no passado. À medida que as forças policiais aumentaram suas pressões, grupos criminosos se tornaram mais e mais especialistas em lavagem de dinheiro no exterior, recrutando empresários aparentemente legítimos para movimentar dinheiro entre a Suíça, Hong Kong e as Bahamas. "Estamos perseguindo algo que está sempre se movendo mais rápido do que nós", disse Falcone em entrevista à revista *L'Espresso*. "Isso me lembra o famoso ditado: 'O dinheiro tem o coração de um coelho e as pernas de uma lebre.'"[16] A Suíça, e em particular a região de língua italiana, Ticino – a uma hora de carro de Milão –, tornou-se um refúgio especialmente atraente. As cifras do tráfico eram enormes. Dois traficantes sicilianos em um dos casos de Falcone compraram um total de duas toneladas de heroína turca no valor de US$ 55 milhões, usando a Suíça como sua base financeira.[17]

Embora tradicionalmente resistentes a qualquer violação de sigilo bancário, os suíços começaram a acordar para os perigos de atrair clientes da

16. *L'Espresso*, 28 de maio de 1989.

17. *L'Espresso*, 2 de julho de 1989.

máfia e se tornaram cada vez mais cooperativos em investigações criminais. Falcone estabeleceu uma colaboração particularmente frutífera com Carla Del Ponte e Claudio Lehman, magistrados de língua italiana de Lugano, em numerosos casos de tráfico. Em meados de junho de 1989, os colegas suíços de Falcone foram a Palermo para continuar seu trabalho juntos. Na noite de segunda-feira, 19 de junho, Falcone organizou um jantar para eles, convidando um punhado de colegas de Palermo. No dia seguinte, ele os convidou para a casa de praia que ele e Francesca haviam alugado na cidade de Addaura, ao longo da costa, a apenas alguns quilômetros da cidade. O plano era trabalhar em Palermo de manhã e depois irem para Addaura após as duas horas da tarde, para um almoço tardio e um mergulho. Mas o trabalho acabou indo até mais tarde do que o esperado, e o plano se desfez. No final do dia, Falcone foi até a casa de praia para passar a noite. Enquanto ele estava se barbeando na manhã seguinte, um membro de sua equipe de segurança de repente entrou no banheiro e disse: "Temos que sair imediatamente. Eu encontrei uma bomba".

O atento guarda-costas havia examinado a praia abaixo da casa alugada de Falcone e avistado uma bolsa esportiva da Adidas, aparentemente esquecida nas rochas. Suspeitando do conteúdo da mala, mas tomando cuidado para não levantá-la, ele olhou dentro e notou fios elétricos. Era uma bomba com 58 bastões de explosivos plásticos, poderosos o bastante para matar qualquer um em raio de dez a vinte metros. A bomba era um dispositivo extremamente sofisticado, com dois dispositivos de detonação diferentes: um dispositivo remoto e um dispositivo manual que teria sido ativado se alguém tivesse movido a mala. Mais tarde, constatou-se que faltava uma parte crucial do detonador, sugerindo que os assassinos haviam desativado a bomba quando perceberam que naquela noite Falcone não iria para a praia, mas haviam deixado o pacote imaginando que poderiam reativar a bomba caso ele estivesse em Addaura no dia seguinte. Falcone e sua escolta policial retornaram a Palermo imediatamente.

Falcone tinha sido ameaçado centenas de vezes. No início da carreira, havia sido mantido como refém em uma rebelião em Trapani, e um detento de *Ucciardone* tentara matá-lo em 1981. Falcone havia recebido um interminável fluxo de cartas e telefonemas com ameaças, desenhos de caixões, obituários falsos e até mesmo uma fotografia sua junto de seus colegas assassinados Rocco Chinnici e Ninni Cassarà com seu nascimento e data de morte presumida escritos. Ele sempre encaminhou essas ameaças às autoridades competentes, aprendendo a ignorá-las. Ele estava acostumado até com as ameaças dos chefes da máfia. "Se eu fosse você", um deles disse a ele, "levaria os meus guarda-costas para o banheiro comigo quando fosse fazer xixi."

Mas o caso da bomba o assustou de maneira diferente, como jamais havia acontecido. As cartas, os desenhos e comentários ameaçadores faziam parte da guerra psicológica. As ameaças reais vêm assim, sem aviso, pegando-o completamente desprevenido.[18] Talvez o mais assustador para Falcone fosse o fato de que a colocação da bomba tivesse todos os sinais de ser um trabalho interno. Ele tinha ido à praia apenas duas vezes durante o ano, e ninguém teria plantado uma bomba sem ter certeza de que ele iria nadar em uma tarde de terça-feira. Quem quer que tenha colocado a bomba sabia que Falcone havia convidado seus amigos suíços para almoçar e nadar depois. Certamente não foi por acaso que a bomba teria matado não apenas Falcone, mas também os magistrados que estavam ajudando-o a abrir os portões da fortaleza financeira da máfia na Suíça. A presença deles em Palermo era conhecida apenas por algumas pessoas, e todas elas faziam parte da polícia.[19]

Falcone ficou ainda mais nervoso quando o primeiro telefonema que recebeu após retornar a Palermo foi de Giulio Andreotti, o político democrata-cristão. Embora Andreotti tenha expressado seus sentimentos sobre o incidente com a bomba, o telefonema deixou Falcone bastante intrigado.

Os dois homens não se conheciam bem, e Andreotti, naquele momento, era ministro das Relações Exteriores, um cargo sem relações com a guerra contra a máfia. Falcone não podia deixar de lembrar algo que ouvira de um mafioso em um interrogatório anos antes: "Se você quer saber quem cometeu ou ordenou um crime, observe quem mandou a primeira coroa de flores para o funeral".[20] O telefonema pode ter sido um ato genuíno de solidariedade, mas as suspeitas que Falcone confidenciou a alguns amigos próximos informam sobre seu estado mental após o ataque. Seus amigos nunca tinham visto ele ou sua esposa, Francesca, tão aborrecidos. "Francesca ficou tão abalada com a tentativa de assassinato que entrou em estado de choque e perdeu a voz por 48 horas", disse o juiz Francesco Lo Voi. Mas em algumas partes de Palermo, as pessoas fizeram pouco caso do incidente.

---

18. Falcone, *Cose di Cosa Nostra*, pp. 55-56.

19. Falcone, CSM, 13 de julho de 1989.

20. Entrevista do autor com Vito D'Ambrosio.

"A tendência era minimizá-lo", disse Falcone em uma entrevista posterior. "Nos habituais círculos sociais de Palermo, as pessoas diziam: 'Que tentativa de assassinato? Quando a máfia decide matar, ela nunca erra. Foi apenas um aviso'... Uma conversa com um jornalista revelou bem o clima da época, quando me disse: 'Juiz Falcone, eu tenho duas perguntas, uma séria, e uma menos séria. Vamos começar com a menos séria: qual é a história dessa tentativa de assassinato?'."[21]

Ao ficarem sabendo do ataque, os rivais de Falcone para o cargo de procurador-adjunto da *Procura della Repubblica* retiraram suas candidaturas, e, uma semana após o incidente de Addaura, o *Consiglio Superiore della Magistratura* finalmente aprovou a transferência de emprego de Falcone. O episódio provocou comentários irônicos no tribunal local, afirmando que talvez o próprio Falcone tivesse plantado a bomba como um golpe publicitário.

Ao ver Falcone três semanas após a descoberta da bomba, o jornalista Saverio Lodato disse que ele parecia um homem que "compareceu ao próprio funeral e não gostou do que viu". A tentativa de menosprezar o perigo enfrentado por Falcone fazia parte do assassinato do personagem que parecia sempre preceder os assassinatos reais na Sicília. Quando o juiz Ciaccio Montalto, de Trapani, foi assassinado, espalharam um boato malicioso de que sua esposa estava tendo um caso e que sua morte devia ter sido um crime passional. Quando o general Dalla Chiesa foi morto, algumas pessoas o ridicularizaram por seus esforços em Palermo, quase culpando-o por sua morte: "Eu vejo o mesmo mecanismo que precedeu a morte do General Dalla Chiesa", Falcone disse a Lodato. "O roteiro é o mesmo. É preciso ter olhos para ver."

Falcone disse abertamente que acreditava que a tentativa de assassinato envolvia não apenas a Cosa Nostra, mas também pessoas no governo. "Estamos lidando com mentes extremamente refinadas que tentam orientar certas ações da máfia", disse ele a Lodato. "Há talvez pontos de convergência entre os chefes da Cosa Nostra e os centros ocultos de poder que têm outros interesses. Eu tenho a impressão de que essa é a hipótese mais provável se quiser entender as razões que podem ter levado alguém a tentar me matar."[22]

---

21. Galluzzo, *Obiettivo Falcone*, p. 304.

22. Lodato, *Quindici anni di mafia*, p. 276.

Enquanto Falcone analisava as circunstâncias de sua própria quase--morte, sua mente retornou à campanha de cartas anônimas que haviam precedido o atentado à bomba. Agora ele via as cartas difamatórias como uma preparação do terreno para sua morte. Enquanto a maioria das cartas anônimas eram rudes e amadoras, as cartas que precederam o atentado à bomba eram mais sofisticadas, demonstrando conhecimento das investigações da máfia atual e da situação de Salvatore Contorno, a testemunha da máfia que havia sido presa novamente perto de Palermo em maio de 1989.

O autor das cartas anônimas sabia, por exemplo, que Contorno havia voltado para a Itália em novembro de 1988 e que no mês seguinte Giovanni Falcone e Leonardo Guarnotta viajaram a Roma para ouvir o seu depoimento. O autor da carta tinha conhecimento de que Gianni De Gennaro, o investigador da polícia que cuidava de Contorno, interviera pessoalmente nos tribunais para que Contorno pudesse participar por telefone, em vez de precisar ir pessoalmente aos escritórios da *Criminalpol* toda semana. Embora tenha sido claramente uma medida de segurança tomada para a proteção de Contorno, o venenoso autor interpretou o fato como parte de um grande projeto para que Contorno retornasse à Sicília como assassino de aluguel. A carta até citava cláusulas do código penal italiano que poderiam ser usadas para acusar Falcone e De Gennaro como cúmplices de assassinato. O autor parecia ser alguém diretamente envolvido no caso Contorno e, talvez, até mesmo um magistrado.

"Gennaro e os chefes da *Criminalpol* em Roma sabiam que Contorno iria a Palermo para tentar atacar os *corleonesi* e expulsar Totò Riina (segundo uma das cartas). De Gennaro viajou para Palermo para discutir seu projeto com os procuradores, em particular, Falcone, Giuseppe Ayala e Pietro Giammanco, todos da *Procura della Repubblica*, que não fizeram nenhuma objeção. A conclusão positiva dessa operação interessou a Falcone em particular, que estava à espera de ser nomeado procurador da República e esperava atacar o comissário-chefe (em relação aos assuntos antimáfia) Domenico Sica, de quem não gostava e também para fazer um favor aos seus amigos comunistas... Todos esses homens devem ser considerados responsáveis pelos assassinatos cometidos por Contorno, foram verdadeiros assassinatos patrocinados pelo Estado..."[23]

23. Galluzzo, pp. 311-13.

A ideia era, em todos os seus aspectos, absurda. Por que a polícia mandaria Contorno para Palermo apenas para se constranger prendendo-o em circunstâncias comprometedoras pouco tempo depois? Além disso, por que uma matança de Salvatore Contorno ajudaria Giovanni Falcone a se tornar procurador-chefe adjunto de Palermo, ou "atacar o comissário-chefe Sica", ou ser um favor a "amigos comunistas (de Falcone)"? Apesar das evidentes fraquezas, as cartas misturavam fatos reais e fantasias suficientes para fornecer munição àqueles que eram contra Falcone e seus colegas.

"Todos nós pensávamos que (as cartas e a bomba) faziam parte de uma única estratégia", disse Antonio Manganelli, um funcionário da Polícia Criminal que trabalhou em parceria com Falcone e De Gennaro na época. "É preferível matar um representante do Estado depois de desacreditá-lo, o que também reduz as possíveis tensões dentro da própria máfia. Se você pode afirmar que Manganelli é um ladrão, isso fornece uma justificativa para as pessoas que o matam e suaviza a reação ao crime. Talvez esse momento em particular tenha sido escolhido porque, pela primeira vez, Falcone surgia diante do público não como símbolo da guerra contra a máfia, mas como um possível manipulador de testemunhas, um procurador que ultrapassou seus limites e fez algo ilegal... Isso apela para certo tipo de tribunal público siciliano, com sua velha regra implícita de que a máfia não pode tocá-lo enquanto você estiver apenas cumprindo seu dever... mas se você jogar sujo, tudo é justificado. Se Falcone não é um magistrado corajoso, mas um manipulador de testemunhas do governo, então qualquer coisa pode acontecer com ele."[24]

"A fim de abrir caminho para os agentes criminosos, era preciso ter dois tipos de condições prévias: um contexto e informações", disse Falcone em entrevista na época. "Há meses as pessoas dizem: Falcone está ultrapassado... Falcone não fez nenhum progresso desde Buscetta, é um arqueólogo judicial, perseguindo as sombras de uma máfia que já não existe mais... Ele está manipulando para poder avançar na carreira... Falcone é um homem dos democratas-cristãos. Falcone é a quinta coluna dos comunistas. Esse intenso trabalho furtivo tem o objetivo de me fazer aparecer nos governos como um procurador que não é confiável... Pessoas de boa-fé... começaram a duvidar, a suspeitar... Esses semeadores de discórdia, escritores de cartas anônimas, abriram rachaduras em minha armadura, me isolaram,

24. Entrevista do autor com Antonio Manganelli.

danificaram meu prestígio... E esse é um pré-requisito que a máfia sabe avaliar (e criar) antes de cometer um crime contra um representante do Estado. A máfia está avaliando o impacto do crime, e planejando o que vai fazer."[25]

De maneira privada, a um punhado de amigos de confiança, Falcone compartilhou suas suspeitas sobre quem poderia ter fornecido à máfia a informação sobre os planos para nadar em Addaura em 19 de junho de 1989. "Ele me disse que sem dúvida suspeitava de Bruno Contrada", disse Ignazio De Francisci, seu colega na força-tarefa antimáfia. Contrada, que sucedera a Boris Giuliano como chefe do Esquadrão da Polícia de Palermo, foi objeto de rumores por anos. Já em 1981, o chefe de polícia não confiava em Contrada: ele o enviara para controlar uma rebelião inexistente na prisão, com a intenção de mantê-lo no escuro a respeito de uma importante incursão policial no caso Spatola. Em 1984, Buscetta havia avisado Falcone sobre Contrada; Rosario Riccobono havia dito a Buscetta em 1980 que ele poderia esconder-se com segurança em seu território de Partanna-Mondello sem medo de ser incomodado pela polícia. Quando Buscetta contou a seu amigo Stefano Bontate sobre isso, Bontate respondeu que Riccobono gozava de proteção especial por causa de seus laços estreitos com Contrada. Isso não foi evidência suficiente para iniciar um caso contra Contrada, mas poderia ter sido suficiente para convencer seus superiores a manter Contrada longe de casos delicados da máfia. Ao invés disso, ele se tornou um dos principais investigadores do comissário-chefe para assuntos antimáfia e foi posteriormente promovido a um cargo importante nos serviços secretos italianos, tornando-se ativo nas investigações da máfia. "Ninguém jamais falou: 'Contrada você vai trabalhar para a polícia em Bolzano ou Trieste (no norte da Itália)'", disse De Francisci. "Ele estava sempre lá e, na minha opinião, não por acaso. Isso servia aos interesses de alguém."[26]

Embora Falcone tenha mencionado Contrada a De Francisci e a outros amigos, ele nunca elaborou as razões de suas suspeitas. No entanto, uma teoria que surgiu o ligava à mais recente investigação suíça de Falcone, envolvendo o lavador de dinheiro da máfia Oliviero Tognoli, braço financeiro de Leonardo Greco, o chefe de Bagheria. Tognoli supostamente teria conseguido adquirir quilos de ouro puro com os lucros da venda de drogas, mantendo numerosas contas bancárias na Suíça para seus amigos na Sicília.

25. Galluzzo, p. 299.

26. Entrevista do autor com Ignazio De Francisci.

Embora um mandado internacional para sua prisão tenha sido emitido em 1984, ele não foi capturado até 1989. Tognoli admitiu a Falcone e à magistrada suíça Carla Del Ponte que havia escapado da prisão com a ajuda de Contrada (segundo o próprio depoimento de Del Ponte em 1994). A bomba na casa de Falcone em Addaura talvez tenha sido projetada para evitar que o conchavo de Contrada se tornasse público. Mas depois da descoberta da bomba, Tognoli mudou sua história e se recusou a fazer uma denúncia oficial de Contrada.[27]

Embora o ataque a bomba tenha fracassado, dezenas de cartas anônimas começaram a chegar nos meses seguintes, como uma série de bombas-relógio bem plantadas. No final de junho, um remetente desconhecido deixou três cópias de outra carta anônima no correio, endereçada a dois líderes do Partido Comunista e a Giampaolo Pansa, um jornalista de esquerda. Dessa vez, o objeto exclusivo dos ataques foi Giovanni Falcone.

"Ilustres senhores, Giovanni Falcone, para usar um eufemismo, tem os levado pelo nariz, fazendo-se passar por um campeão antimáfia enquanto age como um sórdido oportunista.

Caso vocês ainda não tenham entendido, Falcone decidiu se distanciar do Partido Comunista, atribuindo, como confidenciou a amigos, todas as suas desgraças (a rejeição como chefe do gabinete de investigação e rejeição como comissário-chefe para assuntos antimáfia) à sua proximidade com aquele partido, uma proximidade, como ele agora afirma, que o desacreditou para o mundo exterior e criou a oposição de outras forças políticas, em particular os democratas-cristãos e os socialistas, que são os partidos com relevância hoje.

Basta ler a entrevista de Falcone com a revista *II Sabato* onde, entre outras coisas, ele afirma que a força-tarefa ainda existe (uma falsidade demonstrável), que as relações entre a máfia e a política são vagas e não podem ser criminalmente puníveis, que o 'Terceiro Nível' não existe, que não houve queda de intensidade na guerra contra a máfia, que os procuradores não estão 'contra' ninguém... A verdade é que Falcone, tendo que se mudar para a *Procura della Repubblica* de Palermo, dominada por pessoas ligadas ao grupo Lima-Andreotti, e sem outras perspectivas, decidiu subordinar-se àqueles que defendiam os interesses dos democratas-cristãos, Lima e Andreotti, a fim de manter seu cargo de procurador antimáfia

27. *Corriere*, 28 de junho de 1994.

(já sem muita credibilidade), não mais investigando (e não poderia) o 'Terceiro Nível' (que não existe mesmo), a conexão existente entre a máfia e os políticos democratas-cristãos, e a cumplicidade entre máfia e os negócios.... Falcone se vendeu para obter o cargo de procurador-chefe adjunto... Mas Falcone sabe que terá de pagar todas as notas promissórias e que os cobradores chegarão pontualmente no momento apropriado, no meio das investigações do "Terceiro Nível'. Salvo Lima irá lembrá-lo de sua dívida, e Falcone terá que pagar por cada centavo."

Em julho outra carta chegou, aparentemente escrita por um outro autor. "Eu faço parte da máfia há algum tempo, mas estou cansado. A dinamite endereçada a Falcone não foi preparada pela máfia, mas por um dos nossos por um pedido do próprio Falcone... havia uma promoção de carreira em jogo."[28]

Declarando-se um mafioso, errando vários termos gramaticais, contando uma história claramente absurda, o autor dessa carta estava determinado a não ter credibilidade. Certamente a máfia era esperta demais para assumir a autoria de uma carta – o que poderia ser uma maneira inteligente de disfarçar sua genuína autoria. Ou talvez essa nova carta tenha sido uma tentativa do autor anônimo anterior – claramente uma pessoa com conhecimento jurídico – de despistar a polícia. A única coisa certa é que alguém ou várias pessoas estavam jogando um jogo elaborado, adicionando camadas e mais camadas de desinformação.

A escrita de cartas anônimas é um hábito italiano bastante comum, particularmente na Sicília, onde a fé na obtenção de justiça por meio dos canais normais é especialmente fraca. A primeira comissão antimáfia dos anos 1960 recebeu cerca de 40 mil cartas anônimas, e em 1989 o Alto Comissariado para assuntos antimáfia tinha um escritório inteiro dedicado a analisar, catalogar e arquivar cartas anônimas. De vez em quando, essas cartas forneciam informações vitais. Mas a maioria delas – produtos de rivalidades de cidades pequenas, ciúmes pessoais e brigas profissionais – acabava acumulando poeira nos arquivos.[29]

As cartas escritas contra Giovanni Falcone e seus colaboradores mais próximos não tiveram uma morte tranquila. Por causa de sua possível conexão com a bomba em Addaura, porque seu autor poderia ser um

28. Parlagreco, pp. 67-68.

29. Parlagreco, p. 61.

investigador da máfia e porque tudo relacionado a Falcone agitava de tal maneira a imprensa italiana, começaram a surgir histórias sobre a misteriosa figura que agia nos bastidores. Ele recebeu até um nome, "o Corvo", o termo italiano para um escritor de cartas anônimas. Por causa do conteúdo difamatório das cartas, os rivais de Falcone podem ter visto uma boa oportunidade para desacreditá-lo ainda mais. Significativamente, quatro dessas cartas haviam sido enviadas a Domenico Sica, o comissário-chefe de assuntos contra a máfia, um rival de Falcone. Na verdade, um dos propósitos claros das cartas era fomentar o mal-estar entre Sica e Falcone.[30]

A experiência de Sica como comissário-chefe foi um tanto quanto frustrante. Como acontecia com frequência, o Parlamento italiano lhe dera, no papel, poderes vastos mas indefinidos para serem utilizados no combate à máfia, mas esses poderes ainda não haviam se transformado em realidade. Ele ainda dependia em grande parte dos magistrados e forças policiais que já estavam trabalhando em casos de máfia, e não estava claro que tipo de autoridade Sica tinha sobre eles – se é que tinha alguma. Ele era um magistrado sem o poder de acusação e um policial sem a força policial. Os *carabinieri* de Palermo e o *Criminalpol* em Roma continuaram a trabalhar principalmente com Falcone, a quem já conheciam bem. Sica tinha, no entanto, o poder de interrogar testemunhas em qualquer caso que o interessasse, e ele começou a reinterrogar muitas das testemunhas da máfia que Falcone já havia interrogado, produzindo resultados redundantes. A certa altura, alguém da equipe de Sica revelou que o comissário-chefe estava partindo para os EUA com o intuito de questionar Gaetano Badalamenti, o ex-chefe da Comissão que fora condenado no julgamento americano da operação *Pizza Connection*. As histórias que apareceram na imprensa indicavam claramente que o antigo chefe da Cosa Nostra estava pronto para "virar a casaca". Mas quando Sica chegou para questionar Badalamenti em sua prisão nos EUA, ele encontrou alguém que não estava disposto a falar. "Por que você publicou a notícia dessa reunião? Você estava tentando matar todos os meus parentes?", disse Badalamenti furioso, em meio a uma aparição posterior

30. Parlagreco, p. 66. Para as várias interpretações sobre o caso do corvo, ver o livro de Parlagreco *Il mistero del corvo* (escrito em defesa de Di Pisa), e *L'intrigo*, escrito por Parlagreco e Di Pisa juntos. Para uma perspectiva diferente, ver *Per fatti di mafia* (Roma, 1991), pp. 55-112, por Francesco Misiani, um assessor próximo do comissário-chefe para assuntos antimáfia. Para uma reconstrução factual dos eventos, me baseei nos depoimentos anteriores ao Consiglio Superiore della Magistratura (CSM) e seu relatório final, em 6 de novembro de 1989, assim como na sentença da corte de Caltanisetta, *Sententa contro Di Pisa, Alberto*, 22 de fevereiro de 1990.

na corte.[31] Falcone estava tentando havia anos fazer com que Badalamenti cooperasse, e o chefe havia dado alguns sinais cautelosos de abertura, algo que Sica não sabia. Seu desejo de competir com o Falcone e o amor pela publicidade minaram a possibilidade de Badalamenti se tornar testemunha. À medida que se aproximava o primeiro aniversário de sua nomeação, Sica viu-se cada vez mais sob ataque, quando membros de Parlamento começaram a questionar a sua eficácia.

Sica decidiu que dirigiria pessoalmente as investigações sobre a bomba de Addaura e o mistério das cartas anônimas. Normalmente, os casos que envolviam o Palácio de Justiça de Palermo eram tratados pela promotoria em Caltanissetta, mas, na noite em que a bomba de Addaura foi descoberta, Sica voou para Palermo e assumiu o comando. "Sica aparenta ser o protagonista na luta contra a máfia", disse o juiz Vito D'Ambrosio. Sica agora se colocara na posição de árbitro do destino e da reputação de Falcone e de todos os outros investigadores da máfia.[32]

Ele estava convencido de que as cartas só poderiam ter sido escritas pelo procurador de Palermo. Quando ele e sua equipe começaram a perguntar sobre possíveis suspeitos, um nome continuou aparecendo: Alberto Di Pisa, um membro da força-tarefa antimáfia da *Procura della Repubblica*. Di Pisa tinha um excelente histórico como um austero procurador, e também tinha a reputação de ter uma personalidade excêntrica, que fazia coisas estranhas. Uma secretária do tribunal reclamou que ele a incomodava, e afirmou que suspeitava que ele tivesse escrito cartas anônimas para ela. Acreditava-se também que Di Pisa estava por trás de ligações para a esposa de um colega, informando a ela sobre um caso extraconjugal do marido. "Di Pisa tem um caráter bastante fechado, contencioso e sombrio, mas é um magistrado que desfrutava de total credibilidade em sua atividade profissional, tanto que ele fazia parte do grupo antimáfia", disse Vincenzo Pajno, seu antigo chefe.[33] Desde o início, ele tinha sido um dos vários magistrados da *Procura* que haviam trabalhado lado a lado com Falcone e Borsellino no grande julgamento e em praticamente todos os grandes casos de máfia da última década. Parecia difícil acreditar que um magistrado como ele pudesse se prestar a um jogo tão sujo.

---

31. Galluzzo, p. 316.

32. Entrevista do autor com Vito D'Ambrosio.

33. Depoimento de Vincenzo Pajno, CSM, 22 de julho de 1989.

No entanto, Di Pisa também foi a primeira pessoa em que muitos de seus colegas pensaram enquanto especulavam sobre a possível identidade daquele que era chamado de Corvo. Ele tinha um temperamento rancoroso e difícil e, secretamente, se ressentia de Falcone. Ele trabalhara processado casos de máfia em Palermo por mais tempo que Falcone e recebera apenas uma fração da atenção recebida por ele. Em particular, Di Pisa expressou desconfianças sobre o caso Contorno que correspondiam exatamente ao conteúdo das cartas anônimas. E era uma das poucas pessoas que conheciam os detalhes íntimos da prisão de Contorno. Ele até combinava com o papel de "O Corvo", com sua espessa juba de cabelos negros e o comportamento melancólico e sombrio de um agente funerário.

Uma das coisas que tornaram Di Pisa o suspeito mais óbvio e, ao mesmo tempo, mais improvável foi o fato de que uma das pessoas com quem o magistrado havia compartilhado suas teorias sobre a "missão secreta" de Contorno na Sicília não era outra senão o próprio comissário-chefe, Sica. Na verdade, Di Pisa e Sica tinham desenvolvido um relacionamento próximo, tanto que ele era considerado por muitos como o "homem de Sica" no Palácio de Justiça de Palermo. Isso aprofundou o que começou a ser chamado de "o mistério do Corvo". Por que Di Pisa enviaria cartas anônimas para uma pessoa que logo suspeitaria dele? Por que Sica se esforçaria para liderar uma investigação que levaria ao desmascaramento e à desgraça de um amigo e aliado útil?

Seja qual for o caso, em 7 de julho de 1989, o comissário-chefe Sica convidou Alberto Di Pisa para seu escritório em Roma, ofereceu-lhe um copo de água mineral e, depois que ele saiu, chamou os técnicos do serviço secreto italiano para coletar as impressões digitais de Di Pisa do copo de vidro e de uma mesa na qual Di Pisa tamborilara ansiosamente os dedos durante a conversa. Seis dias depois, quando viu Giovanni Falcone em Roma, Sica disse-lhe que uma análise das impressões digitais revelara que Di Pisa era, de fato, o autor das cartas anônimas.

Mas então o enredo ficou ainda mais complexo, criando um "mistério dentro de outro mistério". Em 15 de julho, um membro da equipe do Alto Comissariado, o ex-magistrado Francesco Misiani, telefonou para Falcone em Palermo dizendo que a identificação de Di Pisa como "o Corvo" fora prematura por causa de um mal-entendido. As impressões digitais tiradas das cartas anônimas eram "compatíveis" com as de Di Pisa, mas as digitais nas cartas estavam muito fragmentadas para que se pudesse dizer que eram "idênticas". Depois de ter informado às autoridades superiores, incluindo o presidente da República, que "o Corvo" tinha sido capturado, o comissário-chefe foi forçado a telefonar para eles e recuar – logo quando o nome de Di Pisa estava começando a circular na imprensa. Essa súbita reviravolta enfureceu Falcone e aumentou suas suspeitas. "Qualquer técnico razoavelmente bem treinado sabe que uma análise que diz que duas impressões digitais são 'compatíveis' uma com a outra não significa absolutamente nada: é como dizer que duas pessoas têm a mesma altura", disse Falcone mais tarde. O fato é que ou Sica cometeu um erro colossal ou ele e sua equipe estavam tentando inocentar seu amigo Di Pisa. "Tudo isso vai gerar suspeitas, rumores – as portas do inferno irão se abrir –, as pessoas vão suspeitar que fizeram isso para ajudar Di Pisa. Se ele é culpado, eles prestaram-lhe um grande favor, e se ele é inocente, sua reputação ficará irremediavelmente abalada", disse Falcone.[34]

Em 20 de julho, como era de se esperar, os jornais publicaram as alegações do comissário-chefe Sica segundo as quais "o Corvo" de Palermo seria o procurador Alberto Di Pisa. A matéria estimulou negativas, e a história do teste de impressão digital inconclusivo, como Falcone previra, gerou confusão e suspeitas para todos os lados. Naquela mesma noite, com sua carreira em jogo, Sica e seus auxiliares mais próximos foram aos laboratórios dos serviços secretos fora de Roma e supervisionaram uma série de experimentos para aprimorar a legibilidade da impressão digital na carta anônima. Eles decidiram tentar uma técnica experimental que adicionava um produto químico fluorescente à digital; o dedo era então fotografado e ampliado. Uma única impressão digital tem 25 pontos "característicos", dos quais pelo menos dezesseis precisam estar visíveis para determinar a identidade. Apenas oito pontos "característicos" restavam na digital da carta anônima, mas, depois de ser "aprimorada" no laboratório, pelo menos dezoito pontos estavam agora claramente legíveis. E os técnicos concordaram que a impressão realmente pertencia a Alberto Di Pisa. Havia apenas um problema: a técnica de aprimoramento removeu quase tudo o que sobrara da impressão digital original, deixando o comissário-chefe Sica com apenas a fotografia da impressão como prova. Depois de passar quase toda a noite nos laboratórios do serviço secreto, Sica divulgou um comunicado de imprensa

34. Depoimento de Falcone diante da CSM, 12 de outubro de 1989.

na manhã de julho, afirmando que Alberto Di Pisa era de fato o autor da carta anônima. A prova foi então enviada aos procuradores de Caltanissetta, que, vários dias depois, iniciaram um processo criminal.[35]

Mas, em vez de pôr fim ao caso "O Corvo", a identificação de Alberto Di Pisa acabou por ser o começo de outro longo e doloroso drama que paralisaria a força-tarefa antimáfia por muitos meses. A comissão antimáfia do Parlamento convocou os magistrados de Palermo para testemunharem em audiências especiais. Os magistrados se dirigiram depois aos corredores do *Consiglio Superiore della Magistratura* (CSM), que precisava determinar se transferia ou suspendia Di Pisa enquanto ele se preparava para ir a julgamento.

Aparecendo diante do CSM no verão e outono de 1989, Alberto Di Pisa optou por se defender atacando: investindo contra os agentes da Polícia Criminal, da força-tarefa antimáfia e, acima de tudo, Giovanni Falcone. Apesar de insistir que era o autor das cartas anônimas, ele não apenas endossou a maior parte de seu conteúdo, mas também aumentou as suspeitas ao fazer novas e graves acusações contra seus colegas. Ele sustentava as suspeitas de que Salvatore Contorno poderia ter sido enviado à Sicília com a anuência da polícia e da magistratura, como também insistia que o tratamento das testemunhas da máfia estava repleto de impropriedades desde que Tommaso Buscetta havia começado a cooperar, em 1984. Colocando-se como um "dissidente" entre os procuradores antimáfia, ele embarcou em uma estratégia defensiva ousada, mas arriscada. Como sempre havia expressado abertamente seus questionamentos, argumentou: "Eu teria que ser louco ou estúpido para escrever cartas anônimas sobre esse assunto, já que eu seria o primeiro alvo de suspeitas".[36]

No entanto, o depoimento de Di Pisa estava repleto de inconsistências. Embora expressasse sérias reservas sobre a integridade de Falcone, também afirmou que ele havia sido a primeira pessoa a parabenizar Falcone após sua recente nomeação como procurador-chefe adjunto. "No trabalho, minhas relações pessoais com Falcone sempre foram normais, de colaboração e cooperação, embora, no nível profissional, sempre existiram diferenças, por exemplo, no manuseio de testemunhas."

---

35. *Sentenza contro Di Pisa, Alberto*, 22 de fevereiro de 1990, *Tribunale di Caltanisetta*, 22 de fevereiro de 1992.

36. Depoimento de Di Pisa, CSM, 24 de julho de 1989.

Di Pisa acreditava que as testemunhas que cooperavam deveriam ser tratadas exatamente como qualquer outro réu criminal. Embora isso faça sentido em um campo abstrato, puramente hipotético, ele ignorava os fatos simples do mundo real. Era impossível obter a cooperação de testemunhas como Buscetta e Contorno sem estabelecer algum tipo de relação de confiança. Esses homens estavam colocando suas vidas em risco e precisavam sentir que podiam contar com os procuradores com quem trabalhavam. Como não havia nenhum programa formal de proteção a testemunhas, os procuradores precisavam prezar pessoalmente pela segurança da família das testemunhas. Além disso, os episódios que Di Pisa citou como exemplos de excessiva familiaridade entre Falcone e suas testemunhas eram tão inofensivos que beiravam o ridículo. Segundo ele, Falcone e Borsellino certa vez trouxeram *cannoli*, o confeito siciliano, a Buscetta e Contorno. Em uma outra ocasião, Gianni De Gennaro precisou levar Buscetta disfarçado em um uniforme da polícia para comprar um terno em Roma que pudesse usar no tribunal. Durante o julgamento, Falcone pedira a De Gennaro que parabenizasse Buscetta e Contorno por sua compostura no banco das testemunhas. Era difícil ver uma coisa imprópria em qualquer um desses episódios.

Mas Di Pisa acabou involuntariamente expondo uma explicação alternativa ao forte ressentimento que sentia em relação a seus colegas e às testemunhas do governo. Sua atitude de confrontação parecia afastar as pessoas, fazendo com que ele fosse excluído dos círculos de magistrados que trabalhavam mais de perto com as testemunhas da máfia. Durante um depoimento, Buscetta teria esnobado Di Pisa quando o procurador interveio com uma pergunta. "Buscetta me olhou com desprezo, Falcone sorriu e, a partir daquele momento, Buscetta nunca mais olhou na minha cara... A certa altura, Buscetta levantou e fez um pouco de café (porque ele tinha um apartamento e estava autorizado até a fazer café), ele ofereceu uma xícara para Falcone e Borsellino... e não me perguntou se eu queria... Depois, Falcone me disse que minha pergunta tinha sido ingênua."[37]

A estratégia de Di Pisa foi um desastre. Enquanto se sentava à procura de algo que pudesse prejudicar seus amigos e colegas, ele deixou a impressão a muitos no Conselho Judiciário de ser um homem consumido pelo rancor, ressentimento e inveja, precisamente o tipo de pessoa que

37. Depoimento de Di Pisa, CSM, 24 de julho de 1989.

ventilaria suas frustrações em cartas anônimas. Sem saber, ele parecia suprir seus juízes com uma clara motivação para as suas ações. "Talvez eu não tenha tido a mesma notoriedade que a mídia deu a alguns de meus colegas, mas não acredito que trabalhei com menos profissionalismo ou que obtive resultados menores... Eu praticamente iniciei o maxijulgamento", disse ele, lembrando que o general Dalla Chiesa havia enviado o relatório policial sobre os primeiros 162 réus à *Procura della Repubblica* e não ao escritório de investigação, insinuando que Dalla Chiesa confiava mais nele e não em Falcone e na força-tarefa antimáfia. Embora tecnicamente preciso, o relato de Di Pisa apresentava uma distorção grosseira dos fatos. Dalla Chiesa estava simplesmente seguindo o procedimento padrão. O antigo código penal da Itália exigia que todos os relatórios policiais fossem arquivados com a *Procura* e, então, dentro de trinta dias, passariam para o escritório de investigação para dar continuidade aos trabalhos. Além disso, esse relatório não foi preparado pelo general Dalla Chiesa, era o trabalho do investigador policial Ninni Cassarà, que trabalhava em perfeita sincronia com Falcone.

Di Pisa criticou Falcone por aceitar um pedido do governo americano para ajudar a interrogar uma testemunha da máfia ítalo-americana que também era réu em outro julgamento em Roma. Ele se referiu ironicamente a Falcone como um promotor "planetário", "que está ocupado com tudo e com todos e invade o território de outras pessoas".

Na busca desesperada por mais munição, Di Pisa ressuscitou as críticas a Falcone contidas nos diários privados de Rocco Chinnici – críticas que já haviam sido investigadas pelo CSM e não tinham base real. "Eu não quero insinuar nada, mas...", Di Pisa disse. Então, no que talvez tenha sido o golpe baixo final, Di Pisa insinuou que Falcone tinha um relacionamento amigável demais com Michele Greco, "o papa", relatando que o chefe da máfia havia abraçado Falcone depois de um depoimento. "Esse não é um incidente importante, mas eu não sei... Michele Greco e Falcone se abraçando... parecia um pouco estranho. Para ser sincero, Falcone não iniciou esse abraço, mas também não o afastou..."

Vários membros do CSM ficaram chocados com o desempenho de Di Pisa. "Ele se comportava como um touro mortalmente ferido... que, no ápice da fúria, ataca cegamente qualquer coisa que se mova... com o único objetivo de destruir e matar tudo o que puder antes de morrer", disse um membro anônimo do Conselho após a sessão. "Um espetáculo patético. E pensar que Di Pisa era um magistrado respeitado."[38]

Embora os ataques desesperados de Di Pisa não tenham atingido Falcone, ele conseguiu lesar outro colega, Giuseppe Ayala, o procurador público no maxijulgamento e amigo mais próximo de Falcone no Palácio da Justiça na época. "Em toda a Palermo, não apenas no tribunal... mas pessoas estão dizendo que Ayala tem uma dívida bancária de ₤ 500 milhões (cerca de US$ 500 mil)", disse Di Pisa ao CSM. A imprensa começou a publicar rumores de que Ayala havia acumulado essa grande dívida bancária após contínuas perdas no pôquer e que ele havia recebido tratamento preferencial no banco por causa de sua posição como magistrado. Logo, o "Caso Di Pisa" tornou-se o "Caso Di Pisa-Ayala", arrastando-se por todo o outono de 1989.[39]

Quando Falcone apareceu – novamente – perante o CSM em outubro, ele expressou abertamente seu aborrecimento crescente por ter sido envolvido em outra polêmica sem sentido. "Estou verdadeiramente surpreso ao ouvir acusações e insinuações totalmente infundadas e frágeis... vindo de alguém (Di Pisa) que foi o primeiro a me parabenizar quando fui nomeado procurador-chefe adjunto de Palermo... Se havia alguma diferença entre Di Pisa e mim, ele a mantinha bem escondida; não tenho conhecimento de que ele expressou essas queixas publicamente... Esse desejo de atribuir poderes messiânicos a mim, começando pelo próprio Di Pisa, está começando a me irritar... Eu gostaria que alguém me explicasse o que eu tenho a ver com essa polêmica do Contorno."[40]

Falcone salientou que, mesmo com um exército de advogados de defesa, ninguém, durante toda a duração do maxijulgamento e de sua apelação, mostrara uma única impropriedade no uso de testemunhas da máfia pelo governo. "Eu desafio alguém em Palermo ou em outro lugar a me dizer quando fiz algum favor para esta ou aquela testemunha, se já pedi tratamento especial para qualquer uma delas..." Mesmo que as acusações fossem facilmente desmontadas, o fato de ter que responder acusação após acusação, audiência após audiência, estava causando a paralisação da guerra contra a máfia em Palermo. "Se iniciarmos um 'caso' em todos

38. *La Repubblica*, 6 de outubro de 1989.

39. Depoimento de Di Pisa, CSM, 21 de setembro de 1989.

40. Depoimento de Falcone diante do CSM, 12 de outubro de 1989.

os problemas, se gastarmos todo o nosso tempo dando explicações sobre nossa conduta, nossos comentários, e sendo objeto de críticas... Chegará o momento em que iremos interrogar os réus, e eles simplesmente rirão da sua cara", disse Falcone.

E, ainda assim, havia sinais de que algumas pessoas no Conselho Judiciário queriam criar outro "caso", tentando fazer parecer que Falcone havia tomado à frente para tornar Di Pisa o principal suspeito na investigação das cartas anônimas. Falcone explicara claramente que o comissário-chefe Sica havia perguntado a ele se alguém no tribunal de Palermo tinha fama de enviar cartas anônimas. Quando Falcone mencionou o nome de Di Pisa, Sica respondeu que outros procuradores em Palermo já haviam dito a mesma coisa. Vincenzo Palumbo – um dos membros do Conselho que apoiaram Antonino Meli contra Falcone em janeiro de 1988 – tentou interpretar erroneamente o depoimento de Falcone de maneira oposta ao que foi dito: "Então, eu entendi corretamente que você foi o primeiro a mencionar o nome de Di Pisa?".

"Não, Sica já tinha os nomes", disse Falcone. "Sica queria uma confirmação minha de que Di Pisa tinha a reputação de escrever cartas anônimas."

Nesse momento, Carlo Smuraglia, um dos defensores de Falcone no Conselho, viu o perigo potencial nesse mal-entendido aparentemente inofensivo e disse: "Eu quero protestar contra o que está acontecendo aqui esta noite, porque nos noticiários da noite de hoje ouviremos que Falcone foi a primeira pessoa a sugerir Di Pisa, e isso é inaceitável! Falcone reconstruiu os eventos de maneira extremamente clara. Infelizmente, o que importa aqui não é o que Falcone diz, mas o que leremos nos jornais de amanhã".

As profundas divisões no Conselho que se formaram durante as batalhas de Meli-Falcone de 1988 persistiram em todas as polêmicas posteriores. Os defensores de Falcone foram os mais inflexíveis em defender que Di Pisa deveria ser transferido de Palermo até que sua culpa ou inocência fosse comprovada no julgamento seguinte; a maioria dos outros membros concordou, mas insistiu que era justo, então, que Ayala fosse transferido ao mesmo tempo.

Embora não houvesse evidências de que Ayala tivesse feito algo de errado, estava claro que a situação financeira de sua família se deteriorara após um complicado divórcio. No entanto, não havia risco de inadimplência: a esposa de Ayala era de uma família extremamente rica, e ela usara o dinheiro na construção de algumas propriedades imobiliárias. Uma vez que a família poderia pagar a dívida a qualquer momento – como de fato pagou –, o banco acabaria lucrando muito à custa da esposa de Ayala, ele insistiu. "Eu sou o único magistrado a ter problemas não por ficar mais rico à custa do trabalho, mas por ter ficado mais pobre", brincou Ayala.[41]

"Esse jogo desprezível teve que terminar empatado", disse Vito D'Ambrosio, que defendeu Ayala no Conselho.[42] "Foi uma decisão salomônica, um do seu grupo, um do meu", disse Carmelo Conti, do Tribunal de Apelações de Palermo.[43] "Mas acho que alguns membros do Conselho queriam atacar... Giovanni Falcone, um objetivo não declarado, mas bastante evidente." Embora possa haver, em alguns, o desejo de empatar o jogo, outros foram claramente motivados por princípios. "Ayala certamente era uma pessoa honesta, mas também era imprudente", disse Stefano Racheli, um forte defensor de Falcone que votou contra Ayala. "Um magistrado tem que viver de acordo com um alto padrão... aparências de impropriedade importam tanto quanto o ato de impropriedade."[44] Segundo ele, não era de bom tom que um procurador – em um mundo em que suborno e chantagem ocorrem todos os dias – tivesse uma dívida enorme.

Ainda assim, Racheli não exclui a possibilidade de que, no caso de Di Ayala, assim como em outras polêmicas, o Conselho possa ter entrado em uma elaborada armadilha. "A sensação realmente triste que tirei de meus anos no CSM é a de que, em muitos casos, eu nem sabia de que lado estava jogando, porque o jogo era sempre muito obscuro. A possibilidade de ser usado era imensa. Eu marquei um gol a favor ou contra a causa da justiça?"

No dia 7 de novembro, o Conselho votou para transferir Di Pisa. A maioria decidiu que a dívida bancária de Ayala não era compatível com a imagem de um procurador antimáfia e descobriu que, embora a autoria de Di Pisa das cartas anônimas não tivesse sido confirmada no tribunal, a violência e as críticas gratuitas que exprimira a seus colegas o impossibilitavam de permanecer em Palermo. No clássico estilo italiano, os dois permaneceriam como patos mancos em seus antigos escritórios

41. Depoimento de Ayala diante do CSM, 28 de setembro de 1989.

42. Entrevista do autor com Vito D'Ambrosio.

43. *L'Espresso*, 4 de março de 1990.

44. Entrevista do autor com Stefano Racheli.

de Palermo, a poucos metros de distância um do outro, por mais alguns meses, até que a ordem fosse cumprida.

Embora muitas dúvidas sobre o mistério do "Corvo" ainda permanecessem no ar (e Di Pisa seria primeiro condenado e depois absolvido), um fato estava claro: Palermo estava agora sem dois dos seus melhores e mais experientes procuradores da máfia, Di Pisa e Ayala. A credibilidade de Domenico Sica como comissário-chefe para assuntos da máfia havia sido danificada além de qualquer reparação, e Giovanni Falcone tinha saído ainda mais enfraquecido por outra batalha contundente, não com o crime organizado, mas com aqueles que deveriam estar do mesmo lado na guerra contra a máfia.

"O que a máfia não conseguiu realizar com a dinamite foi conseguido com a arma da calúnia", disse Ferdinando Imposimato, um ex-magistrado membro do Parlamento.[45]

45. *La Repubblica*, 28 de julho de 1988, citado em Parlagreco, *Il mistero del corvo*, p. 71.

Capítulo 18

Mesmo enquanto o mistério do "Corvo" ainda se desenrolava, durante o verão de 1989, Giovanni Falcone foi forçado a lidar com outro problema igualmente espinhoso. Em meados de agosto, recebeu informações de que um criminoso siciliano chamado Giuseppe Pellegriti tinha revelações assustadoras a fazer sobre as relações entre máfia e a política. Falcone e Giuseppe Ayala voaram para encontrar Pellegriti em Pisa, onde estava na prisão. Pellegriti afirmou que o líder democrata-cristão Salvatore Lima havia contratado a máfia para assassinar seu colega Piersanti Mattarella, o presidente da região siciliana, em 1980. Embora Pellegriti fosse apenas um criminoso comum, ele insistiu que sua informação vinha diretamente de Nitto Santapaola, chefe da Cosa Nostra em Catânia. Falcone e Ayala começaram a suspeitar de que fosse uma cilada. Com a proximidade do interrogatório, o preso começou a se contradizer, cometendo erros factuais óbvios, e ficou claro que ele não poderia ter obtido essas informações de Santapaola. "Depois de cerca de dez minutos, Giovanni e eu nos entreolhamos como se disséssemos: 'Viemos até aqui para ouvir essa história da carochinha?'", disse Giuseppe Ayala.[1]

Desde o momento em que Tommaso Buscetta começou a cooperar, em 1984, os procuradores da máfia se preocuparam com a possibilidade de falsas testemunhas se infiltrarem para plantar desinformação. Se informações confiáveis se misturassem com outras inventadas e testemunhas honestas começassem a ser confundidas com as desonestas, todo o edifício legal do maxijulgamento poderia desabar. O caso ainda estava tramitando

1. Relatos do depoimento de Pellegriti foram publicados no *Corrierre della Sera* em 11 de outubro de 1989 e 13 de outubro de 1989. A citação é de uma entrevista do autor com Giuseppe Ayala.

no processo de apelação, e um erro desastroso poderia ser usado para desacreditar o uso de testemunhas da máfia e derrubar a sentença do julgamento máximo. Falcone suspeitava que Pellegriti estivesse seguindo ordens de outro preso com quem tinha proximidade, Angelo Izzo, um terrorista de direita com um gosto por intrigas políticas. Já condenado à prisão perpétua, um preso como Pellegriti não arriscava nada engajando-se em uma campanha de desinformação. Falcone também estava preocupado que Pellegriti estivesse sendo incitado por pessoas próximas a Leoluca Orlando, o prefeito de Palermo, para quem Salvatore Lima era o diabo encarnado. Famoso por ter dito que "a suspeita é a antecâmara da verdade", Orlando parecia convencido de que qualquer acusação contra seus inimigos políticos deveria, por necessidade, ser verdadeira. O momento escolhido por Pellegriti para fazer essas revelações também era um pouco suspeito: o mentor político de Lima, Giulio Andreotti, acabara de se tornar chefe do governo novamente, iniciando seu sexto mandato como primeiro-ministro, em 20 de julho de 1989.

Embora Falcone tivesse certeza absoluta de que Pellegriti estava mentindo, a acusação o colocou em uma situação difícil. Embora os procuradores nos EUA pudessem decidir seguir ou não com a investigação em determinado caso, de acordo com a lei italiana, os magistrados são tecnicamente obrigados a investigar qualquer crime que seja levado ao seu conhecimento – independentemente da força das evidências. "Ele estava extremamente preocupado", disse o juiz Vito D'Ambrosio, com quem Falcone conversou no caminho de volta de Pisa a Palermo.

"'Eles prepararam uma armadilha para mim', disse ele. 'Este Pellegriti disse coisas que sei que não são verdadeiras. É uma pista falsa que não levará a lugar nenhum, mas, se eu não seguir, as pessoas imediatamente dirão: por que você não indicia o Lima?'"[2] Quando, em 3 de outubro de 1989, Pellegriti repetiu suas acusações contra Lima em uma audiência pública – sob pressão de Alfredo Galasso, um advogado próximo a Orlando –, Falcone imediatamente o acusou de perjúrio e difamação. Pellegriti fora levado para depor na apelação do maxijulgamento, e o uso de uma testemunha falsa poderia anular o caso todo, criando uma oportunidade perfeita para aqueles que queriam encontrar uma razão para derrubá-lo. "Eu tive que agir imediatamente, não podia deixar passar o tempo", disse Falcone a D'Ambrosio.

2. Entrevista do autor com Vito D'Ambrosio.

"Naturalmente, Andreotti tentou usar a acusação de Pellegriti como prova da inocência de Lima", disse D'Ambrosio. "Mas Falcone estava convencido da mentira de Pellegriti, e não da inocência de Lima."

Novamente, Falcone ficou sob o fogo cruzado, especialmente em relação a Orlando em Palermo, que encerrou de vez a antiga amizade que nutriram no passado. Logo começou a circular um boato de que Falcone havia telefonado para Giulio Andreotti dizendo-lhe que as acusações contra seu amigo Lima eram infundadas e que ele pretendia indiciar Pellegriti por difamação e perjúrio. Embora não houvesse nada estritamente impróprio se ele, de fato, tivesse feito o telefonema – Andreotti era o primeiro-ministro –, não era condizente com a imagem de independência de que Falcone sempre desfrutara. Falcone negou ter telefonado para Andreotti, mas de uma maneira que muitos consideraram ambígua. Durante as audiências do caso "Corvo" no CSM em 12 de outubro de 1989, perguntaram a Falcone sobre esses rumores, ao que ele respondeu: "E eu devo negar todo rumor que as pessoas espalham sobre mim? Eu tenho muitas outras coisas para fazer. Em Palermo, temos um ditado: 'Não jogue uma pedra em cada cão que late'. As pessoas dizem tudo e depois dizem o oposto do que haviam dito sobre mim: que sou um comunista, ou que sou anticomunista, que sou um homem de Andreotti ou que me tornei um socialista. Eu não acho que deveria ter que negar isso, mas se o Conselho me perguntar, então eu irei negar".[3]

"Falcone poderia estar certo ao incriminar Pellegriti, mas o que ele fez foi errado", disse o juiz Salvatore Barresi, um magistrado de Palermo que trabalhou de perto com Falcone no segundo grande julgamento. "Esperar até que ele pronunciasse o nome de Salvatore Lima no tribunal e indiciá-lo dessa maneira pública e depois telefonar para Andreotti aparentou – talvez não intencionalmente – que Falcone estava tentando apresentar-se como digno de 'confiança' aos olhos do governo. Eu não acho que ele agiu como um magistrado naquele dia."[4] Crescia a sensação de que Falcone estava buscando apoio em figuras poderosas, ainda mais pelo fato de que ele estava começando a cultivar amizades no círculo de Andreotti, buscando reforçar sua enfraquecida situação em Palermo. "Isso precisa ser entendido no contexto que Falcone vivia na época", disse o juiz Vito D'Ambrosio. "A

3. Depoimento de Falcone ao *Consiglio Superiore della Magistratura* (CSM), 12 de outubro de 1989.

4. Entrevista do autor com Salvatore Barresi e Vito D'Ambrosio.

bomba em Addaura realmente marcou a vida de Falcone. Foi realmente um momento de virada, e Falcone se sentiu desprotegido e vulnerável. Ele tornou-se cauteloso, mais prudente." A falta de apoio político lhe custou os cargos de chefe do gabinete de investigação de Palermo e de comissário-chefe para assuntos da máfia, fazendo com que ele perdesse oito anos de trabalho intenso em questão de meses. E ele estava convencido de que isso quase lhe custara a vida. Agora que o escritório de investigação estava sendo desfeito, o único lugar para ele ir era a *Procura della Repubblica* de Palermo, onde a facção de Andreotti tinha influência considerável.

Em sua busca por apoio político, Falcone tornou-se amigo de Claudio Vitalone, principal consultor jurídico de Andreotti. Em certo sentido, era uma amizade natural e adequada: Vitalone era um ex-magistrado muito inteligente e havia sido vice-presidente da comissão antimáfia. No novo governo Andreotti, ele foi nomeado vice-ministro das Relações Exteriores, patrocinando conferências sobre tráfico internacional de drogas e lavagem de dinheiro, nas quais convidou Falcone a palestrar. Mas Vitalone também tinha a reputação de ser um político inescrupuloso que, como magistrado, se colocara a serviço de seus amigos poderosos e fora recompensado com uma carreira política. Até mesmo o *Consiglio Superiore della Magistratura*, sempre cauteloso com assuntos políticos, havia sido forçado a rejeitar a promoção de Vitalone para a alta corte italiana devido a sua conduta imprópria como procurador. Ele havia ameaçado e intimidado colegas que ousaram investigar seus amigos e parentes, enquanto organizava jantares para apresentar outros procuradores a seus comparsas políticos.[5]

"Falcone estava procurando aliados em qualquer lugar", disse o juiz D'Ambrosio. "Ele foi severamente criticado pela esquerda por essa amizade. Ele até se tornou brusco com seus amigos e reagiu mal a qualquer crítica. Foi um período muito difícil para ele. Seu único refúgio era o trabalho. Apesar de tudo, ele continuou trabalhando."[6]

Além de qualquer possível desejo de se alinhar ao poder político em Roma, Falcone também tinha outro motivo para seu comportamento no caso Pellegriti. Falcone estava ansioso para denunciar uma falsa testemunha, a fim de proteger a credibilidade de uma outra testemunha da máfia,

5. Audiências do CSM sobre Vitalone.

6. Entrevista do autor com Vito D'Ambrosio.

muito real e extremamente importante, Francesco Marino Mannola, que, sem o conhecimento do público, estava prestes a começar a cooperar precisamente naqueles dias. Ao sublinhar a diferença entre testemunhas criminais confiáveis e não confiáveis, Falcone queria ter certeza de que Marino Mannoia – o primeiro mafioso do campo vencedor da Cosa Nostra a cooperar com o governo – seria levado a sério.

O conhecimento do governo sobre o funcionamento interno da máfia permanecia preso à grande guerra do início dos anos 1980. Embora Antonino Calderón – a testemunha recente de maior importância – tivesse começado a colaborar em 1987, seu conhecimento a respeito da vida na Cosa Nostra acabava em 1983, quando precisou fugir da Sicília para a França, ele próprio tornando-se uma figura cada vez mais marginal após a morte de seu irmão Pippo, em 1978. Já o conhecimento de Marino Mannoia sobre Cosa Nostra era totalmente atual. Embora ele estivesse preso desde 1985, conhecia todos os integrantes que compunham o esquadrão da máfia que operava em Palermo até a primavera de 1989. Mannoia sabia disso por meio de seu irmão mais novo, Agostino Marino Mannoia, que o visitava todas as semanas na prisão de *Ucciardone*. Seu irmão frequentemente participava dos bandos de ataque, tendo se tornado um dos assassinos favoritos dos *corleonesi*. Então, em 21 abril de 1989, Francesco Marino Mannoia ouvira no rádio na prisão que um automóvel abandonado pertencente à sua família tinha sido encontrado com manchas de sangue. Como temia, seu irmão não veio visitá-lo na prisão naquela semana – ou nunca mais. Os *corleonesi* haviam começado a devorar sua própria descendência. Quando a família de Marino Mannoia disse a ele, durante uma visita à prisão, que seu irmão havia desaparecido, ele nem sequer hesitou, pois, segundo ele, "era considerado impróprio para um homem de honra demonstrar emoção em situações como essa". Marino Mannoia sabia que não tinha apenas perdido um irmão; inevitavelmente, ele seria o próximo.

Ele fingiu, publicamente, acreditar na explicação oficial de que Agostino tinha sido morto pelas famílias "perdedoras" que estavam tentando voltar, mas começou a se precaver privadamente, considerando-se o próximo a ser morto.[7] Então, no outono de 1989, a amante de Marino Mannoia apareceu nos escritórios de Roma do Núcleo Anticrimine, a unidade antimáfia da polícia, afirmando que o mafioso estava pronto para falar. "Nós

---

7. Interrogatório de Francesco Marino Mannoia.

decidimos, apenas como precaução, que ela dormisse naquela noite em uma casa segura que tínhamos à nossa disposição", disse o investigador policial Antonio Manganelli. "Quando nossos agentes foram ao seu hotel para pegar suas coisas no dia seguinte, descobriram que na noite anterior dois homens tinham ido lá procurá-la."[8]

Depois de negociações sobre segurança, Marino Mannoia e Falcone iniciaram sua primeira sessão em 8 de outubro de 1989, apenas cinco dias depois de Falcone ter entrado com a acusação contra Giuseppe Pellegriti por difamação e perjúrio. O mafioso forneceu a Falcone um relato completo da vida na Cosa Nostra após a grande guerra da máfia.

Marino Mannoia tinha sido um membro da "família" de Stefano Bontate, mas teve sorte de estar na prisão durante a primavera de 1981, quando Bontate foi assassinado e seus assessores mais próximos foram exterminados. Marino Mannoia escapou da prisão em 1983, com a ajuda do irmão Agostino, e se encontrou imediatamente com Totò Riina para esclarecer a sua posição dentro da Cosa Nostra. A guerra já havia sido vencida, e não fazia sentido matar todos os homens de honra na família de Bontate, até porque muitos deles poderiam ser extremamente úteis. Francesco Marino Mannoia era especialmente valioso, um "soldado" com dez anos de experiência que demonstrara nervos de aço e bom senso para lidar com todos os tipos de situações, extorsões, assassinatos, tráfico de drogas e prisão. Ele tinha a seriedade, a discrição e a reserva tão apreciadas na Cosa Nostra: se ele se ressentia dos homens que haviam matado seu chefe, certamente não demonstrava isso. Além disso, era inteligente, um talentoso falsificador de documentos, e também aprendera química suficiente para se tornar um dos melhores refinadores de heroína da Cosa Nostra.

Ele havia preparado grande parte da heroína vendida pelo cartel Spatola-Inzerillo-Gambino, inicialmente investigado por Falcone. Marino Mannoia havia se encontrado com John Gambino, o *boss* que a polícia americana havia prendido recentemente na operação "Torre de Ferro". Gambino inspecionou pessoalmente a qualidade da heroína que Marino Mannoia estava refinando em Palermo – uma evidência que finalmente levaria John e Joe Gambino a declararem-se culpados de tráfico de drogas em um acordo com o governo americano em 1994.

---

8. Entrevista do autor com Antonio Manganelli.

Marino Mannoia foi capaz de identificar dezenas de novos recrutas da Cosa Nostra, o novo arranjo da Comissão e os mais importantes esquadrões de ataque da máfia dos últimos anos.[9]

As visitas semanais de seu irmão o mantinham informando, já que ele geralmente participava de todas as ações. Agostino Marino Mannoia participou dos assassinatos dos investigadores da polícia Beppe Montana, Ninni Cassarà e Natale Mondo. Ele confirmou que Salvatore Marino – o homem torturado até a morte após o assassinato de Montana – havia trabalhado como vigia nas docas onde Montana foi morto. Uma semana depois, Agostino Marino Mannoia foi novamente recrutado durante o assassinato de Ninni Cassarà e seu guarda-costas, Roberto Antiochia, integrando uma equipe de cerca de quinze homens de honra. O assassinato era tão importante que teve a presença de pelo menos quatro membros da Comissão, Bernardo Brusca, Francesco Madonia, Giuseppe Gambino e Pino "o sapato" Greco, com Greco empunhando a sua infame Kalashnikov, responsável por muitas dos duzentos tiros disparados contra Cassarà e seus homens.

Talvez o fato mais importante foi que Marino Mannoia explicou a dinâmica de mudança de poder na Cosa Nostra. Ele descreveu como Totò Riina eliminara gradualmente os assassinos que se "destacaram" na grande guerra da máfia, precisamente porque seu prestígio crescente havia começado a ameaçar o próprio poder de Riina. Por sua vez, esse fato levou ao surgimento de uma rebelião entre os membros mais jovens da máfia, que os *corleonesi* haviam conseguido reprimir. O assassinato de Agostino Marino Mannoia foi um dos capítulos finais na história dessa rebelião fracassada.

Com uma habilidade impressionante, Riina destruiu seus rivais usando as divisões que existiam dentro das famílias, inimizades pessoais e ambições, e assim ele conseguiu que outros fizessem seu trabalho sujo no que pareciam ser episódios isolados, mas que, de fato, se encaixam em um claro plano de Riina.

Talvez o fato mais emblemático desse tipo tenha sido a curta e sangrenta carreira de Pino "o sapato" Greco, que cometeu pelo menos oitenta assassinatos antes de ser morto, em 1985. Embora oficialmente um membro da "família" de Michele Greco, "o papa", Pino Greco tornara-se o assassino

---

9. A reconstrução da carreira de Marino Mannoia é baseada em seu próprio interrogatório e está contida na *Richiesta di custodia cautelare nei con fronti di Agate, Mariano + 57*, arquivada pela *Procura della Repubblica di Palermo*, 20 de fevereiro de 1993.

favorito de Totò Riina. Pino Greco pessoalmente eliminou os chefes Stefano Bontate e Salvatore Inzerillo e teria cortado o braço que seria usado pelo filho adolescente de Inzerillo para matar Totò Riina. Ele fez parte do audacioso esquadrão de assassinatos que abateu o general Dalla Chiesa, supostamente subindo no teto de um carro, a fim de apontar seu rifle Kalashnikov para o general, sua esposa e o guarda-costas. Ele havia participado (como Vincenzo Sinagra falou em depoimento) de muitos dos assassinatos no Quarto da Morte de Filippo Marchese.

Segundo Marino Mannoia, o canibalismo conduzido pelos *corleonesi* começou no final de 1982, com o assassinato de Filippo Marchese, o chefe da Corso dei Mille. A violência sanguinária de Marchese tinha sido um trunfo em uma época de guerra, mas em tempos de paz sua imprudência e agressividade eram desnecessárias. Com sua astúcia típica, Totò Riina fez com que Marchese fosse eliminado por seu amigo e parceiro de negócios Pino "o sapato" Greco, apelando para sua ganância e ambição. Greco queria assumir o controle total da empresa de cimento que ele e Marchese detinham em conjunto, desejando impedir um possível desafio para sua própria liderança.

Segundo Francesco Marino Mannoia, "após a guerra da máfia, Giuseppe Greco, 'o sapato', tornou-se uma espécie de líder carismático, que tinha a admiração e lealdade absoluta de muitos dos homens de honra mais jovens". Embora Michele Greco, "o papa", tenha sido seu chefe e fosse agora o chefe da Comissão, Pino Greco tratava "o papa" como um velho inútil, deixando claro que ele era o detentor real do poder. "Ele agia como se fosse o chefe de tudo, e ignorava as antigas regras da Cosa Nostra", disse Marino Mannoia a Falcone. Por um tempo, Totò Riina recebeu a estrela em ascensão de Pino Greco porque ela eclipsou "o papa". Totò Riina deixou Pino Greco à vontade, sabendo que sua arrogância tola logo criaria um mal-estar entre outros membros, fato que poderia ser útil no futuro. O desprezo de Greco pelos líderes da Cosa Nostra tornou-se tão grande que ele não se deu mais ao trabalho de comparecer às reuniões da Comissão, enviando seu sub-chefe, Vincenzo Puccio, em seu lugar. (Este era o mesmo Vincenzo Puccio que estivera entre os três assassinos do capitão Emanuele Basile e que, graças à tolerância do sistema de Justiça italiano, ainda estava solto cinco anos depois.) Os próprios homens de Pino Greco começaram a se preocupar com a fissura crescente entre a própria família e a Comissão e compartilharam suas preocupações com Totó Riina.

Assim, no final de 1985, Pino Greco foi baleado e morto por seus próprios homens, Vincenzo Puccio e Giuseppe Lucchese. Mais uma vez, Agostino Marino Mannoia estava em cena, dessa vez não como membro do grupo de assassinos, mas como testemunha involuntária da morte de seu próprio *capo-famiglia*. Ele e um outro "soldado", Filippo La Rosa, estavam esperando no andar de baixo da casa de Greco, enquanto os chefes da família estavam lá em cima conversando. Quando ouviram tiros, Marino Mannoia e La Rosa subiram correndo e encontraram Puccio e Giuseppe Lucchese de pé sobre o corpo de Pino Greco. "Agora pode decidir de que lado você está", disse Lucchese. Escolher entre um homem morto e dois mafiosos armados foi uma decisão fácil. Por causa do número considerável de seguidores que Pino Greco tinha dentro da Cosa Nostra, sua morte foi mantida em segredo por algum tempo. A história oficial era que ele havia fugido para os EUA, já que a polícia de Palermo estava em seu encalço. Quando Vincenzo Puccio foi preso novamente, no final de 1986, ele tornou-se o para-raios das crescentes desavenças internas da Cosa Nostra. Muitos dos membros mais jovens da organização que, graças à estratégia de confronto dos *corleonesi*, estavam cumprindo longas sentenças de prisão começaram a reclamar de Totò Riina. Até mesmo o cunhado de Riina, Leoluca Bagarella, queixou-se a Puccio, afirmando que o chefe dos chefes não estava usando sua influência para conseguir tirá-lo da prisão. Riina também estava tentando impedir que Bagarella seguisse adiante com seu casamento com Vincenza Marchese, pois sua noiva era sobrinha de Filippo Marchese, cujo patrimônio familiar havia sido reduzido após a morte de Marchese. Ouvindo essas queixas, Puccio confidenciou as próprias angústias a Bagarella e a Antonino e Giuseppe Marchese, irmãos da noiva de Bagarella, que também cumpriam pena na prisão de *Ucciardone*. (Giuseppe Marchese tinha sido o motorista do carro de fuga no Massacre de Natal na Bagheria, em 1981, deixando impressões digitais incriminatórias que o ligaram ao assassinato do Dr. Paolo Giaccone.) Puccio também confidenciou a Francesco Marino Mannoia, assumindo, corretamente, que Mannoia continuava nutrindo ressentimentos em relação aos *corleonesi* pelo assassinato de seu antigo patrão e amigo, Stefano Bontate. "No decorrer de minhas conversas com Vincenzo Puccio, percebi que ele estava tramando uma revolta contra a hegemonia sufocante de Totò Riina, mas disse que ele estava perdido, pois, ao contrário dele, eu não confiava nem em Bagarella nem nos irmãos Marchese, e eu temia que eles tivessem informado os planos de Puccio a outros membros", Marino Mannoia disse a Falcone. No entanto, agindo contra seus próprios instintos, Marino Mannoia disse a Puccio que ele poderia contar com o apoio dele e de seu irmão, Agostino. Enquanto isso, Bagarella foi solto e conseguiu casar-se com Vincenza Marchese, acabando com os seus motivos de descontentamento. O desaparecimento de Agostino Marino Mannoia, em 21 de abril de 1989, era sinal de que a notícia dos planos de rebelião havia se espalhado. Apenas três semanas depois (11 de maio de 1989), Vincenzo Puccio foi morto em sua cela na prisão de *Ucciardone*. Ele foi assassinado por seus companheiros de cela e confidentes, Antonino e Giuseppe Marchese, que esmagaram sua cabeça com uma churrasqueira enquanto ele dormia. "Esse foi um assassinato de gravidade inédita para a Cosa Nostra", apontou Marino Mannoia. Não apenas dois homens de honra haviam matado o próprio *capo-mandamento* (líder do distrito), mas também o fizeram na prisão, que deveria ser um território "neutro". Como ser preso era uma realidade bem comum, havia uma regra estrita na Cosa Nostra contra a realização de assassinatos na prisão. Mas Totò Riina achava que seu pretenso rival precisava ser eliminado imediatamente, custasse o que custasse – principalmente porque o custo seria pago por outros. Os irmãos Marchese evidentemente decidiram que era mais seguro arriscar sentenças de prisão mais longas do que tentar enfrentar os *corleonesi* em uma rebelião imprudente. Eles esperavam (como muitos fizeram antes) que, entregando um rival perigoso para Totò Riina, estariam assegurando seu futuro. Infelizmente, cometeram um trágico erro de cálculo. No mesmo dia do assassinato de Vincenzo Puccio, outro grupo de assassinos do lado de fora da prisão atirou e matou Pietro Puccio (irmão de Vincenzo) – impedindo qualquer retaliação de sua parte quando a notícia do assassinato em *Ucciardone* se tornou pública. Embora tivesse sido uma ação tática inteligente, acabou selando o destino de Antonino e Giuseppe Marchese. Eles haviam dito às autoridades que tinham sido forçados a matar Vincenzo Puccio em uma súbita discussão que havia saído de controle. Mas como o irmão de Puccio foi morto no mesmo dia, tornou-se óbvio que os dois assassinatos faziam parte de um plano simultâneo. Riina, depois de usá-los para fazer seu trabalho sujo, destruiu seu álibi, condenando-os à prisão perpétua.

O assassinato de Vincenzo Puccio, de certa forma, fechou o terrível ciclo de assassinatos entre os "vencedores" da grande guerra da máfia.

Vistos como um todo, os acontecimentos que Marino Mannoia relatou pareciam uma "cadeia alimentar" na luta pela sobrevivência na Cosa Nostra, com um peixe comendo o outro até que o peixe grande, Totò Riina, finalmente engoliu a todos. Filippo Marchese havia sido morto por Pino "o sapato" Greco, Greco havia sido morto por Vincenzo Puccio, e agora Puccio havia sido eliminado pelos sobrinhos de Marchese. Então Riina havia matado quatro coelhos com uma cajadada só, eliminando os Puccio, enquanto se certificava de que seus assassinos, os irmãos Marchese, estariam fora do caminho.

A credibilidade de Marino Mannoia era inquestionável: ele sabia, literalmente, onde os corpos foram enterrados, e foi capaz de prová-lo.

Em novembro de 1990, ficou evidente o quanto a Cosa Nostra temia a colaboração de Marino Mannoia, quando assassinaram sua mãe, tia e irmã dentro de suas casas em Palermo – derrubando o mito de que a Cosa Nostra não matava mulheres e crianças. No entanto, Marino Mannoia continuou e até mesmo voltou para Palermo disfarçado com uniforme policial, levando os investigadores a um depósito de lixo, onde encontraram os restos mortais de inúmeras vítimas de homicídio.[10]

Giovanni Falcone e os investigadores da polícia que escutaram Francesco Marino Mannoia ficaram muito impressionados com sua seriedade, seu cuidado e sua precisão com detalhes, assim como com sua visão sóbria e não romantizada da máfia. "Você sabe quanta força é necessária para estrangular um homem?", ele disse a Falcone. "Pode demorar até dez minutos, e às vezes a vítima escorrega, morde e chuta. Alguns até conseguem se libertar por um tempo. Mas pelo menos é uma maneira profissional de fazer o serviço." Os investigadores também ficaram muito impressionados com o intelecto de Marino Mannoia. Ele foi, talvez, a testemunha mais inteligente da máfia desde Buscetta. A certa altura, para romper um impasse no depoimento, Marino Mannoia disse a Falcone: "Quando você é cético sobre algo que estou dizendo, suas sobrancelhas se contorcem e eu fico travado. Acredite em mim, quando eu digo que não me lembro de algo, não faz sentido me pressionar, é porque eu realmente não me lembro".[11]

Em seu primeiro encontro, Marino Mannoia fingiu não saber nada sobre as relações entre a máfia e o governo. "Sou completamente ignorante

---

10. *Corriere della Sera*, 25 de novembro de 1989, 5 de dezembro de 1989 e 6 de dezembro de 1989.

11. Falcone, *Cose di Cosa Nostra*, pp. 27 e 59.

quando se trata de política", dissera ele. "Stefano Bontate nunca me disse nada sobre suas preferências políticas e... suas relações políticas."[12]

Mas então, a certa altura, Marino Mannoia de repente se virou para Falcone e perguntou: "Juiz, de que partido político você é?". Quando Falcone disse que não era membro de nenhum partido, Mannoia continuou: "Eu perguntei porque preciso discutir coisas muito sérias e não quero que haja qualquer tipo de interferência política. Têm acontecido coisas estranhas que jamais havia visto. No passado, a Cosa Nostra geralmente votava nos democratas-cristãos, mas... nas últimas eleições parlamentares (junho de 1987), recebemos uma ordem muito específica na prisão para garantir que votássemos e que nossos amigos e parentes votassem no Partido Socialista Italiano. Um pouco antes, quando o Partido Radical precisava de 10 mil novos membros para evitar o fechamento, todos nós, dentro da prisão, nos inscrevemos no partido por iniciativa de Pippo Calò. Ele mesmo fez uma doação de ₤ 50 milhões (cerca de US$ 50 mil na época)... Eu contribuí com ₤ 1 milhão... meu primo Pietro Vernengo contribuiu com ₤ 5 milhões. Menciono isso porque tenho muito medo da influência política na magistratura e acredito que essa é uma das maiores forças que bloqueia a luta contra o crime organizado, em todas as suas formas".

Mas após cerca de um mês de reuniões quase diárias, Marino Mannoia começou a se abrir. Ele listou vários políticos sicilianos com quem seu antigo chefe, Stefano Bontate, mantinha relações próximas. No topo da lista estava Salvatore Lima. "Ele era, creio eu, o político com quem Bontate tinha relações mais próximas. Eu mesmo o vi com Bontate inúmeras vezes... ambos em um apartamento, que se transformou em um escritório... bem como no bar Baby Luna, que durante o dia ficava fechado para negócios."

Apenas um mês depois de ter sido criticado por ter lidado com o caso Pellegriti, Falcone era mais uma vez confrontado com o nome de Salvatore Lima – o homem do primeiro-ministro Andreotti na Sicília. Dois anos antes, quando Antonino Calderone afirmou em depoimento que havia se encontrado com Salvatore Lima para providenciar a transferência de um policial problemático, Falcone voou imediatamente para os EUA na tentativa de fazer Tommaso Buscetta falar sobre suas relações com Lima. Dessa vez, Falcone obedientemente registrou as observações de Marino Mannoia, mas não prosseguiu com mais investigações. Há uma diferença notável entre os

12. Interrogatório de Francesco Marino Mannoia.

dois episódios: Calderone havia acusado Lima de um crime grave (usar de sua influência para ajudar um suspeito criminal), enquanto Marino Mannoia tinha apenas declarado que ele havia visto o político na companhia de um chefe da máfia – o que não era em si um crime. Mas quando souberam da declaração de Marino Mannoia cerca de um ano depois, muitos dos colegas de Falcone viram sua inércia como parte de um recuo geral na frente política das investigações da máfia.

"A declaração de Francesco Marino Mannoia... era de uma importância cabal", disse o juiz Salvatore Barresi. "O mais importante líder democrata-cristão na Sicília se reunia com frequência e tinha uma íntima ligação com o maior chefe da máfia em Palermo naquela época.

Além disso, estava falando de eventos que foram presenciados por ele mesmo, não estava repetindo um relato de terceiros... Bem, diante dessa declaração explosiva, que abria cenários impensáveis, Giovanni Falcone preferiu dar as costas e analisar outros fatos. Em outro momento, Falcone teria feito investigações intensivas. Mas acho que, inconscientemente, Giovanni Falcone ficou traumatizado por todo o caso Pellegriti. Desde então, Giovanni Falcone concentrou-se exclusivamente na dimensão criminosa da Cosa Nostra, tráfico de drogas, assassinatos, deixando de lado, por enquanto, a dimensão política. Talvez ele tenha entendido que não existiam condições políticas para enfrentar efetivamente essa dimensão e, portanto, decidiu ignorar as relações entre a máfia e política."[13]

Barresi fazia parte do grupo de jovens com forte mentalidade política que incluía os dois dissidentes da força-tarefa antimáfia Giacomo Conte e Giuseppe Di Lello, que se opuseram à abordagem cautelosa de Falcone depois que ele decidiu concordar com seu superior, o procurador-chefe Antonino Meli. Quando Barresi e Di Lello souberam da declaração de Marino Mannoia, eles denunciaram a inércia de Falcone para o *Consiglio Superiore della Magisatura*. "Eu rompi com Giovanni Falcone depois desse incidente", disse Barresi.

Como outros amigos e colegas, Barresi está convencido de que a bomba em Addaura teve um efeito profundo no pensamento de Falcone: "A bomba em Addaura, creio eu, representou uma verdadeira encruzilhada para Giovanni Falcone. Ele entendeu, pela primeira vez, como estava perto da morte e

---

13. Entrevistas do autor com Salvatore Barresi, Vito D'Ambrosio, Ignazio De Francisci, Stefano Racheli e Giuseppe Di Lello.

que essa ameaça não veio apenas, como poderíamos imaginar, da própria máfia, mas também de alguns elementos corruptos de dentro do próprio governo. Ele estava convencido de que a bomba tinha relação com algum membro do serviço secreto". Embora a bomba tenha deixado Falcone mais cauteloso, Barresi não acredita que sua atitude tenha sido motivada por uma preocupação com sua segurança pessoal. "Conhecendo a personalidade de Giovanni Falcone, posso descartar que o perigo da morte tenha sido o fato motivador", disse Barresi. Afinal, Falcone conviveu por mais de onze anos com a ameaça iminente e diária da morte, sem jamais recuar. Em vez disso, a atitude de Falcone foi guiada por uma avaliação cada vez mais sóbria do equilíbrio de poder entre a magistratura e o governo. Os eventos dos três anos anteriores – a campanha contra os juízes, as mudanças no governo, as próprias rejeições e derrotas profissionais, a completa inércia legislativa sobre o crime organizado e, finalmente, a bomba – deixaram claro para Falcone que forças poderosas no governo estavam determinadas a não recuar ou permitir que fossem (ou que seus colegas fossem) julgados por suas ligações com a máfia. Falcone acreditava que uma batalha frontal com o Estado – no momento em que Andreotti era o primeiro-ministro e Lima, o principal representante na Sicília – teria criado um furacão que acabaria atingindo a todos. "Não só arruinaria a possibilidade de processar esses políticos, mas também prejudicaria a credibilidade das testemunhas da máfia e comprometeria a eficácia de toda a luta contra a máfia", acrescentou Barresi. "Essa era a filosofia judicial de Giovanni Falcone. Ele não foi motivado pelo desejo de acobertar essas pessoas, ou de agradar a ninguém – absolutamente não... Ele sabia que, eventualmente, teríamos de seguir o caminho político, mas ele estava convencido de que deveria chegar lá gradualmente, passo a passo, até que a situação política nos permitisse fazer mais. A velha abordagem do ataque frontal – que fora adotada, em parte, no primeiro julgamento máximo – não adiantaria. Paolo Borsellino era da mesma opinião." Enquanto muitos em Palermo desafiaram Falcone, outros acreditam, que diante das circunstâncias extremamente difíceis em que ele se encontrava, Falcone tomou a decisão certa. "Apesar de tudo, estou convencido de que Falcone fez bem em não tentar fazer mais, pois ele teria sido esmagado pela reação da classe política e por aqueles políticos em particular", disse Ignazio De Francisci, um de seus protegidos na força-tarefa antimáfia. "A precaução de Falcone foi imposta pelas dificuldades objetivas de seu trabalho... A evidência que ele tinha em mãos também era fraca: o que Falcone teria obtido ao indiciar Lima porque ele fora visto dez anos antes com um chefe da máfia, que agora estava morto? Ele realmente foi cauteloso, mas, na minha opinião, tinha boas razões para ser... Num país civilizado e democrático, alguém como Lima teria sido forçado a se retirar da vida política com base na declaração de Marino Mannoia, mas, até o dia de sua morte, Lima era um homem forte na democracia-cristã, um homem muito forte... Uma das grandes habilidades de Falcone era saber pesar as forças em jogo e não entrar em batalhas destinadas ao fracasso", disse De Francisci. "Ele tinha uma ideia clara de quanto ele poderia arriscar... Ele tinha uma visão estratégica de longo alcance."

Mas é precisamente esse cálculo de equilíbrio de poder que motivou a oposição de Barresi e de outros magistrados. "Há duas filosofias judiciais na Itália: aqueles que, como Falcone, acreditam que o juiz deve levar em consideração fatores externos, e aqueles que acreditam que o magistrado deve fazer o que tem que fazer e deixar que o destino se encarregue das consequências."

"Esse é o eterno dilema do magistrado: em teoria você deve perseguir todos os crimes, mas é uma teoria abstrata", disse Stefano Racheli, membro do *Consiglio Superiore della Magistratura* da época, agora procurador público em Roma. "Eu acho que Falcone tinha uma ideia muito aristotélica de ética: o homem ético tenta entender até onde vai a sua margem de ação e trabalhar dentro dessa área...

Giovanni nunca teria começado uma batalha imprudente como um ato de protesto... Eu acho que era parte do jeito de ser siciliano. Os sicilianos são pessoas profundamente maduras e realistas. O exagero é a pior coisa para um siciliano, mostra imaturidade e falta de dignidade."

A escolha de Falcone foi profundamente angustiante e dolorosa. Ele lutou contra e perdeu alguns de seus melhores amigos e aliados, mas especialmente entre a geração mais jovem de magistrados que, inspirados pelo próprio Falcone, acreditavam que era possível enfrentar a máfia e vencer. Tendo crescido na política radical dos anos 1960 e 1970, rejeitavam a tradicional cautela de Falcone. "Muitos de nós discutimos com ele sobre isso", disse Giuseppe Di Lello. "Ele respondeu apontando para seu passado, dizendo: 'Como você pode duvidar de mim?' E nesse ponto ele estava certo... Ele acreditava profundamente nas instituições do Estado e, de certo modo, era coerente com a essa visão." Mas muitos, como Di Lello, não acreditavam que as instituições e o Estado italiano – como estavam constituídos em 1989 – eram dignos de confiança.

As repercussões do novo governo Andreotti foram rapidamente sentidas em Palermo. Em janeiro de 1990, o Partido Democrata-Cristão – sob o comando do novo secretário do partido, Arnaldo Forlani – forçou a renúncia do prefeito Leoluca Orlando, colocando um ponto final nos cinco anos de governo reformador. A aliança de Orlando com os comunistas locais e seus ataques constantes a políticos ligados à máfia dentro de seu próprio partido tinham sido um empecilho para socialistas e para os conservadores democratas-cristãos, que agora estavam decididos a eliminar o incômodo. Embora a administração de Orlando tivesse criado um clima de abertura e participação popular no governo, sua postura antimáfia permaneceu mais retórica do que real. Embora tivesse expurgado o governo da cidade de alguns dos seus piores elementos, os interesses da máfia que haviam sido jogados pela porta entraram novamente pela janela. Os contratos de manutenção da cidade, fortemente debatidos, foram – com grande alarde público – transferidos para duas empresas aparentemente limpas em Roma, que depois se revelaram empresas de fachada, controladas pelo ex-prefeito Vito Ciancimino, que aguardava julgamento por sua associação com a máfia. No entanto, Orlando incomodava com suas declarações quase diárias contra Lima e Andreotti. Em 8 de janeiro de 1990, o primeiro-ministro, Andreotti, chegou a Palermo e fez um ataque aberto aos defensores de Orlando dentro da ordem dos jesuítas: "Que os sacerdotes cuidem de nossas almas, o Senhor nos deu a graça do Estado. O importante é que Partido Democrata-Cristão obtenha um bom resultado nas eleições administrativas." Cinco dias depois, o governo de Orlando caiu quando muitos democratas-cristãos membros do conselho da cidade retiraram seu apoio. "Foi um mau governo, desde o começo", comentou o primeiro-ministro sobre o fim do governo de Orlando.[14]

O movimento antimáfia parecia estar em completa retração. Em fevereiro, dois dos principais procuradores do crime organizado de Catânia entregaram suas renúncias, afirmando que viviam uma sensação esmagadora de

---

14. *Corriere della Sera*, 24 de janeiro de 1990.

inutilidade e desespero. "Nesta cidade, um procurador não se sente apenas isolado, mas inútil", disse o procurador assistente Ugo Rossi.[15]

Em 9 de maio, Giovanni Bonsignore, um administrador que corajosamente denunciara desperdício e corrupção no governo regional siciliano, foi baleado e morto fora de sua casa em Palermo. "Eu sei que eles vão me matar mais cedo ou mais tarde porque fazer o meu trabalho tornou-se impossível nesta cidade", disse ele a amigos semanas antes de sua morte.[16]

Na sequência do assassinato de Bonsignore, o ex-prefeito Orlando fez um veemente ataque aos procuradores de Palermo em rede de televisão nacional, acusando-os de esconder evidências de crimes políticos em Palermo. "E estou convencido de que, dentro dos arquivos do Palácio da Justiça, há evidências mais do que suficientes para processar esses crimes", disse ele no programa de televisão do horário nobre *Samarcanda*.[17]

Como era de se esperar, os procuradores de Palermo ficaram indignados. "Dado que as gavetas do Palácio da Justiça ficam trancadas, como Orlando sabe o que tem dentro delas?", perguntou Giuseppe Ayala. "Os portões do mundo político estão cercados por um grande muro de pedra, e nós não temos testemunhas políticas", disse Giuseppe Di Lello, um procurador de esquerda que dificilmente seria acusado de negligenciar a dimensão política da máfia. "O que Orlando quer que façamos?... Ele parece confundir informações que podem ser usadas no jogo político com evidências criminais que podem ser usadas em um tribunal. Nós não temos evidências criminais."[18]

Mas, à sua maneira grosseira e teatral, Orlando havia levantado uma questão cuja importância crescente se tornava cada vez mais evidente. Durante as eleições administrativas locais que ocorreram naquela primavera (dias 6-7 de maio), uma série de assassinatos políticos começou a ocorrer ao longo do sul da Itália. Sete figuras políticas locais foram assassinadas, enquanto muitos outros foram baleados e feridos ou tiveram seus carros e casas bombardeados ou incendiados. Essa campanha de terror e intimidação parecia ter funcionado: muitos dos candidatos eleitos estavam sob algum tipo de investigação criminal. "Fizemos uma investigação e

15. *Corriere*, 11 de fevereiro de 1990.

16. *Corriere*, 10 de maio de 1990.

17. *Corriere*, 19 de maio de 1990.

18. *Corriere*, 19 de maio de 1990.

descobrimos que quatrocentos candidatos ou tinham antecedentes criminais ou haviam sido indiciados por crimes como corrupção pública, tortura e extorsão", disse o juiz Pietro Grasso, um juiz de Palermo que havia se tornado consultor da comissão antimáfia do Parlamento.

"A máfia sempre teve laços estreitos com a classe política", disse Francesco Misiani, um magistrado que trabalhou em estreita colaboração com o comissário-chefe para assuntos antimáfia. "Mas, nessas últimas eleições, a máfia decidiu que não precisa mais de intermediários para o mundo político. Os próprios mafiosos estão agora sendo eleitos diretamente para os cargos políticos. Algumas pessoas falam sobre a máfia como um anti-Estado, mas em muitas partes da Itália ela é o Estado."[19]

A situação estava claramente sendo agravada pelos esforços do governo – às vezes bem-intencionados – de injetar dinheiro na estagnada economia do sul da Itália. Um projeto massivo de desenvolvimento do governo na Calábria criou um verdadeiro frenesi entre os bandos criminosos locais, que começaram a matar-se uns aos outros enquanto competiam pelas centenas de milhares de dólares em contratos com o governo. Literalmente centenas de assassinatos ocorreram no vale de Gioia Tauro, uma área rural ao norte de Reggio Calabria, onde o governo estava tentando construir uma nova usina elétrica. O comissário-chefe para assuntos antimáfia descobriu que praticamente todo o trabalho na fábrica tinha sido terceirizado para empresas controladas pela *'Ndrangheta*, a máfia calabresa. A certa altura naquele verão, todo o conselho da cidade foi preso por conluio com a máfia, e os planos para a usina elétrica pararam. Mas não antes de centenas de milhares de dólares terem acabado nos bolsos dos clãs locais. Gioia Tauro tinha a poluição e paisagem devastadas da industrialização, mas sem a indústria. Enquanto isso, o Estado italiano ajudou involuntariamente a transformar uma máfia agrária e relativamente fraca em uma rica e bem organizada, que competia e cooperava com a Cosa Nostra da Sicília.[20]

Em seu relatório anual divulgado em junho de 1990, a fundação privada SVIMEZ anunciou que a economia do sul da Itália estava sendo sufocada

---

19. Entrevistas do autor com Pietro Grasso e Francesco Misiani. Os resultados das investigações das eleições estão contidos no relatório da comissão antimáfia intitulado *Relazione sulle risultanze dell'attiuita' del gruppo di lavoro delta Commissione incaricato di indagare sulla recrudescenza di episodi criminali durante it periodo elettorale. X Legislatura, doc. XXIII*, n. 20, 25 de julho de 1990.

20. Sobre a situação de Gioia Tauro, ver Misiani, *Per fatti di mafia*, pp. 113-52.

pela influência generalizada de "organizações de tipo mafioso... dentro das administrações públicas do Sul". Apesar dos programas para ajudar a região sul, a diferença econômica entre o norte e o sul estava se ampliando.[21]

Pelo menos em curto prazo, a escolha de Falcone trouxe-lhe apenas frutos amargos. Sua promoção ao cargo de procurador-chefe adjunto da *Procura della Repubblica*, na verdade, deu-lhe menos poder e autonomia do que ele havia desfrutado no antigo escritório de investigação, agora extinto. Seu novo escritório tinha o dobro de procuradores, alguns dos quais estavam lá havia dez anos ou mais. Enquanto no escritório de investigação Falcone rapidamente realizava suas obrigações e estava cercado, na maioria das vezes, por colegas que gostavam dele e o apoiavam, na *Procura* ele era considerado por alguns como intruso. Muitos deles se opuseram à nomeação de Falcone como chefe do gabinete de investigação porque não queriam que ele tivesse mais poder. "De repente, ele se viu cercado por colegas que historicamente haviam sido seus adversários, que apoiaram Meli", disse o juiz Barresi.

"Muitos colegas, agindo de boa-fé (e é importante enfatizar isso), não estavam preparados para se tornar executores das ordens de Giovanni Falcone, abrindo mão de sua própria autonomia profissional... Ele começou a se sentir boicotado em todas as suas iniciativas." Em uma tentativa de arranjar um espaço para si próprio, Falcone se aliou ao procurador-geral adjunto Pietro Giammanco, que, no início de 1990, era o principal candidato ao cargo de procurador-chefe. Embora Giammanco fosse próximo a membros da facção Andreotti-Lima em Palermo, Falcone concordou em apoiá-lo, em parte porque Giammanco havia prometido que daria a Falcone responsabilidade geral pela investigação de casos de máfia no escritório. E o apoio de Falcone era importante, pois muitos membros do *Consiglio Superiore della Magistratura* buscavam sua orientação em tudo o que dissesse a respeito à máfia. "A nomeação de Giammanco foi uma decisão muito difícil para o CSM", disse o Vito D'Ambrosio. "Giammanco tinha um passado suspeito... era amigo de (Mario) D'Acquisto, um membro da equipe de Lima e, portanto, indiretamente, um homem de Andreotti... Eu perguntei a opinião de Giovanni. Ele disse: 'Provavelmente ele é a escolha menos danosa. Mas ainda estamos falando de alguém ruim.'"

---

21. *Corriere*, 29 de junho de 1990.

A bênção de Falcone ajudou a garantir a nomeação de Giammanco. "Falcone foi extremamente ingênuo", disse Salvatore Barresi. "Estava convencido – e ele acreditava genuinamente – que não importava com quem você trabalhasse, contanto que conseguisse bons resultados. Ele chegou à *Procura* e se aliou a Giammanco... porque, depois de sua experiência desastrosa com Meli, Giammanco prometera deixá-lo lidar com os casos da máfia...

Isso nunca aconteceu... Giammanco não tinha intenção de abrir mão de suas prerrogativas como chefe, particularmente em uma cidade como Palermo. É óbvio que, para chegar em uma posição como essa, você precisa de certo apoio político. Eu não preciso dizer mais nada."

Apenas alguns meses depois de chegar à *Procura della Repubblica*, Falcone pensou em deixar Palermo. Alguns dos seus amigos da magistratura o incentivaram a candidatar-se ao *Consiglio Superiore della Magistratura*, para que ele pudesse ajudar a moldar a política judicial. "Tentamos convencê-lo", disse o juiz D'Ambrosio, membro do Conselho. "Ele aceitou se candidatar em abril, mas aceitou sem demonstrar entusiasmo." Falcone era um investigador, não um burocrata.[22]

Outros amigos tentaram dissuadi-lo de sua decisão. "Tivemos uma briga terrível", lembrou o juiz Francesco Lo Voi, da *Procura* de Palermo. "Eu tentei de todas as maneiras possíveis convencê-lo a não fazer isso, porque eu sabia que eles não o elegeriam... E se ele fosse eleito, seria aniquilado como apenas mais um entre os outros trinta membros."

Falcone elaborou a sua candidatura em torno de várias propostas bastante controversas. O Judiciário italiano, argumentou ele, precisava ser reorganizado, particularmente o julgamento do crime organizado. Em vez de ter casos de máfia divididos em centenas de gabinetes de procuradores de pequenas cidades com pessoal insuficiente, cada província deveria ter um escritório distrital onde os recursos e as investigações do crime organizado seriam concentrados. Haveria uma procuradoria nacional antimáfia para coordenar o trabalho dos vários escritórios distritais, de modo que informações úteis pudessem ser passadas entre diferentes escritórios sobre casos sobrepostos. A imprensa rapidamente apelidou esse escritório nacional de *Superprocura*. Além disso, Falcone argumentou, a Itália precisava de uma força policial central para o crime organizado, uma espécie de FBI italiano, com um banco de dados central, de modo que os departamentos de

22. Entrevistas do autor com Salvatore Barresi, Vito D'Ambrosio e Francesco Lo Voi.

polícia locais não se chocassem constantemente no escuro enquanto perseguiam os mesmos criminosos. Como a máfia operava em escala nacional, o governo precisava pensar nacionalmente. "Não existe um sistema que permita que um procurador em uma parte do país tenha acesso a dados sobre outros casos que poderiam influir na investigação do próprio caso", disse Falcone. "Eu frequentemente me informo sobre outros casos pelos jornais." Falcone apresentou as propostas sabendo de antemão que, certamente, seriam impopulares perante a magistratura italiana, sempre muito preocupada com a sua autonomia. "Dado o grau de conluio entre a máfia e o governo na Itália, um Judiciário centralizado ficaria mais vulnerável a influências", comentou Giacomo Conte, um dos dissidentes que abandonaram a força-tarefa antimáfia no início de 1989.[23]

Mas como Falcone não estava tão ansioso para se juntar ao CSM, ele decidiu apresentar as propostas em que acreditava e deixar os eleitores decidirem. Evitou o tipo mais convencional de campanha, pedindo apoio em conferências judiciais, convocando amigos e colegas, trabalhando nos corredores do Palácio da Justiça e visitando outros escritórios para reunir as tropas. Falcone considerou que, uma vez que a sua carreira e pontos de vista eram bem conhecidos, os outros magistrados tinham todas as informações necessárias para decidir se queriam ou não que ele os representasse. Isso foi visto por alguns como a arrogância típica de Falcone. Outros candidatos que escolheram o método de campanha convencional foram eleitos em seu lugar. "Você pode imaginar", disse o juiz Lo Voi. "Um procurador de Justiça de qualquer país do mundo sentiria inveja dele, mas aqui ele nem sequer conseguia ser eleito para o *Consiglio Superiore della Magistratura*!"

23. Entrevista do autor com Giacomo Conte e Giovanni Falcone.

CAPÍTULO 19

Enquanto Giovanni Falcone vivia uma derrota atrás da outra, Paolo Borsellino desfrutava de um dos momentos mais felizes e produtivos de sua vida. Estar longe dos holofotes na província de Marsala provou ser uma bênção em uma época em que Palermo era novamente o centro das disputas, lutas de poder e manobras políticas. Embora operando com recursos limitados, Borsellino era, no mínimo, seu próprio patrão. Depois de seu primeiro ano (1987), no qual o escritório tinha apenas ele e mais um advogado, Borsellino foi gradualmente recrutando uma equipe jovem, mas capaz, que já em 1990 comportava sete procuradores assistentes. Embora ainda pequeno, o escritório começou a funcionar efetivamente, concluindo com sucesso os julgamentos da máfia que Borsellino iniciou nos dois primeiros anos em Marsala, além de lidar com o número muito maior de casos criminais comuns. Em vez de ser uma última opção, Marsala começou a atrair jovens magistrados brilhantes que estavam ansiosos para trabalhar com Borsellino.[1]

Havia uma atmosfera excepcionalmente calorosa e cordial no escritório do procurador de Marsala. Os visitantes ficaram surpresos ao ver Borsellino e seus assistentes se abraçarem e se beijarem na bochecha quando se cumprimentavam.

O trabalho árduo e o prestígio crescente de Borsellino também começou a atrair um tipo muito diferente de pessoa para a *Procura* de Marsala: testemunhas da máfia – uma situação inteiramente nova em uma parte da Sicília onde o código de silêncio ainda reinava soberano.

---

1. A reconstrução desse período na carreira de Borsellino baseia-se nas entrevistas do autor com Diego Cavalliero e Antonio Ingroia. Ver também Lucentini, *Paolo Borsellino: Il valore di una vita.*

Nos primeiros anos em Marsala, Borsellino havia tentado "ganhar" certos mafiosos conhecidos, tentando tirar proveito de uma série de guerras mafiosas em pequena escala que assolavam algumas das cidades em seu território. Quando o ex-chefe de Campobello, Natale L'Ala, sofreu uma tentativa de assassinado em 1989, Borsellino visitou-o no hospital. Um homem velho que havia perdido praticamente todo o seu poder, tinha visto amigos e familiares serem mortos e que se encontrava perto da morte, L'Ala parecia não ter nada a perder e tudo a ganhar caso decidisse colaborar. Seus inimigos tentaram matá-lo pela primeira vez em 1984, mas ele acabou escapando ileso. Mas dessa vez, ele havia sido baleado duas vezes no rosto, com um tiro acertando o olho, e estava lá com bandagens enroladas na cabeça. No entanto, ele rejeitou a proposta de Borsellino. "Deixe-me morrer como um 'homem de honra'", disse L'Ala com uma resignação fúnebre, esperando por uma morte que chegaria previsivelmente um ano depois.[2]

Em 19 de setembro de 1989, outro mafioso de Campobello, Rosario Spatola, telefonou para o escritório de Borsellino dizendo que gostaria de testemunhar, mas que sua vida estava em perigo. (Embora tenham o mesmo nome, este Rosario Spatola não tem relação com o construtor processado por Falcone nos casos Spatola-Inzerillo e "Torre de Ferro", embora, ironicamente, ele também tenha sido preso por Falcone em um caso separado de tráfico de drogas em 1982.) O investigador principal de Borsellino, Carmelo Canale, dirigiu durante quatro horas pela Sicília para buscar Spatola em seu esconderijo na cidade de Messina. Evitando atrair a atenção dos mafiosos em Marsala, Canale levou Spatola a uma delegacia de polícia em Palermo, onde Borsellino se juntou a eles, iniciando naquela mesma noite os depoimentos.[3]

Spatola era alto, bonito, vestia-se bem e tinha uma fala mansa; estava alguns degraus acima de bandido local da máfia. No tráfico, ele havia visto um pouco do mundo – Milão, Suíça e Espanha – e falava o dialeto italiano, assim como o siciliano. "Spatola te dá a impressão de ser um grande trapaceiro – embora tenha sido muito leal e sincero conosco", disse Antonio Ingroia, que se juntou à equipe de Borsellino pouco antes da colaboração de Spatola. Era mais que uma simples impressão. A vida de Spatola estava

---

2. Interrogatório de Giacomina Filipello, arquivado no Tribunal de Marsala. A colaboração de Filipello também é discutida em Liliana Madeo, *Donne di mafia* (Milão, 1994), pp. 49-59, e Lucentini, pp. 177-80.

3. Lucentini, pp. 165-67.

em perigo porque ele havia apostado alto demais. Ele conseguira vender uma remessa de falsas barras de ouro por mais de US$ 100 mil a alguém que tinha ligações com o alto escalão da máfia. E ele havia enganado os próprios chefes da máfia em um acordo de drogas, roubando parte da carga na esperança de que ninguém percebesse. Quando eles descobriram, Spatola se escondeu.[4]

"Ele era uma pessoa bastante extrovertida, como Borsellino, e os dois imediatamente se entenderam", disse Ingroia. Naquela sessão, Spatola começou a falar sobre uma transação de drogas envolvendo um país latino-americano do qual Borsellino nunca tinha ouvido falar. Desconfiando de que poderia ser outra história fantasiosa, Borsellino procurou um atlas e ficou satisfeito ao descobrir que a testemunha estava correta. "Parece que você é melhor em geografia do que eu", disse Borsellino.[5]

"Paolo era muito humilde, o que o ajudou tanto conosco, os procuradores assistentes, quanto com os colaboradores da máfia", falou Ingroia. "Ele era, acima de tudo, um siciliano. Ele adorava falar em dialeto, fazer piadas e usar expressões em dialeto... Era capaz de criar um tipo de sentimento, quase uma cumplicidade com a testemunha, que ele conseguia envolver emocionalmente na investigação."

Borsellino levava a testemunha para o seu lado, fazendo-a lutar para lembrar mais detalhes, dando sugestões que pudessem nos ajudar a corroborar uma declaração ou encontrar um réu fugitivo, contando-nos as pessoas e lugares que ele provavelmente frequentaria.

Mas, apesar de sua acessibilidade e cordialidade, Borsellino poderia ser muito ríspido com suas testemunhas. Spatola não foi inteiramente sincero a respeito de seu próprio papel na Cosa Nostra, afirmando que era simplesmente um "pau-mandado" que fazia negócios com a máfia sem ter sido realmente iniciado como "homem de honra". Ao prosseguir descrevendo mais e mais detalhes íntimos da vida da máfia, tornou-se difícil de acreditar nessa afirmação. Ao mesmo tempo, depois de ter trazido segurança para a Itália continental, Spatola começou a fazer exigências extravagantes, ameaçando parar de cooperar a menos que recebesse mais dinheiro e um apartamento maior. Então, Borsellino acusou Spatola de "associação com a máfia", mandando-o para a prisão em confinamento na solitária. Pouco tempo depois,

4. Interrogatório de Rosario Spatola.

5. Entrevista do autor com Antonio Ingroia.

Spatola enviou um telegrama de desculpas a Borsellino. Quando Spatola voltou a colaborar, em abril de 1990, após um hiato de três meses, seu depoimento deu um salto quântico. Ele finalmente admitiu que tinha sido membro da Cosa Nostra por quase vinte anos e prosseguiu detalhando um mapa completo das famílias mafiosas da área.

Com base no depoimento de Spatola, Borsellino conseguiu prender dezenas de mafiosos dentro e nos arredores de Marsala.

"Spatola permitiu que Borsellino reconstruísse a organização da máfia na maior parte da província de Trapani, a composição das famílias mafiosas de Marsala, Mazara del Vallo, Campobello e Castelvetrano", disse Ingroia. "Ao mesmo tempo, Spatola lançou luz em um importante cartel de drogas envolvendo a Espanha... Mesmo que Spatola não fosse uma figura particularmente importante, devido à sua maneira persuasiva e habilidade de se relacionar com pessoas, ele conseguiu penetrar em vários setores da vida mafiosa... Sabia muita coisa sobre a máfia de Palermo, das relações entre a máfia e os maçons, do conluio entre a máfia, os juízes e os políticos."

Spatola revelou a existência de uma loja maçônica secreta em Trapani, onde chefes mafiosos se misturavam com políticos locais, juízes e empresários. O depoimento de Spatola também foi importante na elucidação do assassinato do juiz Giangiacomo Ciaccio Montalto, procurador antimáfia de Trapani, em 1983. Spatola afirmou que Montalto fora morto principalmente por razões políticas. "A motivação do assassinato está na intenção de Ciaccio Montalto... que desejava investigar pessoas importantes protegidas pela máfia", disse ele. Ele confirmou o papel perturbador de Antonio Costa, outro procurador de Trapani, que estava na folha de pagamento da máfia na época da morte de Ciaccio Montalto. "Ciaccio Montalto havia falado sobre suas intenções para seu colega Costa, que, por sua vez, informou as pessoas na máfia", contou Spatola a Borsellino. "Quando Costa foi preso, a polícia encontrou uma grande soma em dinheiro e armas em sua casa. Spatola tinha contatos diretos com os mafiosos que haviam corrompido Costa, e ele próprio foi solicitado a perjurar-se a fim de dar um álibi ao procurador. (Rocco) Curatolo (outro mafioso)... propôs que eu testemunhasse no julgamento de Costa, afirmando ser o amante da esposa de Costa, para dizer que eu havia dado a ela o dinheiro encontrado na casa dos Costa. O dinheiro, em vez disso, veio de Girolamo Marino, que foi depois morto pelo descaso que demonstrou ao fazer esse pagamento a Costa...

Sua morte foi tanto um castigo quanto um aviso para que o próprio Costa ficasse calado."[6]

Também pode ter havido uma motivação política para a tentativa de assassinato do sucessor de Ciaccio Montalto, Carlo Palermo, o procurador de Trapani, que havia investigado supostos subornos no Partido Socialista Italiano, juntamente com a existência de armas e do tráfico de drogas. O patrão de Spatola dentro da Cosa Nostra, o advogado Antonio Messina, disse-lhe que o juiz Palermo era uma ameaça maior para certos políticos do que para a máfia. Além disso, nas semanas anteriores ao atentado de 1985 – que quase resultou na morte do procurador –, Messina havia realizado uma série de reuniões com Pippo Calò, o membro da Comissão que mantinha os principais contatos políticos da Cosa Nostra em Roma.

Na esteira das confissões de Spatola, outras testemunhas importantes começaram a dar um passo à frente. Em 8 de maio de 1990, Natale L'Ala, o antigo chefe de Campobello que havia sido baleado em um dos olhos um ano antes, foi finalmente morto. Quase imediatamente depois, Giacomina Filippello, a mulher que viveu com L'Ala por muitos anos, decidiu contar a Borsellino o que seu companheiro havia se recusado a dizer. Ao contrário de nas outras organizações criminosas italianas, as mulheres não têm papel algum dentro da Cosa Nostra. Os sicilianos olhavam com diversão e desprezo para seus primos napolitanos indisciplinados que permitiam que suas mulheres se misturassem na Camorra: uma mulher, Rosetta Cutolo, tinha até administrado uma das famílias criminosas mais importantes de Nápoles, quando seu irmão (Raffaele Cutolo) estava na prisão. O homem de honra siciliano não deve dar uma palavra sobre a Cosa Nostra à sua família, mas, como tantas outras regras, essa proibição começou a desmoronar nos últimos anos. A Sicília estava sujeita às mesmas mudanças sociais que ocorriam no resto da Itália: as mulheres não estavam mais dispostas a aceitar um papel puramente passivo, usando vestidos pretos com lenços cobrindo suas cabeças, dividindo seu tempo entre a cozinha e a igreja paroquial. Além disso, o aumento da violência dentro da Cosa Nostra havia tensionado as lealdades tradicionais. Isolado dentro da organização, e vivendo como um animal caçado, Natale L'Ala começou a abrir-se, cada vez mais durante seus últimos anos, com sua companheira de longa data. Giacomma Filippello via a colaboração como sua única chance de vingança. Natale L'Ala dissera

6. Interrogatório de Rosario Spatola.

a ela os nomes dos assassinos que atiraram nele nas duas tentativas fracassadas de assassinato, e ela tinha fortes suspeitas sobre quem poderia finalmente tê-lo assassinado. Ela sabia sobre a composição dos grupos da máfia local e sobre os detalhes de muitos crimes.[7]

O fenômeno das "mulheres mafiosas" se tornou ainda mais importante em 1991, quando duas outras testemunhas do sexo feminino se apresentaram. Piera Aiello entrou em contato com os procuradores depois que o marido, Nicola Atria, foi morto diante de seus olhos na pizzaria que eles administravam juntos.

"Meu nome é Piera Aiello, e minha vida pode ser contada em apenas algumas palavras: aos 14 anos fiquei noiva, aos 18 anos, tornei-me esposa, aos 21, mãe, aos 23 anos, viúva", disse ela. "Eu nasci com oito meses e meio, tenho sido prematura desde o nascimento, espero que seja assim com a morte."[8]

Seu marido era de uma importante família da máfia nas proximidades de Partanna, e o pai dele (Vito Atria) fora morto em 1984. Nicola Atria era um jovem mafioso que lidava com heroína e cocaína. Certamente, foi morto porque alimentava esperanças de vingar a morte do pai. Vindo de um tipo muito diferente de família, Piera Aiello teve pouca dificuldade para romper com a tradição do *omertà* e procurou as autoridades quase imediatamente após a morte do marido. Mais difícil e traumática foi a decisão da cunhada de Piera Aiello, a irmã de apenas 16 anos de seu marido, que crescera em uma família permeada pela cultura da máfia. Superando uma poderosa resistência, ela também se apresentou alguns meses após a morte do irmão, em 1991. Embora fosse apenas uma criança na época da morte de seu pai, ela havia ouvido e presenciado muita coisa em sua casa. Depois da morte do pai, o irmão e ela tornaram-se muito próximos, e ela também se envolveu com um menino que circulava pelo mundo do crime.

As duas mulheres foram capazes de fornecer ricas informações sobre a máfia de Partanna, onde uma disputa violenta tinha sido travada por vários anos. Num golpe de sorte, outra mulher de Partanna, Rosalba Triolo, ligada ao campo oposto da máfia local, começou a colaborar durante o mesmo período, e foi capaz de confirmar muitos elementos do depoimento de Aiello e Atria, partindo de um ponto de vista diferente e totalmente independente.

---

7. Lucentini, p. 176.
8. Essa citação é da breve biografia de Rita Atria por Sandra Rizza, *Una ragazza contro la mafia* (Palermo, 1993), p. 61. A colaboração de Rita Atria também é discutida em Madeo, pp. 185-211, e Lucentini, pp. 181-201.

Não só conseguiram identificar assassinos e traficantes, como também deram provas contra o prefeito da cidade, Vincenzino Culicchia, que se tornara um membro democrata-cristão do Parlamento. Embora Borsellino fosse naturalmente cético sobre o que uma garota de 16 anos poderia saber sobre um político poderoso, escutas telefônicas da polícia e investigações financeiras confirmaram, na verdade, como o prefeito e presidente do banco local, Onorevole Culicchia, tinha laços econômicos e pessoais extremamente próximos aos maiores mafiosos da região. De fato, ele poderia ter ordenado o assassinato em 1983 de um candidato rival a prefeito, com medo de que seu oponente descobrisse evidências de irregularidades quando assumisse o controle da Prefeitura.

Em uma demonstração de quão poderosa era a força da *omertà* na geração mais velha, a mãe de Rita Atria denunciou sua filha e nora como *infami* (infame), o termo de desprezo usado na Sicília para aqueles que traíram o código de silêncio. A *signora* Atria alegou que Borsellino havia raptado sua filha e, apesar do assassinato de seu marido e filho, insistiu que toda essa bobagem de máfia tinha sido colocada na cabeça de sua filha por sua maldosa nora, Piera Aiello.

Abandonadas por amigos e familiares, Rita Atria e Piera Aiello se voltaram cada vez mais para Borsellino em busca de apoio emocional. Ele beliscava as bochechas de Rita e brincava com ela sobre sua aparência dura e rústica, chamando-a de "mafiosa de saias". Elas telefonavam para ele quando precisavam conversar e se referiam a ele como "tio Paolo". Mesmo depois de terem terminado seus depoimentos, ele fazia questão de vê-las sempre que ia a Roma, para onde haviam sido transferidas para sua própria proteção.

Pelo menos em uma parte das províncias sicilianas, o movimento antimáfia estava ganhando força. No resto do país, o problema do crime organizado parecia não só estar crescendo em força, mas também se espalhando pela península italiana. Em julho de 1990, o presidente da Câmara de Comércio de Milão alertou que o grande capital financeira do norte da Itália estava se tornando o principal local de lavagem de dinheiro da máfia. "Em Milão, há um imenso fluxo de dinheiro", disse Piero Bassetti. "Na minha opinião, pelo menos dez das maiores empresas financeiras... são cúmplices da máfia ou pelo menos sabem que estão trabalhando com dinheiro sujo."[9]

---

9. *Corriere della Sera*, 7 de julho de 1990.

Um aumento dramático nas apreensões de drogas, assassinatos, incêndios criminosos e sequestros fornecia evidências pungentes de que os grupos do crime organizado estavam fazendo incursões regulares a Milão. Os procuradores haviam encontrado sinais de que os mafiosos estavam corrompendo até mesmo funcionários públicos locais, com o objetivo de obter contratos do governo e imóveis, iniciando uma investigação conhecida como "Conexão Duomo", em homenagem à catedral que é o símbolo de Milão.

Milão havia ultrapassado Palermo entre as capitais com maior número de assassinatos da Itália, com o terceiro maior número de homicídios do país. Os dois principais, de maneira significativa, eram Reggio Calabria e Nápoles, o que demonstrava o fato de que o crime organizado se tornara tão dominante nas regiões da Calábria e da Campânia quanto na Sicília.[10]

O público estava apenas acordando para o fato de que Falcone já havia provado, em seus primeiros casos, no início dos anos 1980, que Milão era um importante centro de tráfico internacional de drogas e que três grandes organizações criminosas do sul do Itália tinham "colônias" operando em todas as principais cidades do norte da Itália. "Por muitos anos Milão ocupou um papel proeminente... como o centro de distribuição de heroína vinda do Oriente Médio e da cocaína importada da América do Sul", afirmou um relatório policial publicado na época.

A impressão da opinião pública de que os crimes violentos estavam saindo de controle foi confirmada pelas estatísticas. Em 8 de setembro de 1990, um relatório policial emitido mostrou um aumento desastroso nos índices de crimes relacionados à máfia: os homicídios subiram 11,5%, a extorsão subiu 26,7%, explosões de dinamite até 22,9%, e os incêndios culposos, acima de 8,2%.[11]

Em uma ilustração gráfica do custo humano desse reinado de impunidade, três dias depois, em setembro de 1990, assassinos da máfia dispararam contra Rosario Livatino, um corajoso jovem procurador antimáfia que havia trabalhado durante anos em extremo isolamento na cidade de Agrigento. Começando com vinte e poucos anos, Livatino passou uma década trabalhando nas principais investigações da máfia em um pequeno escritório na Sicília central. Os detalhes da morte de Livatino eram particularmente

10. *Relazione di Minoranza* realizada pela comissão antimáfia do Parlamento em 24 de janeiro de 1990, *X Legislatura, doc. XXIII, n. 12-bis/I.*

11. *L'Espresso*, 30 de setembro de 1990.

arrepiantes. Dirigindo sozinho sem escolta policial, Livatino foi forçado a sair da estrada pelo automóvel de seus assassinos. Já cercado, tentou uma fuga desesperada a pé até que seus predadores o alcançaram e o executaram a sangue-frio.[12]

Na esteira do assassinato de Livatino e em resposta ao clima de indiferença do governo, toda a magistratura siciliana se revoltou e ameaçou entrar em greve. Eles ficaram indignados que um magistrado na linha de frente da guerra contra a máfia pudesse ser massacrado como um animal por não ter proteção, enquanto dezenas de políticos e bandidos em Roma, sem correr risco algum, tinham exércitos de guarda-costas e serviço de limusine 24 horas para servir às suas famílias e levá-los a seus restaurantes favoritos.

"A máfia continua a matar, sem ser perturbada, em Caltanissetta, em Agrigento, em todo lugar", disse Falcone em entrevista poucos dias após a morte de Livatino. "Por outro lado, temos uma magistratura desmoralizada e cansada, oprimida por uma resignação sombria. Digo: chega dessas polêmicas infundadas, chega de debates que simplesmente usam a máfia como um pretexto para acertar as contas entre esta ou aquela facção."[13]

Em 1º de novembro de 1990, dois importantes empresários de Catânia foram assassinados por terem aparentemente resistido a tentativas de extorsão. Gerentes de uma importante usina siderúrgica e dois dos maiores empregadores da cidade, os executivos estavam supervisionando um plano de £ 6 bilhões (US$ 50 milhões na época) para modernizar a usina local – dinheiro que a máfia de Catânia evidentemente queria controlar. No mesmo período, as filiais da Standa (a maior cadeia de lojas de departamentos da Itália) na cidade de Catânia sofreram uma série de explosões e incêndios suspeitos. A Câmara de Comércio de Catânia revelou que 90% dos comerciantes locais faziam rotineiramente pagamentos de extorsão, cerca de 22 mil pessoas em uma cidade de apenas 372 mil. Isso em um lugar onde, segundo Antonino Calderone, o esquema de proteção não existia até a década de 1970, exceto para as maiores empresas. Descrevendo a angústia da extorsão, Antonio Mauri, presidente da Associação dos Industriais de Catânia, disse, em novembro de 1990: "Primeiro eles pedem dinheiro... até centenas de milhares de dólares... então eles oferecem serviços, eles

---

12. Sobre a carreira e morte de Livantino, ver Nando Dalla Chiesa, *Il Giudice ragazzino* (Turin, 1992), e Lucentini, pp. 184-86.

13. *La Repubblica*, 26 de setembro de 1990.

aconselham de quais fornecedores comprar, eles nos impõem seus amigos, então eles querem se tornar seus parceiros e por fim tomam tudo... Quem, nessas condições, está preparado para investir no sul?".[14]

Mais tarde naquele mês, na pequena cidade siciliana de Gela, oito pessoas foram mortas e sete outras ficaram feridas em quatro ataques diferentes durante um período de 25 minutos. A guerra entre clãs locais custou mais de cem mortes em Gela durante os três anos anteriores – um número impressionante para uma cidade de apenas noventa mil habitantes.[15]

Enquanto isso, o "arranjo" operacional de Giovanni Falcone com o procurador Pietro Giammanco ia de mal a pior. Giammanco não apenas descumpriu o acordo de dar a Falcone o controle sobre as investigações da máfia em Palermo, mas também frequentemente o mantinha afastado dos casos importantes, excluindo-o das investigações ou bloqueando suas iniciativas. Falcone ficou sabendo por acaso de importantes avanços nos casos que havia iniciado, mas não estava livre para tomar iniciativas, e lhe foi negada permissão para fazer viagens para reunir evidências. Quando se dirigia para interrogar testemunhas, Falcone era invariavelmente cortado por outros promotores que faziam parte do círculo próximo de fiéis seguidores de Giammanco. As coisas chegaram ao ponto de Giammanco fazer questão de manter Falcone esperando do lado de fora do escritório por longos períodos antes de recebê-lo. "Isso pode parecer nada, mas em um lugar altamente simbólico como Palermo, esses sinais têm um grande significado", disse o juiz Salvatore Barresi.[16]

"Eu sou como um urso em uma jaula", disse Falcone a seu antigo patrão Antonino Dnetto. No final de 1990, Falcone começou a registrar seu diário de frustrações, lembrando as palavras de advertência de Rocco Chinnici: "Escreva em um diário, nunca se sabe".[17]

Entre as investigações que Giammanco continuava impedindo Falcone de investigar estava o explosivo caso "Gladio". No final de 1990, o primeiro-ministro, Andreotti, comentou que, durante a Guerra Fria, o governo italiano (no comando dos EUA) havia formado uma milícia civil secreta conhecida como "Gladio", que deveria entrar em ação no caso de uma invasão

---

14. *La Repubblica* e *Corriere*, 2 de novembro de 1990.

15. *La Repubblica*, *Corriere* e *L'Unità*, 29 de novembro de 1990.

16. Entrevista do autor com Salvatore Barresi.

17. Entrevista do autor com Antonino Caponetto.

soviética ou de uma ocupação comunista. Em vez de ser dissolvida após o período de Stalin, a organização militar secreta continuou a existir até os anos 1980. Dado o passado histórico de lojas maçônicas secretas da Itália, golpes de direita, assassinatos políticos e atentados fascistas suspeitos, a ideia de um exército anticomunista com celeiros de armas escondidos por todo o país levantou suposições nada agradáveis. E embora possa ter havido uma justificativa para uma força anti-invasão nas regiões do norte da Itália para fazer frente à Iugoslávia comunista, por que havia também "Gladio" na distante Sicília, onde as ameaças à democracia eram de outra ordem? Havia rumores de que a "Gladio" siciliana havia sido criada para agir contra a máfia – uma função completamente diferente de seu desenho original, e algo que Giovanni Falcone queria investigar.[18]

Nas anotações do diário do final de 1990 e início de 1991, Falcone desabafou suas frustrações e humilhações diárias, referindo-se a Giammanco como *il capo*, o chefe, ou às vezes simplesmente como "ele".

"Ele pediu que certas investigações sobre o governo regional siciliano fossem concluídas... dizendo que de outra forma a região perderia parte de seu financiamento. Certamente, algum político disse-lhe para fazer isso, e é igualmente óbvio que ele pretende encerrar o caso. (10 de dezembro de 1990.)

19.12.1990 – Ele nunca chamou o juiz Giudiceandrea, portanto, não teremos a oportunidade de nos encontrar com nossos colegas romanos que estão trabalhando no caso Gladio.

19.12.1990 – Fiquei sabendo por acaso que há vários dias ele atribuiu a investigação de uma carta anônima de Partinico, que diz respeito, entre outros, ao Onorevole (Giuseppe) Avellone (um político democrata-cristão local), a (Giuseppe) Pignatone, (Vittorio) Teresi e (Francesco) Lo Voi (os dois últimos não fazem parte da força-tarefa antimáfia)...

17.01.1991 – Soube hoje que, durante minha ausência, um colega, (Maurizio) Moscati, promotor assistente de Spoleto, havia me ligado para falar sobre um caso de narcotráfico, tentando coordenar sua investigação conosco. Não me encontrando no escritório, (Moscati) conversou com o chefe, que naturalmente cuidou do caso, atribuindo-o a (assistente do promotor Teresa) Principato, naturalmente sem me dizer nada sobre isso. Eu soube disso por acidente, após telefonar para Moscati.

18. *L'Espresso*, 11 e 18 de novembro de 1990. Silj, *Il Malpaese*, pp. 42-49.

26.01.1991 – Fiquei sabendo, hoje, ao chegar ao escritório, de Pignatone, que ele, o patrão e (Guido) Lo Forte, naquela mesma manhã, tinham ido interrogar o cardeal (Salvatore) Pappalardo sobre o caso Mattarella (o presidente do governo regional siciliano, assassinado em 1980)... Eu protestei com o chefe por não ter sido informado antecipadamente, deixando bem claro que estou perfeitamente pronto para fazer outro trabalho, mas, se ele quer que eu seja o coordenador das investigações antimáfia, a coordenação precisa ser genuína.[19]

Falcone manteve os diários para si mesmo, mas mostrou um pouco para amigos próximos como Paolo Borsellino. Como precaução, deu algumas páginas a uma jornalista em quem ele confiava, Liana Milella, do jornal *Sole 24 Ore*, pedindo-lhe para não publicar o documento de maneira alguma. Falcone pode ter feito isso para que uma cópia do diário sobrevivesse no caso de sua morte – lembrando os documentos supostamente mantidos pelo general Dalla Chiesa, que desapareceram de sua casa na noite de seu assassinato.

"Talvez esse tenha sido o pior momento de sua vida", disse Giuseppe Di Lello, seu antigo colega na força-tarefa antimáfia original.[20]

Mas justamente porque a situação estava tão ruim, a máfia acabou se tornando novamente uma questão nacional. Durante todo o período do pós-guerra, o combate ao crime organizado sempre se dera em uma espécie de "corrente alternada", com súbitas explosões de energia após um assassinato hediondo ou uma onda intolerável de crimes. O enfrentamento que se seguiu à guerra da máfia de 1981-83, os assassinatos de Pio Della Torre, do general Dalla Chiesa e de Rocco Chinnici criaram o momento político que possibilitou a realização do maxijulgamento de Palermo, em 1986. E em 1990 e 1991, após um período de quatro anos de inércia, uma sensação renovada de alarme e raiva crescia, à medida que as pessoas começavam a perceber que o problema da máfia no país, em vez de ter sido "resolvido", estava ficando pior.

A "emergência do crime" – declarada em grandes manchetes nos jornais – colocou a máfia nas primeiras páginas de todos os jornais nacionais quase diariamente, colocando o governo Andreotti sob considerável

19. As notas do diário de Falcone são dos arquivos da Comissão Antimáfia do Parlamento italiano (*Il Sole 24 Ore*, 24 de junho de 1992).

20. Entrevista do autor com Giuseppe Di Lello.

pressão. Em setembro, Andreotti prometeu um novo pacote anticrime. Mas quando sua principal medida revelou-se ser uma proibição de espingardas de caça no sul da Itália, Andreotti foi tratado com uma mistura de escárnio e desprezo.[21] Ao mesmo tempo, sofria crescente pressão para substituir seu controverso ministro do Interior, Antonio Gava. Segundo rumores, Gava teria estreitos laços com a Camorra napolitana e, como se não bastasse, ele raramente aparecia para trabalhar nos últimos meses, devido a uma doença crônica, aumentando a impressão de que o governo estava bastante ausente no combate à máfia. Em outubro, Andreotti finalmente substituiu Gava por Vincenzo Scotti, outro democrata-cristão de Nápoles, muito mais jovem e mais enérgico que o antecessor.

Alguns meses depois, após trocas de gabinetes mais extensas, Andreotti prometeu fazer da guerra contra o crime organizado uma de suas principais prioridades. Em fevereiro, Andreotti nomeou Claudio Martelli, a estrela em ascensão do Partido Socialista, seu novo ministro da Justiça. Com o objetivo de melhorar as credenciais antimáfia do governo, Martelli imediatamente ligou para Giovanni Falcone em Palermo, pedindo que ele se juntasse à sua equipe como "diretor de assuntos penais".

Exausto e desmoralizado por suas batalhas perdidas em Palermo, Falcone decidiu aceitar, deixando para trás mais de vinte anos de trabalho como magistrado na Sicília. A maioria de seus amigos e colegas tentou convencê-lo a sair dessa jogada. Na Itália, onde a "independência" da magistratura era um princípio quase sagrado, a troca do Poder Judiciário pelo Poder Executivo parecia uma espécie de traição. Muitos magistrados não tinham ideia de que havia algo como "diretor de assuntos penais" e muito menos qual era a sua função. A saída de Falcone da linha de frente do combate à máfia em Palermo para um trabalho burocrático em Roma soava a muitos como um recuo ou como admissão de fracasso. Além disso, eles ficaram perturbados com a identidade do chefe romano de Falcone, Claudio Martelli, o delfim do líder socialista Bettino Craxi. Martelli havia liderado a campanha contra os juízes em 1987, e seu partido havia sido prontamente recompensado com uma avalanche de votos inspirados pela máfia em Palermo naquele mesmo ano. E foi Martelli quem continuou atacando a coalizão antimáfia de Leoluca Orlando em Palermo, cujo governo chamou de "um governo obscuro de jesuítas e procuradores". Agora muitos dos amigos de

---

21. *La Repubblica*, 26 de setembro de 1990.

Falcone temiam que Martelli simplesmente quisesse usar o procurador mais famoso da Itália em um esforço superficial para fazê-lo parecer durão com o mundo do crime.[22]

Depois das experiências desastrosas no passado recente de Falcone – primeiro com o chefe do escritório de investigação, Antonino Meli, e depois com o procurador-chefe Giammanco –, a mudança de Falcone para Roma parecia mais um acordo duvidoso com o poder político. Falcone teve uma discussão amarga com Giuseppe Ayala, um de seus melhores amigos no Palácio de Justiça de Palermo, resultando em um rompimento em sua amizade que durou vários meses. Dada a sua ingenuidade na arena política, os amigos de Falcone temiam que ele conseguisse os piores acordos com seus interlocutores, muito mais astutos e experientes no jogo de poder em Roma. "Falcone era um grande magistrado, mas politicamente ingênuo, e o que piorava era o fato de estar convencido de que era politicamente inteligente", disse o juiz Vito D'Ambrosio.[23]

Mas, depois de ter experimentado o mais completo desamparo na magistratura em Palermo, sem o apoio do governo em Roma, Falcone estava convencido de que a única maneira de virar o jogo na guerra contra a máfia era colocando as mãos no poder. Falcone não apenas entendia os problemas do crime organizado na Itália, mas também, como um dos magistrados mais viajados no país, estava familiarizado com os sistemas de justiça criminal, as técnicas de investigação e a legislação de praticamente todas as outras grandes democracias. Ele tinha centenas de ideias e posturas que estava ansioso para colocar em prática.

O principal problema com o sistema italiano, na opinião de Falcone, era sua extrema fragmentação. Havia 159 distritos judiciais, com seus próprios procuradores e forças policiais, que colidiam frequentemente, ignorando o trabalho uns dos outros. A máfia, em contrapartida, movia-se com facilidade numa escala cada vez mais ampla, nacional e internacionalmente. Ele ficou muito impressionado com o sistema de "forças de ataque" no combate ao crime organizado dos EUA, localizadas na maioria das grandes cidades, agindo com independência, mas recebendo todo o apoio do governo federal. E ele apenas poderia invejar a organização e o poder de agências nacionais como o FBI e a Agência de Combate às Drogas, quando via os parcos

22. Morisi, *Far Politica in Sicilia*, p.144.

23. Entrevista do autor com Vito D'Ambrosio.

e escassos recursos à disposição de seus colegas da polícia italiana. Falcone tinha toda uma série de propostas para centralizar e agilizar a aplicação da lei italiana, e Martelli as apoiava.

Enquanto muitos magistrados italianos concordavam que um sistema centralizado funciona em um país como os EUA, com fortes tradições democráticas e verificações e equilíbrios comprovados, eles temiam que, em um país pequeno e corrupto como a Itália, esse sistema poderia colocar o Judiciário sob o comando do governo.

"Temíamos que Martelli usasse Falcone em uma tentativa de moldar a magistratura a seu gosto", disse o juiz D'Ambrosio. "Ficamos acordados até as duas da manhã discutindo sobre isso, Giovanni, eu e (Mario) Almerighi (outro juiz e amigo íntimo de Falcone). Almerighi e eu perguntamos a ele: 'Você está realmente convencido de que Martelli está do seu lado?'. Ele disse: 'Não, ele está do meu lado enquanto isso for conveniente para ele'. Então dissemos: 'Por que você está do lado dele, emprestando-lhe prestígio e legitimidade?'. Ao que Falcone respondeu: 'Porque, enquanto ele estiver do meu lado, eu posso usá-lo assim como ele está me usando, e então eu posso realizar coisas que eu não poderia fazer de outra forma... Martelli é politicamente forte e é capaz de fazer o que é preciso. Nós teremos que ver, no final das contas, quem está sendo usado afinal'. Essas foram as suas palavras, quase literalmente. Esse argumento não nos convenceu muito... 'Martelli é muito mais forte que você e eu, vai esmagá-lo', dissemos. 'Você é apenas um enfeite para ele...' Isso abalou a nossa amizade. Giovanni sentiu-se traído, e nos sentimos um pouco abandonados por ele também." Mas mesmo antes de chegar a Roma, em março de 1991, Falcone fez sentir sua presença. Seguindo o conselho de Falcone, Martelli emitiu um acordo com o objetivo de reparar os danos das mais recentes decisões do tribunal de Corrado Carnevale, o "assassino de sentenças" da Suprema Corte italiana. Um mês antes, a maioria dos réus remanescentes do maxijulgamento de Palermo fora autorizada a sair da prisão de *Ucciardone*, apesar de muitos deles terem sido condenados à prisão perpétua, mesmo tendo suas condenações confirmadas em recurso. Embora esses acusados tivessem sido julgados de acordo com o antigo código penal da Itália, Carnevale, em uma decisão bastante questionável, aplicou uma nova lei do código penal revisado, segundo a qual os acusados não deveriam ser mantidos na prisão por mais de um ano após sua prisão original, caso suas sentenças ainda não fossem definitivas. Os homens foram autorizados a esperar pela segunda e última audiência (permitida em todos os casos criminais italianos) em liberdade – apesar do fato de que muitos deles eram assassinos condenados que haviam sido fugitivos da Justiça, rastreados durante anos pela polícia. Cerca de 21 mil criminosos foram libertados por esse mecanismo desde que o novo código penal da Itália entrou em vigor, um ano e meio antes.[24] O "decreto de Martelli" criou uma exceção para os criminosos mais perigosos e levou ao imediato reencarceramento dos chefões de Palermo. Foi um movimento importante que inverteu a atmosfera de indiferença e derrotismo que imperava em Palermo quase do dia para a noite, segundo o juiz Salvatore Barresi: "Se isso não tivesse sido feito, você pode estar certo de que todas essas pessoas seriam fugitivas. Isso desorientou completamente os chefes da máfia. Jamais esquecerei o rosto de Michele Greco quando foi preso. Essas pessoas que estavam vivendo confortavelmente em casa de repente, por vontade e iniciativa de Giovanni Falcone, voltaram à prisão".[25]

Falcone começou a fazer uma revisão rigorosa de todo o Judiciário italiano lendo cuidadosamente as decisões judiciais sobre casos de crime organizado em toda a Itália. Martelli e Falcone começaram a insistir em ter um papel mais ativo nas nomeações judiciais, agindo junto com os antigos inimigos de Falcone no *Consiglio Superiore della Magistratura* (CSM). Embora continuasse a deixar a decisão final para o CSM, o Ministério da Justiça começou a classificar os candidatos para cargos importantes dentro da magistratura com base em suas realizações profissionais. Ao colocar o CSM em alerta, Falcone foi capaz de eliminar algumas das escolhas questionáveis para os cargos mais sensíveis na aplicação da lei italiana. Seguindo a recomendação do Ministério, o CSM impediu Pasquale Barecca – um juiz cujas decisões extremamente brandas em casos de máfia levantavam suspeitas havia anos – de se tornar o procurador-geral de Palermo, encarregado de todos os processos perante o Tribunal de Apelações de Palermo. Em muitos casos (como no caso de Barecca), Falcone conseguiu identificar magistrados que mais tarde foram indiciados por conluio com a máfia.[26]

24. *La Repubblica*, 23 de maio de 1991.

25. Entrevista do autor com Salvatore Barresi. Sobre a libertação e nova prisão de Michele Greco, ver *Corriere*, 26 de fevereiro de 1991, e *L'Unità*, 27 de fevereiro de 1991.

26. *Il Messaggero*, 4 de outubro de 1991; *Corriere*, 13 de novembro de 1991. Entrevistas do autor com Liliana Ferraro e Ignazio De Francisci.

Os procuradores de toda a Itália, que antes se sentiram em grande parte isolados, tinham agora um aliado em Roma. O juiz Giacomo Travaglino, promotor de Nápoles, lembrou uma peregrinação que ele e alguns de seus colegas fizeram ao escritório de Falcone em Roma. Os procuradores estavam cada vez mais desconfiados de um juiz do Tribunal de Apelações de Nápoles, Alfonso Lamberti. "Ele tomou uma série de decisões que nos pareceram completamente insensatas", disse Travaglino. "Ele derrubou decisões que pareciam muito sólidas e concedeu fiança a criminosos extremamente perigosos no meio de uma guerra incrivelmente sangrenta de clãs em Nápoles. Para lhe dar uma ideia do contexto: um menino de 13 anos de idade foi enviado por sua mãe para matar o assassino de seu pai no pátio do tribunal, e o juiz Lamberti tomou a frente e libertou vários outros membros desse mesmo clã."[27] Ao explicarem suas suspeitas a Falcone, os procuradores napolitanos começaram a notar um sorriso irônico passando pelo rosto de Falcone. Eles perceberam que ele já sabia sobre a situação no Tribunal de Apelações de Nápoles e havia chegado às mesmas conclusões a respeito do juiz Lamberti. Finalmente havia alguém no Ministério da Justiça que entendia seus problemas, tinha um conhecimento enciclopédico de casos de crime organizado e uma visão global de todo o campo. (Essas suspeitas iniciais sobre Lamberti foram confirmadas mais tarde por ex-membros da Camorra napolitana que testemunharam que ele era pago por clãs locais.)

Martelli abraçou praticamente todas as propostas de Falcone. Eles elaboraram um plano para reorganizar completamente os processos contra o crime organizado criando uma série de "escritórios distritais", projetados especificamente para lidar com casos complexos da máfia. Em vez de ser controlada aos poucos por dezenas de minúsculos escritórios, as investigações sobre o crime organizado seriam concentradas em 26 grandes cidades da Itália. Por meio dessa legislação, Falcone recuperaria de uma só vez todo o terreno que havia perdido de 1988 a 1990, quando o procurador-chefe Antonino Meli espalhara os casos de combate à máfia entre os escritórios provinciais na zona rural da Sicília. Três anos após de ter sido desmantelado em Palermo, o modelo da força-tarefa antimáfia seria aplicado em várias cidades ao redor da Itália.

Martelli também apresentou o plano de Falcone para a criação de um FBI italiano, empregando cerca de dois mil dos principais oficiais de vários

27. Entrevista do autor com Giacomo Travaglino.

ramos da polícia italiana e permitindo-lhes trabalhar exclusivamente no problema do crime organizado, com os recursos e a tecnologia necessários para levar a Itália ao nível do primeiro mundo. Eles também propuseram a criação de um escritório nacional de cerca de vinte magistrados em Roma que coordenaria as investigações sobre o crime organizado, algo que a imprensa italiana apelidou de "*Superprocura*", o escritório do superprocurador.[28]

"Em apenas alguns meses em Roma, Falcone mudou o papel do Poder Executivo na guerra contra a máfia", disse Ignazio De Francisci, da antiga força-tarefa antimáfia.[29]

28. *Corriere*, 25 de outubro de 1991; *La Repubblica*, 27 de outubro de 1991.

29. Entrevista do autor com Ignazio De Francisci.

Capítulo 20

Conforme o ano de 1991 avançava, a aposta romana de Falcone parecia estar valendo a pena. Ao contrário das previsões mais pessimistas, o novo chefe de Falcone, o ministro da Justiça, Martelli, manteve sua palavra e lutou bravamente em nome da nova legislação criminal. Um dos críticos da força-tarefa antimáfia tornou-se subitamente um paladino da guerra contra a máfia. "Martelli foi convertido na estrada para Damasco", disse Leonardo Guarnotta, colega de Falcone na força-tarefa antimáfia original.

"Na minha opinião, Giovanni Falcone, com sua imensa capacidade de entender e explicar a importância dos problemas e encontrar os instrumentos necessários para combatê-los, venceu Martelli", disse o juiz Salvatore Barresi.

Ao mesmo tempo em que parece ter nascido uma amizade genuína entre Martelli e Falcone, o cálculo político também pode ter desempenhado importante papel no novo compromisso do ministro com a causa antimáfia. "Martelli é um homem extremamente inteligente... e ele achava que a guerra contra a máfia poderia trazer grandes recompensas políticas naquele momento particular da história", disse o juiz Vito D'Ambrosio.[1]

O que havia acontecido para fazer alguns dos principais adversários do movimento antimáfia adotarem a causa repentinamente como se fossem amigos de longa data? A resposta mais óbvia é que a disseminação dos crimes ligados à máfia havia criado uma grande demanda pública por ações efetivas. Mas as forças históricas mais profundas estavam levando o governo a ir além das mudanças das ações paliativas usuais. No final de

1. Entrevista do autor com Leonardo Guarnotta, Salvatore Barresi e Vito D'Ambrosio.

1989, o Muro de Berlim havia colapsado, e, com ele, toda a equação política do sistema italiano pós-guerra.

A importância dessa mudança para os partidos do governo não foi sentida de imediato – afinal, eles estavam do lado vencedor na Guerra Fria. A princípio, as consequências pareciam ser sentidas exclusivamente pelos próprios comunistas italianos. Já em meados da década de 1980, durante a era da Perestroika de Mikail Gorbachev, os comunistas italianos haviam caído de sua alta histórica de 34% dos votos (em meados da década de 1970) para cerca de 27%. E em maio de 1990 (após a destruição do muro), caiu ainda mais, para meros 23% dos votos. Naquele outono, o líder comunista Achille Occhetto anunciou que seu partido mudaria seu nome para *Partito Democratico della Sinistra* (PDS, ou Partido Democrata da Esquerda) – um evento traumático que dividiu o voto comunista. Enquanto a grande maioria dos membros aceitou abertamente a nova identidade social-democrata do partido, um quarto dos apoiadores do PCI recusou-se a renunciar ao seu antigo nome ou doutrina, iniciando um partido dissidente chamado *Rifondazione Comunista* (Refundação Comunista). Após a ruptura, a esquerda ficou mais fraca e mais dividida do que nunca.[2]

Depois desse impulso inicial, a morte do comunismo trouxe sérios problemas para os principais partidos do governo, cuja base política havia sido a firme oposição ao comunismo. Não sendo mais forçados a escolher o menor de dois males, muitos italianos começaram a exigir mais de sua classe governante, tornando-se mais intolerantes com a corrupção desenfreada e ineficiência, passando a explorar novas opções em todo o espectro político. Muitos dos que haviam aceitado a corrupção generalizada com um rancoroso senso de resignação fatalista agora abominavam o nível de corrupção e patronagem existentes nos partidos do governo.

Novas forças políticas começaram a preencher o vazio crescente. O mais significativo foi a Liga Lombarda – um movimento pela autonomia regional do norte da Itália. A Liga Lombarda existia havia vários anos e quase não fizera incursões na política dominante. Muitas de suas propostas – instituindo placas de rua em dialeto local e removendo italianos do sul de empregos administrativos no norte – pareciam irremediavelmente

2. Sobre a crise do Partido Comunista Italiano, ver *L'Unità* do outono de 1989 – quando o secretário do partido Achille Ochetto primeiramente anunciou a proposta da mudança de nome – até o ano seguinte, quando o novo foi finalmente anunciado, em 10 de outubro de 1990, e registrado no dia seguinte. Ver também *Oltre il PCI*, por Paolo Flores D'Arcais (Milão, 1990).

anacrônicas e reacionárias. Um movimento político em homenagem a uma aliança militar medieval cujo símbolo é um cavaleiro de armadura brandindo uma espada, a Liga Lombarda parecia oferecer mais um apelo nostálgico a um passado distante do que a promessa de um futuro brilhante. Mas sob a astuta liderança de seu fundador Umberto Bossi, a Liga Lombarda ampliou seu apelo, martelando a corrupção política, os altos impostos, serviços governamentais deficientes, a administração inchada e parasitária em Roma e o contágio crescente pela violência da máfia, que se deslocava do sul para o norte. De repente, no final da década de 1980, um movimento que parecia relegado à orla lunática atraiu milhões de eleitores em todo o norte da Itália.[3] O apelo da Liga residia no fato de que era o único partido a desafiar a premissa central do sistema político italiano, rejeitando o papel invasivo dos partidos em todas as esferas da vida italiana, conhecido como "partidocracia". A oposição tradicional, o Partido Comunista, em vez de reduzir o papel do governo, ajudou-o a expandi-lo em nome da justiça social. Em vez de rejeitar a ideia de divisão dos espólios, os comunistas simplesmente exigiram sua parcela justa na distribuição de empregos e recursos do governo. Como a Itália permaneceu imersa na luta entre o comunismo e o anticomunismo, ela jamais experimentou algo equivalente às revoluções de Reagan e Thatcher. Como resultado, o ressentimento da população sobre os custos crescentes e os resultados heterogêneos do estado de bem-estar social continuaram a crescer durante os anos 1980, até que essa força reprimida começou a explodir com o fim da Guerra Fria. Na Itália a revolta contra o estado de bem-estar social tinha conotações geográficas distintas: os seguidores da Liga insistiam que a industrializada região norte estava sendo exaurida para pagar pelo Estado corrupto, dominado pelo patronato na região sul. Mesmo com sua retórica exagerada, a Liga tocou em uma verdade importante: a lacuna econômica entre o norte e o sul tinha realmente se tornado maior durante os anos 1980 – depois de ter diminuído nas três décadas anteriores. Por volta dos anos 1990, o norte da Itália apresentava um nível da prosperidade similar ao da Suíça, enquanto os estados do sul tinham um padrão de vida mais próximo ao de Portugal e da Grécia.[4]

---

3. Para uma boa análise sobre as tensões políticas que culminaram na Liga Lombarda, ver *La Disunità d'Italia*, de Giorgio Bocca (Milão, 1990).

4. A Economia Internacional, setembro/outubro de 1991. *Corriere della Sera*, 9 de maio de 1991.

As mensagens da Liga ressoaram com o debate nacional sobre outra grande mudança histórica: a unificação econômica da Europa, prevista para o ano de 1992. Muitos empresários italianos – originários principalmente do centro e no norte do país – começaram a se preocupar mais com a concorrência econômica do que com uma invasão comunista.

Eles também começaram a perceber a enorme burocracia dispendiosa e centralizada da Itália como um grande perigo para sua sobrevivência. Em 1990, a dívida nacional italiana excedia o produto nacional bruto, e medidas drásticas eram necessárias para alinhar o país ao resto da Europa. Os italianos estavam entre os cidadãos mais fortemente tributados na Europa, e em troca recebiam serviços governamentais mais parecidos com os do terceiro mundo. Os democratas-cristãos e os socialistas disputavam o controle da companhia telefônica nacional, mas nenhum dos dois parecia se importar que demorava cerca de três meses para ter um telefone instalado ou que, literalmente, metade de todas as chamadas telefônicas na Itália acabava no meio de uma conversa. No passado, a comunidade empresarial havia lucrado com uma relação confortável com o sistema político durante uma era de protecionismo, mas agora, quando os mercados se abririam, passaram a enxergar o governo como uma pedra amarrada aos pés. "Se não enfrentarmos os problemas do nosso país – o déficit do governo, a inflação, mas também a reforma política –, entraremos no mercado europeu em uma posição de fraqueza", disse Sergio Pininfarina, então presidente da Confederação de Industriais Italianos. "Outros países não terão motivos para investir aqui, e nossos próprios investidores encontrarão melhores oportunidades em outros lugares... A desindustrialização da Itália não é um *slogan*, é um perigo real."[5]

Inevitavelmente, o problema da máfia tornou-se uma questão central no novo discurso político. Enquanto a Europa se preparava para abrir suas fronteiras, a existência do crime organizado desenfreado na Itália não podia mais ser considerada um segredo sujo de família, sobre o qual outras nações não tinham o direito de comentar. Em abril de 1991, o chanceler alemão Helmut Kohl declarou abertamente seu temor de que, após a unificação, a Itália pudesse exportar seu problema da máfia para o resto da Europa. As famílias criminosas sicilianas já tinham colônias ativas entre os trabalhadores italianos convidados a viver na Alemanha. O que aconteceria quando não

---

5. *Corriere*, 10 de abril e 1º de setembro de 1991.

houvesse mais nenhum controle de fronteira? O presidente da República da Itália, Francesco Cossiga, depois de outra série macabra de assassinatos da máfia, discursou em termos menos diplomáticos ainda: "Não podemos trazer essa desgraça para a Europa".[6]

Pintando os democratas-cristãos como o partido da máfia e do patronato no sul, a Liga Lombarda começou a corroer a base norte do Partido Democrata-Cristão. A Liga, que ganhara menos do que 1% dos votos apenas alguns anos antes, começou a receber 20% dos votos em algumas cidades do norte, e as pesquisas no início de 1991 a apontavam como o partido mais votado no norte da Itália. No sul, os partidos tradicionais enfrentavam um desafio representando por Leoluca Orlando, o ex-prefeito de Palermo, que havia rompido com os democratas-cristãos fundando o seu próprio partido, chamado *La Rete*, "A Rede", cujo emblema era a guerra contra a máfia. De acordo com estatísticas do próprio governo, cerca de 17 mil administradores locais em toda a Itália estavam sob alguma forma de investigação criminal, e os partidos políticos estavam sendo pressionados a limpar o quadro de candidatos suspeitos. O novo ministro do Interior, Vincenzo Scotti, propôs tornar ilegal a pessoas sob acusação ou com antecedentes criminais concorrer a cargos públicos, e sugeriu conceder ao governo o poder de dissolver administrações locais corrompidas pelo crime organizado.

Os democratas-cristãos enfrentavam outro sério desafio dentro de suas próprias fileiras: dissidentes e membros da oposição estavam reunindo assinaturas para uma série de reformas radicais no sistema eleitoral, com o objetivo de tirar o poder dos líderes partidários e tornar o governo mais sensível à vontade popular. Na época em que Andreotti assumiu o governo pela sétima vez, em abril de 1991, 74% dos italianos disseram que preferiam eliminar o sistema eleitoral proporcional em favor de um sistema majoritário.[7]

Os políticos mais astutos começaram a perceber que, se não subissem a bordo do movimento da reforma, poderiam ser atropelados por ele. E um deles foi Claudio Martelli. Extremamente inteligente e articulado, jovem, bonito e fotogênico, Martelli tinha o potencial para se tornar o Jack Kennedy ou Bill Clinton da política italiana. Infelizmente para Martelli (e talvez para a Itália), ele teve a infelicidade de amadurecer na corrupta máquina política do Partido Socialista de Bettino Craxi, durante o final dos anos 1970. (No início dos

---

6. *La Repubblica*, 8, 25, 27 de novembro de 1990; *Corriere*, 20 de novembro de 1990.

7. *La Repubblica*, 21 de abril de 1991.

anos 1980, os procuradores descobriram rastros de seu envolvimento em um pagamento multimilionário do Banco Ambrosiano em Milão para uma conta bancária do Partido Socialista na Suíça, intermediada por ninguém menos do que Licio Gelli, o famoso chefe da loja maçônica P2. Naturalmente, a investigação foi reprimida, e a mancha na reputação de Martelli não o impediu de se tornar ministro da Justiça. Quando novas evidências da propina finalmente surgiram, em 1993, Martelli foi forçado a renunciar.)[8] Talvez porque soubesse da extensão do esquema de corrupção, Martelli começou a tentar se distanciar de seu antigo mentor político, adquirindo uma nova identidade política. "Martelli percebeu que ganhar pontos com guerra contra a máfia valia muito a pena e se comprometeu e usou a grande capacidade profissional de Falcone ao máximo", disse o juiz D'Ambrosio. "Eu acho que Martelli esperava se tornar o ‹novo homem› da política italiana."[9]

As mudanças de Martelli e Falcone encontraram uma considerável resistência política, inicialmente; mas eventos ocorridos no verão de 1991 repentinamente balançaram o Parlamento relutante.

Em 3 de maio, a Itália ficou chocada com um dos crimes mafiosos mais sangrentos da história recente: em Taurianova, na Calábria, assassinos da 'Ndrangheta local mataram um açougueiro em frente à sua loja, no centro da cidade, cortando a cabeça da vítima com uma de suas próprias facas e depois usando a cabeça decepada para a prática de tiros no meio da praça. Esse crime atraiu a atenção nacional não apenas por causa de detalhes macabros, mas também porque Taurianova era um exemplo chocante de quão poderoso havia se tornado o crime organizado na região sul do país. O incidente da cabeça decepada ocorrera em plena luz do dia em uma praça central da cidade e levara cerca de dezessete minutos, mas ninguém havia visto nada. Foi apenas mais um dos cinco assassinatos ocorridos em três dias e o 32º assassinato em estilo mafioso em pouco mais de dois anos, números surpreendentes para uma cidade com apenas 17 mil habitantes. Além disso, a execução tinha uma clara dimensão política: veio logo após (e

---

8. As acusações contra Martelli por seu papel nas acusações de pagamentos por proteção foram divulgadas em 10 de fevereiro de 1993, levando à sua imediata renúncia. *Corriere della Sera*, 11 de fevereiro de 1993; *L'Espresso*, 21 de fevereiro de 1993. As acusações estão delineadas no pedido dos procuradores de Milão para investigar, feitas à comissão de imunidade parlamentar, *Domanda di autorizzazione a processi nei confronti dei deputati Craxi e Martelli, XI Legislatura, doc. IV, n. 225*, 11 de março de 1993.

9. Entrevista do autor com Vito D'Ambrosio.

aparentemente uma retaliação a) o assassinato de Rocco Zagari, membro democrata-cristão do conselho municipal de Taurianova, que também era suspeito de pertencer à 'Ndrangheta.[10]

Quando a imprensa italiana se apressou para investigar Taurianova, uma imagem impressionante surgiu: a cidade tinha sido administrada como um feudo particular por uma única família durante todo o período do pós-guerra. O patriarca da família, Giuseppe Macri, foi prefeito e presidente do Partido Democrata-Cristão local. Seu trono foi herdado por seu filho, Francesco "Ciccio" Macri, que expressou sua gratidão renomeando a praça principal de Piazza Macri e construindo uma estátua de seu pai (à custa do governo) no meio da praça. Assim, Don Ciccio fazia seus discursos políticos da sacada do Palazzo Macri, na Piazza Macri, enquanto a multidão admirava a imagem em tamanho natural de Giuseppe Macri. A principal fonte do poder de Ciccio, no entanto, era sua posição como presidente da unidade central do Serviço Nacional de Saúde, o maior órgão público da cidade. Enquanto poucos vasculhavam o local em busca de serviços médicos, a unidade de saúde tinha um enorme número de funcionários, muitos deles amigos de políticos ocupando empregos-fantasmas. Um deles foi o vereador assassinado, Rocco Zagari. Macri ganhou o apelido de "*Ciccio-Mazzetta*", ou "Ciccio-suborno", por causa de seu hábito de exigir propinas de toda a legião de pessoas que ele empregava, o que ajudou a explicar como ele conseguia dirigir um Rolls-Royce com seu modesto salário de servidor público. O sistema de Don Ciccio era tão notório que havia atraído a atenção dos procuradores. E, no entanto, apesar de uma série de condenações iniciais e de ter sido um fugitivo da Justiça, Don Ciccio permaneceu no comando do Partido Democrata-Cristão até 1988. Quando ele finalmente foi forçado a renunciar, seu lugar foi ocupado por sua irmã, Olga Macrì, que se tornou prefeita. No entanto, Don Ciccio continuou controlando tudo de sua posição de chefe da unidade de saúde local. Embora os Macrì não fossem, eles mesmos, suspeitos de serem mafiosos, eles governaram com o consentimento dos clãs locais, que controlavam vários lugares no conselho e ofereciam seu apoio em troca do controle dos lucrativos contratos governamentais.[11]

---

10. *L'Unità*, 10 de maio de 1991; *Europeo*, 17 de maio de 1991; *Panorama*, 9 de junho de 1991; *La Repubblica*, 5 de junho de 1991.

11. Misiani, *Per fatti di mafia*, pp. 155-95.

O governo da cidade de Taurianova esteve sob investigação por um bom tempo, mas o assassinato do vereador e o episódio da cabeça decepada finalmente forçaram o governo a agir. Na esteira dos assassinatos de maio de 1991, o ministro do Interior, Scotti, anunciou que estava dissolvendo o conselho municipal de Taurianova e de duas outras cidades do sul da Itália, porque seus governos eram efetivamente controlados pela máfia. Um administrador nomeado pelo governo governaria as cidades por um período de até dezoito meses, quando novas eleições seriam realizadas.[12]

No mês seguinte, em 9 de junho de 1991, a Itália votou pela eliminação de um dos mecanismos eleitorais que permitiam que pessoas como Don Ciccio Macrì prosperassem: o sistema de "preferências". Sob o antigo sistema eleitoral da Itália, quando os eleitores iam às urnas, juntamente com o partido do voto, eles também podiam expressar uma "preferência" por quatro candidatos diferentes daquele partido. Parecia uma medida democrática, visto que permitia aos cidadãos, e não aos líderes partidários, escolher seus representantes; mas acabava criando um notório mercado negro na venda e comercialização de "preferências". Políticos ou chefes da máfia que controlassem grandes quantidades de votos poderiam quadruplicar sua influência trocando ou vendendo suas "preferências" extras. Se um político tivesse mil seguidores obedientes, ele poderia prometer suas "preferências" a três outros políticos, que, em troca, levariam seu povo a votar nele. Assim, em uma espécie de multiplicação dos pães, mil "preferências" de repente se tornavam quatro mil. Isso oferecia oportunidades únicas para os grupos da máfia, que podiam orientar os votos com grande precisão. Não surpreendentemente, o sistema de "preferência" floresceu no sul da Itália, onde quase 70% dos eleitores o usaram, o dobro do número de muitas regiões do norte. (O sistema era mais popular entre os eleitores democratas-cristãos na Sicília, 86% dos quais usavam o sistema de "preferência".) E, no entanto, numa surpreendente reviravolta, quando a questão foi posta em votação em 9 de junho de 1991, a esmagadora maioria dos eleitores, tanto no sul como no norte votou para acabar com esse sistema. A votação foi um aviso claro para os partidos do governo e deu um novo impulso aos reformadores, que prometeram outro referendo que reformularia completamente o sistema eleitoral caso o Parlamento se recusasse a agir por conta própria.[13]

---

12. *Europeo*, 17 de maio de 1991; *Panorama*, 9 de junho de 1991.

13. Morisi, *Far Politica in Sicilia*, pp. 275-78.

Em 9 de agosto de 1991, Antonio Scopelliti, procurador da Suprema Corte italiana, foi morto em um ataque da máfia durante as férias, visitando sua família na Calábria. Scopelliti se preparava para defender o caso do governo na apelação final do julgamento máxi original de Palermo, marcado para ser ouvido pela Suprema Corte no outono. Scopelliti foi o segundo magistrado a ser morto durante o processo de apelação: Antonio Saetta, do Tribunal de Apelações de Palermo, fora assassinado em 1988.[14]

Mais tarde naquele mês de agosto, enquanto o governo ainda estava debatendo o pacote do crime, Libero Grassi, empresário siciliano que se recusara a fazer pagamentos de extorsão, foi morto fora de sua casa, em Palermo. Embora esse tipo de assassinato fossem uma ocorrência muito rotineira, a morte de Líbero Grassi foi um golpe profundo. Em um mundo de medo e *omertà*, Grassi tornou-se um raro símbolo de coragem e enfrentamento. Ele não apenas se recusava a ceder à pressão da máfia, como também se atrevia a falar sobre isso. Mais cedo naquele ano, após receber uma série de ameaças por telefone, ele publicou uma carta aberta no *Giornale di Sicilia* (intitulada "Caro Extorsionário") na qual afirmava claramente que não tinha intenção nenhuma de pagá-lo. Com a ajuda de Grassi, a polícia foi capaz de prender homens acusados de tentativa de extorsão, e ele continuou discutindo a situação com uma franqueza notável: "Aqui, quase todos pagam, US$ 150 por mês a US$ 200 mil por ano", disse ele. "Lojas, artesãos, firmas profissionais, pequenos negócios, grandes indústrias... Palermo é uma cidade em 'liberdade condicional'. A economia de livre mercado não existe. E não existe porque as vítimas não falam, porque a Associação dos Industriais permanece em silêncio e a Associação de Lojistas recusa-se a mover uma palha... O silêncio da morte sufoca nossa economia... Muitos pagam sem ao menos protestar... Estou pensando que, em certos níveis, há um acordo... Um empresário chegou ao ponto de dizer a um amigo meu, que também se recusa a pagar: 'Se todos nós pagarmos, pagaremos menos'... Extorquidos e extorsionários até tomam uma xícara de café juntos e, assim, passam de vítimas a cúmplices."[15]

Grassi era tratado pela maioria dos outros empresários de Palermo como um louco que sujava a boa imagem da classe empresarial siciliana. Mas

14. *La Stampa*, 10 de agosto de 1991.

15. *Corriere*, 30 de agosto de 1991. Para uma discussão geral sobre a vida e morte de Grassi, ver Saverio Lodato, *I Potenti* (Milão, 1992), pp. 37-54.

poucas pessoas sábias duvidavam da verdade de suas palavras. Em 1989, a polícia descobriu, no esconderijo de Nino Madonia (filho do membro da Comissão Francesco Madonia), um livro de contabilidade que relatava a prática da extorsão, com nomes e números claramente definidos. Dos 150 empresários locais listados, apenas quatro admitiram ter pagado dinheiro de proteção.[16]

E ainda assim, em outras partes da Sicília, outras pessoas foram inspiradas pelo exemplo do Libero Grassi. Cerca de 140 lojistas da cidade de Capo Orlando, perto de Messina, formaram uma associação e decidiram se rebelar contra a extorsão. Suas revelações levaram à prisão e à acusação de cerca de vinte mafiosos locais. Isso representou uma afronta intolerável e um fato potencialmente revolucionário na Sicília. E depois que Libero Grassi apareceu em rede nacional para encorajar outros a se rebelarem contra a extorsão, alguém decidiu silenciá-lo. Em 29 de agosto de 1991, ele foi alvejado e morto.[17]

Somente depois de sua morte as pessoas parecem ter entendido a importância da mensagem de Libero Grassi. A rede de extorsão na Itália era, segundo estimativas, um negócio US$ 25 bilhões, o equivalente a um imposto maciço e ilícito. A extorsão não apenas funcionava como um enorme dreno na economia do sul da Itália, mas também forçava milhares de pessoas a viver na economia ilegal: para manter o pagamento da proteção, os lojistas subnotificavam a renda pagando menos imposto, reforçando a cultura da corrupção e transferindo o dinheiro do tesouro do governo italiano para o caixa da Cosa Nostra. "Nenhum problema econômico ou social pode ser resolvido se o Estado não resolver sua principal responsabilidade de derrotar o crime", declarou a Confederação de Industriais Italianos em resposta à morte de Grassi.[18] Nos primeiros seis meses de 1991, o número de mortes pelo crime organizado aumentou 73% em relação aos níveis já elevados de 1990.[19]

Nos dez dias que se seguiram à morte de Grassi, o Conselho de Ministros aprovou mais medidas para o combate ao crime do que nos oito

16. *Corriere*, 2 de outubro de 1991.

17. A condenação dos extorsionários de Capo d'Orlando está relatada em *La Stampa*, 27 de novembro de 1991. Para uma visão geral, ver *Contro il racket* (Roma-Bari, 1992), por Tano Grasso, o líder dos donos de estabelecimentos antimáfia.

18. *Corriere*, 30 de agosto de 1991.

19. *Corriere*, 10 de setembro de 1991.

anos anteriores. Praticamente todo o pacote das reformas de Falcone foi adotado por atacado: o FBI italiano; as forças-tarefas "distritais"; o escritório do "superprocurador"; um plano para contratar 23 mil novos policiais e *carabinieri*; e uma nova lei contra a extorsão, criando um fundo para ajudar empresas que fossem vítimas desse crime. O governo também votou pelo fim da liberdade provisória para os chefes da máfia: os réus condenados por crimes da máfia poderiam ser mantidos sem fiança por até seis anos, enquanto seus casos estivessem tramitando durante o longo processo de apelação.[20]

Algumas semanas após a aprovação do pacote, o Conselho de Ministros concordou em dissolver as câmaras municipais de outros dezoito governos locais que haviam sido degenerados por grupos mafiosos.[21]

Então, Martelli e Falcone começaram a abordar a conjuntura favorável à máfia em Palermo, que contribuíram para a morte de Libero Grassi. Provavelmente, a ordem para matar Grassi havia sido emitida por Francesco Madonnia, o chefe que controlava o território em que Grassi trabalhava, cujos livros contábeis familiares haviam sido encontrados dois anos antes. Embora condenado no julgamento de Palermo, Madonia era um dos muitos chefes que viviam no conforto do *Ospedale Civico*, em Palermo, onde recebiam visitas e telefonavam como se estivessem em um hotel. Quando a polícia encontrou os livros contábeis de Madonia, eles notaram um item que dizia: "Enfermeiros: £ 11 milhões (US$ 9 mil)" – em outras palavras, os funcionários do hospital público eram pagos por Madonnia para atuar como seus empregados pessoais.[22]

Essa situação escandalosa havia sido documentada anos antes, permanecendo substancialmente inalterada. Martelli e Falcone tentaram solucionar a questão por meio de um "decreto" que negava prisão domiciliar a mafiosos condenados e insistindo que eles deveriam ser tratados em hospitais dentro da prisão, e não em clínicas externas. Em resposta, os procuradores de Palermo entraram com um pedido solicitando ao Tribunal de Recursos de Palermo a transferência para a prisão de 22 chefes importantes que estavam no hospital ou em prisão domiciliar. O presidente da corte, Pasquale Barecca, rejeitou o pedido, argumentando que a nova lei não

20. *Corriere*, 1º de setembro de 1991.

21. *La Repubblica*, 1º de outubro de 1991.

22. *Corriere*, 2 de outubro de 1991.

poderia ser aplicada retroativamente, somente em casos futuros. (É curioso notar que as cortes tinham aplicado os benefícios do novo código italiano retroativamente quando ele beneficiava réus da máfia; agora aplicavam a lógica oposta, mas atingindo os mesmos resultados: a liberação de chefes condenados.) Sob a luz do assassinato do juiz Antonio Scopelliti, a decisão de Barecca foi especialmente controversa: os réus poderiam continuar apreciando sua liberdade enquanto a Suprema Corte italiana não tivesse analisado sua apelação, e o processo de apelação continuava sendo adiado em decorrência dos assassinatos de magistrados conectados ao caso. Além disso, as razões do tribunal para o requerimento das hospitalizações eram espantosas: um dos réus, Agostino Badalamenti (um sobrinho de Gaetano Badalamenti), esteve sob observação por dezoito meses com "suspeita de hepatite", condição que jamais havia sido diagnosticada. Enquanto o governo estudava quais seriam as novas medidas a tomar, Pietro Vernengo, um dos 22 chefes que Barecca se recusara a mandar para a prisão, saiu tranquilamente do *Ospedale Civico* e desapareceu junto com seu filho e genro, outros dois mafiosos condenados.[23]

Em resposta, Martelli exigiu a transferência imediata de Barecca, argumentando que ele havia violado intencionalmente as ordens do governo. Dois dias depois da fuga de Vernengo do hospital, Falcone estava em Palermo supervisionando uma operação policial que levou dezenas de mafiosos condenados de volta à prisão, onde, por decreto do governo, eles deveriam permanecer.

A decisão do governo de coibir o juiz Barecca levantou a questão maior da Suprema Corte italiana e de Corrado Carnevale, o "assassino de sentenças": "Por que as mesmas medidas que foram aplicadas ao Doutor Barecca não se aplicam ao Doutor Carnevale?", perguntou Luciano Violante, ex-magistrado e membro do Parlamento. Violante e outros membros da comissão antimáfia do Parlamento vinham estudando as decisões de Carnevale sobre o crime organizado e haviam compilado uma longa lista de erros judiciais e factuais que levantavam questões sobre a competência e a boa-fé do juiz da Suprema Corte.[24]

O debate de Carnevale adquiriu urgência especial, já que a Suprema Corte analisaria o julgamento máximo no outono seguinte. Em 1989, o

---

23. *Corriere*, 17 de outubro de 1991; *La Repubblica*, 17 de outubro de 1991.

24. *L'Unità*, 18 de outubro de 1991.

Tribunal de Apelações de Palermo havia reduzido significativamente a base legal do maxijulgamento. Embora defendendo muitas condenações individuais, o tribunal rejeitou a chamada teoria Buscetta, segundo a qual os líderes da Cosa Nostra poderiam ser legalmente responsabilizados por grandes assassinatos baseados em depoimentos de que eles desempenharam papel ativo na "Comissão" no momento das matanças. Essa decisão ambígua parecia oferecer uma oportunidade perfeita para Carnevale dissolver o maxijulgamento.

Sob crescente pressão política, a Suprema Corte italiana concordou em alterar o obscuro sistema que dava a Carnevale, o "assassino de sentença", praticamente o monopólio sobre os casos de crime organizado: em vez de ser automaticamente encaminhados para a Primeira Seção do Supremo Tribunal Federal, os casos seriam agora distribuídos aleatoriamente entre as sete seções do tribunal. Embora o Judiciário deva ser totalmente independente, sempre foi – para o bem ou para o mal – bastante sensível à pressão política. Durante anos, os partidos no poder haviam defendido Carnevale como um "purista" judicial; agora ele estava sendo pressionado pelos mesmos partidos que antes o apoiavam.

O editor do jornal conservador *Il Giornale*, Indro Montanelli, que no passado atacara a força-tarefa antimáfia como um ninho de agitadores comunistas, agora apontava suas armas para o "assassino de sentença", afirmando que a jurisprudência de Carnevale era "nauseante". Após uma decisão em que Carnevale libertou seis mafiosos napolitanos condenados à prisão perpétua, Montanelli escreveu: "É possível que a lei esteja sempre, sempre do lado dos criminosos, e nunca, do ponto de vista de Carnevale, do lado dos tribunais que os condenam?"[25].

Analisando o registro das decisões de Carnevale no tribunal, o Ministério da Justiça encontrou evidências de que ele havia se envolvido em uma grave violação da ética judicial, recusando-se a sair de um caso em que tinha interesse econômico substancial. Sentindo o peso das medidas disciplinares, Carnevale pediu para retirar-se do júri que reconsideraria a apelação do maxijulgamento.

Quando a Suprema Corte anunciou o veredicto, em 31 de janeiro de 1992, o resultado foi esmagadoramente favorável à acusação. A Suprema Corte não apenas homologou as condenações originais, mas também aprovou

25. *Giornale*, 31 de outubro de 1991.

a chamada teoria Buscetta. Pela primeira vez na história, as lideranças da Cosa Nostra enfrentaram uma sentença de prisão perpétua sem possibilidade de recurso. Não apenas dezenas de grandes chefes provavelmente não sairiam da prisão, mas também os procuradores poderiam continuar usando ferramentas de incentivo para ir atrás do resto da organização. A decisão era um sinal claro de que a era da impunidade, que durara mais de 45 anos, chegara ao fim.[26]

"Foi um resultado que nem os procuradores mais otimistas de Palermo poderiam ter imaginado", disse o juiz Salvatore Baresi. "Isso também foi trabalho de Giovanni Falcone, devido em grande medida a seu sucesso em conseguir sensibilizar Martelli sobre o problema da máfia."[27]

Para surpresa de muitos amigos e colegas, a estratégia romana de Falcone parecia estar funcionando brilhantemente. "Devo admitir que, nesse caso, eu estava completamente errado", confessou o juiz Barresi, que havia criticado a decisão de Falcone de se juntar à equipe de Martelli. "Embora tivéssemos demorado para compreender, a máfia logo entendeu que Falcone era muito, muito mais perigoso em Roma do que se permanecesse em Palermo." Em dez meses – começando com o decreto de 9 de março, ordenando a prisão de Michele Greco e dos outros chefes de Palermo, passando pela criação do FBI italiano, os "escritórios distritais", a lei contra extorsão, a abolição da prisão domiciliar para os réus da máfia e finalmente chegando à decisão histórica da Suprema Corte no maxijulgamento – Falcone havia promovido uma verdadeira revolução judicial. "Ele transformou todo o esforço do governo contra a máfia, que até então havia sido desleixado, inconsistente e ineficaz, senão pior", disse o juiz Barresi.

Na noite em que a Suprema Corte proferiu a decisão sobre o maxijulgamento, Falcone e seus colegas fizeram uma pequena e silenciosa celebração no Ministério da Justiça, em Roma. Primeiro eles telefonaram para as pessoas mais envolvidas no caso, Antonino Caponetto, Paolo Borsellino, seus outros colegas em Palermo; os ministros Oscar Luigi Scalfaro, Mino Martinazzoli e Virginio Rognoni, que tornaram o julgamento possível. "Então, por volta das oito e quinze da noite, Falcone mandou buscar uma garrafa de champanhe e nós a abrimos", disse Liliana Ferraro. "Mas não foi uma noite alegre. Sabíamos que algo grande havia acontecido e que, de

26. *Il delitto Lima.*

27. Entrevista do autor com Salvatore Barresi.

alguma forma, teríamos que pagar. Havia uma sensação de grande satisfação, mas muito sóbria."[28]

Apesar de sua importância histórica, o veredito da Suprema Corte, que confirmou o julgamento de Palermo, rapidamente se perdeu na enxurrada de eventos dramáticos que dominaram a vida italiana nos primeiros meses de 1992.

Apenas duas semanas após a decisão do tribunal, em 17 de fevereiro de 1991, a polícia prendeu Mario Chiesa, um funcionário socialista de classe média em Milão, enquanto ele estava pronto para embolsar um suborno de US$ 6 mil. Quando a polícia conseguiu localizar cerca de US$ 10 milhões em contas bancárias na Suíça, Chiesa começou a falar. As implicações mais amplas do escândalo foram imediatamente sentidas: Milão era o feudo pessoal do líder socialista Bettino Craxi, que fizera de seu cunhado, Paolo Pillitteri, o prefeito, e de seu filho Bobo Craxi, de 28 anos, o presidente do conselho local. A recente eleição de Bobo Craxi para o conselho da cidade fora financiada por Mario Chiesa. Surgiram rumores de que os procuradores estavam subindo a pirâmide do poder em Milão, e que acusações eram iminentes para dezenas de empresários importantes, vereadores, tesoureiros de partidos, membros do Parlamento e o prefeito. Claramente, esse não era um caso isolado de desonestidade pessoal. Todo um sistema de corrupção cuidadosamente organizado fora descoberto, orquestrado nos mais altos níveis dos principais partidos, especialmente o Parido Socialista e o Democrata-Cristão.[29]

No início de março, o primeiro-ministro, Giulio Andreotti, renunciou. Em vez de formar uma nova coalizão, os partidos do governo – devido à profundidade da crise política – dissolveram o Parlamento e convocaram eleições nacionais para o mês seguinte. Quando a campanha eleitoral, em 12 de março, um grupo de assassinos da máfia abateu Salvatore Lima perto de sua vila, em Mondello, um *resort* litorâneo nos arredores de Palermo. Na época de seu assassinato, Lima estava preparando um comício para o seu mentor, Andreotti, que estava programado para iniciar a campanha eleitoral na Sicília no dia seguinte.

---

28. Entrevista do autor com Liliana Ferraro.

29. Sobre a primeira fase da investigação de corrupção ver *Le mani pulite*, por Enrico Nascimbeni e Andrea Pamparana (Milão, 1992); *I Saccheggiatori*, por Giuseppe Turani e Cinzia Sasso (Milão, 1992); e Antonio Carlucci, *Tangentomani* (Milão, 1992).

Mesmo em um país muito acostumado com assassinatos políticos, o caso de Lima foi profundamente chocante. Dezenas de políticos e procuradores foram assassinados pela máfia nos quinze anos anteriores, mas – com exceção talvez de General Dalla Chiesa – Lima foi a vítima mais importante. Além disso, os outros mortos eram vistos como inimigos declarados da máfia. Lima, em vez disso, era considerado um de seus aliados mais próximos no poder. Enquanto seus colegas partidários tentavam alegar que Lima fora um adversário resoluto, embora silencioso, da Cosa Nostra, seu assassinato configurava uma situação embaraçosa para o Partido Democrata-Cristão. Devido aos estreitos vínculos de Lima com Andreotti, era como se a máfia tivesse despejado um cadáver na porta do primeiro-ministro como advertência.[30]

Embora ninguém tenha entendido exatamente o significado do assassinato, tudo sugeria que alguma coisa havia sido rompida no tradicional equilíbrio entre a máfia e o poder político. "O relacionamento se inverteu: agora é a máfia que quer dar as ordens", disse Giovanni Falcone. "E se os políticos não obedecerem, a máfia decide agir por conta própria."[31]

As eleições parlamentares de 5 de abril de 1992 aconteceram sob a influência desses dois escândalos, o assassinato de Lima e o escândalo de suborno em Milão. Como era de se esperar, a eleição provou-se um desastre quase total para os partidos do governo. Os democratas-cristãos caíram para meros 26% dos votos, o total mais baixo de sua história; e os socialistas recuaram para apenas 12%. A Liga Lombarda se tornou o maior partido do norte da Itália, arrecadando cerca de 10% dos votos nacionalmente, um pequeno milagre para um partido que havia ganhado 0,4% nas eleições parlamentares anteriores, em 1987. Mas, como o voto da oposição foi dividido entre mais de uma dúzia de partidos em todo o espectro ideológico, a coalizão do governo conseguiu se manter no poder mesmo com uma margem mais estreita. Como admitiram os próprios líderes do partido, os resultados da votação eram um apelo por reforma. "Ou mudamos ou morremos", disse o ministro do Interior, Vincenzo Scotti.[32]

---

30. *Corriere*, 13, 14 e 15 de março. E *Il delitto Lima*.

31. *La Stampa*, 24 de maio de 1992.

32. *L'Espresso*, 22 de março de 1992; *Panorama*, 22 de março de 1992; *The New Yorker*, 1º de março de 1993.

Após as eleições, o presidente da República, Francesco Cossiga, renunciou, insistindo que o novo Parlamento deveria escolher um novo presidente. (Na Itália, o presidente da República é selecionado pelo Parlamento e cumpre um mandato de sete anos. Embora seja uma figura em grande parte cerimonial, o presidente tem o poder de escolher o primeiro-ministro, que dirige o governo.) A renúncia de Cossiga levou os partidos a um dilema ainda mais profundo: em um ambiente carregado, em que todos culpavam uns aos outros pelos desastrosos resultados eleitorais, eles foram forçados a escolher um novo presidente antes que pudessem formar um novo governo. Enquanto o país pedia uma reforma política urgente, os partidos estavam ocupados disputando posições, negociando e lutando pelo grande prêmio. Antes das eleições, os socialistas e os democratas-cristãos haviam elaborado um pacto político: Giulio Andreotti deixaria o gabinete do primeiro-ministro para o líder socialista Bettino Craxi, e, em troca, os socialistas ajudariam a tornar Andreotti presidente da República. O líder democrata-cristão, Ciriaco De Mita, se tornaria ministro das Relações Exteriores. As eleições representavam uma séria ameaça a esses planos: a recente votação fora uma clara denúncia desse tipo de política partidária de conchavos. Craxi era golpeado quase diariamente pelas acusações originadas no escritório da Procuradoria em Milão, enquanto a figura de Salvatore Lima pairava sobre Andreotti como o fantasma de Banquo em *Macbeth*. Durante a maior parte de maio, o novo Parlamento italiano permaneceu completamente parado, falhando a tentativa de eleger um novo presidente em votação secreta. Nas primeiras rodadas, cada partido apresentou candidatos fictícios sem chance de sucesso, enquanto negociavam sobre em qual candidato "real" eles realmente votariam. Quando a candidatura do secretário do Partido Democrata-Cristão, Arnoldo Forlani, perdeu, em meados de maio, muitos pensaram que Giulio Andreotti entraria em ação.[33]

Durante a crise política, o programa antimáfia do governo havia ficado paralisado. O Parlamento aprovou a proposta de um "superprocurador" para coordenar todos os processos criminais contra a máfia, e o ministro da Justiça, Claudio Martelli, indicou Giovanni Falcone para o cargo. No entanto, Falcone voltou a colidir com seu antigo rival, o *Consiglio Superiore della Magistratura* (CSM), que, numa votação preliminar, rejeitou Falcone por outro candidato, Agostino Cordova, procurador-geral de Palmi, na

33. *Corriere*, 24 de maio de 1992.

Calábria. Cordova era um investigador obstinado de excelente reputação, mas ele havia trabalhado exclusivamente na Calábria e não tinha o vasto conhecimento de Falcone a respeito do domínio e do alcance nacional e internacional da máfia. Cordova também tivera a audácia de investigar as ligações entre os políticos socialistas na Calábria e as figuras locais do crime organizado, o que o tornava um inimigo de Martelli. O CSM desconfiava dos laços estreitos entre Falcone e Martelli, escolhendo Cordova como uma retaliação ao ministro socialista. Mas Martelli não desistiu facilmente e continuou a usar todo o seu poder político para impulsionar a candidatura de Falcone. O impasse arrastou-se durante os meses de abril e maio.[34]

Quando um jornalista do jornal diário de Roma *La Repubblica* visitou Falcone, na terça-feira, 19 de maio, Falcone pareceu enfurecido com a contínua paralisia do sistema político italiano. "A Cosa Nostra nunca esquece", disse ele. "O inimigo está sempre lá para atacar... É por isso que devemos agir rapidamente para construir o escritório do 'superprocurador'... Mas nem sequer somos capazes de concordar com a eleição do presidente da República."[35]

No final da semana, no sábado, 23 de maio, os líderes dos maiores partidos ainda estavam reunidos tentando resolver o impasse político. Depois de trabalhar pela manhã, Giovanni Falcone deixou Roma e foi a Palermo, para onde retornava todo final de semana. Sua esposa, Francesca, permanecera em seu emprego na Sicília, embora estivesse programada para ser transferida e se juntar a Falcone em Roma. Naquela semana em particular, Francesca tinha negócios a tratar em Roma, e Falcone, em vez de voltar na noite de sexta-feira, adiou sua partida até a manhã de sábado, para que os dois pudessem viajar juntos. Eles saíram do aeroporto militar de Ciampino, nos arredores de Roma, em um avião do governo que decolou às 4h40 e pousou no aeroporto de Punta Raisi, em Palermo, pouco mais de uma hora depois. Um comboio policial de três carros com sete guarda-costas os esperava em sua chegada. Mas, como as medidas de segurança haviam sido reduzidas nos últimos anos, nenhum helicóptero percorreu a rota para a cidade antes da chegada de Falcone. Como resultado, ninguém notou a atividade incomum logo no início do dia, ao lado da rodovia perto da cidade de Capaci, a poucos quilômetros do aeroporto. Uma equipe de "homens

34. *L'Espresso*, 5 de abril de 1992.

35. *La Repubblica*, 24 de maio de 1992.

de honra", vestidos como operários da construção civil, havia finalizado os últimos detalhes de um enorme estoque de quinhentos quilos de explosivos plásticos, instalados em um grande cano de drenagem de metal que passava por debaixo da rodovia. À medida que a noite se aproximava, um grupo de homens se aglomerava em uma pequena cabana a cem metros da beira da estrada, onde um detonador de controle remoto estava escondido, examinando o movimento do tráfego do aeroporto em direção à cidade.[36]

Em uma pequena violação dos procedimentos-padrão de segurança, Giovanni Falcone assumiu a direção de seu Fiat Croma blindado, um pequeno gesto de liberdade na vida restrita que levava. Francesca sentou-se no banco da frente, ao lado dele, enquanto o motorista, Giuseppe Costanza, foi para o banco de trás. Quando a caravana passou por Capaci, a estrada inteira foi destruída por uma explosão gigantesca que parecia o epicentro de um terremoto. Todos os três carros foram engolidos, dobrados e torcidos pela explosão que criou uma cratera imensa, rasgando um quarto de milha de estrada. "Todo o inferno pareceu surgir diante de nós em um segundo", disse uma testemunha ocular cujo carro estava logo atrás da caravana. "Uma explosão aterrorizante... uma cena do apocalipse, gritos de terror e, em seguida, um silencio surreal..."

"Algumas pessoas estavam gemendo e outras tinham desmaiado. Eu vi Falcone se movendo, seu rosto, uma máscara de sangue. Sua cabeça se movia para a frente e para trás, mas ele estava preso... Não sei se ele estava consciente... Sua esposa havia sucumbido, os olhos abertos, olhando para cima."[37]

A força total da explosão atingiu a parte da frente da caravana, imediatamente matando os três homens no carro da frente: Antonio Montinaro, Rocco Di Cillo e Vito Schifani. Os três guarda-costas do último carro escaparam com ferimentos relativamente pequenos, enquanto Falcone, Francesca e seu motorista ficaram gravemente feridos, mas estavam vivos quando as ambulâncias chegaram. O motorista, no banco de trás, sobreviveu; Falcone foi declarado morto logo após chegar ao hospital. Se Falcone não tivesse

---

36. O relato mais completo e detalhado da reconstrução do assassinato está descrito em vários documentos preenchidos arquivados pela *Procura distrettuale anti mafia de Caltanisetta*, que realizou a investigação: a *Richiesta per l'applicazione di misure cautelari*, de 1º de novembro de 1993; a *Richiesta per l'applicazione di misure cautelari*, de 10 de novembro de 1993; a *Ordinanza di custodia cautelare in carcere*, de 11 de novembro de 1993; e a *Richiesta di rinvio a giudizio contro Aglieri, Pietro* + 36, em 30 de abril de 1994.

37. *La Repubblica*, 25 de maio de 1992.

insistido em dirigir, ele poderia ter sobrevivido. Ele tinha 53 anos de idade. Francesca Morvillo parecia ter chances de sobreviver e recuperou brevemente a consciência. "Onde está Giovanni?", perguntou quando estava acordada. Mas, depois de duas operações, morreu mais tarde naquela noite. Ela tinha 46 anos de idade.[38]

38. *Corriere*, 24 de maio de 1992.

Capítulo 21

Quando as notícias do bombardeio contra a comitiva de Giovanni Falcone se espalharam, foi como se um chefe de Estado tivesse sido baleado. Todas as grandes emissoras de televisão interromperam a programação normal, noticiando o que havia acontecido. "Quando meus filhos, que estavam assistindo televisão na época, ouviram a notícia, eles gritaram 'Não!', como se tivesse acontecido uma morte súbita na família", escreveu Claudio Magris, crítico literário que vive na cidade de Trieste, no nordeste da Itália. Milhões de italianos permaneceram na frente de seus televisores, enquanto as notícias iam ficando cada vez piores.[1]

Ao mesmo tempo, comemorações e aplausos surgiram no interior da prisão de *Ucciardone*, em Palermo. Um interlocutor anônimo ligou para o jornal de Palermo *Giornale di Sicilia*, assumindo a autoria do atentado: "Um presente de casamento para Nino Madonia". Mais cedo naquele mesmo dia, Nino Madonia, o filho mais velho da poderosa família Madonia, casara-se na capela de *Ucciardone*.[2]

O Parlamento italiano decretou dia de luto oficial e suspendeu suas sessões até que o funeral de Falcone fosse realizado, na segunda-feira. Na Sicília, uma greve geral foi determinada, fechando todas as lojas e negócios por um dia. Os caixões fechados das cinco vítimas do atentado em Capaci foram exibidos no dia seguinte, no enorme e cavernoso saguão de mármore do Palácio de Justiça de Palermo, palco dos maiores triunfos e das derrotas mais amargas de Falcone, local que ele havia deixado cerca de um ano antes,

1. *Corriere della Sera*, 25 de maio de 1992.

2. *Corriere*, 29 de maio de 1992, *Giornale di Sicilia*, 24 de maio de 1992.

com imenso desgosto. Além dos amigos e colegas das vítimas, alguns ficaram surpresos ao ver milhares de palermitanos comuns, homens e mulheres da maioria silenciosa de uma cidade que, como Falcone havia dito vários anos antes, estavam "esperando na janela para ver quem ganharia a tourada".

Quando o desfile de ministros do governo e políticos entrou, a multidão começou a jogar moedas e a gritar insultos: "Assassinos! Palhaços! Cúmplices! Fora daqui! Fiquem com as suas propinas!".[3]

Uma cidade que muitas vezes mostrara indiferença e, às vezes, irritação com a comoção criada por Giovanni Falcone e a força-tarefa antimáfia, agora parecia traumatizada por sua morte. Enquanto estava vivo, era comum criticá-lo, reclamar das sirenes de sua escolta policial e especular sobre as lutas por trás dos bastidores do Palácio da Justiça, mas era reconfortante para a cidade saber, no entanto, que ele estava sempre lá, da manhã até a noite, em seu *bunker* à prova de balas, folheando documentos, interrogando testemunhas, descobrindo rastros de dinheiro e iniciando acusações. Agora que de repente ele não estava mais lá, eles se sentiam terrivelmente expostos e vulneráveis. "Falcone sempre pareceu invencível, embora eu nem sempre concordasse com ele", disse um espectador na multidão naquele dia, citado no *Corriere della Sera*. "Eu nunca pensei que eles o pegariam. De alguma forma, eu esperava que ele saísse dos escombros da bomba, com seu sorriso, seu charuto... Mesmo agora, parte de mim ainda espera vê-lo voltar. Em vez disso, amanhã vamos enterrá-lo, e ele nunca mais voltará."[4]

Em toda a cidade, um novo fenômeno surgiu, com as pessoas pendurando lençóis nas janelas com *slogans* de protesto ou tristeza: "Palermo exige justiça". "Chega!" "Tirem os mafiosos do governo!" "Falcone, você permanece em nossos corações." "Falcone vive!"[5]

O funeral de Falcone foi um drama nacional, transmitido ao vivo pelas televisões de todo o país. As pessoas choravam com os depoimentos emocionantes de Rosaria Schifani, a viúva de 23 anos do guarda-costas morto Vito Schifani, que gritava "Homens da máfia, eu irei perdoá-los, mas vocês terão que se ajoelhar!". Grande parte da cidade ficou por horas na rua em frente à Igreja de San Domenico, esperando embaixo de chuva.[6]

3. *La Repubblica*, 25 de maio de 1992.

4. *Corriere*, 25 de maio de 1992.

5. *Corriere*, 27 de maio de 1992.

6. *La Repubblica*, 26 de maio de 1992.

Muitos comentaristas viram a morte de Falcone como a morte do Estado italiano. "Falcone deveria ter sido mais protegido do que qualquer outra pessoa em nosso país, porque ele era a encarnação do Estado", escreveu Claudio Magris no *Corriere della Sera*. "O fato de que fomos incapazes de protegê-lo significa que o Estado não existe."[7]

Um dos principais filósofos da Itália, Norberto Bobbio, declarou, sobre a morte de Falcone: "Me envergonha ser italiano".[8] O sociólogo Pino Arlacchi, amigo de Falcone, escreveu que "a morte de Falcone fecha um ciclo histórico que termina da pior forma possível: na derrota clara e inequívoca do Estado... Os homens da Cosa Nostra são fortes porque estão aliados a outros homens ainda mais perigosos, que estão dentro de nossas instituições, no meio de nós".[9]

Os assassinatos pareceram despertar o mundo político italiano de seu sono profundo. Depois de quinze votações sem sucesso, no dia do funeral de Falcone, o Parlamento subitamente nomeou Oscar Luigi Scalfaro como presidente da República da Itália. Embora um conservador democrata-cristão de 75 anos, Scalfaro tinha uma reputação idônea, e mantivera distância do aparato do partido. Além disso, tinha sólidas credenciais antimáfia. Como ministro do Interior, em meados da década de 1980, ele havia garantido o aparato logístico essencial aos procuradores que preparavam o grande julgamento de Palermo. Enquanto os especialistas italianos viam a morte de Falcone como a morte do Estado italiano, aqueles mais familiarizados com o mundo da Cosa Nostra tinham uma visão muito diferente do que acontecia sob a superfície.

"Uma explosão espetacular desse porte nunca é do interesse da máfia... é um sinal de fraqueza", disse Calderone em uma entrevista de jornal no final de maio, que não recebeu a devida atenção. A morte tornou-se uma necessidade urgente, disse Calderone, por consequência de uma série de grandes derrotas. "Giovanni Falcone havia sido condenado à morte há muito tempo, mas a sentença não podia mais ser adiada por duas razões: a decisão da Suprema Corte de condenar à prisão perpétua os chefes da Comissão... e a certeza cada vez maior de que Falcone seria o superprocurador. Enquanto as condenações pudessem ser anuladas em Roma, não havia motivos para

7. *Corriere*, 25 de maio de 1992.

8. *La Repubblica*, 25 de maio de 1992.

9. *La Repubblica*, 25 de maio de 1992.

agir. Mas a sentença de prisão perpétua definitiva desencadeou uma reação de ódio. Os *corleonesi* e as famílias vencedoras ficaram descontrolados." O aumento dos atos terroristas de violência foi o resultado do fato de que o governo estava realmente lutando contra a máfia. "A Pax Mafiosa é agora uma página virada", disse ele. Ele continuou e previu que outros assassinatos se seguiriam em breve: "Não tenho dúvidas: um magistrado, um ministro, um investigador da polícia. A Cosa Nostra tem tudo anotado, e para cada nome há um tempo".[10]

Quando ouviu a notícia de que uma bomba atingira o carro de Giovanni Falcone, Paolo Borsellino correu para o hospital de Palermo aonde o amigo havia sido levado. Ele estava entre as poucas pessoas admitidas na sala de emergência, a tempo de assistir Falcone morrer. Quando Borsellino chegou, sua filha mais velha, Lucia, uma estudante universitária, estava lá esperando por ele. "De repente, eu o vi... seu rosto perdido, abalado, ele envelhecera visivelmente em apenas alguns minutos", lembrou mais tarde. Quando ela começou a chorar, ele disse que ela não deveria fazer uma cena, mas então quase imediatamente ele também desmoronou, e ficaram ali chorando nos braços um do outro. Mas suas lágrimas, naquele dia, não foram apenas por Giovanni Falcone. "Agora a morte do meu pai havia se aproximado", disse ela. "'Giovanni é o meu escudo contra a Cosa Nostra', ouvi meu pai dizer mil vezes. 'Eles vão matá-lo primeiro, depois virão para me matar.'"[11]

Borsellino participou de todos os ritos fúnebres de Falcone, ajudando a carregar seu caixão, e até falou na cerimônia na Igreja de San Domenico. Com sua preocupação característica pelos outros, ele se encharcou na chuva, procurando um carro para levar a mãe de Francesca Morvillo para casa. Mas durante os primeiros dias após a bomba, ele ficou em um terrível estado de choque e depressão. Diferente de sua maneira habitual, Borsellino ficou sentado pela casa, quase em completo silêncio, enquanto outros colegas, conhecidos e até mesmo adversários de Falcone, se apressavam para aparecer na televisão, a fim de tirar proveito da glória de seu "amigo" Giovanni.

Quando o Parlamento voltou à sessão na tarde do funeral, 47 membros, a delegação inteira do partido neofascista *Movimento Sociale Italiano*, votaram em Paolo Borsellino para torná-lo presidente da República. Quando Borsellino soube da votação, ficou furioso, telefonando para queixar-se

10. *La Repubblica*, 30 de maio de 1992.

11. Lucentini, *Paolo Borsellino*, p. 238.

com os amigos do grupo que conhecia desde os tempos da Universidade de Palermo. Ninguém havia pedido sua permissão, ele não era membro de nenhum partido político e não tinha sido politicamente ativo em trinta anos, e não tinha a menor intenção de se candidatar a um cargo mais alto.

Alguns dias depois, ele recebeu outra candidatura indesejada, para uma discussão em Roma das memórias de Antonino Calderone, que haviam sido publicadas recentemente, evento que ele havia concordado em participar semanas antes. Embalado pelo fato do bombardeio em Capaci, o evento tornou-se uma homenagem emocionada a Falcone, e de repente o ministro do Interior, Vincenzo Scotti, que estava entre os oradores, sugeriu que Borsellino deveria ser nomeado o novo "superprocurador". Segundo Scotti, com a morte de Falcone, o *Consiglio Superiore della Magistratura* (CSM) deveria abrir a concorrência para novos candidatos; o ministro da Justiça, Martelli, apoiou a proposta.[12] Esse gesto espontâneo e inesperado colocou Borsellino em uma situação extremamente desconfortável. Embora não desejasse insultar ninguém, ele não gostava da ideia de se beneficiar da morte de seu amigo. Em vez de responder à proposta imediatamente, ele escreveu uma carta particular depois, rejeitando a candidatura. Borsellino também se incomodou com a maneira imprudente como os políticos de Roma faziam esse tipo de gesto teatral, que funcionava bem em Roma, mas que poderia ter consequências fatais em um lugar como Palermo. Muitos atribuíram a morte de Falcone à sua candidatura ao cargo de "superprocurador", tornando-o um alvo relevante para a máfia, sem lhe fornecer chances de defesa.

Enquanto o público italiano começava a perceber o quanto havia perdido com a morte de Falcone, a mídia passou a dirigir a atenção a Borsellino. Como Falcone foi beatificado como um mártir, Borsellino era agora saudado como o novo redentor – uma simplificação perigosa na luta contra a máfia, que direcionou todos os olhares para ele. "Para melhorar sua imagem manchada, o governo queria que meu pai fosse o 'herdeiro' natural de Falcone", disse Manfredi Borsellino. "Todos os dias, eles mencionavam o nome dele em conjunto com o de Falcone, ou como o próximo 'superprocurador'."[13]

Retratar Borsellino como "herdeiro" de Falcone foi, em certa medida, algo natural. Não só eles tinham compartilhado a experiência de trabalhar na força-tarefa antimáfia, como também Borsellino havia ocupado, no final

---

12. *Corriere*, 29 de maio de 1992.

13. Entrevista do autor com Manfredi Borsellino.

de 1991, o antigo cargo de procurador-chefe adjunto antes ocupado por Falcone em Palermo. Com a criação dos "escritórios de investigação distritais", no outono de 1991, Borsellino pediu transferência de Marsala, uma vez que a maioria das principais investigações da máfia na Sicília ocidental estaria concentrada na capital. Depois de cinco anos nas províncias, Borsellino herdou o manto de Falcone como vice-procurador-chefe antimáfia em Palermo, trabalhando sob o comando do ex-chefe e inimigo de seu amigo, Pietro Giammanco. Com a extensa jurisdição do cargo sob a nova legislação, Borsellino estaria encarregado de todas as investigações das províncias do sudoeste da Sicília, de Trapani a Marsala até Agrigento e Palma di Montechiaro.

Enquanto as investigações sobre a máfia de Palermo permaneciam em uma espécie de paralisação, Borsellino conseguiu avançar com seu trabalho em Marsala. Pouco antes de seu retorno a Palermo em dezembro de 1991, ele conquistou mais uma importante nova testemunha, Vincenzo Calcara, um mafioso já preso na ilha de Favignana. (Calcara foi acusado de perder um carregamento de drogas e preferiu o risco de cooperar com as investigações à morte certa que o aguardava.) Em um de seus primeiros depoimentos, Calcara revelou ele havia recebido a ordem de matar Borsellino pessoalmente, mas que o plano foi descartado quando a Comissão em Palermo não conseguiu dar sua aprovação. Como prova de sua alegação, Calcara tinha os nomes, escritos em código, de homens de honra na Austrália, para onde ele deveria fugir após o assassinato. Calcara sentia remorso suficiente para que, toda vez que se encontrava cara a cara com o homem que supostamente deveria assassinar, insistisse em abraçar Borsellino. No início de maio de 1992, Borsellino ordenou a captura de cerca de quarenta réus na Sicília, em Roma e no norte da Itália e na Alemanha, com base nas confissões de Calcara. Na época da morte de Falcone – quando Borsellino estava trabalhando no "escritório distrital" de Palermo criado por Falcone –, a antiga dupla da força-tarefa antimáfia estava, novamente, trabalhando em estreita sincronia. Na verdade, Falcone esperava que, caso se tornasse "superprocurador", Borsellino lideraria as operações do escritório em Palermo, para que os dois pudessem novamente trabalhar lado a lado.[14]

Quando os colegas de Borsellino o viram retornar ao escritório no final de maio, ele estava visivelmente mudado. "Depois do bombardeio de Capaci,

14. Interrogatório de Vincenzo Calcara e Lucentini, pp. 231-34.

ele parecia muito, muito marcado pelo que havia acontecido", disse o juiz Salvatore Barresi. "Havia um ar de tristeza assustador sobre ele. Muitos de nós notaram que ele parecia ter a morte em seus olhos."[15]

Enquanto caminhava pelo saguão do Palácio da Justiça para chegar ao seu escritório, pessoas desconhecidas se aproximavam dele, com um cumprimento, uma oração, um pedaço de papel contendo uma dica ou sugestão sobre o bombardeio de Capaci. "Parece que eles pensam que sou um santo", Borsellino disse à sua família, sentindo o enorme peso das expectativas.[16]

"Depois desse momento inicial de desorientação, ele arregaçou as mangas e voltou a trabalhar como um louco", disse seu filho, Manfredi Borsellino. "Ele dedicou todas as suas energias ao esclarecimento da morte de Falcone."[17]

Embora não tenha sido designado para o caso do bombardeio de Capaci, já que todos os assuntos envolvendo magistrados em Palermo eram tratados pelo escritório de Caltanissetta, Borsellino esperava que, ao perseguir suas próprias pistas, ele pudesse encontrar evidências que ajudassem na identificação dos assassinos de Falcone. Mesmo antes da morte de Falcone, Borsellino tornara-se o magistrado italiano procurado pelos mafiosos quando eles decidiam cooperar como testemunhas do Estado. Quando Falcone entrou no Ministério da Justiça, ele deixou de ser um magistrado, perdendo a autoridade de questionar as testemunhas. Assim, no início de maio de 1992, quando Gaspare Mutolo, um mafioso, resolveu falar, ele insistiu, depois de saber que Falcone não estava mais disponível, em ver Paolo Borsellino. Mutolo confiava nos dois porque sabia, por experiência de própria, o quão duro eles haviam trabalhado no maxijulgamento, no qual Mutolo foi condenado a uma sentença de peso. Mutulo tinha sido o principal organizador do cartel de heroína que Falcone havia desmantelado, envolvendo Ko Bak Kin na Tailândia e o navio grego que fora capturado carregando centenas de quilos de drogas em 1983.

Mas, enquanto Borsellino estava ansioso para se encontrar Mutolo, ele se envolveu em problemas com seu novo chefe, Pietro Giammanco, o *procuratore della Repubblica* de Palermo. Giammanco levantou obstáculo burocrático: Borsellino deveria trabalhar em casos na região sudoeste da Sicília, e Mutolo era um mafioso de Palermo, de modo que Giammanco

15. Entrevista do autor com Salvatore Barresi.

16. Lucentini, p. 250.

17. Entrevista do autor com Manfredi Borsellino.

achava que um magistrado que trabalhava nos casos de Palermo deveria ter a preferência. Havia um risco de que esse empecilho administrativo pudesse comprometer a cooperação de Mutolo. Ele já havia se recusado a depor para outros procuradores e poderia ficar receoso sentindo a instabilidade que prevalecia no campo do governo. As expectativas a respeito do depoimento de Mutolo eram altas: Mutolo foi talvez a testemunha de maior calibre que aparecera desde Francesco Marino Mannoia, em 1989. Além disso, ele tinha sido o companheiro de cela de Totò Riina quando eles estavam na prisão durante os anos 1960 – uma fonte potencialmente inestimável de informação sobre aquele que era conhecido como o chefe dos chefes.

O ressentimento de Borsellino aumentou quando ele soube, por acaso, que a polícia italiana tinha relatos de uma conspiração para assassiná-lo, sobre a qual Giammanco não pensara em informá-lo. Embora Borsellino preferisse não se envolver intimamente em nenhuma medida específica para garantir sua segurança, ele gostaria de ser informado quando estivesse em situação particularmente perigosa.[18]

Como era esperado, o assassinato de Falcone causou uma crise momentânea entre as testemunhas da máfia. Algumas testemunhas pararam de falar por um tempo após o bombardeio de Capaci. A nova testemunha de Borsellino, Vincenzo Calcara, tomada de pânico, ameaçou voltar atrás com seu depoimento no julgamento. O principal investigador da polícia de Borsellino, Carmelo Canale, teve de viajar no caminhão da polícia que levava Calcara para Palermo. A testemunha entrou em um delírio paranoico, convencida de que estava prestes a ser morta a qualquer momento. "Você sabe quem são os motoristas desse caminhão?", ele perguntou a Canale, suspeitando que eles poderiam estar infiltrados. Quando chegaram a Palermo, Borsellino falou-lhe com dureza: "Vincenzo, o que aconteceu com a sua dignidade? Eu não te falei, quando nós nos encontramos, que é bom morrer por algo em que você acredita?". Calcara saiu desse estado e manteve-se firme em seu depoimento.[19]

Enquanto ainda tentava encontrar uma solução para o caso de Mutolo, Borsellino fez outro grande avanço. Ele conseguiu a cooperação de Leonardo Messina, um subchefe da máfia de Caltanissetta – uma área com longa tradição mafiosa que havia sido esquecida pelas investigações dos dez anos

18. Lucentini, p. 254.

19. Lucentini, p. 252.

anteriores. Embora ainda jovem, em seus trinta e poucos anos, Messina vinha de sucessivas gerações de mafiosos. "Eu tenho história", ele lembrou aos investigadores.

Como fez com outras testemunhas, Borsellino foi capaz – com seu jeito caloroso e bem humorado – de estabelecer um relacionamento próximo com a nova testemunha. A certa altura, enquanto Borsellino ouvia atentamente, Messina parou e perguntou: "Por que você está me encarando?". "Porque recebo US$ 6 mil por mês para olhar para você", ele respondeu, quebrando a tensão em um momento de risadas. No fim, Messina até pediu a Borsellino um autógrafo para dar aos filhos, que admiravam o legendário procurador.[20]

Conduzindo Borsellino pelas águas nunca antes navegadas da máfia na Sicília central, Messina era uma verdadeira mina de ouro de novas informações. Suas revelações acabariam levando a cerca de duzentos mandados de prisão – talvez as maiores revelações desde os depoimentos de Buscetta no outono de 1984. Messina não apenas forneceu informações atualizadas sobre a composição dos bandos de ataque da máfia e de numerosas famílias, como também estava excepcionalmente aberto para falar sobre as conexões entre o braço militar da Cosa Nostra e o mundo de colarinho branco, de advogados, médicos, empresários, burocratas e políticos. Os contratos do governo eram as maiores fontes de receita na estagnada economia da Sicília central, e nada podia ser construído sem que a máfia aprovasse ou ganhasse uma parte nos lucros do vencedor. Como "subchefe" de uma família com um líder já envelhecido, Messina havia feito negociações para muitos desses contratos, atuando como intermediário entre os líderes empresariais e os políticos sicilianos.

Messina contou a Borsellino como um membro siciliano do Parlamento nacional, Gianfranco Occhipinti, havia intervindo para "consertar" um contrato a favor da máfia. A originalidade do caso encontra-se na técnica usada para "vencer" o contrato: Onorevole Occhipinti retirou o "certificado antimáfia" da aplicação da empresa com o melhor lance, permitindo que uma empresa controlada pela máfia vencesse a concorrência. A lei exige que as empresas se qualifiquem com uma certificação antimáfia para concorrer a contratos públicos, mas as empresas da máfia conseguem contornar a exigência ocultando a real identidade dos proprietários da empresa. Messina,

---

20. Essas duas citações são da entrevista do autor com Antonio Manganelli.

no entanto, revelou uma nova reviravolta nesse sistema de corrupção: uma empresa mafiosa ganhou um contrato do governo ao roubar o certificado antimáfia de uma companhia legítima com a ajuda de um membro do Parlamento. Além disso, Messina conseguiu respaldar essa história aparentemente fantasiosa, revelando o certificado antimáfia roubado, que ele guardara cuidadosamente escondido. À medida que a decisão de deixar a Cosa Nostra amadurecia nele, Messina começou a guardar, discretamente, evidências de seus crimes, para que pudesse garantir sua credibilidade quando o tempo de testemunhar chegasse.[21]

Messina também revelou a identidade do "ministro das obras" de Totò Riina como sendo Angelo Siino, um empresário siciliano responsável por supervisionar os contratos do governo para a Cosa Nostra, que coletava e recebia subornos, encontrava empresários e políticos, fazia ameaças e, quando necessário, ordenava assassinatos. O sistema de corrupção como descrito por Messina era muito parecido com aquele descoberto em Milão, com os políticos direcionando contratos para firmas com a intenção de ganharem generosas comissões – a única diferença era que na Sicília havia um jogador extra na mesa de negociações: a máfia. O fato de os procuradores em Milão estarem agindo implacavelmente contra a corrupção no norte da Itália pode ter encorajado Messina a abordar o assunto dos contratos públicos na Sicília. O depoimento de Messina sobre o funcionamento dos contratos com o governo confirma a afirmação de Falcone e Borsellino de que a Cosa Nostra adotava uma estrutura unitária cada vez mais centralizada: o chefe da máfia local era obrigado a repassar parte dos lucros dos contratos públicos para os líderes da organização em Palermo. Totò Riina exercia controle efetivo sobre as várias famílias, nomeando seus próprios "embaixadores" pessoais para monitorar as atividades dos chefes locais.

Com o tráfico de drogas e os contratos do governo, a Cosa Nostra tinha, literalmente, mais dinheiro do que poderia precisar. Para espanto de Borsellino, Messina descreveu algo que chamava de a "Casa do Dinheiro", um apartamento lotado de dinheiro. Os lucros da Cosa Nostra haviam se tornado tão grandes que eles simplesmente não conseguiam lavá-lo

---

21. Interrogatório de Leonardo Messina. Os trechos de suas confissões que dizem respeito a Occhipinti estão na *Domanda di autorizzazione a procedere in idizio contro il deputato Occhipinti*, apresentada ao Parlamento italiano, XI Legislatura, doc. IV, n. 149, 28 de dezembro de 1992.

completamente: foi preciso alugar um local para armazenar a imensa quantidade de dinheiro.[22]

Messina descreveu um mundo criminoso de riqueza e poder sem precedentes, mas também revelou que a Cosa Nostra era uma organização em meio a uma profunda crise interna. O reinado de terror dos *corleonesi* tornara a vida dentro da organização um pesadelo insuportável. "Uma tragédia contínua", disse Messina. Embora o assassinato sempre tivesse sido parte da Cosa Nostra, no passado, ele era decidido de maneira mais racional e moderada – como um meio de resolver um conflito óbvio ou uma infração das regras. Agora, estava sendo usado constantemente e de maneira frívola, mantendo todos fora de equilíbrio e em um estado de medo constante. "Os *corleonesi* trouxeram tragédias para todas as famílias", disse Messina. "Eles tomaram o poder aos poucos, ao matarem lentamente a todos... muitas vezes nos usando para fazer o trabalho... Nós ficamos meio enfeitiçados por eles, porque acreditávamos que, nos livrando dos antigos chefes, nos tornaríamos os novos chefes. Algumas pessoas mataram os próprios irmãos, outras, os primos, e assim por diante, porque acreditavam que iriam ocupar os seus lugares. Ao invés disso, os *corleonesi* adquiram o controle de todo o sistema."

Ao contrário de qualquer um de seus antecessores, Messina não veio de uma das famílias "perdedoras" na grande guerra da máfia, tampouco estava em perigo de ser morto por ter roubado drogas ou dinheiro da organização. Ele era uma estrela da nova geração de chefes, mas percebeu que a sua ascensão acabaria por criar um conflito fatal com seus superiores, como havia acontecido com tantos outros. "Primeiro eles nos usaram para se livrar dos antigos chefões, então eles eliminaram todos aqueles que ainda impunham suas opiniões, como Giuseppe Greco "o sapato", Mario Prestifilippo e Vincenzo Puccio... então o que resta são homens sem caráter, que agem como seus fantoches", disse Messina.

Embora casado, Messina envolveu-se com uma mulher atraente de uma família abastada, que levou-o para fora do mundo fechado da Cosa Nostra. Gradualmente, ele passou a apreciar uma vida em que as pessoas não precisavam atirar ou estrangular, ou preocupar-se se seus melhores amigos estavam planejando matá-lo.

---

22. Essa e as duas citações seguintes são do depoimento de Leonardo Messina diante da comissão antimáfia do Parlamento italiano, XII Legislatura, 4 de dezembro de 1993.

De acordo com Messina, o desejo de deixar a Cosa Nostra crescia havia alguns anos, mas o golpe final foi o assassinato de Falcone e o doloroso apelo de Rosaria Schifani, viúva de um dos guarda-costas mortos no bombardeio. "Minha decisão é o resultado de uma crise moral", disse ele a Borsellino em seu primeiro depoimento. "Apesar de meu avô e muitos de meus parentes serem 'homens de honra', eu não me identifico mais com a organização. Quando ouvi o discurso da viúva de Vito Schifani... suas palavras me atingiram como pedras, e decidi deixar a organização da única maneira possível, colaborando com o sistema de Justiça."[23]

Com a crise interna da Cosa Nostra, a organização também enfrentava um perigoso desafio vindo de fora. Messina foi a primeira testemunha a explicar com grande detalhe um fenômeno que outros haviam meramente aludido: o surgimento de uma organização criminal rival na Sicília, conhecida como Stidda, a palavra siciliana para "estrela", por causa de uma estrela que alguns dos membros tatuaram em seus corpos. Composto originalmente por ex-homens de honra que haviam deixado a organização durante a grande guerra da máfia do início dos anos 1980, o grupo era particularmente forte na região sul da Sicília, nas cidades de Agrigento, Caltanissetta e Gela. De fato, muitos dos *stiddari* originais eram seguidores do antigo chefe de Riesi, Giuseppe Di Cristina, que havia alertado a polícia a respeito da ascensão *corleonesi* pouco antes de ser morto, em 1978. E foi o cheque encontrado em seu bolso que permitiu a Giovanni Falcone desvendar os fundamentos financeiros do caso Spatola-Inzerillo. Quatorze anos depois, outro círculo se fechou.

Embora a Stidda fosse menos organizada e enraizada que a Cosa Nostra, ela não ficava atrás de ninguém no quesito violência. Como Messina ajudou Borsellino a entender, o impressionante crescimento no número de assassinatos em muitas cidades do sul da Sicília deveu-se à guerra entre a Cosa Nostra e seu novo rival.

Enquanto o assassinato de Falcone criara a aparência de onipotência total, Messina acreditava que a Cosa Nostra lutava por sua sobrevivência. "Há quem acredite que a Cosa Nostra desaparecerá do mapa durante a próxima década, destruída pela voracidade de Salvatore Riina e pela guerra com a Stidda", disse ele.

---

23. Essa citação e o papel crescente da Stidda são do depoimento de Leonardo Messina.

As revelações de Messina sobre a Stidda combinavam perfeitamente com outra investigação realizada por Borsellino a respeito de uma infinidade de assassinatos dentro e nos arredores da cidade siciliana de Palma di Montechiaro. Ao rastrear atividades e telefonemas de um suspeito de Palma di Montechiaro que vivia em Marsala, os investigadores de Borsellino descobriram que uma colônia inteira de *stiddari* operava em Mannheim, na Alemanha. Quando os policiais alemães repassaram informações sobre um tiroteio em Mannheim envolvendo vários cidadãos de Palermo, Borsellino conseguiu conectá-los à luta pelo poder que acontecia na região central da Sicília e emitiu uma série de mandados de prisão. Um dos homens a cair na rede era um jovem *stiddaro* chamado Giaocchino Schembri, com quem Borsellino se encontrou na prisão alemã. Em 10 de julho – pouco depois de Messina ter começado a depor – Borsellino conseguiu convencer Schembri a cooperar. Em sua reunião informal inicial, Schembri identificou os assassinos de Rosario Livatino – o procurador assassinado na região de Agrigento em setembro de 1991. Contrariando as suposições de que o assassinato fora obra de Cosa Nostra, Livatino foi assassinado pela Stidda, que estava evidentemente ansiosa para proclamar seu novo poder, reivindicando o seu próprio "cadáver ilustre". Como Borsellino estava prestes a deixar a prisão de Mannheim, ele entregou um pacote de seus cigarros Dunhill, que o preso guardou cuidadosamente como lembrança. Borsellino prometeu voltar à Alemanha no final do mês, em 20 de julho, mas precisava voltar para a Itália, onde negócios urgentes o aguardavam.[24]

Em meados de julho de 1992, Borsellino esforçava-se para conciliar a extraordinária experiência de gerenciar três grandes novas testemunhas: Messina, Schembri e Mutolo. Depois de um mês, um acordo fora elaborado para permitir que o caso Mutolo fosse a diante: Borsellino seria autorizado a assistir os depoimentos de Mutolo, mas o caso permaneceria sob a direção de outro juiz, escolhido pelo procurador-chefe, Pietro Giammanco. Felizmente, Mutolo aceitou a situação em uma conversa inicial no começo de julho, enquanto um depoimento mais longo e detalhado estava programado para 16 de julho.

A família não se lembrava de ter visto Borsellino trabalhando com a intensidade frenética que teve nos dois meses seguintes à morte de Falcone – nem mesmo durante os dias do maxijulgamento. No passado, sempre

24. Lucentini, pp. 275-78.

encontrava algumas horas livres na semana para a família; agora ele saía para o trabalho antes mesmo de se levantarem e muitas vezes voltava para casa quando já estavam dormindo. E – apesar de sua fobia de viagens de avião – ele estava constantemente em movimento, voando para encontrar as testemunhas e reunindo evidências.

Embora eles raramente se vissem, Borsellino ficou chateado quando sua filha mais nova, Fiammetta, anunciou que estava planejando uma viagem de verão com amigos para a região rural da África. "Como vai ser avisada caso eu seja morto?", disse ele em tom de brincadeira.[25] Para apaziguar as preocupações de seu pai, Fiammetta modificou seus planos, viajando para a Ásia, onde, pelo menos, poderia ser contatada por telefone. A família ficou cada vez mais nervosa com a bateria de matérias e publicações a respeito de seu pai. Os artigos continuavam aparecendo, chamando-o de o novo "superprocurador"; fotografias e clipes quase sempre o mostravam junto com Falcone, como se eles estivessem destinados a compartilhar o mesmo destino.

"Era como se a morte de meu pai estivesse sendo anunciada antecipadamente", disse Manfredi Borsellino. "Durante seus últimos dias, houve uma campanha de desinformação, orquestrada por alguém, sobre os riscos para o ex-prefeito Leoluca Orlando... Os jornais dos dias 17 e 18 de julho estampavam longas histórias sobre as elaboradas medidas de segurança tomadas para proteger Orlando. Como o Orlando vive perto de nós, houve um pânico geral quando alguém notou a presença de um carro roubado estacionado nas proximidades. 'A tentativa de assassinato contra Orlando fracassou', disseram as pessoas. Mas, na verdade, o carro estava mais perto de nossa casa do que da dele... Tudo isso criou uma atmosfera insuportável para nós da família."[26]

"Estou convencido de que ele sentiu a presença da morte muito próxima", disse Antonio Ingroia, seu procurador assistente em Marsala, que acompanhou seu chefe de volta a Palermo em 1992. "O marechal Carmelo Canale (dos *carabinieri*), que o conhecia muito bem, acredita no oposto, que é inconcebível que alguém tão cheio de vida possa imaginar a própria morte. Mas seu comportamento naquele período era de um homem com muita pressa, de alguém que sabia que seu tempo estava contado. Se eu

25. Lucentini, p. 296.

26. Entrevista do autor com Manfredi Borsellino.

tocasse a campainha do escritório dele, ele diria: 'Estou ocupado demais, não tenho tempo', algo que nunca havia feito no passado."

Apesar de serem muito próximos, Borsellino ficou zangado quando Ingroia anunciou que estava saindo de férias com a família em meados de julho. "Esse não é o momento para férias", disse ele. "Nós temos muito trabalho a fazer." Quando Ingroia explicou que já havia alugado uma casa e não poderia mudar seus planos, Borsellino ficou em um silêncio gélido, incomum a ele. "Antes de deixar o escritório no dia 15 de julho, parei na porta de sua sala por volta de uma e meia da tarde para me despedir", lembrou Ingroia. "Ele quase não se dignificou a olhar para mim. Simplesmente disse: 'Ótimo, você está me perturbando sobre essa história de férias há três dias. Vá para as suas férias, vá!'. Ele nem sequer disse adeus. Eu fiquei magoado. Naquela mesma tarde, antes de deixar a cidade, eu parei no escritório, supondo que, mesmo que fosse um feriado, o dia da festa de San Rosalia – a santa padroeira de Palermo –, ele ainda estaria trabalhando. Dessa vez, talvez percebendo que eu tinha ficado magoado com nossa conversa anterior, ele me deu um abraço amigável e concordei que estaria de volta ao trabalho depois de apenas dez dias de folga, em vez de um mês, como havia planejado... Eu tive a impressão, nesse dia, que ele sentia que o tempo estava se esgotando para ele."[27]

Enquanto Borsellino fazia silenciosas descobertas com suas testemunhas da máfia, a investigação do esquema de corrupção em Milão estava sendo ventilada aos quatro cantos. Literalmente, centenas de políticos e líderes empresariais estavam sob investigação. Em junho, Carlo Bernini, o ministro dos Transportes e democrata-cristão, foi indiciado por cobrar propina de bilhões de dólares em contratos públicos gerados por seu ministério. Em 14 de julho, chegou a vez do ministro das Relações Exteriores, Gianni De Michelis. Como os dois homens eram de Veneza, eles eram conhecidos como os dois "doges" e supostamente dividiram todos os subornos que estavam sendo recolhidos na região do Vêneto. Como ministro das Relações Exteriores, De Michelis parece ter tido um alcance mais amplo: surgiram evidências de que seu partido estava rotineiramente usando uma porcentagem da ajuda "humanitária" que a Itália estava distribuindo ao terceiro mundo. No dia do indiciamento de De Michelis, o embaixador americano Peter Secchia e De Michelis seriam anfitriões conjuntos de uma enorme

---

27. Entrevista do autor com Antonio Ingroia.

festa de despedida planejada semanas antes. Secchia voltaria aos EUA depois de quatro anos em Roma, enquanto De Michelis estava deixando o cargo de ministro das Relações Exteriores. O convite para a festa foi um desenho mostrando De Michelis e Secchia andando juntos na mesma gôndola veneziana. Agora que parecia que a gôndola do doge poderia estar indo para a cadeia, a festa conjunta tornara-se um grande constrangimento – simbolizando o caloroso abraço dos EUA a alguns dos líderes mais corruptos da Itália. Dois dias após a acusação de De Michelis, a polícia de Milão prendeu Salvatore Ligresti, o maior promotor imobiliário da cidade e um dos homens mais ricos da Itália, extremamente próximo do chefe socialista Bettino Craxi.

"Dia 16 de julho, o fim de um regime", declarou a manchete do jornal *L'Espresso*, relatando os últimos desdobramentos do escândalo. "É a derrota de todo um sistema", dizia a matéria, "o *impeachment* de grande parte de nossa classe governante".[28] Respondendo a crescentes pressões para renunciar, líder socialista Bettino Craxi, depois de ter negado qualquer conhecimento sobre o sistema de suborno, inverteu completamente sua posição, sustentando que a prática era tão difundida que não poderia ser considerada crime. "Todos sabem que grande parte do financiamento dos partidos e do sistema político é irregular ou ilegal", declarou ele perante o Parlamento. "E se esse ato é considerado criminoso, então, a maior parte do nosso sistema seria um sistema criminoso."[29]

No dia da prisão de Ligresti, Paolo Borsellino viajou a Roma para retomar o depoimento de Gaspare Mutolo.

No início dos anos 1960, quando ele era apenas um criminoso comum, Mutolo vivera por um tempo na mesma cela de prisão que Totò Riina. Ao ver o deferimento com o qual seu companheiro de cela era tratado por outros presos, Mutolo considerou que ele deveria ser alguém importante e ganhou a confiança de Riina, obedecendo a suas ordens. Quando Mutolo saiu da prisão, trabalhou por um tempo como motorista pessoal de Riina, uma posição de grande confiança. Como Mutolo tinha mais de vinte anos de história da máfia para contar, ele e Borsellino passaram suas primeiras sessões abordando o período da máfia dos anos 1970 e 1980. Mutolo via eventos ocorridos do fascinante ponto de vista de um membro da uma

---

28. *L'Espresso*, 26 julho de 1992.

29. *Corriere*, 4 de julho de 1991.

máfia que, de longe, tentara permanecer neutro na luta entre os *corleonesi* e os chefes estabelecidos de Palermo. No entanto, no final da sessão de sexta-feira, dia 17 de julho, Mutolo migrou para o território explosivo e em grande parte inexplorado da relação de cumplicidade entre a Cosa Nostra e altos funcionários do governo. Embora quisesse esperar antes de colocar qualquer coisa no papel, Mutolo contou a Borsellino sobre duas figuras importantes que, segundo ele, teriam sido corrompidas pela máfia: Bruno Contrada – um membro do serviço secreto italiano e ex-investigador da polícia em Palermo – e Domenico Signorino, um procurador de Justiça da força-tarefa antimáfia na *Procura della Repubblica* de Palermo. As suspeitas obscureceram a reputação de Contrada durante anos – Buscetta o conhecera em 1984, e Falcone suspeitava que ele estivesse envolvido em uma tentativa fracassada de assassinato contra ele em 1989. Mas ouvir o nome de Signorino foi um profundo choque para Borsellino. Os dois haviam sido amigos e colegas próximos; junto com Giuseppe Ayala, Signorino havia trabalhado no caso do governo no primeiro maxijulgamento. Quando se separaram, Borsellino e Mutolo concordaram em retomar o assunto quando se encontrassem novamente na semana seguinte. Borsellino estava programado para ir à Alemanha para se encontrar com Giacchino Schembri na segunda-feira, e depois retornaria a Roma para questionar Mutolo.[30]

Borsellino voltou para casa naquele fim de semana com duas importantes questões inacabadas em mente: a confissão de Mutolo e a revelação de Schembri sobre os assassinos do juiz Livatino, nenhuma das quais havia sido colocada no papel. Agnese Borsellino poderia notar que algo estava perturbando o marido quando ele voltou para casa no sábado, 18 de julho. Finalmente, depois que ela insistiu que eles saíssem para dar uma volta, Borsellino desabafou.

Embora não tenha especificado os nomes, ele disse que tinha descoberto evidências graves contra um investigador da polícia e um procurador.[31]

Na manhã seguinte, Borsellino acordou às cinco da manhã quando sua filha Fiammetta telefonou da Tailândia. Como uma pessoa matinal, permaneceu acordado e entrou em seu escritório pessoal para escrever uma resposta a uma professora do norte da Itália que o convidara para falar na

30. Mutolo incialmente fez essas revelações em uma sessão com Borsellino no dia 17 de julho de 1992, mas elas não foram registradas até a sessão com Giacchino Natoli, em 23 de outubro de 1992.

31. Lucentini, p. 287.

sala de aula. Impossibilitado de aceitar, ele escreveu várias páginas para ela, respondendo a uma longa série de perguntas. A certa altura, explicou por que havia decidido se dedicar à guerra contra a máfia:

"Eu me tornei magistrado porque tinha grande paixão pelo direito civil e... até 1980 trabalhei principalmente em casos civis... Em 4 de maio, o capitão Emanuele Basile foi assassinado, e o procurador-chefe Chinnici me pediu para cuidar do caso. Enquanto isso, meu amigo de infância Giovanni Falcone havia se juntado ao meu escritório, e, a partir daquele momento, entendi que meu trabalho havia mudado. Eu decidira permanecer na Sicília e precisava dar um significado a essa escolha. Nossos problemas eram os mesmos com os quais eu havia começado a lidar, quase por acidente e, se eu amava essa terra, eu tinha que trabalhar exclusivamente nesses casos. Daquele dia em diante, nunca mais deixei esse trabalho... E sou otimista porque vejo que os jovens de hoje, sicilianos ou não, têm uma consciência muito maior do que a indiferença culpável em que vivi até os 40 anos. Quando esses jovens forem adultos, eles reagirão com muito mais força do que eu e minha geração."[32]

A escrita de Borsellino foi interrompida às sete horas por um telefonema de seu patrão, Pietro Giammanco. Incapaz de dormir pensando nos problemas que criara no caso Mutolo, Giammanco disse que mudara de ideia e prometera entregar o caso a Borsellino quando voltasse ao escritório no dia seguinte.

Mais tarde naquela manhã, Borsellino e sua esposa foram de carro até sua casa na Villagrazia di Carini, uma pequena cidade à beira-mar a uma hora de carro de Palermo. Borsellino saiu para dar uma volta na lancha de um amigo e vizinho. No início da tarde, os Borsellino foram almoçar na casa de outro amigo que morava nas proximidades. Depois, Borsellino voltou para casa para uma soneca, mas claramente não dormiu, deixando cinco pontas de cigarro no cinzeiro ao lado da cama. Quando se levantou, ele e seus seis guarda-costas voltaram para Palermo para ver a mãe do procurador. Maria Pi Lepanto Borsellino vivia com sua filha, Rita, que havia saído naquele fim de semana. Borsellino estava preocupado com o fato de sua mãe estar sozinha o dia todo, e estava planejando levá-la ao médico para examinar o seu coração com problemas. Após ter perdido o pai quando tinha 22 anos, Borsellino, como filho mais velho, tornara-se chefe do núcleo familiar

32. Lucentini, p. 289.

em tenra idade e sentia grande responsabilidade e profunda afeição por sua mãe. Embora a primeira regra de segurança fosse evitar padrões previsíveis, Borsellino não estava disposto a desistir de suas visitas de fim de semana à mãe. "Paolo precisava estar em contato regular com ela, para saber como estava e o que estava fazendo", disse sua irmã, Rita. "Ele não podia privar-se disso. Isso é o que fez Paolo tão humano. Ele sempre tentou manter uma vida normal para todos... O trabalho era extremamente importante para Paolo, mas a família dele vinha primeiro... Ele estava sempre interessado em nossas vidas, ele estava sempre a par de tudo. Ele viveu a vida familiar com grande intensidade... Eu me recuso a me arrepender disso."[33]

Carros estavam estacionados do lado de fora do apartamento de sua mãe, na Via D'Amelio, quando a escolta de três carros de Borsellino chegou, logo depois das cinco da tarde. Vários dias antes, seus seguranças pediram que fosse criada uma zona "sem estacionamento" na área, para proteger novamente da possibilidade de carros-bomba, mas o pedido não havia sido examinado pelo comitê encarregado da segurança do governo em Palermo. Borsellino saiu do carro cercado por cinco agentes – Walter Cusina, Claudio Traina, Vincenzo Li Muli, Agostino Catalano e Emanuela Loi, todos armados de pistolas e metralhadoras. Um sexto agente permaneceu ao volante do carro da frente, como havia sido treinado para fazer. Quando Borsellino se aproximou do portão do prédio para tocar a campainha de sua mãe, ele e os cinco guardas que o cercavam foram lançados ao ar por uma explosão que pôde ser ouvida a quilômetros de distância por Palermo. Mesmo havendo pelo menos nove metros entre o portão da frente e a entrada do prédio, a explosão quebrou as janelas até o décimo primeiro andar. Os apartamentos de frente para a rua, nos quatro andares, foram completamente destruídos. "Não havia paredes, nem móveis", disse Rita Borsellino. "A entrada era uma grande pilha de escombros."

33. Entrevista do autor com Rita Borsellino Fiore.

Capítulo 22

"Está acabado, está tudo acabado!", disse Antonino Caponetto chegando para examinar a carnificina causada pela bomba da Via D'Amelio, em 19 de julho de 1992. A imagem do frágil fundador da força-tarefa antimáfia, de 73 anos, chorando e curvado pela dor, parecia resumir o clima de completo desespero criado pela morte de Paolo Borsellino e seus cinco guarda-costas.[1]

Enojado com o governo que deveria ter protegido seu marido, Agnese Borsellino rejeitou a ideia de um funeral de Estado, insistindo em uma cerimônia privada na igreja local, sem a permissão da presença de políticos. Houve quase uma batalha campal na catedral de Palermo durante o funeral público para os guarda-costas de Borsellino: quando a comitiva de funcionários do governo chegou de Roma, a multidão enlouqueceu, rompendo a linha imponente de quatro mil policiais destinados a manter a ordem. Lançando insultos e objetos, chutando, gritando e socando, eles atacaram o chefe da polícia nacional, Vincenzo Parisi, e empurraram o presidente da República, Oscar Luigi Scalfaro, que teve de ser resgatado da multidão. Liderando a revolta estavam centenas de guarda-costas da polícia enfurecidos, que tinham vindo para homenagear os colegas abatidos e para protestar contra o governo, que, segundo eles, os usava como buchas de canhão.[2]

No dia seguinte, a maioria dos principais procuradores antimáfia do "escritório distrital" de Palermo renunciou em massa, exigindo a remoção

1. Caponetto, *I miei giornia Palermo*, p. 18.

2. *La Repubblica*, 22 de julho de 1992.

de seu chefe, Pietro Giammanco, culpado, na opinião deles, de obstruir o trabalho de Falcone e Borsellino.[3]

Rita Atria, a garota siciliana de 17 anos que havia se aproximado de Borsellino depois que seu pai e seu irmão foram assassinados pela máfia, pulou da sacada de seu apartamento em Roma, onde morava escondida. "Não há mais ninguém para me proteger", escreveu ela em uma nota de suicídio.[4]

Concluindo que a guerra contra a máfia era uma causa perdida, Gianfranco Miglio, um dos principais porta-vozes da Liga Lombarda, sugeriu fazer da Sicília um país independente, buscando proteger o resto da Itália do contágio com o irremediável flagelo da Cosa Nostra.[5]

Enquanto ainda se recuperava do assassinato de Borsellino, o recém-formado governo do socialista Giuliano Amato foi golpeado em todas as frentes. Naquela mesma semana, a Itália foi forçada a retirar sua moeda da União Monetária Europeia, admitindo finalmente que, por causa da enorme dívida do governo, a lira italiana não podia mais negociar como um parceiro igual ao poderoso marco alemão. Ao mesmo tempo, o escândalo de suborno em Milão continuou a fornecer detalhes chocantes de como a Itália acabara na situação de sua saída da União Monetária. Embalado por tantas más notícias, o mercado de ações italiano despencou.

"Estes são dias confusos, marcados por terríveis acontecimentos", declarou o principal editorial do jornal milanês *Corriere della Sera* no dia 26 de julho. "Nós vimos outro juiz morrer. Nós vimos o Estado ser açoitado por uma multidão furiosa. Vimos a lira e o mercado de ações despencarem. Acima de tudo, nesta última semana – sete dias inacreditáveis –, sentimos concretamente a crescente inquietação pública. Os cidadãos exigem ação de um Estado que até agora se mostrou impotente diante do crime organizado. Mas eles francamente duvidam que uma contraofensiva seja possível... liderada por um grupo político deslegitimado por suas próprias ações... pela corrupção, roubo, pela imoralidade trazida à luz pelos magistrados."[6]

Com uma franqueza surpreendente, o primeiro-ministro, Amato, pareceu concordar: "Este estado não é totalmente inocente, e nós sabemos disso",

3. Uma cópia da carta, assinada em 23 de julho, foi entregue ao autor por Giuseppe Di Lello. Di Lello explicou as razões por trás da carta em um artigo publicado em *Il Manifesto*, 28 de julho de 1992.

4. *Corriere della Sera*, 28 de julho de 1992.

5. *La Stampa*, 27 de julho de 1992.

6. *Corriere*, 26 de julho de 1992.

disse ele, insistindo em levantar uma série de questões preocupantes que estavam nas mentes de milhões de italianos.

"Qual porção do governo estava envolvida em corrupção? Que permitiu que certas coisas acontecessem? Não conseguiu intervir quando poderia ter agido? Essas são as questões sobre nossa história recente que precisam ser respondidas."[7]

Na luta por sua continuidade na vida política, o governo tomou uma série de medidas drásticas para restaurar sua credibilidade. Dentro de alguns dias, foi aprovado o primeiro programa abrangente de proteção a testemunhas italiano, oferecendo reduções de custo e apoio a mafiosos que se prontificassem a testemunhar para o governo – uma medida requerida pelos procuradores de Palermo havia quase uma década. Ao mesmo tempo, o governo pretendia transferir os líderes da Cosa Nostra para prisões em ilhas remotas na costa italiana, onde a comunicação com as organizações seria muito mais difícil. E, em seu movimento mais dramático, o primeiro-ministro, Amato, decidiu enviar sete mil soldados italianos para a Sicília, reconhecendo, com efeito, que o governo havia perdido o controle da ilha. Embora a maioria fosse de jovens, recrutas sem muito treinamento, os soldados tinham pelo menos uma importante função: ao realizarem tarefas de guarda nas casas e escritórios de autoridades e políticos, eles estavam liberando centenas de oficiais treinados da polícia, que poderiam se dedicar ao trabalho de investigação.[8]

Sofrendo uma pressão esmagadora, Pietro Giammanco renunciou ao cargo de procurador-chefe da *Procura* de Palermo, pedindo transferência para Roma. Giancarlo Caselli iria substituí-lo – um magistrado de prestígio, com coragem e integridade inquestionáveis. Procurador da cidade de Turim, no norte do país, Caselli havia combatido nas linhas de frente da guerra contra o terrorismo, sendo uma figura-chave na derrubada das Brigadas Vermelhas no auge de seu poder. Como membro do *Consiglio Superiore della Magistratura* de 1986 a 1990, Caselli foi um dos defensores mais ferrenhos e eficazes de Giovanni Falcone e da força-tarefa antimáfia de Palermo. Embora fosse um homem de esquerda, Caselli havia repetidamente demonstrado sua independência por frequentemente discordar das posições oficiais de sua facção judiciária, a Magistratura Democrática.

7. *Corriere*, 29 de julho de 1992.

8. *L'Unità*, 25 de julho de 1992.

O governo manteve-se focado na máfia, em parte por causa da pressão constante criada por manifestações públicas na Sicília e no resto da Itália. Palermo permaneceu em um estado de tumulto constante, com marchas, vigílias, protestos e cartazes, que persistiam com regularidade implacável. Os *banners* antimáfia, que haviam aparecido pela primeira vez rabiscados em lençóis do lado de fora das casas de Palermo depois da morte de Falcone, se transformaram em uma marca permanente na cidade. Eles eram exibidos entre os dias 19 e 23 de cada mês, em memória dos dois assassinatos. No passado, Palermo sempre teve uma pequena minoria ativa politicamente, mas essas novas manifestações pareciam conter uma base muito ampliada, com donas de casa, funcionários de escritório e lojistas unindo-se a estudantes e a grupos religiosos. Em vez de ter sido desmoralizada pelos assassinatos, Palermo parecia ter sido energizada pelos bombardeios de Capaci e Via D'Amelio. "Após a morte do general Dalla Chiesa, em 1982, alguém tinha uma placa dizendo 'Aqui morre a esperança de todo cidadão honesto', observou Marta Cimino, organizadora do Comitê dos Lençóis. "Após a morte de Falcone, alguém carregou uma placa que dizia: 'Hoje começa um alvorecer que jamais irá se pôr'. As duas inscrições são bastante indicativas da mudança ocorrida nos últimos dez anos."[9]

Em uma cena que lembra os primeiros cultos de mártires cristãos, a árvore que crescia na calçada do lado de fora do apartamento de Falcone se tornou uma espécie de santuário público onde as pessoas depositavam continuamente flores e escreviam mensagens. "Falcone vive!" "Melhor um dia como Borsellino do que cem dias como um mafioso." "Eles fecharam seus olhos, mas vocês abriram os nossos."[10]

A mesma fotografia de Falcone e Borsellino – capturando o momento em que os dois magistrados sicilianos estão conversando e sorrindo – parecia ser onipresente em todas as paredes e *outdoors* da cidade, dando-lhes uma forma estranha e feliz de imortalidade. "O homens vão e vem, as ideias permanecem, elas continuam a andar nas pernas de outros", Falcone havia dito em 1985, uma afirmação que parecia confirmada pela contínua comoção que se seguiu à sua morte.[11] As pessoas também faziam peregrinações diárias com flores frescas, mensagens e fotografias em uma placa em

---

9. Entrevista do autor com Marta Cimino. Ver também Alajmo, *Un lenzuolo contro la mafia* (Palermo, 1993).

10. *The New Yorker*, 1º de março de 1993.

11. Galluzzo, *La Licata*, e Lodato, *Falcone vive*, p. 81.

frente à residência de Borsellino, na Via Cilea. A placa foi instalada com uma citação de Borsellino: "Nunca gostei desta cidade e aprendi a amá-la. Porque o verdadeiro amor consiste em amar o que você não gosta, para que possa transformá-lo".

Pela primeira vez, a ação parecia acompanhar o discurso do governo. De repente, os investigadores da polícia que comprovadamente combatiam a máfia foram transferidos para cargos de responsabilidade e ganharam os recursos necessários para realizar seu trabalho com eficiência. Gianni De Gennaro, que havia lidado com muitas das mais importantes testemunhas da máfia de Tommaso Buscetta em diante, foi nomeado chefe do novo FBI da Itália, o *Direzione Investigativa Anti-mafia* (DIA). Antonio Manganelli, que trabalhara nas confissões de Antonino Calderone, tornou-se chefe do *Servizio Centrale Operativo* (SCO). E o coronel Mario Mori, ex-assessor do general Alberto Dalla Chiesa, que trabalhara em Palermo de 1988 a 1991, foi encarregado da unidade antimáfia dos *carabinieri*. Todos os três homens haviam trabalhado de mãos dadas com Falcone, tinham a mesma visão global da máfia, e estavam agora liderando unidades policiais do tipo que Falcone sempre havia desejado. De repente, as pessoas certas estavam se movendo para os lugares certos, como os cilindros se alinhando em uma fechadura.

Os resultados não demorariam a chegar. No outono de 1992, a polícia italiana atingiu uma série impressionante de sucessos. No início de setembro, localizou Giuseppe Madonia – considerado o homem mais poderoso da Comissão depois de Riina. Eles também convenceram o governo venezuelano a prender e extraditar Pasquale, Paolo e Gaspare Cuntrera, três irmãos sicilianos que estavam entre os maiores traficantes de drogas da Cosa Nostra na América do Sul. No dia 11 de setembro, a polícia italiana capturou Carmine Alfieri, tido como o líder da Camorra napolitana, e fugitivo da Justiça por nove anos. Uma semana mais tarde, a polícia da Calábria prendeu 23 homens acusados de serem os líderes do maior grupo de sequestradores do sul da Itália.

No final do mês, policiais italianos e americanos emitiram mandados de prisão em três continentes – no que foi descrito como a maior investigação secreta internacional da história, a operação *Green Ice*. O nome, operação *Green Ice* ("Gelo verde"), fazia referência aos milhões de dólares em dinheiro das drogas que havia sido congelado na operação, destruindo uma enorme rede de lavagem de dinheiro administrada pela Cosa Nostra na Itália e nos EUA, em conjunto com o cartel de Medellín, na Colômbia.[12]

Em novembro, foram emitidos cerca de duzentos mandados de prisão na Sicília, baseando-se nas evidências que Borsellino havia reunido com Leonardo Messina.[13]

Ao invés de calar testemunhas da máfia, os assassinatos de Falcone e Borsellino pareciam ter o efeito contrário. Com as comportas finalmente abertas, a polícia de repente tinha mais testemunhas do que era capaz de interrogar.

De maneira igualmente importante, as testemunhas antigas tornaram-se muito mais cooperativas, concordando em abordar assuntos delicados e difíceis que havia muito evitavam.

"Fiquei profundamente abalado com as terríveis atrocidades cometidas contra os juízes Falcone e Borsellino", disse Gaspare Mutolo em outubro de 1992. "Esses e outros eventos recentes... convenceram-me de que a Cosa Nostra pegou um caminho irreversível de morte, que me parece longe do fim... Agora percebo que a minha decisão – de escolher o Estado contra a Cosa Nostra – não pode ter limites e deve ser vivida sem reservas, sejam quais forem as consequências para mim."[14]

Como sinal de boa-fé, Mutolo imediatamente confessou dois assassinatos, dos quais nem sequer era suspeito, mesmo estando programado para ser libertado da prisão dentro de alguns anos. Ele então prosseguiu levantando o véu das relações entre máfia e política, o assunto que, segundo Tommaso Buscetta, seria o nó górdio da questão do crime organizado na Itália. Segundo Mutolo, até recentemente, "Era de conhecimento geral na Cosa Nostra que deveríamos dar nosso apoio eleitoral ao Partido Democrata-Cristão, considerado o único partido poderia proteger os interesses da organização".

Esse relacionamento se endureceu com o advento do maxijulgamento de Palermo. Como Antonino Calderone corretamente pontuou, a decisão

12. Sobre a prisão de Carmine Alfieri, ver *Corriere della Sera* do dia 12 de setembro. Sobre a extradição dos irmãos Cuntrera, ver *Panorama*, 27 de setembro e 4 de outubro de 1992. Sobre a operação *Green Ice*, ver *La Repubblica*, 28, 29, 30 de setembro de 1992, e *Panorama*, 11 de outubro de 1992. A respeito da prisão de Giuseppe Madonia, ver *Panorama*, 24 de janeiro de 1993.

13. As operações baseadas nas confissões de Leonardo Messina ocorreram em 17 de novembro de 1992 e foram noticiadas em todos os grandes jornais italianos no dia seguinte.

14. Interrogatório de Gaspare Mutolo.

do Supremo Tribunal de Justiça de manter as condenações no caso foi o estopim que desencadeou a recente explosão de violência. Mas, enquanto Calderone fazia suposições lógicas com base em sua experiência pregressa, Mutolo estava a par do pensamento de alguns membros da Comissão com quem ele havia sido preso até a primavera de 1992.

"Quando o julgamento começou, era óbvio para todos os 'homens de honra' que aquele era um julgamento 'político', cujo resultado seria decidido pelo governo em Roma", explicou Mutolo. "Todos nós acreditávamos que o veredicto do julgamento seria invariavelmente uma condenação, porque o governo precisava dar satisfações à opinião pública dentro da Itália e no exterior... e que isso poderia ser um duro golpe para a Cosa Nostra." Mas depois dos veredictos de condenação iniciais, em 1987, a organização assegurou a seus homens que, com a ajuda de seus amigos políticos, a sentença seria discretamente modificada na apelação, quando a atenção pública estivesse dispersa. Para garantir que isso acontecesse, a Cosa Nostra enviou uma mensagem precisa aos democratas-cristãos, trocando-os pelos socialistas nas eleições de 1987. A Cosa Nostra saiu bastante fortalecida pelos eventos entre 1988 e 1991.

Foi especialmente encorajada pela decisão do Tribunal de Apelações no maxijulgamento, que anulou algumas das condenações e questionou a teoria de Buscetta, que permitiria ao tribunal manter presa a Comissão da Cosa Nostra pelos seus crimes mais importantes. O cenário parece ter sido definido pelo juiz Corrado Carnevale, descrito por Mutolo como "a maior garantia para a Cosa Nostra" na reviravolta do caso. "Havia uma certeza matemática dentro da Cosa Nostra, baseada nas garantias de nossos advogados, de que a Suprema Corte anularia a decisão judicial original de Falcone", explicou. "Isso teria produzido um resultado duplo: de... libertar os acusados e, finalmente, demolir a reputação profissional de Giovanni Falcone, que se tornaria um 'perseguidor' de vítimas inocentes. Isso representaria o último triunfo da Cosa Nostra sobre Falcone."

A morte de Falcone, disse Mutolo, já havia sido decidida no início da década de 1980, mas sua derrota nos tribunais poderia ter atrasado o cumprimento dessa sentença indefinidamente. "O clima em torno de Falcone se alternava, o perigo diminuía ou aumentava, dependendo do curso do maxijulgamento em suas várias fases", explicou. "O clima ficou mais tranquilo com o fim da força-tarefa antimáfia, seu escritório de investigação e a introdução do novo código penal italiano, considerado mais favorável à Cosa Nostra, e, finalmente, com a transferência de Falcone para Roma."

A organização havia subestimado a importância da presença de Falcone no Ministério da Justiça. "Ele agora era considerado menos perigoso para a organização", disse Mutolo. "De fato, lembro-me de que costumávamos brincar que ele acabaria como embaixador em algum país da América do Sul... Aos poucos, começamos a entender que o Dr. Falcone estava se tornando mais perigoso em Roma do que em Palermo. Percebemos que o cargo de diretor-geral de Assuntos Penais do Ministério da Justiça – do qual ninguém jamais ouvira falar – foi transformado, nas mãos de Falcone, em um poderoso instrumento contra a Cosa Nostra. Era óbvio que os vários decretos de governo dos ministros Martelli e Scotti foram inspirados por Falcone." Na prisão de Spoleto, Mutolo teve a oportunidade de conversar com Giuseppe Giacomo Gambino, seu *capo-mandamento* e membro da Comissão, que, de repente, mostrou-se pessimista. "Ele me disse que tudo estava indo muito mal, ao contrário do que todos nós acreditávamos até recentemente. Na verdade, Gambino disse que o presidente Carnevale, que constituía nossa maior garantia, foi forçado a renunciar ao cargo no maxijulgamento... acima de tudo por causa das pressões do Dr. Falcone com o apoio do ministro Martelli, queria salvar 'seu' caso."

Quando esse prognóstico se tornou realidade, seus efeitos foram devastadores para a Cosa Nostra. "A sentença do maxijulgamento foi um grande golpe, não apenas porque tornou tantas condenações definitivas, mas acima de tudo porque representou uma derrota histórica da Cosa Nostra, cuja existência e estrutura interna haviam sido – pela primeira vez – identificadas, reconhecidas e punidas... Essa reviravolta inesperada da Suprema Corte foi atribuída com total certeza, pela Cosa Nostra, à intervenção de Giovanni Falcone... a 'era das garantias' havia acabado."

A sentença do tribunal no maxijulgamento foi um desastre, tanto para a liderança fora da prisão quanto para os chefes encarcerados. O veredicto representou o completo fracasso da estratégia de espírito militar de Totò Riina e dos *corleonesi*. Riina havia apostado tudo na crença de que, em um confronto direto com o Estado, poderia intimidar o governo para anular o veredicto no último momento. Centenas de mafiosos, incluindo muitas das figuras mais poderosas da Cosa Nostra, sentaram-se pacientemente na prisão, esperando que a decisão fosse revertida. Agora que toda a esperança estava perdida e era provável que os mafiosos jamais vissem o lado de fora da prisão novamente, eles perceberam que a estratégia de Riina havia falhado desastrosamente. A violência implacável da Cosa Nostra havia alienado a opinião pública a tal ponto que o governo não tinha outra escolha a não ser adotar medidas drásticas – incluindo a transferência de Carnevale – para garantir uma condenação no maxijulgamento. A ira surgida em reação à sentença criou sérios problemas internos para Riina, que precisou agir de maneira dramática para conter uma possível rebelião entre seus pares. Em vez de retroceder, Riina não teve escolha a não ser promover um aumento no uso da violência, mostrando que estava preparado para arriscar tudo na guerra com o Estado a fim de vingar as sentenças de prisão perpétua de amigos na prisão.

"Era o momento de uma nova estratégia, uma estratégia de confronto direto", disse Mutolo. "A frase que ouvimos foi: '*Ora ci rumpemu i corna a tutti*' (Agora vamos quebrar as cabeças deles todos)."

Embora Mutolo não tenha sido informado sobre quais eram os alvos específicos da Cosa Nostra, ele sabia que algo muito grande estava sendo preparado no início de 1992. "Nesse ponto, algo muito estranho aconteceu para alguém que conhece a mentalidade dos membros da Cosa Nostra", disse Mutolo. "Vários homens de honra, alguns deles com sentenças pesadas, espontaneamente e de livre e espontânea vontade entregaram-se à polícia. Isso foi estranho porque, como é bem sabido, um membro da Cosa Nostra jamais se entrega voluntariamente, mesmo que tenha apenas que passar um mês na prisão." Esse sinal poderia passar desapercebido aos observadores de fora, mas tinha um significado preciso para aqueles que sabiam ler os códigos da máfia. "Dentro da Cosa Nostra, algo muito sério tinha acontecido, e todos os homens de honra foram colocados em uma posição de decidir livremente entre se entregar ou ficar de fora – com o claro risco de estarem implicados no que estava prestes a acontecer."

O assassinato de Salvatore Lima foi a primeira resposta à decisão da Suprema Corte. "Onorevole Lima foi morto porque era o maior símbolo daquela parte do mundo político que, depois de ter adotado uma política de coexistência pacífica com a máfia, fazendo favores para a Cosa Nostra em troca de seus votos, não pôde mais proteger os interesses da organização no momento de seu julgamento mais importante, e, de fato, havia tentado mudar de lado", afirmou Mutolo em depoimento. Embora os homens de honra na prisão conversassem o mínimo possível por medo de que suas conversas pudessem ser grampeadas, vários chefes da Comissão (Giuseppe Calò, Salvatore Montalto e Giuseppe Giacomo Gambino) conseguiram transmitir sua clara satisfação de que a máfia havia começado a acertar as contas com os políticos que haviam se voltado contra eles, Mutolo disse. "Mais explicitamente, numa ocasião em que encontrei Montalto no corredor, ele exclamou, com óbvia satisfação, '*Accuminciaru finalmente!*' (Finalmente, eles começaram!)"

Ao mesmo tempo, Leonardo Messina, outra nova testemunha, confirmou as afirmações de Mutolo sobre Lima e o maxijulgamento, acrescentando novos detalhes sobre o juiz da Suprema Corte Corrado Carnevale, o "assassino de sentença"."Todos nos asseguraram que o julgamento seria atribuído à Primeira Seção e ao seu presidente, Carnevale, que era uma garantia para nós, e certamente não apenas por causa de suas ideias de jurisprudência: diziam que ele era 'maleável'... Quanto aos assassinatos de Falcone e Borsellino, sem dúvida, o resultado do maxijulgamento desempenhou um papel determinante... A reação era absolutamente necessária para melhorar a moral e afirmar o poder da Cosa Nostra. Essa reação deveria ser contra os magistrados que haviam lidado com o caso e contra os políticos que falharam em garantir o resultado positivo da ação, e permitiram que Carnevale fosse removido, até mesmo aprovando uma série de leis que afetaram os réus do maxijulgamento. Havia um ressentimento generalizado em relação à facção Andreotti do Partido Democrata-Cristão e ao grupo de Craxi no Partido Socialista, que permitiram a influência de figuras mais jovens e emergentes dentro de seus partidos, como o ministro da Justiça, Martelli."[15]

No início de setembro, um membro do círculo interno de Totò Riina, Giuseppe Marchese, decidiu cooperar com o governo. Um dos novos recrutas, cuja filiação era mantida em segredo dentro da Cosa Nostra, Marchese era um protegido de Riina. Marchese tornou-se membro da família de Riina quando sua irmã se casou com Leoluca Bagarella, cunhado de Riina. Riina gostava de repetir que o jovem Marchese, sobrinho do chefe Filippo Marchese, estava "em seu coração". Ainda adolescente, Giuseppe Marchese havia participado do famoso Massacre de Natal na Bagheria, em dezembro de 1981. Na época da morte de Borsellino, Marchese já havia passado dez de seus 28 anos de prisão e, graças a Riina, provavelmente permaneceria

15. Interrogatório de Leonardo Messina.

lá para sempre. Em 1989, Marchese obedientemente seguiu as ordens de Riina e esmagou o cérebro de seu colega de cela Vincenzo Puccio, o chefe da máfia que queria se rebelar contra os *corleonesi*; mas Riina zombou da alegação de legítima defesa de Marchese, ao mandar assassinar o irmão de Puccio no mesmo dia. A Cosa Nostra tinha até mesmo impedido Marchese de se casar com sua noiva. Como o pai da menina tinha deixado a esposa e estava vivendo com outra mulher, o casamento seria "desonroso". A única maneira de Marchese poder se casar com a garota seria matando seu pai primeiro, segundo informações de seu irmão e de seu cunhado, Leoluca Bagarella. Em certo ponto, eles indicaram que, se ele não matasse o homem, eles mesmos fariam o trabalho. "Como resultado", afirmou Marchese em depoimento, "a única maneira de eu evitar que ele fosse morto foi romper o noivado com a garota que eu amava, fingindo que não estava mais interessado nela. Essa decisão, naturalmente, foi muito dolorosa, e meu relacionamento com meu irmão e com Bagarella não eram mais os mesmos". Agora, mesmo que Giuseppe Marchese pudesse ser libertado, não havia mais ninguém esperando por ele do lado de fora. Ele decidiu colaborar porque percebeu que Riina simplesmente o havia usado e jogado fora. "Para Riina somos apenas carne morta", disse ele.[16]

Devido à sua proximidade com os *corleonesi*, Marchese conhecia muito sobre os laços da máfia com numerosos funcionários públicos. Ele também adicionou um detalhe importante para a investigação do assassinato de Salvatore Lima; Giuseppe Madonia, filho do membro da Comissão Francesco Madonia (e um dos assassinos do capitão Emanuele Basile), disse a ele que Lima havia recebido ordens estritas para reverter o maxijulgamento – ou então... "Madonia me disse que eles haviam lhe dito: 'Cumpra a sua promessa ou mataremos você e sua família'." Juntamente com os outros depoimentos passados, os procuradores estavam agora em uma posição de provar que Salvatore Lima era de fato o "embaixador" da máfia em Roma. Depois de interrogar Marchese no início de setembro, os procuradores em Palermo voaram para os EUA, onde se encontrariam com Tommaso Buscetta. Abalado pelas mortes de Falcone e Borsellino, e reconhecendo o novo clima na Itália, Buscetta decidiu quebrar seu longo silêncio sobre a política na Cosa Nostra. Com seu conhecimento da máfia que remonta à década de 1940, Buscetta revelou que o pai de Salvatore Lima tinha ele

16. Interrogatório de Giuseppe Marchese.

próprio sido um homem de honra e que o próprio Buscetta participara de vários encontros com Salvatore Lima desde o início dos anos 1960, quando Lima era prefeito de Palermo. "Salvo Lima era, na verdade, o político que a Cosa Nostra mais procurava para resolver os problemas da organização, quando a solução estava em Roma", afirmou. Como Falcone suspeitava, Lima era de fato o membro do Parlamento que Buscetta havia conhecido em um hotel de Roma, em 1980. "O próprio Lima pediu a reunião por meio de Nino Salvo", disse Buscetta. "Durante a reunião, Lima falou comigo sobre política em Palermo... Naquele período, Lima estava especialmente perto de Stefano Bontate e estava politicamente em desacordo com Vito Ciancimino, que estava ligado a Totò Riina e os *corleonesi*." Assim, as divisões dentro da Cosa Nostra correspondiam às divisões internas no mundo político. Lima e os primos Salvo, na verdade, queriam convencer Buscetta a permanecer em Palermo, a fim de reforçar Stefano Bontate e a facção moderada dentro da máfia.[17]

Como tudo na Cosa Nostra, o equilíbrio entre a máfia e a política havia mudado durante os quinze anos anteriores. Sob o reinado dos chefes "moderados" da Cosa Nostra, o relacionamento era de compromisso e negociação. À medida que a máfia se tornava mais rica e poderosa pelo comércio de drogas, os novos líderes tornaram-se mais exigentes e contestadores. Ao mesmo tempo, o aumento da conscientização pública sobre o problema da máfia tornou mais difícil para os políticos a manutenção das relações e a realização de favores para os membros da máfia. Após o assassinato de Bontate, Lima e os primos Salvo não tiveram escolha senão se adaptar à nova hegemonia dos *corleonesi*. "Lima tornou-se prisioneiro de um sistema", disse Leonardo Messina. "Antes dessa última geração, ser amigo dos mafiosos era fácil para todo mundo... Era uma grande honra para um mafioso ter a presença de um membro do Parlamento em um casamento ou em um batizado... Quando um mafioso via um parlamentar, ele tirava o chapéu e oferecia o seu assento... Agora, isso se tornou uma imposição: faça isso ou irá arcar com as consequências."[18]

A escalada do tráfico de drogas e as constantes matanças patrocinadas pelos *corleonesi* pressionaram cada vez mais o governo a endurecer com a

17. Interrogatório de Tommaso Buscetta, citado também na *Domanda di autorizzazione a procedere contro il Senatore Giulio Andreotti*, arquivado no Parlamento italiano, em 27 de março de 1991.

18. Depoimento de Leonardo Messina diante da Comissão antimáfia do Parlamento italiano, XI Legislatura, 4 de dezembro de 1993.

máfia, e deixaram homens como Lima cada vez mais encurralados. O teste final foi o veredicto da Suprema Corte sobre o maxijulgamento, e quando Lima foi incapaz de intervir, ele teve de ser morto – efetivamente pondo um fim na aliança existente entre parte do Partido Democrata-Cristão na Sicília e a máfia, que remonta à época das eleições de 1948.

A nova rodada de testemunhas permitiu que os procuradores resolvessem outro crime que havia deixado os investigadores perplexos. Em 8 de setembro de 1992, os assassinos da máfia haviam matado Ignazio Salvo, o rico empresário siciliano condenado no julgamento por pertencer à máfia. Dizia-se que Salvo era o intermediário da Cosa Nostra, usado para contatar Salvatore Lima e outros políticos. Os assassinatos de Salvo e Lima – juntamente com os assassinatos de Falcone e Borsellino – eram parte de uma mesma estratégia. A Cosa Nostra matou aqueles que culpava pelo veredicto no maxijulgamento: os dois inimigos que desenvolveram o caso, e os dois amigos políticos que supostamente deveriam anular o caso em recurso.

Quando a *Procura della Repubblica* de Palermo indiciou 22 pessoas, em outubro de 1992, pelo assassinato de Salvatore Lima, causou uma forte impressão na opinião pública, por diversas razões. Embora nenhum dos réus fosse político, nunca antes a acusação criminal havia tratado o problema de conluio político com tanta franqueza. Ao revelar a cooperação de tantas novas testemunhas, a acusação mostrou que a guerra contra a máfia, em vez de ser detida pelos assassinatos de Falcone e Borsellino, avançava a toda velocidade. Após a resignação de Giammanco, os procuradores de Palermo haviam recuperado o sentimento de unidade e estavam trabalhando juntos com grandes resultados. Estava claro que a máfia estava em apuros, sofrendo com uma hemorragia grave. No final de 1992, o governo tinha mais de duzentas testemunhas da máfia – um verdadeiro êxodo das principais organizações criminosas.[19]

Como era de se esperar, a acusação de Lima foi um duro golpe para o prestígio do ex-primeiro-ministro Giulio Andreotti e para o Partido Democrata-Cristão. Andreotti recuou para uma semiaposentadoria como "senador vitalício" – na Itália, certo número de estadistas idosos tem assento permanente na Câmara do Parlamento. Havia rumores de que ele poderia

---

19. A decisão de Giammanco de buscar transferência de Palermo foi noticiada em *La Stampa*, 29 de julho de 1992. As estatísticas sobre o número de testemunhas são da *Direzione Investigativa Anti-mafia*.

estar envolvido no escândalo de corrupção da máfia. Além disso, os democratas-cristãos estavam sendo tão atingidos quanto os socialistas pela sempre crescente expansão da investigação de suborno, a Operação Mãos Limpas.

O tesoureiro do PDC, o senador Severino Citaristi, estava bem cotado para se tornar o recordista com o maior número de acusações no escândalo, à medida que casos análogos surgiam nos quatro cantos da Itália. Em 31 de setembro de 1992, praticamente todo o governo de Abruzzi – a região da Itália a leste de Roma – foi preso acusado de apropriação indevida de cerca de ₤ 436 bilhões (US$ 350 milhões em câmbio atual) dos fundos da Comunidade Europeia.[20] Em 1º de outubro, o prefeito e seis membros do conselho da cidade de Vercelli, no norte, foram arrastados para a prisão em meio a uma multidão animada gritando: "Ladrões! Ladrões!."[21] Em toda a Itália, Antonio Di Pietro, o magistrado que chefiava o caso de suborno em Milão, tornou-se um herói nacional. Camisetas com o nome "Di Pietro" vendiam como água, e pichações proliferavam nas paredes de todo o país: FORZA DI PIETRO! (Vai, Di Pietro!) GRAZIE, DI PIETRO! (Obrigado, Di Pietro!). A investigação tinha entrado em uma fase de ebulição que muitos comparavam aos estágios iniciais do Revolução Francesa.

No final de novembro, Salvatore Ligresti – um rico empresário próximo a Craxi – admitiu ter efetuado pagamentos no valor de US$ 13 milhões aos socialistas e aos democratas-cristãos. Um crescente coro de líderes importantes do Partido Socialista – incluindo o ministro da Justiça, Claudio Martelli – exigiam que Bettino Craxi deixasse o cargo de líder do partido. Pouco depois, a tão esperada acusação de Craxi chegou: um magistrado de Milão acusou-o em mais de quarenta episódios de corrupção ou financiamento ilegal de campanha, em um total de ₤ 36 bilhões (cerca de US$ 30 milhões). Embora continuasse atacando seus inimigos com a fúria de um animal encurralado, estava claro que o reinado de quinze anos de Craxi estava chegando ao fim.[22]

Os casos de suborno no norte da Itália e as investigações da máfia no sul avançavam implacavelmente com duas frentes conjuntas que cercavam e atacavam o mesmo inimigo em diversas direções. No dia 1º de dezembro, surgiram notícias de que o juiz Domenico Signorino e outros quatro

20. *La Stampa*, 1º de outubro de 1992.

21. *Corriere*, 2 de outubro de 1992.

22. *Panorama*, 6 de dezembro de 1992.

magistrados de Palermo estavam sendo investigados por conluio.[23] Dois dias depois, um fato ainda mais impressionante: os líderes políticos mais poderosos de Reggio Calabria – incluindo dois ex-prefeitos e um membro do Parlamento – foram acusados de ser os mandantes do assassinato de outro político importante da Calábria. De acordo com o indiciamento, o homem assassinado foi morto não porque se opusera à corrupção na cidade, mas porque queria ter sua parte nos subornos oriundos dos contratos públicos avaliados em mais de US$ 1 bilhão. Na Calábria, a corrupção política e o crime organizado pareciam ter se unido em uma nova forma letal de criminalidade: chefes políticos assassinando outros políticos, agindo como se fossem chefes de clãs mafiosos.[24]

Na véspera de Natal de 1991, a polícia italiana prendeu Bruno Contrada, ex-investigador da polícia de Palermo e agente do serviço secreto, sobre quem Buscetta havia advertido Falcone aproximadamente em 1984.[25] Gaspare Mutolo tinha falado a respeito de Contrada a Borsellino apenas três dias antes da bomba na Via D'Amelio. Agora, Giuseppe Marchese revelou três incidentes específicos nos quais Contrada supostamente avisara os chefes da máfia a respeito de operações policiais iminentes. Em um caso, Marchese disse que Contrada havia impedido a prisão do próprio Totò Riina. "A primeira vez que ouvi o nome de Contrada foi em 1981... Meu tio Filippo (Marchese) me disse para ir imediatamente ver Salvatore Riina, porque o doutor Contrada nos informara que a polícia havia descoberto onde Riina morava e planejava fazer uma operação na manhã seguinte... Fui imediatamente procurar Riina... que imediatamente pegou algumas roupas e entrou em um Mercedes branco com sua família."[26]

Depois, em 15 de janeiro de 1993, veio o desdobramento final: os *carabinieri* de Palermo prenderam Totò Riina, enquanto ele estava andando desarmado em um simples Citroën sedan pelo centro da cidade de Palermo – exatamente como fazia na maior parte dos últimos 23 anos como um fugitivo. Apenas seis meses após as devastadoras bombas de Capaci e D'Amelio, a guerra contra a máfia pareceu cristalizar-se em uma nova e muito diversa

23. A história inicial de Signorino apareceu em *Giornale di Sicilia*, 1º de dezembro de 1992; sua morte foi noticiada em todos os grandes jornais italianos no dia 4 de dezembro de 1992.

24. *La Stampa*, 3 de dezembro de 1992.

25. As acusações contra Contrada foram coletadas na *Ordinanza di custodia cautelare in carcere*, preenchida pelo Tribunal de Palermo, em 23 de dezembro de 1992.

26. Interrogatório de Giuseppe Marchese.

imagem: o baixinho e barrigudo Riina, com seus 63 anos de idade, com a cabeça abaixada e suas mãos algemadas, posando para um fotógrafo da polícia. Visível na parede de trás estava a fotografia do general Carlo Alberto Dalla Chiesa, que fora assassinado com benção de Riina dez anos antes. Finalmente, o jogo estava virando.[27]

Houve uma sensação de choque, incredulidade, até mesmo de decepção quando as fotos de Riina preso foram divulgadas ao público. Com suas roupas baratas e desajeitadas, cabelos curtos rudemente cortados e dedos grossos e gordos, Riina parecia o que sua carteira de identidade falsa dizia: um fazendeiro siciliano em visita à cidade grande. O homem conhecido como *La Belva* (A Besta) era um modelo de linguajar polido e cortesia. Insistindo ser simplesmente "um homem pobre e doente" que não sabia nada sobre a Cosa Nostra, ele se dirigiu à polícia com respeito e se levantou sempre que alguém entrava na sala. As pessoas começaram a se perguntar em voz alta se esse seria o mesmo homem que dava as cartas da maior organização criminosa do mundo. Mas, apesar de seu ar respeitoso, Riina demonstrou grande interesse naquilo que ele entendia melhor: poder. "Ele estava claramente tentando descobrir o nível de cada um", disse o coronel Mario Mori, o oficial que supervisionava a operação. "Ele queria saber se eu estava realmente no comando ou se havia alguém acima de mim."[28]

Riina parecia uma figura anômala, quase impossível na Europa de Maastricht, dos trens-bala e do tratado GATT, como os soldados japoneses que supostamente emergiram das selvas filipinas na Ásia na década de 1960 acreditando que a Segunda Guerra Mundial ainda estava em curso. A captura de Riina foi um sinal de que a Itália estava, lenta e dolorosamente, mudando. "Com a prisão de Riina, a Itália entra na Europa", escreveu um comentarista.[29]

Pouco a pouco, os detalhes da captura de Riina começaram a surgir. Em 8 de janeiro de 1993, um criminoso siciliano chamado Baldassare Di Maggio foi preso na cidade de Novara, no norte do país. Embora enfrentasse apenas pequenas acusações, Di Maggio admitiu imediatamente que era um homem de honra e disse à polícia que poderia ajudá-los a encontrar Riina. Di Maggio era o típico mafioso da nova geração que havia se desiludido com a dominação dos *corleonesi*. Ele havia crescido dentro da

---

27. *Corriere*, 16 de janeiro de 1993.

28. Entrevista do autor com Mario Mori.

29. *La Stampa*, 16 de janeiro de 1993.

organização ao cometer inúmeros assassinatos para Riina e para a máfia de San Giuseppe Jato, cidade entre Palermo e Corleone, cujos chefes estavam entre os aliados mais próximos de Totò Riina. Quando o *capo-famiglia*, Bernardo Brusca, um membro da Comissão, e seu filho, Giovanni, foram presos, Di Maggio tornou-se chefe interino da família. Mas depois que Giovanni Brusca foi liberado, Di Maggio tornou-se uma presença desconfortável que precisava ser eliminada. Riina realizou uma reunião com o objetivo principal de trazer paz entre Di Maggio e a família Brusca, mas Di Maggio viu nessa atitude apenas uma encenação teatral. Enquanto se aliava aos Bruscas, Riina tinha ido tranquilizar Di Maggio: "*Balduccio non e 'un'arancja buttata via*" (Balduccio não é uma laranja usada para ser jogada fora!), disse o chefe em seu sotaque siciliano. Mas Di Maggio tinha visto-o ordenar assassinatos suficientes para saber que Riina era ainda mais perigoso quando falava manso e gentilmente. Di Maggio viajou para a Sicília para salvar a sua vida, e, quando os policiais o alcançaram em Novara, ele estava pronto para falar.[30]

Di Maggio foi trazido a Palermo, onde uma equipe especial de *carabinieri* tinha sido formada com a finalidade exclusiva de capturar Riina. Eles haviam gravado centenas de horas de filmagens, com imagens de pessoas que acreditavam compor o círculo mais próximo do chefe dos chefes. "Aquele é o motorista de Riina!", Di Maggio exclamou, ao ver o filme. Além de ajudar a polícia a localizar Riina, Di Maggio auxiliou a polícia a desmantelar a estrutura protetora que Riina havia criado em torno de si em Palermo, identificando um grupo secreto de cidadãos aparentemente respeitáveis, a maioria dos quais havia escapado da atenção da polícia no passado.[31]

A incrível sequência de sucessos que culminou na captura de Riina levantou uma questão desconfortável: por que isso não poderia ter sido feito anos antes? "Eles prenderam Riina porque decidiram fazê-lo", disse Giuseppe Di Lello, o velho colega de Falcone e Borsellino na força-tarefa antimáfia original. Afinal, Riina foi capturado no centro de Palermo, onde ele evidentemente vivia havia anos."[32]

---

30. A reconstrução do papel de Baldassare Di Maggio baseia-se primeiramente na entrevista com o juiz Giovanni Tinebra. Seu papel é discutido em *La Stampa* e *La Repubblica*, nos dias 16 e 17 de janeiro de 1992. Ver também: Totò Riina: *La sua storia*, de Pino Buongiorno (Milão, 1993), pp. 3-20.

31. Entrevista do autor com Giovanni Tinebra.

32. *La Stampa*, 16 de janeiro de 1992.

Capítulo 23

Depois da prisão de Totó Riina, os fios das emaranhadas relações de conluio entre a máfia e a política começaram a se desenrolar com grande rapidez. Encorajados pela noção de que o governo estava finalmente agindo com seriedade na guerra contra a máfia, as testemunhas abandonaram qualquer reserva em discutir os laços políticos da Cosa Nostra. No outono de 1992, Gaspare Mutolo e Tommaso Buscetta, após terem implicado Salvatore Lima, preferiram não responder quando perguntados se sabiam quem era o contato de Lima no governo, quando precisava de favores para seus amigos da Cosa Nostra. Apenas Leonardo Messina dissera abertamente: "Onorevole Lima... atuava como a ligação com Onorevole Andreotti para as necessidades da máfia siciliana".[1]

Em março de 1993, depois que Totò Riina fizera sua primeira aparição no tribunal – transmitida pela televisão nacional –, Mutolo mudou de ideia. "Estou convencido de que estamos atravessando um período muito perigoso e que... os políticos ligados à Cosa Nostra tentarão fazer todo o possível para bloquear as ações efetivas que a magistratura, com a ajuda das testemunhas, realizou nos últimos meses", disse ele. "Percebi, portanto, que devo deixar de lado, de uma vez por todas, os medos que... me impediram de revelar tudo o que sei sobre esse assunto, começando com o problema mais importante... O mais poderoso aliado da Cosa Nostra: o senador

1. Interrogatório de Leonardo Messina. Essas e as principais acusações sobre os laços com a máfia estão no longo pedido arquivado pela Procura della Repubblica de Palermo sobre a suspensão da imunidade parlamentar de Andreotti pelas acusações de conluio com a máfia, *Domanda di autorizzazione a procedere contro il Senatore Giulio Andreotti, XI Legislatura, doc. IV, n. 102*, 27 de março de 1993. Os resultados das investigações posteriores foram adicionados a esse pedido e estão arquivados com o mesmo número.

Giulio Andreotti." Mutolo relatou uma reunião em 1981 em que Rosario Riccobono, o chefe da família, pediu a Ignazio Salvo que usasse sua influência para reverter um julgamento. "Ignazio Salvo disse que falaria com Onorevole Salvo Lima, que discutiria o assunto pessoalmente com o senador Andreotti... Após o assassinato de Stefano Bontate... o 'circuito normal' para todos os problemas que precisavam de atenção em Roma era: Ignazio Salvo, Onorevole Salvo Lima e o senador Giulio Andreotti."[2]

A fim de investigar essas acusações, os procuradores de Palermo tiveram que elaborar um requerimento detalhado, pedindo ao Parlamento italiano que retirasse a imunidade parlamentar de Andreotti. O longo documento – expondo todas as evidências preliminares contra Andreotti e os membros de sua facção política na Sicília – tornou-se uma bomba política no momento em que foi deferido. Embora os supostos vínculos de Andreotti com a Cosa Nostra tivessem sido objeto de fofoca, especulação e até mesmo protestos políticos públicos por quase duas décadas, nenhum documento do governo jamais mencionara acusações tão sérias.

Apenas alguns dias depois, revelações ainda mais chocantes surgiram depois que os procuradores viajaram aos EUA para questionar Francesco Marino Mannoia, que estava no programa americano de proteção a testemunhas. Marino Mannoia forneceu o primeiro depoimento ocular que ligou Andreotti diretamente aos chefes da máfia. Ele descreveu uma reunião de cúpula em 1980 com os chefes Salvatore Inzerillo e Stefano Bontate, na qual Andreotti supostamente chegara com Lima em um Alfa Romeo blindado pertencente aos primos Salvo. Embora Marino Mannoia não tenha participado das discussões privadas, seu chefe, Stefano Bontate, descreveu-lhe mais tarde o conteúdo da reunião. Andreotti supostamente teria vindo protestar contra o recente assassinato do presidente siciliano da *Democrazia Christiana* (PDC), Piersanti Mattarella, assassinado em 6 de janeiro de 1980, ao qual Bontate respondeu: "Estamos no comando aqui na Sicília, e, se você não quiser destruir o partido, fará tudo como dissermos. Caso contrário, nós tiraremos nossos votos, não apenas aqui, mas... em toda a região sul da Itália. Então, você vai ficar apenas com os votos do norte, onde todos votam no Partido Comunista".[3]

---

2. Interrogatório de Gaspare Mutolo.

3. Interrogatório de Francesco Marino Mannoia. As declarações de Mutolo estão contidas em um adendo na *Domanda di autorizzazione*, preenchida pelo Parlamento em 14 de abril de 1993.

Na mesma viagem aos EUA, a equipe de procuradores também se reuniu com Tommaso Buscetta, que talvez tenha feito a acusação mais devastadora de todas: Andreotti teria encomendado um assassinato da máfia. A vítima era Carmine "Mino" Pecorelli, um jornalista que o estava chantageando e que foi morto a tiros em Roma, em março de 1979. "O assassinato de Pecorelli foi um crime político cometido pelos primos Salvo, a pedido do Onorevole Andreotti", disse Buscetta a Giancarlo Caselli, procurador-chefe de Palermo, em abril de 1993. As fontes de Buscetta eram Stefano Bontate e Gaetano Badalamenti, que afirmaram ter ajudado a planejar o assassinato. Badalamenti também dissera a Buscetta que havia se encontrado pessoalmente com Andreotti no escritório particular do ex-ministro em Roma, a fim de pedir-lhe ajuda para o cunhado, Filippo Rimi – cuja condenação foi posteriormente anulada.[4]

Quando Caselli e seus procuradores-assistentes voltaram à Itália, outra bomba esperava por eles. Baldassare Di Maggio, o mafioso que ajudara a capturar Totò Riina, afirmou que tinha estado presente em uma segunda reunião de cúpula da máfia com Andreotti, em 1987, durante o maxijulgamento de Palermo. "Salvatore Riina pediu-me para ir ver Ignazio Salvo – a fim de fazê-lo entrar em contato com Salvatore Lima para marcar uma reunião sobre o julgamento com nosso amigo em comum. O nome do "amigo em comum" era Onorevole Giulio Andreotti. Avisado para vestir suas melhores roupas, Di Maggio fazia parte do *entourage* que foi conduzido com Riina para a reunião no apartamento de Ignazio Salvo. "Na nossa chegada, reconheci, entre as pessoas presentes, sem sombra de dúvida, Giulio Andreotti e Salvo Lima, que se levantaram e nos cumprimentaram... Apertei as mãos dos dois parlamentares e beijei Ignazio Salvo... Riina cumprimentou todos os três homens, Andreotti, Lima e Salvo, com um beijo..."[5]

Andreotti negou as acusações contra ele como sendo "mentiras e calúnias... o beijo em Riina... como uma cena cômica retirada de um filme de terror...". Ele insistiu que os ataques contra ele eram uma retaliação pela dura postura de seu governo contra a Cosa Nostra. "Há algo monstruoso e paradoxal no fato de que eu, o primeiro-ministro cujo governo desferiu

4. Interrogatório de Tommaso Buscetta, também em um adendo à *Domanda di autorizzazione*, preenchida pelo Parlamento em 14 de abril de 1993. As últimas confissões de Buscetta estão também em sua autobiografia, publicada em coautoria com Arlacchi, *Addio Cosa Nostra* (Milão, 1994).

5. *Corriere della Sera*, 21 de abril de 1993.

os mais decisivos golpes contra o crime organizado, esteja sendo retratado como um amigo da máfia... Estou amargurado, mas não surpreso."[6]

Esta última revelação foi mais impactante do que qualquer um poderia imaginar, mesmo na mente dos italianos mais afeitos a conspirações. Para aqueles que viam Andreotti como a mão oculta por trás de todos os crimes não resolvidos da história italiana, essas eram as evidências por tanto tempo esperadas. Para outros – até mesmo alguns dos mais severos críticos de Andreotti – era inconcebível que um homem com sua inteligência inquestionável se expusesse tanto, envolvendo-se pessoalmente com os chefes da máfia. Era difícil imaginar um homem que tinha convivido com grandes figuras históricas do final do século XX – de De Gaulle, Eisenhower e Adenauer até Reagan, Thatcher e Gorbachev – reunindo-se secretamente com gangsteres e assassinos. Era igualmente difícil vislumbrar um homem reservado e frio como Andreotti trocando beijos com Totò Riina, "a Besta".

As acusações contra Andreotti não podem, no entanto, ser desconsideradas. Mesmo a acusação mais incrível de todas – de que Andreotti teria encomendado o assassinato do jornalista Mino Pecorelli – não é tão infundada quanto pode parecer. No mínimo, o caso Pecorelli traz um retrato extremamente perturbador da ilegalidade desenfreada presente dentro da facção Andreotti.

Editor de um jornal polêmico chamado OF, Pecorelli fizera dinheiro por meio da arte da chantagem política, ameaçando publicar matérias prejudiciais sobre a elite dominante e corrupta da Itália. Seus artigos sugeriam informações explosivas que viriam em publicações futuras, enviando mensagens veladas para as partes interessadas. Em alguns casos, ele até imprimia uma cópia fictícia de um artigo jornalístico que não seria publicado caso a quantia pedida fosse paga. Embora ele fosse um falso jornalista, as informações de Pecorelli eram bastante reais. Membro da misteriosa loja maçônica P2, de Licio Gelli, Pecorelli tinha inúmeras fontes nos serviços secretos italianos, e muitas pessoas usavam sua publicação para vazar documentos secretos, plantar histórias prejudiciais e escândalos contra seus oponentes políticos. Quando ele foi morto, em março de 1979, ficou claro que Pecorelli havia ido longe demais e que alguém – quase certamente no mundo político – tivesse decidido silenciá-lo de uma vez por todas. Mas, como era de se esperar, a investigação do assassinato de Pecorelli não deu

6. *La Stampa*, 28 de abril de 1993.

em nada. A investigação estava sendo conduzida pela *Procura* de Roma, aquela espécie de buraco negro em que tantas investigações políticas entravam e da qual quase nada saía.

A investigação começou a se abrir em novembro de 1992, quando Tommaso Buscetta disse aos procuradores que Stefano Bontate dissera-lhe, em 1980: "Realizamos o assassinato de Pecorelli porque os primos Salvo nos pediram". Em uma conversa posterior com Buscetta, Gaetano Badalamenti supostamente confirmou a afirmação de Bontate. Em abril de 1993, Buscetta adicionou um novo detalhe por sua conta: Badalamenti disse a ele que "Andreotti estava preocupado porque Pecorelli havia descoberto muita sujeira, e que o jornalista deixara que Andreotti soubesse disso, e temia que, se essas informações viessem a público, poderiam ser politicamente prejudiciais".[7]

No final de 1992 e início de 1993, os procuradores reuniram evidências consistentes, similares ao cenário descrito por Buscetta. Pouco antes de sua morte, em março de 1979, Pecorelli preparou uma reportagem de capa intitulada "Todos os cheques do presidente", sobre o envolvimento de Andreotti em um grande escândalo de suborno. No início de 1979, Pecorelli encontrou-se com o "consultor jurídico" de Andreotti, Claudio Vitalone, em um restaurante de Roma, e a reportagem de capa sobre Andreotti foi cancelada. (Deve-se assinalar que na época Vitalone era procurador na *Procura* de Roma – o escritório que deveria investigar a corrupção política em Roma e mais tarde seria designado para o assassinato de Pecorelli.) Embora Vitalone admita ter se reunido com Pecorelli, ele nega ter negociado qualquer pagamento de chantagem. Ele foi desmentido pelo braço direito de Andreotti na época, Franco Evangelisti, que falou sob juramento que pagara £ 30 milhões (cerca de US$ 42 mil na época) para convencer Pecorelli a suprimir a reportagem de capa sobre Andreotti. "Onorevole Evangelisti levou pessoalmente os £ 30 milhões em dinheiro para o escritório do tipógrafo onde o OP era impresso", escreveram os procuradores de Roma em junho de 1993. "Evangelisti diz que recebeu o dinheiro de Caetano Caltagirone, que lhe disse que já pagara a Pecorelli outros £ 15 milhões." Evangelisti e Caltagirone já eram famosos por realizar grande parte do trabalho sujo para

---

7. Essa citação e a descrição do caso Pecorelli baseiam-se no relato arquivado pela *Procura della Repubblica* de Roma, requerendo anulação da imunidade parlamentar de Andreotti, pelas acusações de seu envolvimento na morte de Pecorelli, *Domanda di autorizzazione a procedere contro il Senatore Giulio Andreotti, XI Legislatura, doc. IV, n. 169,* 9 de junho de 1993.

a facção Andreotti durante anos. Sabe-se que Evangelisti, um membro do Parlamento, se reunira com Michele Sindona em 1978, quando o banqueiro siciliano era fugitivo da Justiça italiana. Gaetano Caltagirone fez grandes contribuições ilegais de campanha para a facção Andreotti, enquanto, por sua vez, recebeu enormes empréstimos de Italcasse, um banco de propriedade do governo.[8]

Na época da morte de Pecorelli, a polícia encontrou a seguinte nota entre os documentos pessoais do jornalista: "É uma bomba! O escândalo de Italcasse ainda não acabou. Está apenas começando. No início do ano saberemos quem pegou os cheques". As informações de Pecorelli provaram-se extremamente confiáveis. No início de 1980, o império financeiro de Caltagirone foi à falência, deixando Italcasse (e o sistema de impostos italiano) com mais de US$ 200 milhões em empréstimos não pagos.[9]

Então, em uma famosa entrevista no ano de 1980, Evangelisti admitiu abertamente ter recebido grandes contribuições de Caltagirone para a campanha. "Nós nos conhecemos há mais de vinte anos, e todas as vezes que nos víamos, ele me perguntava: 'Franco, de quanto você precisa?'", disse Evangelisti ao jornalista Paolo Guzzanti, com uma sinceridade alarmante. "Quem imaginou que isso se tornaria um escândalo? Quem imaginaria que poderia haver algum mal?" Quando perguntado qual seria a função do dinheiro, Evangelisti respondeu: "Para financiar nossa 'facção'. Para financiar minha campanha eleitoral, financiar o partido".[10]

Embora o Parlamento italiano tenha aprovado uma rigorosa lei de finanças em 1977, as contribuições ilegais de campanha de Caltagirone jamais foram investigadas. Evangelisti era ministro da Marinha Mercantil na época, e embora tenha sido forçado a renunciar ao cargo de gabinete, manteve o assento no Parlamento e permaneceu como chefe da equipe de Andreotti.

A manchete de Pecorelli, "Todos os cheques do presidente", era o paralelo natural com o caso de Caltagirone. Mais uma vez, centenas de milhões de dólares foram despejados da Italcasse em empréstimos para uma empresa de baixo custo chamada SIR – uma parte do dinheiro devolvida direto aos cofres da máquina política de Andreotti. A SIR emitiu uma série de cheques

8. O encontro entre Evangelisti e Sindona é discutido no relatório parlamentar sobre o caso Sindona, reimpresso em Tranfaglia, *Mafia, politica e affari*, pp. 260-67.

9. A *Domanda di autorizzazione a procedere contra Andreotti* de 9 de junho de 1993.

10. *La Repubblica*, 28 de fevereiro de 1980.

bancários para várias pessoas inexistentes, e que, de fato, foram descontados por alguns dos assistentes mais próximos de Andreotti (Evangelisti, Giuseppe Ciarrapico). Assim como aconteceu com Caltagirone, a SIR pediu falência, deixando uma dívida de £ 218 bilhões aos bancos italianos (cerca de US$ 310 milhões em 1979). "Foi demonstrado que cerca de £ 1,4 bilhão (cerca de US$ 2 milhões) em cheques emitidos pela SIR foram colocados à disposição do senador Andreotti", escreveram os procuradores de Roma na sentença de junho de 1993.[11]

Outro agente que operava para Andreotti, Ezio Radaelli, admitiu ter recebido cerca de US$ 240 mil em cheques ilegais da SIR, diretamente para Andreotti, com o intuito de organizar os comícios de campanha. Além disso, Radaelli afirmou em depoimento que, em duas ocasiões diferentes, fora pressionado a não mencionar o nome de Andreotti aos procuradores que investigavam o escândalo. Mesmo o homem que o pressionara admitiu a veracidade da acusação. "De fato, eu realmente disse a Radaelli – a pedido do presidente Andreotti – para que ele não mencionasse seu nome em relação ao negócio dos cheques", disse aos procuradores Carlo Zaccaria, um assessor de Andreotti. De maneira típica, Andreotti tentou ignorar suas relações com Pecorelli contando alguma história engraçada, que, no entanto, revelou que estava plenamente consciente das ameaças de Pecorelli. "Onorevole Evangelisti disse-me que Pecorelli pretendia publicar um artigo contra mim sobre certos cheques... Eu não dei peso à matéria, também por causa da má reputação da revista OP. Evangelista contou-me que havia encontrado Pecorelli devastado por terríveis dores de cabeça das quais sofria periodicamente e que – talvez brincando – atribuía à dureza de alguns de seus ataques jornalísticos. Como também sofri de enxaqueca durante muitos anos, enviei-lhe um remédio que achei muito útil com uma nota em que lhe desejava melhoras." Embora Andreotti insistisse que estava ocupado demais para se importar com o financiamento de sua facção, essa história mostra que ele estava intimamente envolvido com essa situação em seus aspectos mais minuciosos. Sua preocupação com a enxaqueca de Pecorelli também demonstra sua lendária atenção aos detalhes e seu extraordinário senso de ironia: enviar remédio para enxaqueca a um inimigo político que estava criando uma dor de cabeça para Andreotti.

---

11. Este e os próximos parágrafos são baseados estreitamente na *Domanda di autorizzazione a procedere contra Andreotti* de 9 de junho de 1993.

Apesar das repetidas recusas de Andreotti, evidências preliminares deixaram bem claro que ele era um jogador que conhecia o esquema de financiamento de campanha ilegal, comprando perjúrio por meio de suborno e fazendo pagamentos em dinheiro a um chantagista. Mas, evidentemente, isso não prova que ele tenha encomendado o assassinato de Pecorelli. Há, entretanto, um outro lado do escândalo dos cheques da SIR, que conduz a investigação de volta ao mundo do crime organizado. "Alguns desses cheques, em um total de £ 55 milhões (US$ 70 mil), foram descontados por uma empresa controlada pelos financistas Ley Ravello e Domenico Balducci, este último – assassinado em 1982 – membro da chamada 'Gangue Magliana'", segundo escreveram os procuradores de Roma na acusação de Andreotti em junho de 1993. A Gangue Magliana foi uma das principais organizações criminosas de Roma durante as décadas de 1970 e 1980, e Domenico Balducci era um de seus líderes. Também foi um parceiro de negócios e amigo próximo de Giuseppe "Pippo" Calò, o chefe da família da mafiosa de Buscetta, que viveu (em riqueza e estilo) como fugitivo em Roma até a sua prisão, em 1985. (De fato, Balducci foi uma das pessoas que Buscetta conheceu quando fugiu de sua liberdade condicional, em 1980, e passou várias semanas vivendo com Calò em seu esconderijo romano.) Os investigadores da polícia acreditam que a Gangue Magliana era uma espécie de satélite da Cosa Nostra, distribuindo drogas, lavando dinheiro e até mesmo cometendo assassinatos para a máfia na Itália continental. Membros da gangue romana (juntamente com terroristas de direita) ajudaram a realizar o bombardeio terrorista do trem 904, em dezembro de 1984 – um crime organizado por Pippo Calò como uma tática de retaliação diversificada em resposta às revelações de Buscetta no início daquele outono. As ligações financeiras e criminais comprovadas entre Calò e Balducci e entre Balducci e o escândalo SIR-Italcasse criam a possibilidade distinta de que Calò – conhecido como "o tesoureiro" da máfia – possa ter usado a SIR e o banco Italcasse para lavar os lucros do tráfico de drogas da Cosa Nostra. Isso é muito mais do que uma hipótese fantasiosa: um dos muitos cheques bancários emitidos pela SIR foi encontrado no bolso de Giuseppe Di Cristina, o chefe da máfia de Riesi, quando ele foi morto nas ruas de Palermo, em 1978. Esse cheque foi usado por Giovanni Falcone na reconstrução do cartel de heroína de Spatola-Inzerillo e no circuito de lavagem de dinheiro, em seu primeiro grande caso da máfia. Um ano depois de sua morte, a exatidão das metas de Falcone e a acuidade de suas intuições ficaram mais claras do que nunca.

Se o SIR estava sendo usado tanto para lavar dinheiro para a máfia quanto para fazer contribuições políticas, muitos interesses poderosos estavam em jogo quando Pecorelli ameaçou tornar público esse escândalo. Os chefes da máfia e da classe política tinham razões suficientes para querer se livrar de Pecorelli – o tipo de convergência de interesses que parece resultar em cadáveres ilustres.

Buscetta descartou a possibilidade de que a máfia agisse sozinha em um caso delicado desse tipo. "Os primos Salvo nunca teriam encomendado um crime político com consequências tão imprevisíveis sem antes consultar o interessado", disse ele em um depoimento de junho de 1993.

Embora esse cenário fornecesse a Andreotti um forte motivo para eliminar Pecorelli, em última análise, o caso contra o ex-primeiro-ministro dependia da obtenção de uma evidência sólida da ligação entre Andreotti e os chefes da Cosa Nostra.

Andreotti e muitos de seus principais apoiadores insistiam que ele fora vítima de uma conspiração cuidadosamente orquestrada. Eles achavam suspeito que novas acusações contra o ex-primeiro-ministro pareciam surgir em cada nova rodada de depoimentos, que testemunhas que jamais haviam mencionado seu nome, de repente, davam um passo à frente com acusações devastadoras. Eles veem o caso Andreotti como parte da estratégia para destruir o Partido Democrata-Cristão, organizada pelos numerosos adversários políticos em sua época de maior crise. Embora Andreotti tivesse o cuidado de não ser muito específico sobre quem estava por trás dessa conspiração, os membros restantes de seu exército agora esfarrapado ofereceram várias teorias.

Segundo a teoria mais popular, a Cosa Nostra plantou falsas testemunhas para punir Andreotti por seus esforços corajosos contra a máfia. Mas essa noção não se sustenta sob uma análise mais rigorosa. Embora o sétimo governo de Andreotti (de 1991-92) tenha feito uma grande contribuição à guerra contra a máfia, ele jamais se comportou dessa maneira durante os 45 anos anteriores de sua carreira – algo que é condizente com os depoimentos das testemunhas da máfia, segundo os quais o assassinato em Lima foi uma retaliação à súbita reversão da política criminal de

Andreotti. Além disso, uma conspiração da máfia com o intuito de atingir Andreotti é praticamente impossível. As várias testemunhas da máfia que acusavam Andreotti foram detidas em locais diferentes – algumas em países diferentes – e tinham pouca ou nenhuma oportunidade de entrar em contato umas com as outras. Testemunhas recentes como Messina, Marchese e Di Maggio eram de uma geração diferente e não haviam conhecido mafiosos mais antigos como Buscetta, Contorno, Calderone, Marino Mannoia e Mutolo. Mais importante ainda, por que homens que haviam rompido com a máfia dez anos antes, que tiveram as famílias caçadas e assassinadas e que, em troca, haviam infligido golpes devastadores à Cosa Nostra, subitamente se prestariam a agir em uma conspiração para destruir Andreotti?

A outra principal teoria é que as testemunhas estão sendo manipuladas para atacar Andreotti por Giancarlo Caselli, o novo procurador de Palermo, a fim de cumprir uma agenda política de esquerda. Muito além do fato de que Caselli tem um longo histórico de integridade profissional sem mácula, essa teoria tem muitos problemas. Caselli não trabalha sozinho. O caso contra Andreotti foi desenvolvido em conjunto com vários outros magistrados, que dificilmente podem ser acusados de serem fanáticos de esquerda: muitos trabalharam na *Procura* de Palermo quando o escritório foi acusado de ter sido conivente com a facção Andreotti do Partido Democrata-Cristão siciliano. Na verdade, os esboços do caso Andreotti já estavam presentes na acusação do assassinato de Salvatore Lima, elaborada em outubro de 1992, três meses antes de Caselli chegar a Palermo. Além disso, os procuradores dificilmente têm controle exclusivo sobre as testemunhas da máfia, que ficam primeiramente sob custódia dos agentes da polícia, responsáveis por sua proteção e presentes em todos os depoimentos. Uma conspiração contra Andreotti exigiria a participação de pelo menos três diferentes ramos da polícia italiana – para não falar dos agentes americanos, do FBI e da Agência de Repressão às Drogas (DEA), que cuidam de Buscetta e Marino Mannoia nos EUA.

O aumento gradual de acusações contra Andreotti pode ser explicado pelo medo das testemunhas de enfrentar o problema das relações entre a máfia e a política. Como Buscetta repetia frequentemente para Giovanni Falcone: "Seria insensato tocarmos nesse assunto, que é um nó crucial do problema da máfia, quando muitas das pessoas de quem eu teria que falar não saíram do cenário político". Buscetta havia mencionado Andreotti ao procurador americano Richard Martin em uma conversa privada em 1985.[12]

Se não existe uma conspiração contra Andreotti, então os depoimentos das testemunhas devem ser examinados cuidadosamente, um por um.

Embora testemunhas como Leonardo Messina, Gaspare Mutolo e Tommaso Buscetta tenham um excelente histórico de confiabilidade, estão apenas repetindo coisas que lhes foram contadas por outros. Eles insistem em que "homens de honra" nunca mentem quando discutem negócios da máfia, mas ninguém gostaria de condenar um ex-primeiro-ministro pela fé cega na inviolabilidade do código de honra da máfia. É impossível excluir a possibilidade de que suas fontes de informação – chefes como Stefano Bontate, Gaetano Badalamenti e Rosario Riccobono – tenham desejado exagerar sua influência política para aumentar seu prestígio dentro da Cosa Nostra. Além disso, apenas Badalamenti disse a Buscetta que ele havia conhecido pessoalmente Andreotti. Bontate e Riccobono podem simplesmente ter assumido que Andreotti estaria envolvido nos extensos contatos de Lima com a máfia.

Por causa dessas dificuldades potenciais, o caso contra Andreotti provavelmente dependerá do depoimento das duas únicas testemunhas oculares que o ligam diretamente aos chefes da máfia – Baldassare Di Maggio e Francesco Marino Mannoia. Embora Di Maggio tenha contado a fantástica história do beijo entre Andreotti e Riina, ele também foi o homem responsável pela captura de Riina, provando da maneira mais eloquente possível que era um membro do círculo íntimo do chefe. Além disso, Marino Mannoia foi uma testemunha que também impressionou muito os investigadores com sua seriedade e confiabilidade. "Pode parecer inconcebível que Andreotti tenha se encontrado com Stefano Bontate, mas não é menos inconcebível para mim que Francesco Marino Mannoia pudesse inventar algo assim", disse Antonio Manganelli, diretor do *Servizio Centrale*, uma das principais unidades antimáfia da polícia italiana. Diferentemente de outras testemunhas (Buscetta e Calderone) que deram entrevista e foram coautores de livros sobre suas experiências, Marino Mannoia sempre evitou os holofotes, ansioso para enterrar sua antiga identidade no anonimato

12. Essa citação é do interrogatório de Tommaso Buscetta. Também está contida no pedido por muito tempo arquivado pela *Procura della Repubblica* de Palermo para uma renúncia da imunidade parlamentar de Andreotti sob acusações de conluio com a máfia, *Domanda di autorizzazione a procedere contro il Senator Giulio Andreotti, XI Legislatura, doc. IV, n. 102,* 27 de março de 1993.

do programa de proteção a testemunhas dos EUA. "Mannoia não tem absolutamente nenhum interesse em provocar polêmicas", acrescentou Manganelli. "Se ele nunca mais tivesse ouvido falar da Itália em sua vida, ele ficaria muito feliz."[13]

Por outro lado, a credibilidade do próprio Andreotti estava sendo questionada. Ele foi forçado a retratar depoimentos anteriores, dizendo que de fato tinha dado £ 170 milhões em cheques bancários da SIR para seu assessor, Ezio Radaelli, e que ele pedira a Radaelli que não o envolvesse no escândalo. Além disso, parece que ele não disse a verdade quando negou veementemente que tivesse encontrado os primos Salvo em Palermo. Em 1994, uma fotógrafa de Palermo, Letizia Battaglia, descobriu uma foto antiga que ela havia feito no ano anterior, de Andreotti em um comício dos democratas-cristãos realizado no complexo hoteleiro Zagarella, de propriedade dos Salvo. A foto mostra Andreotti sendo recebido pessoalmente por Nino Salvo. É bastante improvável que um homem que se lembrava de ter enviado remédio para enxaqueca a Mino Pecorelli – alguém que ele nunca havia conhecido – quatorze anos depois do fato esqueceria de ter sido convidado pessoal de um dos homens mais ricos da Sicília e um dos maiores financiadores do Partido Democrata-Cristão.

Desde então, os magistrados descobriram cinco outras fotografias mostrando Nino Salvo em eventos públicos com Andreotti. Segundo Vito Ciancimino, o ex-prefeito de Palermo: "Não há dúvidas de que Andreotti e os Salvo se conheciam, era um fato bem conhecido". Andreotti tentou, com dificuldade, manter sua posição original: "Insisto que nunca vi essa pessoa... ou melhor, se o vi, não sabia que era Nino Salvo".

Além disso, investigações recentes produziram evidências condenatórias contra Carnevale, o "assassino de sentença", a quem foi dada a responsabilidade de presidir todos os casos envolvendo a máfia durante vários anos. Conversas grampeadas revelaram que Carnevale estava negociando a absolvição em um caso com um advogado da máfia em 1994. Carnevale foi suspenso de seu cargo, mas continuou indo ao tribunal todos os dias e permaneceu em contato com seus colegas. Uma importante nova testemunha da máfia, Salvatore Cancemi, afirmou em depoimento que dera £ 100 milhões a seu advogado para subornar Carnevale – uma afirmação que parece ter sido confirmada por outro grampo telefônico. Carnevale menciona os £ 10

13. Entrevista do autor com Antonio Manganelli.

milhões ao seu genro, que é ouvido dizendo: "Vamos esperar que essa história sobre Cancemi não vaze". Apesar de não estar diretamente ligado a Andreotti, as evidências contra Carnevale confirmam as alegações das testemunhas da máfia sobre os conchavos com os mais altos níveis de governo.

Apesar dessas evidências crescentes, o tribunal pode não querer condenar um ex-primeiro-ministro sob o depoimento de um grupo de assassinos condenados. Mas a questão das responsabilidades legais e criminais de Andreotti obscureceu o que talvez seja a questão maior e mais importante: a responsabilidade política e moral de Andreotti pela cumplicidade bem documentada com a máfia dos líderes de sua facção na Sicília. Andreotti era uma figura importante – talvez a mais importante – em uma classe política que aceitava uma cultura de ilegalidade e conscientemente usava a força da máfia no sul da Itália para obter vantagens políticas.

Vários fatos sobre Andreotti são inegáveis. Quando Salvatore Lima se juntou à facção Andreotti, em 1968, ele já era alvo de rumores e investigações persistentes. Andreotti sempre se escondia atrás do fato de que Lima nunca fora condenado por qualquer crime e merecia a presunção de inocência. Mas o limite das evidências para a arena política deveria ser um pouco mais alto do que o do tribunal criminal. Lima foi prefeito de Palermo durante os anos em que os chefões da máfia obtiveram quase todas as licenças da cidade. E durante um julgamento na década de 1960, Lima foi obrigado a reconhecer que conhecia Angelo La Barbera, um dos maiores chefes do período. Lima era amigo íntimo de Nino e Ignazio Salvo – ambos foram presos por Falcone em 1984 e condenados no maxijulgamento de Palermo como membros da Cosa Nostra.[14] Nenhum desses fatos, ou o crescente número de testemunhas que ligaram Lima diretamente à máfia durante os anos 1980, fez Andreotti reconsiderar se alguém com a reputação de Lima deveria pertencer ao círculo íntimo de amigos do primeiro-ministro. A comissão antimáfia do Parlamento (incluindo seus membros democratas-cristãos) concluiu por unanimidade, em 1993, que Lima era aliado da Cosa Nostra.

Durante vários anos, Andreotti também aceitou o apoio de Vito Ciancimino, cujos laços com a máfia eram ainda mais preocupantes do que os de Lima. Já no início dos anos 1970, Ciancimino fora publicamente identificado como um dos pilares do poder da máfia em Palermo. Isso não impediu a facção Andreotti de conquistar uma aliança estratégica na qual

14. *La Stampa* e *La Repubblica*, 22 de setembro de 1993.

Ciancimino concordou em apoiar Andreotti nos congressos do Partido Democrata-Cristão. Ter o apoio de alguém como Ciancimino é conscientemente consentir com um sistema baseado em corrupção e violência.

Andreotti tratou todas as críticas com cinismo e disse: "Vocês, democratas-cristãos sicilianos, são fortes, é por isso que sempre se fala mal de vocês", disse ele em uma manifestação em Palermo, para assegurar suas tropas de apoio após os protestos públicos pelo assassinato do general Dalla Chiesa, no final de 1982. "Nós rejeitamos a falsa moralidade desses críticos que espumam a boca enquanto vocês ficam mais fortes a cada eleição", acrescentou, para o óbvio deleite da multidão, que incluía Lima e Ciancimino.[15]

Andreotti é a soma de todas as contradições da vida moderna italiana, amigo dos papas e criminosos, uma mistura bizarra de água benta e *Realpolitik*. Um católico profundamente religioso que ia à missa todas as manhãs às seis horas, Andreotti também é conhecido por seu cinismo amargo. "(Andreotti) parecia ter uma aversão real aos princípios, até mesmo a convicção de que um homem de princípios estava condenado a ser uma figura risível", escreveu Margaret Thatcher, ex-primeira-ministra britânica, em suas memórias. "Andreotti pertence a certa tradição jesuíta clerical na qual você aceita que, em um mundo caído, você tem que trabalhar com o material que tem em mãos", disse Gerardo Bianco, colega de longa data do Partido Democrata-Cristão. "Ele é um homem genuinamente religioso e até caridoso, tem uma visão pessimista da natureza humana e do pecado original que lhe permite tolerar a presença de pessoas de reputação duvidosa."[16]

Giulio Andreotti foi simplesmente a figura mais proeminente em uma escala muito mais ampla desde o período pós-guerra até o momento presente. Há centenas de políticos – grandes e pequenos – que mantêm relações com a máfia que vão desde a corrupção ativa até uma coexistência passiva. O caso contra o ex-ministro do Interior de Andreotti e colega democrata-cristão, Antonio Gava, é, de certa forma, ainda mais perturbador e muito mais documentado. Em vez de simplesmente confiar no depoimento de testemunhas da máfia, os procuradores em Nápoles têm dezenas de conversas telefônicas interceptadas entre figuras do crime organizado e membros da máquina política de Gava. Uma das figuras centrais é Francesco Alfieri, dono de uma grande construtora e primo de Carmine Alfieri, o chefe mais

15. *L'Espresso*, 18 de novembro de 1984.

16. Entrevista do autor com Gerardo Bianco.

poderoso da Camorra, a versão napolitana da máfia. Enquanto observavam a casa de Francesco Alfieri, a polícia notou um desfile contínuo de candidatos que vinham pedir o apoio eleitoral de Alfieri. Quando grampearam seu telefone, ouviram o prefeito de uma cidade local dizer a Alfieri: "*Voi siete il mio padrone*" (Você é meu chefe). Explicando suas relações com tantos representantes eleitos, Alfieri disse aos procuradores: "Eu não convido os políticos, eles se convidam em época de eleição. São eles que precisam de mim". Perguntado por que eles precisavam dele, Alfieri respondeu: "Eu sou muito querido na área por causa da minha alma bondosa. Então eu recomendo pessoas, incluindo políticos, para pessoas que gostam de mim. De vez em quando peço um pequeno favor aos políticos, mas não para mim". Os procuradores prosseguiram listando todos os "pequenos favores" que Alfieri recebeu dos políticos na forma de contratos públicos bastante lucrativos.[17]

Depois que Carmine Alfieri foi capturado, no outono de 1992, ele e seu ex-subchefe, Pasquale Galasso, tornaram-se testemunhas do governo. Ambos implicaram Gava e dezenas de outros políticos. Eles alegam não apenas ter encontrado Gava, mas insistem que o ministro do Interior usou sua influência para obter a libertação de vários *camorristi* condenados.

Embora o caso contra Gava ainda não tenha sido provado, é surpreendente que tantos chefes fugitivos "intocáveis" anteriores como Alfieri e Riina tenham sido repentinamente presos depois de seus supostos protetores políticos terem saído da vida pública.

Além da repressão ao conluio, outro sinal de que o governo tomou medidas reais na guerra contra a máfia é o impressionante progresso que os procuradores obtiveram nas investigações sobre os assassinatos de Falcone e Borsellino. Enquanto quase todos os assassinatos políticos em Palermo nos últimos quinze anos continuaram impunes, os procuradores de Caltanissetta acreditam ter identificado quase todos os envolvidos nos dois atentados, desde os responsáveis pela detonação dos explosivos até os chefes que os planejaram. A polícia indiciou um homem por roubar o carro usado no bombardeio da Via D'Amelio e prendeu um técnico de telefonia acusado de ter grampeado o telefone da mãe de Borsellino, para que a Cosa Nostra soubesse exatamente quando ele chegaria na tarde de 19 de julho de 1992.

---

17. *Domanda di autonizzazione a procedere contro il Senatore Antonio Gava, XI Legislatura, doc. IV, n. 113*, de 7 de abril de 1993.

O sucesso é o resultado de novas testemunhas e de um excelente trabalho policial. O fio investigativo inicial na morte de Falcone foi Antonino Gioè, um assassino da máfia que a polícia manteve sob observação cuidadosa por meses. Colocando dispositivos de escuta em seu apartamento e grampeando seu telefone, os investigadores ouviram Gioè falando sobre o bombardeio de Falcone e criticando indiscretamente alguns dos principais chefes do Cosa Nostra. Quando o ouviram discutindo os planos para dois novos assassinatos, eles foram forçados a entrar em ação e prendê-lo.

Tomado pela culpa e terror por ter inadvertidamente traído seus chefes, Gioè cometeu suicídio, enforcando-se com seus cadarços nas grades da janela de sua cela de prisão em Roma. Mas suas confissões involuntárias forneceram à polícia o primeiro relato incompleto do assassinato. Os procuradores puderam completar a investigação com mais detalhes quando os três mafiosos que haviam participado do bombardeio decidiram confessar. Um deles, Salvatore Cancemi, um membro da Comissão, literalmente andou até a porta de entrada de uma das estações policiais de Palermo por conta própria e se entregou – outro sinal da crise interna profunda na organização. Ele afirmou estar farto da violência sem fim empreendida pela estratégia terrorista dos *corleonesi*, que, segundo ele, tinha sido a ruína da Cosa Nostra. Cancemi estava envolvido no planejamento do assassinato, ajudando a encontrar o melhor local para plantar a bomba e um lugar seguro em um monte próximo onde poderiam armazenar os explosivos na terra de um proprietário amigo da Cosa Nostra. Outra das novas testemunhas, Santino Di Matteo, era um dos tripulantes entre os cinco homens que colocaram explosivos sob a rodovia e dirigiram em alta velocidade desde o aeroporto, para que os assassinos pudessem testar o detonador de controle remoto com a velocidade de um carro que se aproximava. O terceiro, Gioacchino La Barbera, foi o homem que alertou os assassinos quando o avião de Falcone aterrissou no aeroporto de Punta Raisi.[18]

---

18. A reconstrução mais completa e detalhada do assassinato de Falcone está contida nos vários documentos arquivados pela *Procura distrettuale antimafia* de Caltanisetta, que cuidou da investigação: a *Richiesta per l'aplicazione di misure cautelani*, arquivada em 1 novembro de 1993; a *Richiesta per l'applicazione di misure cautelari*, de 10 de novembro de 1993; a *Ordinanza di custodia cautelare in carcere*, arquivada em 11 de novembro de 1993; a *Richiesta di rinvio a giudizio Aglieni, Pietro + 36*, arquivada em 30 de abril de 1994. Sobre o assassinato de Borsellino, ver *La Stampa*, 10 outubro de 1993, e *Corriere*, 4 de janeiro de 1994. Sobre o suicídio de Gioè, ver *Corriere*, 1º de agosto de 1993.

As três testemunhas possibilitaram a reconstrução do ataque em todas as suas fases, minuto a minuto. A decisão de matar Falcone foi tomada, disseram, por Totò Riina, que atribuiu o planejamento do trabalho a Salvatore Biondino, o homem que estava com Riina quando foi preso, em janeiro de 1993. Ao todo, cerca de dezoito homens participaram da preparação e execução do bombardeio. Um homem de honra com um açougue perto da casa de Giovanni Falcone foi encarregado de alertar os outros quando os guarda-costas do procurador chegassem para pegar seu carro blindado – algo que sempre faziam antes de chegar do aeroporto. Outro estava em Roma para seguir Falcone pela capital, ligando para os mafiosos em Palermo quando ele deixou o Ministério da Justiça e se dirigiu ao aeroporto. Um terceiro estava no aeroporto de Punta Raisi, esperando o avião aterrissar. Outros dois vigias foram posicionados entre o aeroporto e o ponto de ataque, prontos para alertar o grupo sobre a aproximação da caravana. Pressionando o detonador estava Giovanni Brusca, cujo pai é o chefe de San Giuseppe Jato. Presidindo toda a ação estava Leoluca Bagarella – o cunhado de Riina. Cancemi e Di Matteo descreveram a comemoração da vitória que se seguiu ao bombardeio de Capaci, com Totò Riina pedindo champanhe francês para a ocasião. Enquanto os outros brindavam, as duas futuras testemunhas se entreolharam e, em voz baixa, trocaram uma avaliação sombria de Totò Riina e seu futuro: "*Stu cornutu ni consumo 'a tutti!*" (Este corno será a ruína de todos nós!).[19]

Essa reconstrução confirmou o que a polícia havia descoberto por meio de um brilhante trabalho investigativo. Ao identificar os números de celulares dos vários participantes, a polícia conseguiu documentar o cruzamento de chamadas que levou ao ataque. Esses registros provam que o mafioso em Roma realmente ligou ao homem no aeroporto de Palermo quando o avião de Falcone decolou e pôde documentar a súbita realização de chamadas entre os vigias e o grupo com o detonador, que aumentou de intensidade nos minutos finais e terminou com a explosão, às 5h56.

Os registros – combinados com os comentários sem censura de Gioè – provam que os depoimentos das novas testemunhas não são uma fantasia maliciosa.

O único ponto que ainda permanece incerto é se a máfia realmente agiu sozinha ao matar Falcone e Borsellino ou se agiu coordenada com alguém no governo ou nos serviços secretos.

19. *Corriere*, 23 de novembro de 1993.

"Não é apenas a máfia", insiste o amigo de Falcone, o juiz Vito D'Ambrosio.[20] Mas, até agora, nenhuma evidência concreta emergiu apoiando essa afirmação. Enquanto investigavam o assassinato de Giovani Falcone, procuradores em Caltanissetta descobriram que Rudi Maira, membro do Parlamento em Roma, falava ao telefone celular com uma figura do crime organizado na Sicília quando a bomba explodiu, matando Falcone, sua esposa e o guarda-costas. Essa conversa foi interrompida pela explosão da bomba, sugerindo que o mafioso estava nas proximidades do assassinato. Os procuradores não acreditam que Maira tenha qualquer responsabilidade no assassinato de Falcone, mas a coincidência dos dois eventos cria um mal-estar na República italiana às 5h56 no dia 2 de maio de 1992: cinco funcionários leais do governo são explodidos por um bando de mafiosos enquanto um membro do Parlamento tem uma conversa amigável com um de seus associados.[21]

A polícia italiana agora é capaz de reconstruir crimes importantes dentro de alguns meses de sua ocorrência e até de antecipar e prever outros crimes, o que é uma indicação de quanto evoluiu desde o final dos anos 1970, quando a Cosa Nostra era um mundo obscuro e impenetrável cuja existência ainda era colocada em dúvida.

"Em um momento anterior, tudo isso teria sido impensável", disse Alfredo Morvillo, procurador antimáfia em Palermo e cunhado de Falcone, em uma entrevista depois que os mandados de prisão foram emitidos para o bombardeio de Capaci. "Os tempos mudaram: existe um mecanismo que agora se move por conta própria. Devemos esse método de trabalho sobretudo a Rocco Chinnici, Giovanni Falcone e Paolo Borsellino."[22]

Os procuradores da máfia italiana descrevem o período da morte de Borsellino em julho de 1992 até a primavera de 1994 como um "momento mágico". A polícia italiana desarticulou organizações criminosas inteiras, prendeu figuras da máfia que haviam escapado fazia décadas, desarticulou redes de lavagem de dinheiro, frustrou tentativas de assassinato, apreendeu bilhões de dólares em ativos ilegais e indicou dezenas de empresários, políticos, magistrados e policiais acusados de proteger mafiosos conhecidos. Os

---

20. Entrevista do autor com Vito D'Ambrosio.

21. *Domanda di autonizzazione a procedere contro il deputato Rudi Maira, XI Legislatura, doc. IV, n.* 153, arquivado, e 28 de dezembro de 1992.

22. *Corriere*, 13 de novembro de 1993.

procuradores desfrutaram do apoio total da opinião pública e do poder do governo central em Roma. Pela primeira vez, os investigadores tinham as ferramentas, os recursos e as estruturas organizacionais necessárias para lidar com a máfia de maneira coordenada e global. O escritório da Procuradoria de Palermo era agora dirigido por um homem de comprometimento e habilidades inquestionáveis, e, após anos de conflito e controvérsia, os procuradores assistentes trabalhavam em estreita harmonia. Os investigadores da polícia que surgiram na década de 1980 mudaram-se para posições de poder nos anos 1990. Mais de seiscentas pessoas eram testemunhas do governo – um êxodo quase bíblico dentro do crime organizado. A *omertà* existente entre os cidadãos comuns também começou a ser desfeita.

Do ponto de vista estatístico, os resultados foram genuinamente positivos: em dois anos, as prisões no sul da Itália aumentaram 46%, e a taxa de homicídios em toda a Itália diminuiu em 42%. Que a taxa de homicídios de uma nação inteira possa ser tão dramaticamente influenciada por uma repressão policial demonstra claramente que a violência na Itália é, em grande parte, um problema do crime organizado, e não um fenômeno sociológico geral.

Mas procuradores antimáfia que atingiram a maioridade durante a década de 1980 estão cientes de quão frágil é esse tipo de sucesso. Se há um tema que atravessa as carreiras de Giovanni Falcone e Paolo Borsellino é a importância fundamental dos ventos políticos na guerra contra a máfia na Itália. O crime organizado foi combatido de maneira esquizofrênica, com longos períodos de inércia interrompidos por súbitas explosões de energia em resposta aos protestos públicos sobre um crime particularmente hediondo. Quando os praticantes desfrutavam do apoio do governo, eles obtiveram sucesso. Após a primeira guerra da máfia, no início dos anos 1960, a Cosa Nostra foi forçada a se dispersar por vários anos, mas ficou mais forte do que nunca quando o governo perdeu o interesse pelo problema, durante a década de 1970. A segunda guerra da máfia e o assassinato do general Alberto Dalla Chiesa levaram ao julgamento máximo de Palermo. Mas a força-tarefa antimáfia foi desmantelada por políticos que queriam um Judiciário mais dócil. O apoio político para essa repressão mais recente foi determinado pelos assassinatos de Falcone e Borsellino. A importância do entorno político na aplicação da lei pode ser comprovada matematicamente. Quando o governo agiu, o número de detenções e julgamentos subiu, e o número de assassinatos e mortes por *overdose* diminuiu. Quando o governo relaxou o controle, os números se inverteram.

A experiência dos últimos quarenta anos deixou claro o que deveria ter sido óbvio desde o início: uma classe dominante que vive envolvida em um padrão de ilegalidade não está em posição de conduzir uma campanha séria e prolongada contra o crime organizado. O impressionante sucesso da aplicação da lei desde 1992 foi levado adiante lado a lado com uma tentativa muito maior de limpar o sistema de corrupção do governo. O apoio político a essa repressão mais profunda foi determinado, em parte, pela atmosfera anômala criada pela enorme operação contra a corrupção do governo, a Operação Mãos Limpas. Com um terço dos parlamentares italianos sob acusação, o Judiciário italiano tornou-se temporariamente o braço dominante do governo. O Parlamento foi forçado a cometer uma espécie de suicídio coletivo: aprovou a tão esperada reforma eleitoral, adotou um novo sistema de votação majoritária e se dissolveu, convocando novas eleições nacionais em 2 de março de 1994.

O triunfo eleitoral do primeiro-ministro Silvio Berlusconi, em março, pôs fim a esse período de interregno judicial. Com o novo Parlamento, os poderes Executivo e Legislativo prometeram recuperar o poder perdido para a magistratura. Embora o novo governo insista que continuará tanto as investigações de corrupção quanto a guerra contra a máfia, há uma ansiedade considerável entre os agentes da lei italianos. Mesmo antes de Berlusconi entrar na vida política, muitos dos principais executivos de seu império financeiro Fininvest estavam sob investigação no escândalo de suborno em Milão, incluindo seu irmão, Paolo Berlusconi. Além disso, o primeiro-ministro Berlusconi tem laços estreitos com muitos membros dos antigos partidos políticos que foram os mais atingidos pela investigação. Bettino Craxi, o ex-chefe do Partido Socialista Italiano, que é um fugitivo da Justiça italiana na Tunísia, foi padrinho de casamento de Berlusconi. O representante-chefe de Berlusconi na Sicília, Marcello Dell'Utri – embora não tenha sido acusado de nenhum delito –, tem laços documentados com as maiores figuras do crime organizado. Durante a campanha eleitoral, surgiram rumores de que Dell'Utri poderia ser indiciado – criando a percepção de que procuradores antimáfia eram hostis ao futuro primeiro-ministro.[23]

23. O número de testemunhas do crime organizado vem do Ministério do Interior italiano.

Em outro momento durante a campanha eleitoral na última primavera, o principal chefe da máfia calabresa, Giuseppe Piromalli, declarou em tribunal aberto: "Vamos votar em Berlusconi". Depois das eleições, houve uma série de atentados a bomba e incêndios criminosos contra figuras políticas da oposição na Sicília – um sinal de que a máfia acredita que pode se aproveitar dessa nova situação.

"Sabemos, por várias testemunhas, que a máfia tem altas expectativas com esse governo", disse Vincenzo Macri, procurador da *Direzione Nazionale*, em Roma, que coordena os procuradores da máfia na Itália. "Não sabemos se isso reflete promessas feitas ou apenas esperanças por parte da máfia."[24]

Essas esperanças podem surgir não necessariamente dos contatos diretos entre o partido Forza Italia, de Berlusconi, e a máfia, mas sim do desejo frequentemente manifestado por seu partido de limitar o poder da magistratura. Mesmo assim, não deixa de ser perturbador que vários membros do novo Parlamento tenham solicitado mudanças drásticas no programa italiano de proteção a testemunhas e a eliminação das prisões insulares dos chefões mais perigosos da máfia, duas das armas mais eficazes contra o crime organizado.

Em 1993 e 1994, o desemprego chegou a 10% em nível nacional, de modo que o crescimento econômico substituiu a busca por um governo limpo como a principal prioridade do país. As investigações de corrupção congelaram muitos projetos de obras públicas, criando a impressão de que o combate à corrupção é ruim para os negócios. Berlusconi foi eleito em parte porque prometeu criar um milhão de novos empregos, mas também prometeu desmantelar as indústrias estatais, que são o principal instrumento do patrocínio político, da corrupção e de penetração da máfia no governo.

O primeiro ano do governo de Berlusconi foi tudo menos encorajador. A batalha entre o primeiro-ministro e os magistrados de Milão se intensificou. No verão de 1994 – quando os procuradores estavam prestes a prender vários executivos da Fininvest de Berlusconi –, o gabinete de Berlusconi apressadamente publicou um decreto que tornava ilegal que os magistrados prendessem os réus por uma série de crimes de colarinho branco. Embora os crimes da máfia estivessem excluídos do decreto do governo, havia uma cláusula que passou despercebida, que teria sido uma potencial bonança

24. Os números do crime de 1992 e 1993 vêm do relatório anual da comissão antimáfia do Parlamento, *Relazione conclusiva, XI Legislatura, Doc. XXIII n. 14*, 18 de fevereiro de 1994.

para o crime organizado. O decreto exigia que os magistrados notificassem potenciais suspeitos, dentro de três meses, de que eles eram objeto de investigação, o que teria impossibilitado qualquer investigação complexa sobre crime organizado. Mafiosos suspeitos sob investigação teriam que ser informados de que seus telefones estavam sendo grampeados. Felizmente, o decreto foi rejeitado quando o próprio governo de Berlusconi – a Liga Lombarda e os neofascistas da *Alleanza Nazionale* (Associação Nacional) – se recusou a apoiá-lo.[25]

Com a apresentação de acusações de suborno contra o próprio primeiro-ministro Berlusconi, em novembro de 1994, o conflito entre o governo e a magistratura chegou a um ponto de ruptura. O ministro da Justiça de Berlusconi imediatamente pediu uma inspeção do Ministério Público de Milão e indiciou o procurador-chefe do *Consiglio Superiore della Magistratura*. O Supremo Tribunal italiano interveio, removendo os investigadores de Milão e enviando-os para um escritório muito menor na cidade de Brescia. No meio dessa batalha, o juiz Antonio Di Pietro, o magistrado que havia iniciado a investigação da Operação Mãos Limpas, renunciou, dizendo que estava exausto, pois a operação havia se transformado em um futebol político. Sua renúncia põe em xeque o futuro da investigação de corrupção. A grande questão é que, assim como no passado, a guerra do governo contra a magistratura acabou sabotando a guerra contra a máfia.[26]

O futuro da máfia, no entanto, também depende de fatores econômicos. O desejo de estimular a economia criou grandes tentações para o governo. A solução mais rápida e fácil é reabrir a torneira dos gastos do governo e não prestar muita atenção a quem controla os contratos. Mas a experiência dos últimos 45 anos mostrou que essa fórmula é um desastre iminente. O governo deve ter em mente que o poder da máfia e a saúde econômica são irreconciliáveis.

O sul da Itália encontra-se em uma situação não muito diferente da dos países do leste europeu após a queda do Muro de Berlim. Como a Bulgária

---

25. A sede da empresa de Berlusconi, Fininvest, foi revistada em 9 de março de 1994, e Dell'Utri foi interrogado pelos procuradores no mesmo dia – *Corriere*, em 10 de março de 1994. Dell'Utri foi grampeado falando com Vittorio Mangano, um grande traficante de heroína condenado no maxijulgamento de Palermo; a conversa é registrada em um relatório policial reproduzido em Ruggeri e Guarino, *Berlusconi: Inchiesra sul Signor* TV, pp. 229-30. Sobre os vazamentos sobre a possível acusação de Dell'Utri, ver *Corriere*, 23 de março de 1994.

26. Entrevista do autor com Vincenzo Macrì.

ou a Checoslováquia, a Sicília viveu durante décadas sob um sistema corrupto e ineficiente que agora é subitamente exposto aos rigores do mercado. Em toda a Sicília, com uma população de milhões de pessoas, existem apenas 110 mil empregos na indústria, e um número deles está em indústrias estatais mantidas abertas por razões políticas. Muitos desses empregos irão desaparecer no curto prazo, quando as indústrias do governo forem vendidas. A polícia e a magistratura só podem resolver o problema da aplicação da lei; o governo deve promover um sistema abrangente de desenvolvimento da economia sulina da Itália – uma estratégia que desestimule a economia de dependência do governo e crie um setor privado sem aumentar os já altos níveis de desemprego.[27]

As ações do governo num futuro próximo determinarão se a grande limpeza dos últimos anos simplesmente se tornará meros parênteses no longo reinado da Cosa Nostra na Sicília ou se representará o começo do fim da máfia.

Embora a Cosa Nostra tenha recebido duros golpes, a organização não foi derrotada. Apesar da prisão de Totò Riina, a liderança da facção *corleonesi* parece ainda se manter solidamente no poder. Os principais sócios de Riina, Bernardo Provenzano e seu genro, Leoluca Bagarella, ainda estão foragidos, e acredita-se que estejam comandando a organização. E o número relativamente baixo de assassinatos da máfia indica que o nível de conflito interno esteja sob controle.

Embora existam muitas pessoas tentando restaurar o antigo *status quo*, há razões para acreditar que algo importante mudou na Sicília nos últimos dez a quinze anos. O consenso social que a máfia teve no passado foi seriamente prejudicado. "A máfia não está desaparecendo, mas as pessoas que costumavam nos reverenciar e se identificar com a máfia agora nos toleram porque estão com medo", afirmou Leonardo Messina perante o Parlamento italiano. "As pessoas na Sicília estão começando a acreditar no Estado porque agora até mesmo o filho de um varredor de rua ou de um sapateiro pode ir para a universidade e não quer mais ficar sujeito à máfia", disse ele.[28]

Falcone e Borsellino tiveram muito a ver com essa mudança social. Os cruzados do passado contra a máfia, do "prefeito de ferro" de Mussolini, Cesare Mori, ao general Dalla Chiesa, foram, como as tropas conquistadoras

27. Sobre o decreto do governo, ver *La Stampa*, *La Repubblica* e *Corriere*, 14-20 de julho de 1994.

28. Sobre a renúncia de Di Pietro, ver *La Stampa* e o *Corriere*, 7 de dezembro de 1994.

de Garibaldi, italianos do norte em uma missão de civilizar a ilha e ligá-la ao resto da Itália. Falcone e Borsellino ofereceram uma nova imagem do Estado: séria, inflexivelmente honesta e profundamente siciliana. Ao levar a máfia a julgamento, provaram que ela não é invencível. E eles fizeram isso por meio do uso escrupuloso do código penal. "A coisa mais revolucionária que você poderia fazer na Sicília", disse Falcone certa vez, "é simplesmente aplicar a lei e punir os culpados".[29]

Claramente, a criminalidade continuará a existir na Sicília e no resto da Itália, como acontece em quase todas as democracias modernas. Mas o extraordinário poder da Cosa Nostra sobre a vida cotidiana derivou em boa parte de sua capacidade de se infiltrar no sistema político. Se o vínculo de conluio pode ser quebrado, a máfia pode ser isolada muito mais facilmente, e seu poder reduzido ao de outros grupos do crime organizado que operam na periferia, e não no centro da sociedade.

Berlusconi pode ser sincero em seu desejo declarado de combater a máfia, mas há indícios de que, pelo menos em nível local, o crime organizado fez uma tentativa de se infiltrar em seu partido. No dia 29 de março de 1994, dois dias após a coalizão do governo ter 54 dos 61 assentos no Parlamento representados na Sicília, Giuseppe Mandalari, contador do Totò Riina, foi gravado pela polícia quando fez o seguinte comentário sobre os resultados eleitorais: "Lindo, todos os candidatos são meus amigos, todos eles foram eleitos".[30]

Berlusconi renunciou em dezembro de 1994. Seu lugar tem sido ocupado por seu ex-ministro do Tesouro, Lamberto Dini, liderando o novo governo "não político". Isso pode ajudar a trazer uma trégua à guerra entre o governo e a magistratura. Mas Berlusconi já está planejando seu retorno ao poder e está pressionando pelas eleições de junho de 1995. O problema, no entanto, não é uma personalidade. A questão é se o novo partido político que cresceu a partir das ruínas do antigo terá força para rejeitar a "ajuda" oferecida pelas figuras do crime organizado.

"Não há dúvida de que a máfia está à procura de novos aliados no governo", disse Giuseppe Tricoli, um amigo pessoal próximo do procurador Paolo Borsellino e membro da Aliança Nacional, que faz parte do braço de

---

29. *Sole 24 Ore*, 2 de dezembro de 1992. Entrevista com Salvatore Butera, do *Banco di Sicilia*.
30. Depoimento de Leonardo Messina diante da comissão antimáfia do Parlamento italiano, 4 de dezembro de 1993.

governo. "E é certo que eles tentarão se infiltrar na *Forza Italia*, que reciclou muitas figuras dos antigos partidos políticos. Mas é nosso papel no governo impedir que uma nova aliança entre a máfia e a política se forme. O resultado dessa luta determinará todo o jogo."[31]

31. *L'Espresso*, 28 de maio de 1989.

Cronologia

1838. Os tribunais na Sicília fazem a primeira menção aos "sindicatos, irmandades e seitas" criminosos.

1860. Giuseppe Garibaldi chega com tropas italianas do norte a Marsala, unificando a Sicília com o recém-criado Estado italiano.

1863. *Il Mafiusi di la Vicaria* estreia. A peça, sobre um grupo de criminosos na cadeia de Palermo, é o primeiro uso registrado do termo mafioso (ou *mafiuso*) para se referir a membros de uma organização criminosa.

1876. Inquérito parlamentar de Leopoldo Franchetti e Sidney Sonnino sobre as origens da violência na Sicília.

1890. O chefe de polícia de Nova Orleans é morto em uma disputa entre dois grupos criminosos sicilianos, levando ao linchamento de ítalo-americanos.

1893. O ex-prefeito de Palermo Emanuele Notarbartolo é assassinado. Raffaele Palizzolo, membro do Parlamento da Sicília, é acusado de ordenar sua morte.

1916. Salvatore Lucania, também conhecido como Lucky Luciano, imigra para os EUA.

1924. Benito Mussolini nomeia Cesare Mori "Prefeito de Palermo" e lhe dá poderes extraordinários para combater a máfia.

1943. 9 de julho: Tropas aliadas invadem a Sicília, derrotando o fascismo. Mafiosos conhecidos juntam-se ao novo movimento do separatismo siciliano e obtêm posições de destaque durante a ocupação aliada.

1946. O primeiro governo italiano do pós-guerra concede autonomia especial à Sicília, incluindo seu próprio Parlamento, efetivamente pondo fim ao movimento separatista. Os EUA deportam Lucky Luciano e vários outros gângsteres ítalo-americanos para a Itália.

1947. 1º de maio: O bandido Salvatore Giuliano e seus homens atiram na passeata do dia 1º de maio, organizada pelos comunistas e camponeses sicilianos detidos em Portella di Ginestra para celebrar a sua forte participação nas recentes eleições locais. Na década após o fim da Segunda Guerra Mundial, 43 socialistas, comunistas ou sindicalistas foram assassinados na Sicília.

1955. 1º de outubro: Os membros ítalo-americanos e sicilianos da Cosa Nostra realizam uma cúpula da máfia no Hotel delle Palme, em Palermo. Seis semanas depois, a polícia dos EUA interrompeu uma cúpula de gângsteres americanos em Apalachin, Nova York. A Cosa Nostra siciliana, seguindo o modelo americano, forma uma "Comissão", cuja cabeça é Salvatore Greco.

1963. 30 de junho: Um carro cheio de dinamite explode e mata sete *carabinieri* italianos, no culminar de uma escalada da guerra da máfia em Palermo. Os assassinatos provocam uma perseguição na qual 1.903 mafiosos suspeitos são presos, e o Parlamento italiano convoca sua primeira comissão antimáfia. Salvatore Greco e outros importantes mafiosos (incluindo Tommaso Buscetta) mudam-se para a América do Norte e do Sul. A Cosa Nostra dissolve temporariamente a Comissão.

1969. Os principais julgamentos contra a máfia terminam com a absolvição geral dos réus. Salvatore Riina e Bernardo Provenzano quebram a liberdade condicional e se tornam fugitivos.

10 de dezembro: Um esquadrão de ataque da máfia, dirigido por Riina e Provenzano, mata Michele Cavataio, o homem acusado de ter iniciado a primeira guerra mafiosa. Calogero Bagarella, o irmão da futura esposa de Riina, morre no tiroteio.

Um triunvirato é formado para governar a máfia siciliana durante um período de reorganização. O triunvirato é composto por Gaetano Badalamenti (o chefe de Cinisi), Stefano Bontate (o chefe de Santa Maria di Gesù em Palermo) e Salvatore Riina (de Corleone).

1973. Leonardo Vitale, um mafioso de Palermo, confessa, indicando Salvatore Riina como um dos novos chefes da máfia. Vitale é enviado a uma instituição para criminosos com problemas mentais, e as acusações são canceladas.

1974. A Comissão completa da Cosa Nostra é restabelecida com Gaetano Badalamenti como chefe. Apenas oito mortes por *overdose* de drogas são registradas na Itália.

1975. Uma comissão "interprovincial" é estabelecida, unindo todos os clãs da Sicília a fim de reduzir o conflito entre Palermo e as outras províncias. O principal patrocinador da ideia é Giuseppe Calderone (o chefe de Catânia).

1977. O coronel Giuseppe Russo, um investigador da máfia dos *carabinieri* e um amigo são assassinados em Ficuzza, perto de Corleone. O assassinato foi realizado sem a autorização da Comissão e sem o conhecimento de seu líder, Badalamenti.

1978. 30 de maio: Giuseppe Di Cristina, chefe de Riesi e membro da Comissão, é morto a tiros em Palermo. Alguns dias antes, Di Cristina havia alertado a polícia sobre a ascensão da máfia *corleonesi* e o assassinato iminente de vários funcionários públicos.

30 de setembro: Giuseppe Calderone, chefe de Catânia e amigo íntimo de Di Cristina, é morto. O novo chefe de Catânia é Nitto Santapaola.

Gaetano Badalamenti é retirado da Comissão e expulso da Cosa Nostra. Michele Greco, o chefe de Ciaculli (Palermo), conhecido como "o Papa", torna-se o novo chefe da Comissão.

1979. 9 de março: Michele Reina, chefe do Partido Democrata-Cristão na província de Palermo, é assassinado.

11 de julho: Giorgio Ambrosoli, o advogado que investigava a falência do império financeiro do banqueiro siciliano Michele Sindona, é assassinado em Milão.

21 de julho: Boris Giuliano, vice-chefe de polícia de Palermo, que iniciou as primeiras grandes investigações sobre o tráfico de heroína entre a Sicília e os EUA, é morto perto de sua casa, em Palermo.

2 de agosto: Michele Sindona desaparece de Nova York, onde estava sob acusação, encenando um falso sequestro terrorista com a ajuda de John Gambino e outros membros da máfia americana. Depois de passar várias semanas na Sicília sob os cuidados dos mafiosos sicilianos Rosario Spatola e Salvatore Inzerillo, Sindona reaparece em Nova York em 16 de outubro.

25 de setembro: Cesare Terranova é assassinado em Palermo. Ex-magistrado e membro comunista do Parlamento, ele estava se preparando para retornar à magistratura como chefe do *Ufficio Istruzione* (escritório de investigação) de Palermo.

1980. 6 de janeiro: Piersanti Mattarella, presidente da região da Sicília e importante reformador democrata-cristão, é assassinado em Palermo.

5 de maio: O capitão Emanuele Basile, dos *carabinieri*, é morto na frente de sua esposa e filha em Monreale. Juntamente com Paolo Borsellino, Basile vinha realizando uma importante investigação (iniciada por Boris Giuliano) sobre o tráfico de heroína e assassinato envolvendo a máfia de Corleone. Paolo Borsellino é designado para investigar o assassinato.

O procurador-chefe da *Procura della Repubblica*, Gaetano Costa, assina 55 mandados de prisão contra o cartel de heroína dos clãs Spatola-Inzerillo-Gambino. O caso passa para o escritório de investigação e é atribuído a Giovanni Falcone. Costa é morto mais tarde naquele verão, em 6 de agosto.

1981. 23 de abril: Stefano Bontate, chefe de Santa Maria di Gesù, membro da Comissão, é assassinado na noite do seu 43º aniversário.

11 de maio: Salvatore Inzerillo, um dos aliados de Bontate na Comissão, é morto com o mesmo rifle Kalashnikov. A segunda guerra da máfia de Palermo entra em pleno vigor, com mais de cem pessoas mortas ou desaparecidas no decorrer do ano.

Junho: A polícia intercepta um telefonema de Tommaso Buscetta no Brasil para Ignazio Lo Presti, um empresário de Palermo, perguntando sobre Salvatore Inzerillo e a guerra em curso da máfia. Lo Presti desaparece mais tarde naquele verão.

25 de dezembro: Massacre de Natal da Bagheria, no qual mafiosos e transeuntes são mortos no centro da cidade. A polícia encontra um carro de fuga com as impressões digitais de Giuseppe Marchese, sobrinho do chefe Filippo Marchese.

1982. 30 de abril: Pio La Torre, chefe do Partido Comunista Italiano da Sicília e membro da comissão antimáfia do Parlamento, é morto com seu motorista, Rosario Di Salvo, em Palermo.

1º de maio: Carlo Alberto Dalla Chiesa torna-se o novo prefeito Palermo.

12 de julho: Principal operação policial em Palermo, liderada por Ninni Cassarà, com base em seu relatório, implicando Michele Greco e outros 161 réus.

3 de setembro: O general Carlo Alberto Dalla Chiesa, sua esposa e seu motorista são mortos.

13 de setembro: Parlamento italiano cria o cargo de comissário-chefe para Assuntos Antimáfia, com poderes de investigação negados a Dalla

Chiesa. Também passa a lei Rognoni-La Torre, concebida pelo líder comunista morto Pio La Torre, dando aos procuradores o poder de confiscar bens controlados pela máfia.

Novembro-dezembro: Rosario Riccobono, o chefe do Partanna-Mondello, e Filippo Marchese, o chefe do Corso dei Mille, desaparecem. Irmão, sobrinho e genro de Tommaso Buscetta são assassinados em Palermo.

1983. 24 de maio: Polícia captura um navio no Canal de Suez levando 233 quilos de heroína para Palermo.

9 de julho: Giovanni Falcone e o procurador-chefe, Rocco Chinnici, emitem quatorze mandados de prisão para o assassinato do general Dalla Chiesa. O acusado principal é Michele Greco.

11 de julho: Ko Bak Kin, um dos principais fornecedores de heroína da Cosa Nostra, é preso em Bangkok e concorda em cooperar com a polícia.

31 de julho: Rocco Chinnici, chefe do gabinete de investigação de Palermo, junto com dois guarda-costas e o porteiro de seu prédio, são mortos na explosão de um carro-bomba.

Agosto: Bettino Craxi torna-se pela primeira vez primeiro-ministro socialista da Itália; Mino Martinazzoli e Virginio Rognoni tornam-se ministros da Justiça e do Interior, fornecendo apoio crítico à guerra contra a máfia.

Novembro: Antonino Caponetto substitui Rocco Chinnici como chefe do escritório de investigação de Palermo e forma a força-tarefa antimáfia, composta por Giovanni Falcone, Paolo Borsellino, Giuseppe Di Lello e Leonardo Guarnotta.

1984. Junho: Giovanni Falcone e Vincenzo Geraci viajam ao Brasil para conhecer Tommaso Buscetta, que é extraditado para a Itália e se torna testemunha do governo.

29 de setembro: Com base no depoimento de Buscetta, são emitidos 366 mandados de prisão.

1º de outubro: Salvatore Contorno, soldado de Stefano Bontate, começa a cooperar, levando a mais 127 mandados de prisão.

3 de outubro: Dois ex-prefeitos de Palermo, Giuseppe Insalaco e Elda Pucci, e a atual prefeita, Nello Martellucci, comparecem perante a comissão antimáfia e discutem a influência do crime organizado no governo da cidade. Duas semanas depois, o carro de Insalaco é queimado do lado de fora de sua casa, em Palermo.

4 de outubro: Parlamento italiano vota contra a demissão do ministro das Relações Exteriores, Giulio Andreotti, por causa de seus laços com o financista Michele Sindona, que acaba de ser extraditado para a Itália por encomendar um assassinato da máfia.

3 de novembro: Vito Ciancimino, ex-prefeito de Palermo, é preso sob acusação de associação com a máfia.

12 de novembro: Nino e Ignazio Salvo, os chefes de um dos maiores impérios comerciais da Sicília, são indiciados por associação com a máfia.

2 de dezembro: Leonardo Vitale, a primeira testemunha moderna da máfia, é assassinado.

23 de dezembro: O trem 904 de Nápoles–Milão é explodido por uma bomba terrorista, matando 16 e ferindo 262 pessoas. Giuseppe Calò, membro da Comissão, é mais tarde acusado de organizar o atentado.

1985. Maio: Leoluca Orlando torna-se prefeito de Palermo.

25 de julho: Giuseppe Montana, chefe do "esquadrão de fugitivos" da polícia de Palermo, captura oito fugitivos da máfia de alto escalão, enquanto os preparativos para o tribunal especial necessário para abrigar o maxijulgamento de Palermo estão a todo vapor. Três dias depois, Montana é morto.

6 de agosto: Ninni Cassarà, vice-chefe do Esquadrão de Investigação da polícia de Palermo, e seu guarda-costas são assassinados. Giovanni Falcone e Paolo Borsellino são evacuados para a ilha de Asinara como proteção contra um possível assassinato.

24 de outubro: Caso *Pizza Connection*, com Tommaso Buscetta e Salvatore Contorno como testemunhas, começa em Nova York.

8 de novembro: Falcone, Borsellino e a força-tarefa antimáfia registram a *ordinanza-sentenza* de 8.607 páginas para o maxijulgamento de Palermo.

1986. 10 de fevereiro: Inicia-se o maxijulgamento de Palermo, com 475 réus, 117 dos quais ainda eram fugitivos.

20 de fevereiro: Michele Greco, "o Papa", é capturado e se junta aos acusados do maxijulgamento.

19 de março: Michele Sindona é condenado por assassinato. No dia seguinte, ele morre em sua cela de prisão depois de beber uma xícara de café envenenado.

2 de abril: Tommaso Buscetta e Salvatore Contorno chegam dos EUA para testemunhar no maxijulgamento de Palermo.

22 de maio: Paolo Borsellino se prepara para deixar Palermo depois de ser selecionado para se tornar o procurador-chefe de Marsala.

1987. 10 de janeiro: O romancista Leonardo Sciascia publica um artigo importante no qual ataca os procuradores antimáfia.

Junho: Eleições nacionais são realizadas para a definição de um novo Parlamento. Defendendo a causa dos direitos dos réus, o Partido Radical mantém uma campanha para angariar novas inscrições bem-sucedida nas prisões italianas, para a qual inúmeros chefes da máfia contribuem fortemente. O Partido Socialista, atacando o poder do Judiciário, quase dobra seus votos em Palermo. O novo ministro da justiça, Giuliano Vassalli, é um franco oponente de qualquer negociação de confissão ou proteção de testemunhas da máfia.

Novembro: O referendo para limitar o poder do Judiciário, patrocinado pelos partidos Socialista e Radical, prevalece.

16 de dezembro: Depois de um ano e meio, o primeiro maxijulgamento de Palermo termina com 344 condenações e 114 veredictos de inocência. Antonino Caponetto, procurador-chefe do gabinete de investigação de Palermo, prepara-se para regressar a Florença.

1988. 12 de janeiro: Giuseppe Insalaco, ex-prefeito de Palermo, é morto.

14 de janeiro: O investigador antimáfia de Palermo Natale Mondo é morto.

19 de janeiro: *Consiglio Superiore della Magistratura* escolhe Antonino Meli em vez de Giovanni Falcone como novo chefe do gabinete de investigação de Palermo.

9 de março: Falcone emite 160 mandados de prisão com base no depoimento de Antonino Calderone, irmão do ex-chefe de Catânia, Giuseppe Calderone.

13 de abril: Antonio Gava, um democrata-cristão que supostamente teria ligações com o crime organizado em Nápoles, torna-se ministro do Interior.

21 de julho: Paolo Borsellino denuncia publicamente o desmantelamento da força-tarefa antimáfia de Palermo.

30 de julho: O *Consiglio Superiore della Magistratura* abre audiências para investigar as acusações de Borsellino.

5 de agosto: O governo em Roma escolhe Domenico Sica em vez de Giovanni Falcone como novo comissário-chefe para Assuntos Antimáfia.

2 de setembro: O juiz Antonio Saetta, que deveria julgar a apelação do julgamento de Palermo, é assassinado junto com seu filho.

23 de novembro: Suprema Corte da Itália decide contra Falcone e a favor de Meli, dividindo os casos de Calderone entre doze escritórios diferentes.

1989. 26 de maio: A testemunha Salvatore Contorno é presa com outros criminosos em Palermo.

6 de junho: Cartas anônimas começam a circular acusando Giovanni Falcone e outros de enviar Contorno à Sicília para matar os réus da máfia.

2 de junho: Uma bomba poderosa é descoberta perto da casa de verão de Falcone, em Addaura, enquanto Falcone investiga com magistrados suíços suspeitas de lavagem de dinheiro na Suíça italiana.

20 de julho: O comissário-chefe, Domenico Sica, acusa Alberto Di Pisa, procurador da máfia de Palermo, de ser o orquestrador da campanha de cartas anônimas contra Falcone e outros.

23 de julho: Giulio Andreotti torna-se primeiro-ministro pela sexta vez.

3 de outubro: Giuseppe Pellegriti acusa Salvatore Lima, ex-prefeito de Palermo, de ordenar o assassinato do general Carlo Alberto Dalla Chiesa. Giovanni Falcone acusa Pellegriti de difamação.

8 de outubro: Francesco Marino Mannoia começa a colaborar com Falcone.

1990. 24 de janeiro: Leoluca Orlando renuncia ao cargo de prefeito de Palermo.

6 de maio: Eleições administrativas são realizadas, durante as quais numerosos candidatos políticos são assassinados, baleados ou ameaçados no sul da Itália.

9 de maio: Giovanni Buonsignore, um burocrata de Palermo que denunciou a influência da máfia em contratos com o governo local, é morto.

19 de maio: Leoluca Orlando acusa os procuradores de Palermo de encobrir evidências contra os protetores políticos da máfia.

21 de setembro: Juiz Rosario Livatino, procurador antimáfia de Agrigento, é assassinado.

16 de outubro: Antonio Gava deixa o cargo de ministro do Interior e é substituído por Vincenzo Scotti.

1991. 1º de fevereiro: Claudio Martelli torna-se ministro da Justiça, pedindo a Giovanni Falcone que seja um de seus principais assessores.

26 de fevereiro: Michele Greco, "o Papa", e 41 réus condenados do julgamento de Palermo são liberados pela Suprema Corte da Itália – apenas para serem detidos por um decreto especial feito por Martelli em consulta com Falcone.

3 de maio: Massacre em Taurianova, Calábria. Os assassinatos do crime organizado na Itália cresceram 73% no primeiro semestre do ano.

3 de agosto: O ministro do Interior, Scotti, dissolve o conselho municipal de Taurianova, corrompido pelo crime organizado – o primeiro de outros setenta conselhos municipais a serem dissolvidos durante os dois anos seguintes.

Agosto a novembro: Paolo Borsellino ganha a colaboração de três novas testemunhas em Marsala: Piera Aiello, Rita Atria e Vincenzo Calcara.

9 de agosto: Antonio Scopelliti, um procurador que pretendia argumentar o caso do governo no apelo final do maxijulgamento de Palermo diante da Suprema Corte italiana em Roma, é assassinado enquanto estava na Calábria.

29 de agosto: Libero Grassi, um homem de negócios de Palermo que desafiava a extorsão da máfia, é assassinado em Palermo.

Setembro: O governo de Roma adota os planos de Falcone para organizar a guerra contra a máfia com uma polícia centralizada e nos escritórios dos procuradores.

11 de dezembro: Paolo Borsellino retorna a Palermo como vice-procurador, desempenhando um papel de liderança em novas investigações da máfia.

1992. 31 de janeiro: O primeiro departamento da Suprema Corte italiana, menos seu presidente, Corrado Carnevale, mantém as condenações do maxijulgamento de Palermo.

17 de fevereiro: Mario Chiesa, um administrador socialista em Milão, é preso por suborno, abrindo a imensa investigação por corrupção política conhecida como Operação Mãos Limpas.

12 de março: Salvatore Lima, o maior aliado do primeiro-ministro Giulio Andreotti na Sicília, é baleado e morto perto de sua casa, em Mondello, nos arredores de Palermo.

5 de abril: Os partidos do governo sofrem grandes perdas nas eleições nacionais, perdendo sua maioria no Parlamento.

23 de maio: Giovanni Falcone, sua esposa, Francesca Morvillo, e três guarda-costas são mortos por uma bomba em Capaci, perto do aeroporto

de Palermo. No dia do funeral de Falcone, o Parlamento italiano elege Oscar Luigi Scalfaro presidente da República.

30 de junho: Leonardo Messina começa a colaborar com Paolo Borsellino.

10 de julho: Giacchino Schembri, um mafioso preso na Alemanha, passa a cooperar com Paolo Borsellino.

14 de julho: O ministro das Relações Exteriores socialista, Gianni De Michaelis, é acusado de suborno.

16 de julho: Gaspare Mutolo começa a colaborar com Paolo Borsellino.

19 de julho: Paolo Borsellino e cinco guarda-costas são mortos por uma bomba colocada fora da casa de sua mãe, em Palermo.

23 de julho: O primeiro-ministro, Giuliano Amato, envia sete mil soldados para a Sicília e adota um novo e duro pacote de medidas contra o crime, contendo um programa de proteção à testemunha, impulsionado pelas mortes de Falcone e Borsellino.

11 de outubro: Procuradores em Palermo acusam 24 pessoas do assassinato de Salvatore Lima, descrito como embaixador da Cosa Nostra em Roma.

1993. 15 de janeiro: Salvatore Riina é preso em Palermo, após 23 anos como fugitivo.

11 de fevereiro: O ex-primeiro-ministro Bettino Craxi renuncia ao cargo de chefe do Partido Socialista, depois de vários indiciamentos por suborno.

27 de março: O ex-primeiro-ministro Giulio Andreotti é acusado de conluio com a máfia por procuradores de Palermo.

18-19 de abril: Com uma margem esmagadora, os eleitores italianos votam por um referendo nacional rejeitando o sistema eleitoral proporcional do país, favorecendo um novo sistema majoritário.

23-26 de julho: Partido Democrata-Cristão, que liderou os governos italianos desde 1946, se dissolve formalmente, dando origem a *Il Partito Popolare*.

1994. 27 a 28 de março: O empresário Silvio Berlusconi vence em novas eleições nacionais, liderando uma coalizão formada por seu novo partido, *Forza Italia*, a separatista Liga do Norte e a Aliança Nacional neofascista.

6 de dezembro: Antonio Di Pietro, o magistrado que deu início à investigação sobre a corrupção política, a Operação Mãos Limpas, renuncia após ter iniciado um processo contra o primeiro-ministro Berlusconi, acusado de suborno.

Bibliografia

Antecedentes gerais sobre a Sicília e a máfia:

Arlacchi, Pino. *La mafia imprenditrice*. Bologna, 1983.
Cancilla, Orazio. *Palermo*. Roma-Bari, 1988.
Catanzaro, Raimondo. *Il delitto come impresa*. Milão, 1988.
Colajanni, Napoleone. *Nel regno della mafia* [1900]. Catanzaro, 1984.
Dalla Chiesa, Carlo Alberto. *Michele Navarra e la mafia del corleonese*. Palermo, 1990.
Di Fresco, Antonio Maria. *Sicilia: 30 anni di regione*. Palermo, 1990.
Duggan, Christopher. *Fascism and the Mafia*. New Haven, 1989.
Falzone, Gaetano. *Storia della mafia*. Palermo [1973], 1987.
Fentress, James, and Chris Wickham. *Social Memory*. Oxford, 1992.
Franchetti, Leopoldo. *Condizioni politiche e amministrative della Sicilia* [1877]. Roma, 1992.
Gambetta, Diego. *La mafia siciliana*. Turin, 1992. Em inglês, *The Sicilian Mafia*. Cambridge, 1993.
Gatto, Simone. *Lo stato brigante*. Palermo, 1978.
Genah, Raffaele, e Valter Vecellio. *Stone di ordinaria ingiustizia*. Milão, 1987.
Hess, Henner. *Mafia*. Roma-Bari, 1984.
Lupo, Salvatore. *Storia della mafia siciliana*. Roma, 1993.
Maraini, Dacia. *Bagheria*. Milão, 1993.
Mori, Cesare. *Con la mafia ai ferri corti* [1932]. Palermo, 1993.
Morisi, Massimo, et at. *Far politica in Sicilia*. Milão, 1993.
Nicolosi, Salvatore. *Il bandito Giuliano*. Milão, 1977.
Pantaleone, Michele. *Mafia e politica*. Turin, 1960.

__________. *Anti-mafia occasione peduta*. Turin, 1969.
__________. *A cavallo della tigre*. Palermo, 1984.
Paternostro, Dino. *A pugni nudi: Placido Rizzotto e le lotte popolari a Conleone el secondo dopoguerra*. Palermo, 1992.
Poma, Rosario. *Onorevole Alzatevi*. Florence, 1976.
Renda, Francesco. *Storia della Sicilia. Palermo*: vol. I, 1984; vol. 2,.1985; vol. 3 1987.
__________. *I beati Paoli*. Palermo, 1988.
Riolo, Claudio. *L'identità debole: il PCI in Sicilia tra gli anni 70 e 80*. Palermo, 1989.
Sciascia, Leonardo. *Il giorno della civetta*. Turin, 1961.
__________. *A ciascuno il suo*. Turin, 1966.
__________. *A futura memoria*. Milão, 1989.
__________. *Una storia semplice*. Milão, 1989.
__________, com Marcelle Padovani. *La Sicilia come metafora*, Milão, 1979.
Smith, Dennis Mack. *Storia della Sicilia medievale e moderna*. Roma-Bari, 1983.
Tajani, Diego. *Mafia e potere: Requisitoria, 1871*. Pisa, 1993.

Livros que tocam diretamente na história recente da máfia siciliana:

Alajmo, Roberto. *Un Ienzuolo contro la mafia*. Palermo, 1994.
Alexander, Shana. *The Pizza Connection*. New York, 1988.
Arena, Riccardo. *Sanità alla sbarra*. Palermo, 1994.
Ayala, Giuseppe. *La guerra dei giusti*. Milão, 1993.
Blumenthal, Ralph. *The Last Days of the Sicilians*. Nova York, 1988.
Buongiorno, Pino. *Totò Riina*. Milão, 1993.
Calvi, Fabrizio. *La vita quotidiana della mafia*. Milão, 1986.
__________. *Figure di una battaglia*, Bari, 1992.
__________. *L'Europe dei parrains*, Paris, 1993.
Caponetto, Antonio, com Saverio Lodato. *I miei giorni a Palermo*. Milan, 1992.
Dalla Chiesa, Nando. *Delitto imperfetto*. Milão, 1984.
__________. *Storie*. Turin, 1990.
__________. *Il giudice ragazzino*. Turin, 1992.
Deaglio, Enrico. *Raccolto Rosso*. Milão, 1993.

Di Lello, Giuseppe. *Giudici*, Palermo, 1994.
Di Pisa, Alberto, e Salvatore Parlagreco. *Il grande intnigo*. Roma, 1993.
Fava, Claudio. *La mafia comanda a Catania: 1960-1991*, Roma-Bari, 1991.
__________. *Cinque delitti imperfetti*. Milão, 1994.
Galasso, Alfredo. *La mafia politica*. Milão, 1993.
Galluzzo, Lucio, Franco Nicastro, e Vincenzo Vasile. *Obiettivo Falcone*. Nápoles, [1989], 1992.
Grasso, Tano. *Contro il racket*. Roma-Bari, 1992.
Lodato, Saverio. *Dieci anni di mafia*. Milão, 1990. Recentemente relançado em uma edição atualizada sob o título: *Quindici anni di mafia*. Milão, 1994.
__________. *I potenti*. Milão, 1992.
Misiani, Francesco. *Per fatti di mafia*. Roma, 1991.
Orlando, Leoluca. *Palermo*. Milão, 1990.
Palermo, Carlo. *Attentato*. Trento, 1992.
Parlagreco, Salvatore. *Il mistero del corvo*, Milão, 1990.
Provisionato, Sandro. *Segreti di mafia*. Roma-Bari, 1994.
Rossi, Luca. *I disarmati*. Milão, 1992.
Sterling, Claire. *Octopus*. Nova York, 1990.
Tranfaglia, Nicola, ed. *Cirillo, Ligato e Lima*. Roma-Bari, 1994.

Livros diretamente relativos ou escritos por Giovanni Falcone e Paolo Borsellino:

Falcone deu uma longa entrevista no final de 1985, que foi reimpressa com uma coleção de fotografias no volume *Falcone vive* (Palermo [1986], 1992).

As reflexões autobiográficas de Falcone sobre a máfia apareceram em um livro preparado por Marcelle Padovani, *Cose di Cosa Nostra* (Milão, 1991).

Storia di Giovanni Falcone, por Francesco La Licata (Milão, 1993), escrito com a colaboração de suas irmãs.

Paolo Borsellino: Il valore di una vita, por Umberto Lucentini (Milão, 1994).

O volume *Sulla Pelle dello Stato* (Palermo, 1991) contém discursos de Borsellino, Falcone e outros magistrados. *Magistrati in Sicilia* (Palermo, 1992) contém os últimos debates públicos dos quais Falcone e Borsellino participaram.

Uma coleção de discursos de Falcone está em *Discorsi di Giovanni Falcone* (Palermo, 1994).

Talvez a expressão mais importante da obra de Giovanni Falcone e Paolo Borsellino esteja contida nas 8.607 páginas da acusação do maxijulgamento de Palermo, oficialmente *Ordinana Sentenza contro Abbate + 706*, arquivado em Palermo em 8 de novembro de 1985.

As principais seções da ordenança foram reimpressas no volume *Mafia: L'honto di accusa dei giudici di Palermo*, editado por Corrado Stajano (Roma, 1986).

Também de importância fundamental é a *Sentenza istruttoria del processo contro Rosario Spatola +119*, de Falcone, *Tribunale di Palermo*, 1982. *A Requisitoria, Rosario Spatola 1- 84*, arquivada por Giusto Sciacchitano, da *Procura della Repubblica* de Palermo, em 7 de dezembro de 1981, fornece um registro da investigação. Uma importante investigação paralela ao caso Spatola foi conduzida por procuradores em Milão sobre a carreira criminosa de Michele Sindona, que foi reimpressa em forma parcial no volume *Sindona: gli atti d'accusa dei giudici di Milano* (Roma, 1986). Um excelente relato do assassinato de Giorgio Ambrosoli por Sindona é *Un eroe borghese*, de Corrado Stajano (Turim, 1991). Veja também *Il Crack: Sindona, La DC. Il Vaticano e gli altri amici* de Paolo Panerai e Maurizio De Luca (Milão, i); *Il Caso Marcinkus*, de Leonardo Coen e Leo Sisti (Milão, 1991); *L'Italia della P2*, de Andrea Barberi *et al.* (Milão, 1982); *Banqueiro de São Pedro: Michele Sindona*, de Luigi Di Fonzo (Nova York, 1983).

Outro registro fundamental de seu trabalho está contido nos depoimentos de várias testemunhas da máfia que eles questionaram ao longo de sua carreira. Esses interrogatórios são arquivados no tribunal de Palermo pelo nome do réu/testemunha:

Interrogatório de Tommaso Buscetta.

Interrogatório de Salvatore Contorno.

Interrogatório de Vincenzo Marsala.

Interrogatório de Vincenzo Sinagra.

Interrogatório de Antonino Calderone.

Interrogatório de Francesco Marino Mannoia.

Interrogatório de Rosario Spatola.

Interrogatório de Giacomina Filipello.

Interrogatório de Rita Atria.

Interrogatório de Piera Aiello.
Interrogatório de Vincenzo Calcara.
Interrogatório de Leonardo Messina.
Interrogatório de Gaspare Mutolo
Interrogatório de Giacchino Schembri.
Interrogatório de Giuseppe Marchese.

A transcrição completa do maxijulgamento de Palermo foi reimpressa no *Giornale di Sicilia*, entre fevereiro de 1986 e dezembro de 1987. Trechos substanciais aparecem em um volume editado por Lino Jannuzzi, *Cosi Parlà Buscetta* (Milão, 1986). Outro livro que discute o maxijulgamento é Aurelio Angelini e outros, *Uno Sguardo dal bunker: cronache del maxi-processo di Palermo* (Siracusa, 1987).

Variações nas confissões de Buscetta apareceram nos volumes *Il boss è solo*, de Enzo Biagi (Milão, 1986). Um livro de memórias atualizado apareceu mais recentemente, *Addio Cosa Nostra*, de Pino Arlacchi (Milão, 1994).

As confissões de Antonino Calderone foram reproduzidas no livro *Uomini del disonore*, de Pino Arlacchi (Milão, 1992), que foi traduzido para o inglês como *Men of Dishonor* (Nova York, 1993).

As carreiras das testemunhas da máfia feminina Filipello, Atria e Aiello aparecem no livro *Donne di mafia*, de Liliana Madeo (Milão, 1994).

A melhor discussão em um único volume da história italiana do pós-guerra é *Uma História da Itália Contemporânea*, de Paul Ginzborg (Nova York, 1990). Uma boa história geral da corrupção política e crime organizado na Itália é de Alessandro Siji, Il Malpaese (Roma, 1994). Ver também *Corrotti e corruttori dall'Unità d'Italia alla P2* (Roma-Bari, 1984), de Sergio Turone. Sobre a investigação de corrupção que começou em Milão, veja *Milano degli scandali*, de Barbacetto Veltri (Roma-Bari, 1991); de Andrea Pamparana e Enrico Nascimbeni, *Le mani pulite* (Milão, 1992); Giuseppe Turani e Cinzia Sasso, *I saccheggiatori* (Milão, 1992); *Tangentomani*, de Antonio Carlucci (Milão, 1992).

Bons livros gerais sobre eventos políticos recentes na Itália são *La disunità d'ltalia* (Milão, 1990) e *L'inferno* (1992), de Giorgio Bocca; *Il disordine* de Corrado Stajano (Turin, 1993).

O *Centro Siciliano di Documentazione Giuseppe Impastato* publicou uma importante série de estudos estatísticos da máfia e de Palermo: *La violenza programmata*, de Giorgio Chinnici e Umberto Santino (Milão,

1989); *L'impresa mafiosa*, de Umberto Santino e Giovanni La Fiura (Milão, 1990); *La città spugna*, de Amelia Cristantino (Palermo, 1990); *Le tasche di Palermo*, ed. Nino Rocca e Umberto Santino (Palermo, 1992); *Gabbie vuote: processi per omicidio a Palermo dal 1983 al maxiprocesso*, de Giorgio Chinnici *et al.* (Milão, 1992).

Também me apoiei nas atas do Consiglio Superiore della Magistratura, o corpo administrativo do Judiciário italiano, que tem poderes disciplinares sobre todos os juízes e magistrados.

Extremamente importantes foram dezenas de relatórios da comissão antimáfia do Parlamento italiano, publicados ao longo da última década. Uma excelente seleção de alguns dos relatórios mais importantes da comissão, da década de 1960 até o presente, pode ser encontrada no volume *Mafia, politica e affari*, editado por Nicola Tranfaglia (Roma-Bari, 1992).

Particularmente importantes foram as audiências públicas de Tommaso Buscetta, Leonardo Messina e Gaspare Mutolo e da *Relazione sui rapporti tra mafia e politica*, lançada em 6 de abril de 1993; e o *Relazione di Minoranza, X Legislatura, Doc. XXIII, n. 12-bis/i*, de 24 de janeiro de 1990; *Relazione sulle risultanze dell'attivita' del gruppo di lavoro della Commissione incaricato di indagare sulla recrudescenza di episodi criminali durante il periodo elettorale, X Legislatura, Doc. XXIII*, n. 20, 25 de julho de 1990.

Entre os documentos mais importantes para entender o problema da máfia e da política estão os muitos pedidos feitos ao Parlamento italiano solicitando isenções de imunidade parlamentar. Em particular:

Domanda di autorizzazione a procedere contro il deputato Gunnella, VII Legislatura, Doc. IV, n. 120, 22 de novembro de 1978.

Domanda di autorizzazione a procedere contro il senatore Antonio Natali, X Legislatura, Doc. IV, n. 82, 18 de janeiro de 1990.

Domanda di autorizzazione a procedere contro il deputato Gunnella, X Legislatura, Doc. IV, n. 225 – A e A-bis, 23 de outubro de 1991.

Domanda di autorizzazione a procedere contra il senatore Sisinio Zito, X Legislatura, Doc. IV, n. 105, 13 de janeiro de 1992.

Domanda di autorizzazione a procedere contro il deputato Principe, X Legislatura, Doc. IV, n. 244, 13 de janeiro de 1992.

Domanda di autorizzazione a procedere contro il deputato Culicchia, XI Legislatura, Doc. IV, n. 1, 11 de maio de 1992.

Domanda di autorizzazione a procedere contro il deputato Principe, XI Legislatura, Doc. IV, fl. 49, 3 de julho de 1992.

Domanda di autorizzazione a procedere contro il senatore Sisinio Zito, XI Legislatura, Doc. IV, n. 30, 2 de setembro, 1991.

Domanda di autorizzazione a procedere nei confronti dei deputati Craxi e Martelli, XI Legislatura, Doc. IV, n. 225, 11 de março de 1993.

Domanda di autorizzazione a procedere in giudizio contro il deputato Occhipinti, XI Legislatura, Doc. IV, n. 149, 28 de dezembro de 1992.

Domanda di autorizzazione a procedere contro il senatore Giulio Andreotti, XI Legislatura, Doc. IV, 102, 2 de março 1993.

Domanda di autorizzazione a procedere contro il senatore Giulio Andreotti, XI Legislatura, Doc. IV, n. 161, 31 de maio de 1993.

Domanda di autorizzazione a procedere contro il senatore Giulio Andreotti, XI Legislatura, Doc. IV, n. 169, 9 de junho de 1993.

Domanda di autorizzazione a procedere contro il senatore Giulio Andreotti, XI Legislatura, Doc. IV, n. 196, 21 de julho de 1993.

Domanda di autorizzazione a procedere contro il senatore Antonio Gava, XI Legislatura, Doc. IV, n. 113, 7 de abril de 1993.

Domanda di autorizzazione a procedere contro il deputato Cirino Pomicino, XI Legislatura, Doc. IV, n. 258, 8 de abril de 1993.

Domanda di autorizzazione a procedere contro il deputato Mastrantuono, XI Legislatura, Doc. IV, n. 259, 8 de abril de 1993.

Domanda di autorizzazione a procedere contro il deputato Rudi Maira, XI Legislatura, Doc. IV, fl. 143, 28 de dezembro de 1993.

AGRADECIMENTOS

Meus sinceros agradecimentos àqueles que consentiram em ser entrevistados para este livro. Muitos deles são citados no texto, mas muitos outros, que não foram citados, não foram menos úteis. Tenho especial gratidão a Maria Falcone, Agnese Borsellino, Manfredi Borsellino, Rita Fiore Borsellino e Maria Pia Lepanto Borsellino, cuja participação com certeza foi dolorosa.

Por me ajudarem a reunir uma montanha de documentos, sou profundamente grato ao pessoal da Comissão Antimáfia do Parlamento italiano, especialmente Enzo Montecchiarini e Piera Amendola, e ao presidente da comissão durante o período de minha pesquisa, Luciano Violante. Igualmente valiosa foi a ampla documentação fornecida gentilmente pelo *Consiglio Superiore della Magistratura* com a ajuda do juiz Vincenzo Maccarone. As equipes do *Giunte per Autorizzazione per Procedere* do Senado italiano e da Câmara dos Deputados também foram extremamente prestativas e incansáveis. O mesmo vale para os gabinetes de informação pública de vários ministérios governamentais, em particular o do Interior, da Justiça e da Defesa. O pessoal do tribunal de "*bunker*" de Palermo foi um modelo de eficiência e cortesia na localização e cópia de enormes quantidades de depoimentos.

Quero agradecer aos muitos amigos que conheci em Palermo, os quais foram incrivelmente generosos e hospitaleiros, e também repletos de discernimento e compreensão, em particular Marta Cimino, Giuliana Saladino, Paolo Viola, Beatrice Monroi e Marco Anzaldi.

Também tenho uma grande dívida com muitos amigos em Roma, especialmente Vittorio Foa e Sesa Tatò, pelo caloroso incentivo e pelas observações inteligentes; e com muitas pessoas da Academia Americana em Roma, com quem vivi por três anos, o diretor Joseph Connors, a vice-diretora Pina Pasquantonio e a presidente Adele Chatfield Taylor.

Minha esposa, Sarah McPhee, foi talvez a maior força que me incentivou a investigar esse assunto como um livro e também realizou a tarefa ingrata, mas extremamente importante, de ler os primeiros rascunhos mais crus do manuscrito. Jenny, Martha e Laura McPhee também foram extremamente gentis de ter tempo para realizar leituras assíduas e perspicazes de vários rascunhos. Minha agente, Sallie Gouverneur, ajudou desde a proposta até o livro acabado. Dan Frank, da Pantheon, tem sido tudo que eu poderia esperar de um editor. Ele estava envolvido, interessado e entusiasmado, disponível sempre que necessário, mas respeitando a autonomia de um autor. Sua assistente, Claudine O'Hearn, tem sido de grande ajuda em conduzir o livro ao longo do processo editorial.